Alguém como você

Cathy Kelly

ALGUÉM COMO VOCÊ

Tradução
Flávia Carneiro Anderson

BERTRAND BRASIL

Título original: *Someone Like You*

Capa: Simone Villas-Boas
Foto de capa: Simon Wilkinson/GETTY Images
Foto da Autora: Sven Arnstein

Editoração: DFL

Texto revisado segundo o novo
Acordo Ortográfico da Língua Portuguesa

2010
Impresso no Brasil
Printed in Brazil

CIP-Brasil. Catalogação na fonte
Sindicato Nacional dos Editores de Livros, RJ

K39a Kelly, Cathy
Alguém como você/Cathy Kelly; tradução Flávia Carneiro Anderson.
— Rio de Janeiro: Bertrand Brasil, 2010.
700p.

Tradução de: Someone like you
ISBN 978-85-286-1459-6

1. Amizade – Ficção. 2. Mulheres – Irlanda – Ficção. 3. Irlandeses – Egito – Ficção. 4. Romance irlandês. I. Anderson, Flávia Carneiro. II. Título.

CDD – 828.99153
10-4976 CDU – 821.111(415)-3

EDITORA BERTRAND BRASIL LTDA.
Rua Argentina, 171 – 2º andar – São Cristóvão
20921-380 – Rio de Janeiro – RJ
Tel.: (0xx21) 2585-2070 – Fax: (0xx21) 2585-2087

Atendimento e venda direta ao leitor:
mdireto@record.com.br ou (21) 2585-2002

Para John, com carinho

AGRADECIMENTOS

Gostaria de pedir desculpas de antemão a todos os que não forem incluídos, já que tenho *certeza* de que me esquecerei de alguém importante. As pessoas me perguntam qual é a minha maior dificuldade na hora de escrever um livro, e sempre respondo que esta é a parte mais complicada. Quando nos dedicamos de corpo e alma a um romance, desejamos desesperadamente agradecer a todas as pessoas amáveis que nos ajudaram de algum modo ao longo da elaboração do livro atual ou dos anteriores. Costumo me lembrar de indivíduos a quem devo agradecer quando paro no sinal de trânsito e não tenho como anotar os nomes. Acabo por me esquecer desses detalhes importantes da mesma forma que, ao entrar no supermercado para comprar leite, acabo saindo com quatro sacolas abarrotadas de compras, menos o produto que tinha a intenção inicial de adquirir. Então vamos lá:

Quero agradecer ao meu querido John, por todo carinho e estímulo, à minha família, pelo apoio, à minha mãe, pela ajuda com as infindáveis tarefas, à Lucy, pela criatividade, à Francis, por sempre estar disponível ao telefone, animando-me, à Anne, à Laurinha, Naomi e Emer, ao Dave e à Sta. Lucia e ao meu adorado Tamsin, que ilumina meus dias e aparece neste livro (ligeiramente disfarçado).

Obrigada também à Ali Gunn, um amor de pessoa, a melhor agente literária do mundo, uma mulher que sabe que o telefone é para ser usado o tempo todo, e não apenas no dia de Natal. Sou especialmente grata à Deborah Schneider, a Diana, Carol e todos da Curtis Brown. À Sarah Hamilton, pelos bate-papos agradáveis, além de todo incentivo e compreensão, à Rachel Hore, pela colaboração fantástica neste livro, praticamente até o dia do nascimento de Leo. À minha nova família na HarperCollins, sobretudo aos queridos Anne O'Brien, Nick Sayers, Adrian Bourne, Eddie Bell, Fiona McIntosh, David North, Martin Palmer, Jane Harris, Phyllis

Acolatse, Terence Caven, Jennifer Parr, Lee Motley, Venetia, Moira, Tony... a todos vocês pela gentileza e por terem corrido risco de morte ao pendurar aqueles cartazes enormes no átrio! Agradeço muito. Obrigada igualmente a minha família irlandesa, os Poolbeg, especialmente Paul Campbell, Lucy, Suzanne, Philip, Kieran e Conor, por todo o apoio e trabalho fantástico, além dos coquetéis mortais dos Poolbeg.

A Susan Zaidan, Lola Simpson, Barbara Stack, Lisa Lynch, Patricia Scanlan, Marian Keyes, Kate Thompson, à estimada Clare Foss, a Mairead, Margaret, Esther e todos os meus amigos pelos conselhos e pelo apoio nas mais diversas áreas; sou grata sobretudo à equipe do *Sunday World.*

A todos os funcionários da Clínica Veterinária Animal Welfare, por permitirem que eu convivesse um tempo com eles e seus pacientes; agradeço em especial a John Hardy, Paul, Grainne, Vanessa, Pamela, Tracy, Juliana e a todos que eu possa não estar incluindo. À Aisling O Buachalla, da Sherry FitzGerald, por me revelar segredos do trabalho de um corretor de imóveis. Assumo todos os possíveis erros ao descrever as profissões de enfermeira veterinária ou de consultor imobiliário — provavelmente em virtude de não entender minhas próprias anotações em taquigrafia (o que acontece com certa frequência).

Agradeço à incrível equipe do Asilo Kylemore, que cuidou de meu pai com Alzheimer em estado terminal e que, combinando profissionalismo, compaixão e bom humor, conseguiu transformar aquele último ano de sua vida em um tempo pleno de boas recordações.

A todos que trabalham arduamente nas livrarias vendendo meus romances, sempre atualizados com o grande número de livros que entra no mercado a cada mês. São as únicas pessoas que conheço que se divertem muito nas festas, tomam vinho e *ainda* mantêm conversas inteligentes a respeito dos novos lançamentos que anseiam receber.

Agradeço a todos que compram meus livros e me deixam tão emocionada quando me escrevem e elogiam meu trabalho. Sem vocês, nada disso teria sido possível. Obrigada, então.

CAPÍTULO 1

annah esticou a perna longa e bronzeada até a torneira de água quente e, com o pé molhado, torceu-a com agilidade, sentindo o líquido morno fluir agradavelmente na banheira.

— Você já fez isso antes — disse Jeff, achando graça, enquanto ela mergulhava e se recostava nele, as costas escorregadias junto ao peito desnudo do companheiro, e apenas espuma com aroma de verbena e limão entre os dois.

— Eu adoro ler na banheira e, no inverno, é horrível sair da água para regular as torneiras, por isso aprendi a usar os pés — murmurou Hannah, enquanto o nível da água subia lentamente na velha banheira vitoriana e o calor espalhava-se por seu corpo. Estava exausta, mas feliz, cada centímetro de pele saciado, embora não tivesse dormido quase nada na noite anterior. A ideia de compartilhar a banheira após a maravilhosa maratona de amor fora brilhante. A água aliviava seu corpo dolorido após as relações ardentes com Jeff. Em um momento de loucura, os dois quase caíram da cama de Hannah, e ela mal conseguiu conter um grito de agonia ao sentir uma dor aguda indo das costas ao pescoço. Esta, sem dúvida, era a desvantagem de envolvimentos com homens mais novos, concluiu ela, satisfeita: eles não tinham noção do que era dor nas costas e gostavam de fazer acrobacias recorrendo a espelhos, poltronas e faixas de roupões. A única coisa que o pobre do Harry já fizera com a faixa de seu robe fora sair arrastando-a pelo chão da cozinha, coletando pelos, poeira e sobras de flocos de milho.

Mas, afinal de contas, por que ela o chamava de "pobre Harry"? "Pobre" o caramba! Harry, o Babaca Mentiroso e Parasita, combinava muito mais com ele. Por falar em parasitas, ela esperava seriamente que, ao longo da viagem de um ano que ele fazia pela América do Sul, fosse contaminado pelo terrível parasita que habitava os rios tropicais e penetrava o organismo nadando pelo canal urinário de qualquer homem estúpido o bastante para urinar debaixo d'água. Uma vez que o parasita entrasse no organismo, a pessoa estava perdida. Hannah torcia para que a cura requeresse uma cirurgia dolorosa, que levasse Harry a fazer caretas ao sentar-se durante uma semana. Algo similar àquele troço com forma de bico de pato, o tal espéculo vaginal, que é inserido na mulher para o esfregaço cervical, mas muitas vezes pior.

— Tem mais alguma coisa que você faça com os pés? — perguntou Jeff, malicioso, arrebatando-a da Amazônia e dos experimentos médicos agonizantes, ao mordiscar sua orelha de forma provocativa.

— Não — disse Hannah com firmeza, preocupada em deixar que a água mitigasse a dor inoportuna no quadril direito. Ela fechou os olhos e começou a planejar o que faria em seguida: sua maleta estava guardada na parte de cima do guarda-roupa, no depósito, e as roupas que queria levar ao Egito já se achavam cuidadosamente arrumadas na cama desse aposento. Precisava de meia hora para arrumar tudo, assinalando cada uma das roupas e dos cosméticos na lista. Em seguida, teria de esvaziar a geladeira. Não fazia sentido voltar para casa e encontrar uma cozinha fedendo por descuido. Considerando que a divisória de portas duplas entre ela e a sala de estar não fechava direito, era ainda mais importante evitar o mau cheiro. Ao levar em conta todos os preparativos para a viagem com a precisão de um relógio suíço, Hannah chegou à conclusão de que só dispunha de mais alguns minutos para ficar imersa na banheira.

Jeff, contudo, tinha outras ideias em mente. Sua boca começou a percorrer o pescoço dela até o ombro, enquanto as mãos se movimentavam sob a água e acariciavam, insinuantes, as coxas da parceira. Hannah podia sentir o peito musculoso e o abdômen definido dele se contraindo de desejo ao tocá-la.

Ela sentou-se bruscamente e fechou a torneira de água quente, com os cabelos escuros grudados na pele, como um emaranhado de algas marinhas.

— Não temos mais tempo, Jeff — salientou ela, séria. — Já são nove e meia. Tenho que estar no aeroporto dentro de algumas horas e preciso dar alguns telefonemas; para completar, ainda nem fiz as malas.

Jeff, com os braços acostumados a fazer supino com o dobro do peso dela, puxou-a sem o menor esforço de volta para a banheira.

— Se eu estivesse indo com você, não precisaria levar muita roupa — disse ele, acariciando sua orelha. — Nada além de dois biquínis minúsculos e um vestido sexy, como o que estava usando ontem à noite.

Hannah não conseguiu conter o sorriso. O vestido cor de ametista era muito ousado e diferente de tudo que tinha em seu guarda-roupa limitado e conservador. Na verdade, tratava-se de uma combinação diminuta com alças finas que ela comprara em liquidação na loja de um estilista e que passara um ano pendurado em seu guarda-roupa, até ela ter coragem de usá-lo. Mas, na noite anterior, para a inauguração da nova boate do hotel, Júpiter, ela decidira tirá-lo e usá-lo.

"Vai ter um monte de gente famosa lá. A lista de convidados parece uma reprodução das páginas da *Hello!*", comentara, animado, um dos colegas recepcionistas de Hannah, semanas antes da inauguração. "Vamos ter que arrasar, gente. Precisamos corresponder às expectativas."

Então, Hannah resolvera arrasar; cacheara os longos cabelos escuros para que ondulassem em suas costas como seda natural, pusera com sacrifício o vestido escandalosamente caro que comprara, o qual, em várias ocasiões, ela quase devolvera à loja, por se tratar de um desperdício de dinheiro. Todas as outras recepcionistas do Hotel Triumph ficaram boquiabertas, impressionadas com o visual da sempre circunspecta srta. Campbell, que usava algo diferente de seu uniforme dos momentos de folga: blusa branca recém-passada, calça jeans engomada, jaqueta e mocassins. Todas disseram a Hannah, admiradas, que ela estava muito sexy. Quem diria que uma recepcionista fria e cordial conseguiria se transformar em sereia apenas com um vestido?

Jeff Williams, que gerenciava a nova academia do hotel e ainda não conhecia a reputação de mulher fria de Hannah, suspirou de admiração ao ver o corpo benfeito e cheio de curvas, coberto apenas por um pedaço de chiffon diáfano, que colava nos lugares certos.

Ao contrário dos funcionários fãs de celebridades, que durante todo o evento não desgrudaram os olhos arregalados dos famosos, os quais enchiam a cara de Moët Chandon na área privativa da boate, Hannah e Jeff passaram a noite inteira descobrindo que ambos adoravam dançar. Beberam muita água e pouco álcool enquanto rodopiavam no salão, dançando swing, rock, salsa e até valsa quando o DJ colocava alguma música mais lenta de jazz. Como Hannah se animava com facilidade, bastaram duas taças de vinho branco para que a ideia de deixar Jeff beijá-la lhe parecesse natural, e não um tremendo erro.

"Sou dez anos mais velha que você", advertira ela, dividindo com o rapaz o espaço apertado de uma poltrona, enquanto ele a envolvia com os braços musculosos e apoiava a bonita cabeça na dela. Hannah sentiu-se ridícula como uma adolescente em um encontro amoroso, mas foi divertido.

"Não dá para chamar uma mulher de 36 anos de velha", sussurrara ele, beijando os cachos de cabelo escuros que lhe caíam na face.

Já que o apartamento de solteiro de Jeff ficava a quilômetros dali, do outro lado da cidade, e, ao que tudo indicava, era um lugar caótico, tipicamente masculino, que ele dividia com três outros rapazes, pareceu mais lógico os dois tomarem café no apartamento imaculado de Hannah, localizado bem perto do Hotel Triumph.

Jeff se sentara no sofá-cama pequeno e duro e admirara as almofadas de brocado originais que Hannah pintara à mão em um fim de semana, usando tinta dourada de tecido. Em seguida, ele se aventurara a fazer o próprio trabalho artesanal, percorrendo com os dedos o braço de Hannah, com muito erotismo. Não chegara a agarrá-la. Ela sabia que isso não aconteceria: acostumado a ver mulheres desfalecendo por causa de seu físico de professor de academia, Jeff não precisava se esforçar nem um pouco para atrair mulheres lindas. Assim, ele sempre fazia o possível para se certificar de que elas sabiam o que estavam fazendo quando o clima esquentava.

— Tem certeza que quer continuar? — perguntou Jeff, os olhos ávidos e ardentes mostrando que ele, sem dúvida, queria.

Hannah, que chegara à conclusão de que merecia uma transa comemorativa após 12 meses de celibato, dissera que sim. Fora maravilhoso, como pegar a velha raquete de tênis que não se usava desde os tempos de paixão por Wimbledon e Ivan Lendl, 16 anos atrás, e perceber que ainda era possível arremessar a bola por cima da rede sem fazer papel de tola.

Jeff nem imaginava que a última vez que ela fizera tanta ginástica fora no meio de uma aula de step, com todas as companheiras fanáticas por exercício suando em bicas, as camisetas coladas nas costas, as coxas doendo e a instrutora com ares de supermodelo gritando para elas "movam esses braços, meninas!".

Também não passou pela cabeça de Hannah contar que, com exceção dela mesma, ele era a primeira pessoa a dormir na cama de casal com cabeceira de brocados amarelos, que ela havia reestofado por odiar o tecido sintético cor de pêssego que a cobria antes. A intuição lhe dizia que os homens, em especial os jovens, não sabiam lidar direito nem com a ideia de celibato nem com a de mulheres que faziam escolhas conscientes de transar, em vez de se deixar levar pelo excesso de vodca e por uma boa paquera. Atitudes ponderadas implicavam outro grande C, de Comprometimento.

Ela supôs que, se Jeff descobrisse que fora o escolhido para romper seu ano autoimposto de celibato, na certa teria saído em disparada do apartamento, julgando ter-se envolvido com alguma neurótica traída e perigosa. Se ao menos ele soubesse...

A vida tinha ensinado a Hannah que os homens serviam apenas para uma coisa, e não era ganhar dinheiro. Ela começou a aprender as lições cedo, com o pai irresponsável. Quando se nasce em uma região agreste como Connemara, onde somente o gado mais resistente sobrevive, fazendeiros como o pai dela tinham duas opções: ou labutavam penosamente até os dedos ficarem retorcidos pela artrite, envelhecendo antes do tempo, ou então caíam na bebedeira, deixando que as esposas arcassem com a responsabilidade de alimentar as crianças e pagar as contas de luz. O pai de Hannah escolhera a segunda opção.

Foi sua mãe que envelheceu antes do tempo, seu rosto de ossos proeminentes transformou-se em uma máscara triste e cheia de rugas aos 40 anos. Observar durante anos a fio Anna Campbell voltar para casa, pálida de cansaço, após limpar as cozinhas do hotel local, e ainda se sentar para tricotar outro suéter tradicional das ilhas Aran e ganhar uma ninharia, fez com que Hannah prometesse a si mesma que nunca acabaria assim. Homem nenhum a escravizaria em um casamento infernal, nem chegaria em casa caindo de bêbado, exigindo aos gritos o jantar para o qual não contribuíra com nem um tostão. Nem pensar!

Ela traçaria o próprio destino e seria independente, uma guerreira lutando para crescer profissionalmente e nunca precisar forçar a vista para tricotar sob a luz tênue de uma lâmpada e ganhar alguns trocados para os filhos usarem roupas decentes na missa dominical.

No entanto, duas falhas desastrosas puseram por água abaixo o plano perfeito: Hannah não passou nas provas finais do curso e Harry apareceu. Mesmo assim, pensou ela, continuando a ranger os dentes apesar das recomendações em contrário do dentista, estava de volta ao páreo. De certa forma, sim. Tinha conseguido um emprego novo, desfrutaria de férias culturais para adquirir um conhecimento do qual carecia e iniciaria uma vida nova. Embora Jeff fosse um amor de pessoa, não fazia parte dessa atual etapa. Acabaria atrapalhando, fazendo com que ela pensasse em paixão e coisas do gênero. Já tivera sua cota de amor para durar uma vida. Não, obrigada.

A água começou a esfriar demais, e Hannah se atrasaria se não se mexesse logo. Ela levantou-se, graciosa, e saiu da banheira.

— Você está super em forma — comentou Jeff, enquanto admirava os braços bem torneados e a cintura fina dela.

— Você quer dizer, para alguém da minha idade — brincou ela, enquanto enrolava uma toalha no corpo e massageava o maxilar dolorido de tanto ranger os dentes.

— Não estou falando de idade — ressaltou ele. — Você deve malhar muito. Conheço várias mulheres que relaxam e ficam fora de forma. Já que não têm um porte atlético, nem se dão ao trabalho. Mas você realmente se cuida.

Hannah, que secava os cabelos com a toalha, parou para pensar nas horas que passara no StairMaster no ano anterior, com o maxilar contraído, tentando tirar Harry da cabeça. Se fazer com que ele saísse de sua vida já fora difícil, eliminá-lo de sua mente, então, fora muito mais penoso.

Antes de Harry (ou a.H., como gostava de pensar), ela mantinha uma boa forma física para alguém de 27 anos que fumava feito uma chaminé. Com estatura média e tendência a engordar, era jovem o bastante para não se incomodar muito em fazer ginástica, dando preferência ao Plano de Exercícios do Marlboro Light, que consistia em acender um cigarro cada vez que a fome apertasse.

Mas, durante os anos com Harry, ela passou muito tempo aninhada a ele no velho sofá, assistindo a vídeos, saboreando as porções de comida enormes das entregas em domicílio e devorando caixas inteiras de chocolate. A vida não passava de uma longa sessão de *Os Pioneiros*, cheia de deliciosas refeições e noites preguiçosas em que os dois aqueciam os pés junto ao fogo e Harry falava sobre o próximo romance que escreveria. Hannah, então, desistiu de abandonar o emprego sem futuro na loja de roupas para tentar realizar o sonho de se tornar rica e independente. Também deixou de se preocupar com a forma física e foi até persuadida a parar de fumar depois que Harry largou o fumo em virtude de um artigo que escreveu sobre pastilhas de nicotina. Sem fumar, ela consumia mais chocolate e xícaras de chá, com três cubos de açúcar cada, para compensar a dolorosa vontade de acender um cigarro. Harry não engordou um quilo sequer, Hannah engordou doze.

Vivendo em júbilo, a ambição dela desapareceu juntamente com sua cintura. Até aquele terrível dia de agosto em que ela o expulsou de casa e começou a resgatar sua vida — e forma física.

— Eu faço três aulas de aeróbica na academia e uma de musculação. Além disso, caminho 16 quilômetros por semana — confessou Hannah a Jeff.

— Dá para perceber — disse ele, sério. — É imprescindível fazer ginástica para ter o corpo desejado.

Hannah, sabiamente, assentiu com a cabeça. Sentiu pena de estar deixando o hotel. Teria sido ótimo malhar com Jeff, mesmo que o namorico deles não durasse muito.

Homens como ele sempre estariam olhando por sobre o ombro da companheira para ver quem vinha atrás dela. Bastaria surgir uma garota de vinte e poucos anos com uma malha de ginástica diminuta e beicinho, pedindo que ele informasse onde ficava o aparelho de pulley conjugado, e tudo estaria terminado.

Mas é bom deixar claro que, se Hannah fosse ficar no hotel, ela nem teria saído com Jeff. A rede de intrigas do Hotel Triumph era muito mais poderosa que a própria rede hoteleira. Um pedido de omelete feito pelo hóspede no quarto levava meia hora para ser atendido; já uma notícia saída do forno levava apenas dez minutos para ir da cozinha à recepção, passando antes pelo centro empresarial e, de quebra, pelo restaurante. O mexerico que surgiria se Hannah tivesse sido vista saindo com o novo gerente da academia teria sido hilariante.

Após um ano sem ter participado de nenhuma fofoca, nem saído com ninguém, tampouco revelado nada de pessoal a respeito de si mesma para a equipe naturalmente bisbilhoteira, Hannah ficaria sem saber como lidar com a súbita curiosidade dos colegas. No entanto, ela já havia recebido boas referências, o novo emprego estava à sua espera quando voltasse de férias e ninguém poderia prejudicá-la por causa de um namorico à toa. "Permita-se", aconselhavam todas as revistas femininas quando o assunto era superar um caso de amor fracassado. "Vá fazer massagem e dê a si mesma uma sessão de aromaterapia." Jeff fora seu primeiro agrado d.H. (depois de Harry). Muito mais divertido que uma sessão de aromaterapia e menos dolorido que uma limpeza facial, com o bônus de um brilho interior garantido, que nem mesmo o Oil of Olay proporcionaria.

Sem a menor noção de que representava um prêmio após um ano de celibato, o alegre Jeff deixou mais água quente fluir para a banheira, voltando a se acomodar em meio às bolhas de espuma. Ao perceber que ele não tinha intenção de sair, Hannah tentou não se irritar, concentrando-se em passar creme hidratante na face.

Fora capaz de remodelar seu corpo, exercitando-se durante horas a fio, mas o rosto teimava em permanecer exatamente igual: redondo, com queixo proeminente, nariz um tanto adunco e olhos brilhantes, amendoados, exatamente da cor de bala de caramelo. Com algumas sardas amarronzadas espalhadas pelo nariz e pelas maçãs do rosto, olhos fulgurantes e cabelos castanhos ondulados, sua aparência deveria ser naturalmente bela. Mas, se alguém descrevesse Hannah a um desconhecido, diria que era mais atraente que bonita.

Contudo, uma descrição banal deixaria de fora sua qualidade mais espetacular. Hannah tinha aquele atributo efêmero e natural tão cobiçado pelas mulheres — era sensual. Desde seu andar, com um requebrado lânguido que realçava as curvas benfeitas de seus quadris, até o jeito como tomava chá, com a boca carnuda tocando a porcelana suavemente ao tomar o primeiro gole, tudo transpirava sensualidade. Ela não o fazia de propósito; na verdade, não precisava fazer nada. Hannah Campbell, 36 anos, recepcionista de hotel e a solteirona do pedaço, tinha nascido desse jeito. E isso a tirava do sério.

Quando prendia o cabelo cheio e comprido em um coque perfeito para ir trabalhar e colocava os pequenos óculos de tartaruga, Hannah parecia tão circunspecta quanto uma diretora de escola para menores infratores. E era por isso que nunca havia se preocupado em comprar lentes de contato. Vivia um momento em que precisava ser capaz de esconder sua sensualidade inata, ocultá-la com roupas discretas, olhares penetrantes e óculos de madre superiora.

Ser atraente era algo positivo no lugar adequado, mas, para Hannah, só significara Problemas, com P maiúsculo. Na cidade provinciana em que nascera, ser naturalmente sexy podia resultar em duas coisas: ou se adquiria a injusta reputação de piranha ou se despertava a ira dos rapazes da região, que não viam com bons olhos as constantes rejeições.

Hannah achava que a sensualidade era ótima para as jovens estrelas de Hollywood, mas causava infindáveis aborrecimentos para as mulheres comuns. Mas, pensou ela, com certo prazer e uma pontada de dor na consciência, seu magnetismo lhe proporcionara o irresistível Jeff. No entanto, ele já abusava de sua hospitalidade e o tempo estava passando. Chegara a hora em que a sensual Hannah daria lugar à durona srta. Campbell.

Ela enrolou com agilidade os cabelos molhados e prendeu-os. Em seguida, encarou o visitante com o olhar cheio de frieza, que aprendera a usar quando certos hóspedes do hotel questionavam o consumo do bar da noite anterior, na hora de fechar a conta, afirmando que só haviam consumido dois drinques, e não as dez doses duplas anotadas na comanda.

— Jeff, você tem que se levantar dessa banheira e ir embora. Vou sair por aquela porta daqui a 45 minutos e preciso me arrumar. Anda, agora.

Obedecendo ao tom de voz de professora durona da forma como não atendera ao pedido suave, o rapaz saiu da banheira, ficou de pé na frente dela, espreguiçou-se, a água escorrendo do seu corpo nu esplêndido e molhando o linóleo, o qual imitava ladrilhos brancos e pretos.

Hannah não pôde deixar de examiná-lo. Caramba, como era lindo: da ponta dos cabelos loiros curtos até os pés, com seu 1,83 metro de músculos bem distribuídos, sem uma imperfeição sequer. O coitado do Michelangelo teria feito o possível e o impossível para esculpir um cara como Jeff Williams.

Ela engoliu em seco ao tentar se concentrar no que precisaria fazer nos momentos seguintes. Arrumar malas e dar uma olhada nos seus guias turísticos. Queria aprender algo durante a viagem e esperava ter tempo de ler o do Egito, para não fazer feio diante dos demais viajantes, que provavelmente tinham boa noção de história e mitologia... Então, Jeff deu um sorriso lânguido e passou o dedo pelo peito de Hannah, até enganchá-lo na toalha; em seguida, puxou-a e fez com que a peça caísse no chão juntamente com o cronograma planejado por ela.

Ah, que se dane, pensou Hannah, deixando sua energia sexual fluir. Após todas aquelas noites assistindo às intermináveis reprises do *Inspetor Morse*, tentando esquecer o significado do prazer físico, bem que ela merecia. Não precisava de tanto tempo assim para fazer as malas. Poderia ler o guia durante o voo.

CAPÍTULO 2

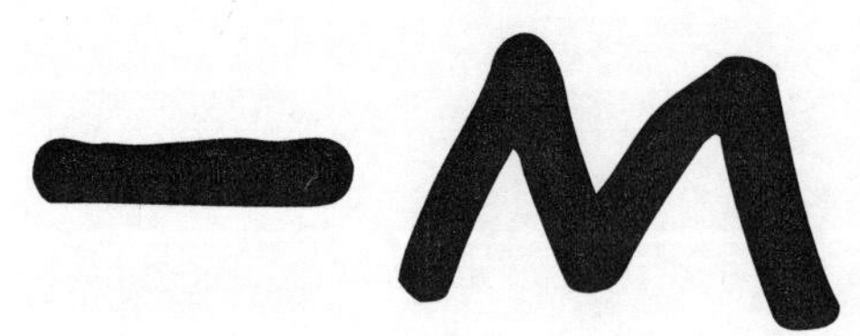

eu Deus! olhe só que baderna! É muito impor-tante comer saladas, mas, ao chegar em casa, você não pode se esquecer de tirá-las desses sacos plásticos imprestáveis. Acabam vazando. O que é isso? — perguntou Anne-Marie O'Brien, estreitando os olhos, por cima dos óculos, e observando a etiqueta de supermercado na caixa de cuscuz, que deixara uma poça pegajosa no meio da geladeira, até então impecável. — Cuscuz? Só serve para fazer bagunça, isso sim.

Emma Sheridan não fez nenhum comentário enquanto a mãe pegava um pano de pia limpo, enxaguava-o e esfregava-o cuidadosamente no meio da prateleira da geladeira, com um pouco de desinfetante de refrigerador, que Emma nem se lembrava de ainda ter guardado; do contrário, já o teria jogado fora. Um aroma penetrante de essência de pinho invadiu o ambiente. Não se assemelhava em nada com o cheiro dos pinheiros que ela conhecia. Só se essas árvores estivessem se mesclando com as atuais fábricas de alvejantes.

— Ah, está bem melhor agora — disse a sra. O'Brien, endireitando-se. Com vigor, enxaguou o pano de novo; em seguida, inspecionou o restante da cozinha com os olhos semicerrados e jogou um jato de desengordurante nas superfícies de fórmica, deixando claro, a cada movimento, sua condição de especialista na área, com doutorado em Limpeza Doméstica. Só então pegou os potes de plástico e pacotes embrulhados com papel-alumínio para colocá-los cuidadosamente na geladeira, enquanto conversava com a filha sobre seus hábitos.

— O pobre do Peter não pode se alimentar apenas de comida pronta de supermercado. No jantar, você deveria fazer comida de verdade para ele. Eu sei que seu pai nem tocava em algo que fosse ao micro-ondas, mas, se eu ficasse longe dele durante uma semana, aí a situação era outra. Esses maridos! Preparei uma lasanha que dá para no mínimo dois dias, torta de carne para o jantar de hoje e mais essas duas tortas, uma de frango e outra de cogumelo, vou colocar no congelador. Emma, querida! Você nunca descongela esse troço? Não vai degelar sozinho. Não tem importância, vou dar um jeito...

A filha saiu de sintonia. Depois de conviver com a mãe por 31 anos, ela aprendera que, se prestasse atenção ao monólogo "ninguém faz nada do jeito certo, o meu", acabaria em um manicômio. Tinha que se desconectar. Sobretudo quando o monólogo visava lhe mostrar que deixava a desejar como estudante, motorista e dona de casa, e que o pobre do seu marido pegaria salmonela se você não começasse a ferver os panos de pratos e as cuecas dele de imediato.

Não fazia a menor diferença ela ter passado quase todo o dia anterior limpando e polindo a casa número 27 da The Beeches de cima a baixo, nem ter decidido usar o precioso dia de folga para faxinar, em vez de flanar pelas lojas e fazer umas comprinhas de última hora para sua viagem. Ela considerou a possibilidade de dar um pulo na Debenhams, para ver se achava uma daquelas partes de cima de biquíni, preta com enchimento, que vira em uma revista. Mesmo que a mulher fosse reta feito uma tábua, essa peça formaria uma silhueta que atrairia todos os olhares, pelo menos segundo o artigo.

Já que o decote de Emma só atrairia olhares se o aro de um de seus sutiãs tamanho PP se soltasse e espetasse o olho de alguém, precisava desesperadamente de um biquíni com enchimento.

Mas, como sempre, o lado dominante de sua personalidade, o do sentimento de culpa, entrou em ação, pondo um fim à programação de fazer compras. Essa sensação assemelhava-se à descrição de um livro de medicina sobre o coração: um grande músculo que se contrai involuntariamente. O peso na consciência por deixar Peter sozinho em casa durante toda uma semana enquanto ela velejaria pelo Nilo com os pais sobrepujou o desejo de ter um biquíni com enchimento, levando-a a desistir de ir até a Debenhams para ficar limpando a casa. Peter, que não costumava notar nada, mesmo que tivesse que comer direto na mesa por terem acabado os pratos, nem se daria conta do empenho da esposa em deixar tudo brilhando. Todavia, o Culpômetro de Emma avaliou que um dia inteiro de faxina já compensaria em boa parte (55 por cento) a viagem que faria sem seu adorado marido. Para quase completar os 45 por cento restantes, teria de comprar um presente enorme, muito acima do orçamento dela, quando voltasse, e passar uma semana preparando seus pratos favoritos para o jantar.

Infelizmente, como ela se esquecera de comprar um novo par de luvas plásticas para a faxina, depois da limpeza dos vasos sanitários com alvejante suas mãos ficaram tão ressecadas quanto frango torrado. Mas a casa ficou um verdadeiro brinco, com tapetes impecáveis, banheiros limpos e todas as peças de roupa passadas.

Apesar de tudo isso, a mãe ainda a repreendia por causa da única mancha visível dentro de casa. Emma lembrou-se de Peter naquela manhã, enquanto ele rasgava, desajeitado, a caixa de cuscuz e o comia com a mão próximo à geladeira, metendo a embalagem melada de qualquer jeito de volta no refrigerador e, depois, pegando a embalagem de suco de laranja para o café da manhã. Ele adorava cuscuz — e odiava com todas as suas forças torta de carne. Mas de que adiantaria ela contar essas coisas para a mãe? Anne-Marie O'Brien não prestaria atenção: nunca dava ouvidos a ninguém. Com exceção do marido, James P. O'Brien, diretor da Calefação O'Brien's, chefe de todos os que o cercavam, o tipo de pessoa que sempre tinha de dar a última palavra em todo e qualquer assunto.

Cansada, Emma sentou-se em uma das cadeiras da cozinha e examinou as unhas recém-pintadas. O esmalte cor-de-rosa intenso que comprara para as férias era bonito, mas não escondia o estrago causado pelo alvejante, nem as partes mordiscadas. Na noite anterior, ela roera a unha do indicador quase até o sabugo durante uma longa conversa ao telefone, em que a mãe, preocupada com o calor, a comida e os habitantes locais que encontraria no Egito, lembrara à filha que ela deveria cobrir os ombros em pontos turísticos e questionara: "Será que o seu pai vai conseguir leite de boa qualidade para o chá?" Ao imaginar a situação, Emma teve uma visão bizarra do pai, rubro e todo suado, ordenhando uma camela com a xícara de chá em uma das mãos e a teta na outra.

Ela mordiscou um pedaço de unha que se destacava do outro indicador. De qualquer modo, ninguém prestaria atenção em suas benditas mãos. Além do mais, estava cansada demais para se preocupar com isso: só esperava poder dormir durante o voo para o Egito. Se conseguisse roubar um dos tranquilizantes da mãe, poderia simplesmente apagar durante toda a viagem.

Enquanto a mãe se ocupava com a geladeira, Emma apalpou sorrateiramente os seios por cima do tecido de algodão de seu macacão. Tinha feito isso o dia inteiro, sentindo uma mescla de prazer e emoção que nada tinha a ver com sexo. Essa empolgação estava associada ao seu relógio biológico que se aliviava. Nervosa, ela deslizou a mão por baixo da camiseta para alcançar os seios nus, tocando-os com cuidado. Mostravam-se definitivamente doloridos.

Mais cedo, quando Emma se olhara no espelho, eles lhe pareceram aumentados. Os mamilos haviam crescido, não haviam? Com certeza, pensou ela, sorrindo. Estava grávida. E, cada vez que pensava no neném, no seu bebê, ficava felicíssima. Emma viu-se tomada por uma luz interior, tal qual o comercial de tevê do menino que ia de bicicleta para a escola, reluzindo de dentro para fora porque havia comido seu cereal no café da manhã. Sentia-se iluminada, com um misto de alegria intensa e alívio, já que, depois de tanto tempo esperando, finalmente engravidara. Queria sair dançando pela sala, mas sua natureza precavida a levava a agir com cautela. Era melhor não dizer nada, para não agourar. O certo seria esperar até ter a confirmação e então contar ao querido Pete a novidade maravilhosa, disse a si mesma. Bastava apenas enfrentar a odiosa semana com os pais e depois tudo seria fantástico. Seu segredo a manteria motivada durante os sete dias seguintes. Afinal de contas, era *apenas* uma semana.

Ignorando solenemente o monólogo a respeito da "bagunça do lugar", Emma pegou um bloco de anotações que estava sobre a mesa e começou a escrever um bilhete para Pete, dizendo que o amava e sentiria muita falta dele.

— Veja só a madame, como sempre descansando, enquanto a coitada da mãe trabalha.

O som da voz do pai fez com que a filha pulasse da cadeira, sentindo-se culpada. Ela teve a sensação de que realmente estava fazendo algo de errado, como acontecia quando passava por um carro de polícia com radar acoplado, apesar de estar dirigindo a apenas 48 km por hora. A presença do pai tinha o poder de deixá-la bastante tensa, mesmo naquele momento, quando estava cheia de esperanças por causa do precioso bebê.

— Anne-Marie, não vejo a menor necessidade de você fazer o trabalho sujo por ela — disse Jimmy O'Brien, lançando um olhar desaprovador para a filha. — Emma já é grande e bagunceira o bastante para cumprir com suas obrigações domésticas. Não vou aceitar que sirva de empregada para ela.

— Eu não estava servindo de doméstica — ressaltou a mãe, com a voz cansada, perdendo a vitalidade.

— A mamãe estava apenas passando um pano em algo que derramou — protestou Emma, sentindo todo seu bom humor se esvair, como sempre acontecia na presença do pai. — Na verdade, ainda ontem limpei a geladeira...

Mas ele já não lhe dava ouvidos. Caminhou depressa até a lata do lixo e sacudiu o tabaco velho do fundo do cachimbo; em seguida, pôs-se a informar à esposa suas atividades mais recentes.

— Coloquei gasolina e meio litro de óleo no carro e calibrei os pneus — anunciou ele. — Se você já estiver pronta, Anne-Marie, podemos ir.

Dava a impressão de que viajariam *de carro* para o Egito, pensou Emma, irritada.

Pela milionésima vez desde que agendara a viagem, ela se perguntou por que iria também. Tinha sido ideia do pai: uma viagem memorável para celebrar seu trigésimo quinto aniversário de casamento.

Emma não entendia por que ele escolhera um destino tão exótico quanto o Egito. O pai era o tipo de homem que tinha passado os últimos 15 anos viajando para Portugal com satisfação, indo a botecos para assistir às transmissões de eventos esportivos e comentando em voz alta como o nível do lugar vinha baixando, com os torcedores baderneiros de futebol e as jovens descaradas perambulando por toda parte com as malas cheias de camisinhas, em busca de homens.

"Vadias", dizia ele, aborrecido, toda vez que um grupo de moças bronzeadas e despreocupadas, usando camisetas minúsculas e shorts mínimos, que mal cobriam as nádegas, entravam em cena.

Emma costumava observar com melancolia essas jovens: tinha certeza de que não passariam as férias com os pais quando estivessem na faixa dos vinte anos, receando causar furor se propusessem uma viagem com os namorados. Até se casarem, ela e Peter só haviam viajado uma única vez, quando ela inventou que passearia com as amigas.

E, apesar dos comentários do pai sobre a queda no padrão de comportamento dos jovens, ele parecia gostar muito de Portugal. No entanto, o entusiasmo de um apresentador de programa sobre férias, relatando um cruzeiro pelo Nilo, mudou tudo. Jimmy pediu um monte de catálogos e passou várias horas, durante os almoços dominicais, lendo os trechos que considerava mais interessantes.

Interrompendo qualquer outra conversa com a falta de sensibilidade de um déspota, dizia, entusiasmado: — Escutem só: "Desfrutem do espetáculo dos templos de Luxor e Karnak. Os dois monumentos são exemplos perfeitos da antiga arquitetura egípcia. Algumas partes do templo de Karnak datam de 1375 a.C." É inacreditável, nós precisamos fazer essa viagem.

Infelizmente, aquele "nós" incluía Pete e Emma.

— Nem pensar, Emma. Por que eles não vão sozinhos e, em vez de arrasar com todo mundo, deixam apenas um ao outro arrasados? reclamara Pete, o que não costumava fazer. Sua natureza era simpática e amável e, nem que tentasse, conseguiria ser uma pessoa detestável; no entanto, até mesmo sua lendária paciência se esgotava com os sogros. Bom, a bem da verdade, com o sogro. Jimmy O'Brien conseguia acabar com a paciência de muita gente.

— Sei como se sente, querido — dissera Emma, cansada. Sentia-se dividida entre os desígnios do pai autoritário e do marido complacente. — É que ele não fala em outra coisa e acha que nós vamos também. Se não formos junto, meu pai não vai parar de martelar no assunto e vai chamar a gente de mal-agradecido." Emma não precisara dizer mais nada. Desde que o pai emprestara dinheiro para que pagassem a entrada da casa, sempre cobrava dos dois; era como se estivessem sob a espada de Dâmocles.

Sair com os amigos aos domingos, em vez de ir almoçar na casa dos O'Brien, era sinal da mais profunda ingratidão. E o mesmo acontecia se estivessem ocupados demais para pegar os novos óculos com lentes bifocais de Jimmy na loja da cidade ou se não pudessem levar Anne-Marie de carro para fazer compras nos dias em que, por um motivo qualquer, ela tivesse ficado nervosa demais para dirigir o próprio veículo. E, pelo rumo que as coisas estavam tomando, na próxima vez em que Emma recusasse um confeito de alcaçuz por não apreciar o sabor, também seria chamada de ingrata.

Pete não fez mais nenhum comentário sobre a viagem. Emma sabia que o marido queria que ela enfrentasse o pai pelo menos uma vez, recusando-se a ir, para que em outra ocasião o casal pudesse gastar o dinheiro em uma viagem a dois. Entretanto, como ela tinha consciência de que, se por um lado ficaria com a consciência pesada ao deixar Pete sozinho, por outro, sofreria dez vezes mais se contrariasse Jimmy O'Brien, Emma encontrou uma solução para o impasse.

— Pai, o Pete não vai poder viajar para o Egito nessa data — explicara a filha, mentindo. — Ele tem uma conferência em Belfast que vai durar dois dias. Mas eu vou com vocês. Não vai ser ótimo, só nós três, como nos velhos tempos?

A lembrança dos velhos tempos trouxe o resultado esperado, o que foi, na visão de Emma, irônico. A única coisa de que se recordava de férias anteriores era a sensação de que a família apenas trocava o cenário dos comentários sarcásticos do pai. Por incrível que parecesse, ele não via as coisas dessa forma: Jimmy estava animadíssimo com o planejamento da viagem.

Pete ficaria em casa, dizendo a Emma, com carinho, que não havia problema, que também passaria um fim de semana fora, no final do ano, para ver jogos de futebol com os rapazes; portanto, a esposa não precisava esquentar a cabeça. Só tinha que se preocupar em fazer a bendita viagem.

— Acho que preciso de uma xícara de chá antes de partir — disse Anne-Marie, largando o pano e inclinando-se na pia, o retrato perfeito da fadiga. No que dizia respeito a Jimmy, a encenação da esposa tinha o mesmo efeito de um pano vermelho agitado na frente de um touro. Alguém levaria a culpa pelo esgotamento dela.

Emma sabia o que a esperava: teria de fazer chá e seria repreendida por deixar a pobre da mãe cuidar de seus afazeres domésticos. Não adiantava explicar o que realmente tinha acontecido. Essa era uma cena que já se repetira tantas vezes no decorrer dos anos que todos pareciam personagens de uma pantomima, interpretando os mesmos papéis há trinta anos.

— Emma, você é mesmo uma menina idiota e preguiçosa.

— Não sou não!

— É sim!

Por um instante, Emma fitou os pais sem sentir nenhuma emoção; observou os dois assumirem o controle da casa como se fossem os donos. Não estava nem um pouco disposta a recomeçar o velho e familiar jogo de poder.

Ela aprendera a reconhecer esse tipo de competição nos livros de autoajuda que comprara. O pai era obcecado por controlar todos à sua volta, e a mãe, passivo-agressiva, fazia o papel de coitadinha para provocar um estardalhaço cada vez que o marido chegava. Ao menos, era o que parecia. Embora cada livro abordasse as relações interpessoais de forma diferente, Emma reconhecia os pais em todos eles.

Mas, apesar de ser importante conhecer as pessoas, saber qual a melhor forma de lidar com elas era outra história. Como tempos atrás a própria Emma chegara à conclusão de que não tinha iniciativa e de que era extremamente insegura quando o assunto envolvia sua família, não parecia haver muito que pudesse fazer no que dizia respeito à conduta *dos pais*.

Ela era o problema, concluíra Emma ao ler o capítulo sete: "Assumindo a responsabilidade por seus próprios erros." Não fazia o menor sentido passar horas estudando amargamente o comportamento da família sem mudar o seu. Como a filha permitia que os pais agissem daquela forma, somente ela podia mudar as coisas.

"O poder está ao seu alcance", dissera a guru Cheyenne Kawada, autora de *Você só vive uma vez, não desperdice essa chance.*

Mas havia duas Emmas: em casa, para os pais, ela era a filha mais velha, menos bem-sucedida — Kirsten era a menina-prodígio — e desengonçada, a que havia recusado o convite para trabalhar na empresa do pai (a única vez que lhe negara algo). No escritório, era Emma Sheridan, a admiradíssima coordenadora de projetos especiais da Caridade KrisisKids, chefe de vários funcionários, criadora de uma linha direta confidencial para crianças e organizadora de duas conferências anuais.

Os pais não faziam ideia da existência da Emma executiva e organizada e certamente ninguém na CKK reconheceria o lado vítima de sua chefe competente.

— Sente-se, querida, que eu faço seu chá — disse Jimmy O'Brien para a esposa, enquanto vasculhava os armários organizados da filha, à procura de saquinhos de chá, jogando pelos ares vários pacotes de temperos e um frasco de molho de soja.

A mãe rejeitou a oferta, como se estivesse louca por uma xícara de chá, mas precisasse recusá-la heroicamente, como alguém no *Titanic* negando-se a receber um colete salva-vidas.

— Não temos tempo para isso, Jimmy.

— Teríamos se você não tivesse se esgotado fazendo faxina por causa dessa criatura preguiçosa — esbravejou Jimmy, batendo a porta do armário e pigarreando ruidosamente, fazendo com que seu corpo inteiro vibrasse com o barulho. Grandalhão, com sua jaqueta creme, fazia tudo parecer pequeno no cômodo diminuto. Ele tinha a mesma altura da despensa de pinho e quase a mesma largura, com ombros largos e vasta barba branca, que o transformava em uma cópia fiel do Papai Noel.

Anne-Marie O'Brien tinha sorte de não se parecer com a Mamãe Noel. Era alta e seca como um graveto, com os compridos cabelos bem pintados de louro-acinzentado e parcialmente presos na parte de trás da cabeça, com uma fivela de casco de tartaruga em forma de besouro. Usando seu vestido floral de verão acinturado, estava tão elegante quanto uma dona de casa em um comercial dos anos 1950 e incrivelmente jovial. Dez anos mais nova que o marido, Anne-Marie tinha a pele lisa e sem rugas típica daqueles que acreditavam piamente que na vida após a morte iriam para o céu, graças à sua bondade e às suas orações devotas. Nunca chegou a considerar se seu amor pela fofoca poderia dificultar sua passagem imediata pelos portões do Paraíso.

Emma, tão alta e magra quanto a mãe, porém com cabelos castanhos sedosos e rosto meigo, nada presunçoso, observou com os lábios comprimidos enquanto a mãe esfregava meticulosamente a torradeira e a chaleira cromadas, alheia ao fato de que deveriam ser limpas com um pano seco para não ficarem arranhadas nem manchadas.

Presentes favoritos do marido, recebidos quando os dois se casaram, três anos atrás, os aparelhos cromados eram o que havia de mais sofisticado na cozinha deles. Querido Pete. Sempre lhe dizia para "dar a outra face" quando o pai a irritava. Em virtude de sua educação religiosa, ele tinha uma citação bíblica para cada ocasião. E, nesse caso, estava coberto de razão. Não importava o quanto era difícil dar a outra face estoicamente quando Jimmy O'Brien a atacava com sua língua ferina, Emma sabia que não havia outro modo de lidar com ele. Qualquer discussão fazia com que ficasse cego de raiva e partisse para o sermão "Estou fazendo isso para seu próprio bem, moça".

— Dê a outra face — repetiu ela como em um mantra, saindo da cozinha de fininho. Foi para seu quarto no andar de cima, o cômodo com decoração mais masculina da casa, com seus tons de verde-oliva e musgo.

Emma escolhera as cores pessoalmente, decidida a não ter em seu primeiro quarto de mulher casada nada parecido com um ambiente feminino, cheio de babados e tecidos cor-de-rosa, como o que a mãe a forçara a ter na casa da família. Após uma vida inteira de roupas mais enfeitadas que o vestido de noiva de Scarlett O'Hara, Emma havia preferido um quarto simples e confortável. Pete, tão desinteressado por decoração que dormiria feliz e satisfeito em uma casinha de brinquedo, disse que gostaria de tudo que Emma escolhesse.

Então, ela optara por cortinas simples em tom verde-oliva, cama de madeira clara e moderna, com acolchoado verde-musgo e armários embutidos, que ladeavam a cama, em tom creme suave. Não havia babados, laços ou quadros de bailarinas em nenhum lugar. As ilustrações das Fadas das Flores, de Cicely Barker, que a mãe lhe presenteara "para alegrar a casa" tinham lugares de honra no banheiro do andar de baixo, já que Emma nunca entrava ali, a não ser para fazer limpeza.

— Você está pronta, Emma? — indagou o pai do andar de baixo.

Pegando a bolsa e a mala, Emma relutou em partir, dando uma última olhada afetuosa em seu quarto. Sentiria falta de seu espaço. E de Pete. De enroscar-se com ele na cama, sentindo seu corpo sólido envolvendo o seu. Teria saudade do senso de humor do marido e de seu amor. Não havia nada que Emma pudesse fazer de errado aos olhos de Pete Sheridan, o que diferia completamente do modo como os pais a encaravam.

Os dois esperavam ao pé da escada, um ansioso, o outro impaciente.

— Emma, você não vai com essa roupa, vai? — perguntou a mãe com um tom de voz estridente quando a filha apareceu na escada com a mala na mão.

Instintivamente, ela cobriu o peito com uma das mãos, tocando o tecido de algodão macio de seu macacão: traje descontraído e muito confortável, ideal para viagens.

— Eu já estava usando essa roupa quando você chegou — murmurou Emma, desejando não se sentir como uma adolescente sendo punida por vestir shorts sensuais de vinil para ir jantar com o bispo.

Afinal de contas, era uma mulher casada de 31 anos! Não seria intimidada.

— Pensei que você tivesse subido para se trocar — disse a mãe, com um tom de voz sofrido. — É melhor usar trajes mais elegantes em viagens. Li que pessoas que viajam alinhadas têm mais probabilidades de serem transferidas para a primeira classe — acrescentou, fungando satisfeita ao se imaginar sendo escoltada, sob os olhares da gentalha, para a ala luxuosa do avião, digna dos O'Brien oriundos da área mais nobre de Castleknock.

— Bom, é melhor você subir logo para trocar essa roupa, não é mesmo? Se não, vamos nos atrasar — comentou o pai, impaciente.

Emma preferiu não mencionar o fato de que não havia a menor possibilidade de eles serem transferidos para uma área mais luxuosa do avião, já que não havia primeira classe em voos fretados. O sonho da mãe de ter um estilo de vida imponente nunca tivera a menor base na realidade, assim sendo, por que o fazia?

Por um instante, Emma teve vontade de dizer que não trocaria de roupa. Mas a imagem do rosto fechado do pai fez com que mudasse de ideia. Como aprendera durante os 28 anos de convivência sob o teto do pai, ele odiava roupas "masculinizadas" e mulheres de calças compridas.

— Só preciso de um minuto — pediu a filha, com um falso tom de alegria na voz, subindo as escadas com pressa.

No quarto, ajoelhou-se e bateu com a cabeça na cama. Covarde! Ontem mesmo você decidiu que o macacão seria perfeito para a viagem. Devia ter protestado!

Ainda repreendendo a si mesma, Emma pegou o livrinho vermelho debaixo do seu lado da cama, abrindo na página da autoafirmação: "Sou uma pessoa positiva. Do bem. Meus pensamentos e sentimentos são dignos e válidos."

Repetindo essas três frases várias vezes, Emma livrou-se do macacão e da camiseta e pôs uma saia longa de tricô, em tom creme, e uma túnica que usava algumas vezes para trabalhar no verão, quando as outras roupas estavam sujas.

Naquele dia, todas as suas roupas decentes de verão estavam dentro da mala, ao pé da escada. Adquirido durante uma detestável ida às compras que fizera com a mãe, o conjunto de tricô creme fazia com que Emma parecesse um café *latte* insípido que adquirira vida própria — alta, reta como um garoto e incolor.

Enquanto os tons suaves de azul das roupas de brim de Emma realçavam as sardas de seu rosto e seus olhos azul-claros, as cores creme e marrom-acinzentado deixavam sua face tom sobre tom: cabelos pálidos, cara pálida, tudo malditamente pálido. Ela suspirou, sentindo-se entediada e descorada.

Nunca gostara de usar maquiagem e, de qualquer modo, se usasse batom seus lábios pareceriam ainda mais finos. Se ao menos criasse coragem de fazer uma plástica no nariz, pensou Emma. Comprido e grande demais para seu rosto, era horrível. O de Barry Manilow seria considerado arrebitado comparado com o dela. O único jeito de disfarçá-lo era usando uma franja longa. Já sua irmã Kirsten, muito bonita, fora a premiada da família. Sensual e cheia de vida, ela fazia um sucesso enorme com os homens, que apreciavam sua elegância e *joie de vivre*. A única coisa que Emma tinha de especial era a voz insinuante e rouca, que, às vezes, parecia não estar de acordo com sua aparência tímida e conservadora. Pete sempre lhe dizia que, com uma voz daquelas, poderia ter trabalhado no rádio.

— O que você está querendo dizer é que, como tenho a *voz* de uma gata, faria sucesso no rádio, porque não seria vista e as pessoas não descobririam que não sou atraente — dizia Emma, brincando com o marido.

— Mas para mim você é uma gata — ressaltava ele, todo carinhoso.

— Ande logo com isso! — bradou o pai, do andar de baixo. — Vamos nos atrasar.

Emma fechou os olhos por um breve momento. A ideia de ficar uma semana inteira com os pais a deixava tonta. Devia estar louca quando concordara em ir com eles.

Ela sempre quisera conhecer o Egito e fazer um cruzeiro pelo rio Nilo; sonhava com isso desde que lera pela primeira vez um texto sobre a deslumbrante rainha Nefertiti e a beleza do templo de Karnak quando era pequena. Mas desejava ir com Pete, pensou Emma, com tristeza, enfiando o livro de autoajuda na bolsinha de mão.

Ela não planejara levar o livro *Atitude positiva — seu guia para aumentar a autoestima* da dra. Barbra Rose. Devia estar com um parafuso solto. Nessa viagem, ela não precisaria apenas do livro, mas da dra. Rose em pessoa, com uma valise cheia de remédios de última geração para manter o pai em coma. Aí sim, *essas* seriam férias inesquecíveis.

Satisfeita com a filha, que se vestira de acordo e não faria a família passar vergonha na jornada para os prazeres do Nilo, Anne-Marie O'Brien manteve seu monólogo no caminho até o aeroporto:

— Vocês não imaginam quem encontrei essa manhã — comentou, afável, sem a menor intenção de recuperar o fôlego e deixar Emma e o pai adivinharem. — A sra. Page. Minha nossa, vocês precisavam ter visto a roupa dela. Estava de jeans. Naquela idade! Não ia nem me dar ao trabalho de cumprimentá-la, mas ela estava junto da pasta de dente e eu precisava de um tubo extra como garantia, caso não conseguisse nenhum durante a viagem. Não acredito que os egípcios sejam muito apreciadores de artigos de higiene.

Espremida no banco de trás do carro, com a bagagem a ponto de cair sobre sua cabeça toda vez que faziam uma curva, Emma fechou os olhos, cansada. Faria alguma diferença se ela explicasse que os egípcios viviam em uma sociedade sofisticada e altamente civilizada, que construíram as pirâmides e estudaram astronomia na mesma época que os ancestrais dos O'Brien ainda quebravam pedras e tentavam descobrir o que fazer com as lascas afiadas?

— Se vocês a ouvissem falando da filha, a tal da Antoinette... — prosseguiu a sra. O'Brien, com um tom de voz reprovador. — Bom, na verdade, é escandaloso. Vive com aquele homem com dois filhos e não usa aliança no dedo. Será que ela não vê que aquelas criancinhas merecem ser contempladas com a santidade do casamento, em vez de serem... — ela sussurrou — "ilegítimas"!

— Não existe mais essa história de ilegítimos — explicou Emma, sentindo que precisava dizer algo, já que Antoinette era sua amiga.

— É muito fácil para você dizer isso, mas não é correto nem apropriado. A moça zomba da igreja e dos ritos sagrados. Está cavando a própria cova, lembre-se das minhas palavras. Aquele homem vai acabar abandonando Antoinette. Ela devia ter se casado, como fazem todas as pessoas normais.

— Ele é separado, mãe. Não pode se casar até o divórcio sair.

— Pior ainda, Emma. Não consigo entender os jovens de hoje. O catecismo não significa nada para eles? Ao menos seu pai e eu nunca tivemos esse tipo de problema com você. Contei à sra. Page que você e seu marido estavam com a vida organizada e muito felizes, que Peter era diretor assistente de vendas da Companhia de Materiais Devine, e você coordenadora de projetos especiais — continuou a sra. O'Brien, com um sorriso, lembrando-se do prazer que sentira ao se vangloriar da filha.

— Mãe, na verdade, ele é um dos diretores assistentes de venda — ressaltou Emma, envergonhada. — É uma equipe de seis profissionais.

— Eu não disse nada de errado — insistiu a mãe, com amargor por estar sendo corrigida. — E você é coordenadora de projetos especiais. Nós nos orgulhamos muito de você, não é, Jimmy?

O pai não desgrudava os olhos da estrada, tornando o local perigoso para ciclistas naquela manhã.

— Mas é claro que sim — confirmou ele, distraído. — Das duas filhas. Sempre soube que nossa Kirsten ia progredir muito. Filho de peixe, peixinho é.

Emma deu um sorriso amarelo, tentando gravar na mente que deveria ligar para Antoinette Page quando voltasse de viagem, para desculpar-se pela falta de tato da mãe, cujos comentários já teriam, àquela altura, chegado aos ouvidos da amiga. Se Anne-Marie O'Brien continuasse a se gabar das carreiras da filha e do genro, como se os dois fossem cientistas espaciais, com os respectivos Porsches e milhões no banco, Emma e Peter acabariam perdendo todos os amigos. O marido trabalhava como vendedor de uma distribuidora de material para escritórios, e ela respondia por uma carga exaustiva de trabalho envolvendo organogramas e envio de correspondência; não vivia perambulando por aí em eventos sofisticados de caridade, que era mais ou menos o que a mãe contava a todos sobre a KrisisKids.

O trabalho de Emma envolvia mais a área administrativa que a arrecadação de fundos. Ela concebera uma linha direta para ser utilizada anonimamente por crianças que estivessem com medo ou fossem vítimas de maus-tratos. Além disso, era responsável pelo funcionamento rotineiro do escritório da KrisisKid.

Claro que *existiam* os eventos luxuosos, em que senhoras ricas e famosas pagavam centenas de libras pelo ingresso, mas, para a tristeza da mãe, a filha nunca participava dessas solenidades.

De qualquer modo, pensou Emma, determinada a ver o lado positivo das coisas, era bom saber que os pais se orgulhavam dela, mesmo que só externassem esse sentimento quando se vangloriavam com outras pessoas, nunca pessoalmente com a filha. Obviamente, os dois tinham mais orgulho de Kirsten, sua irmã mais nova. Ainda bem que Emma a adorava, uma vez que, depois de passar a vida inteira escutando que Kirsten era bonita, inteligente e charmosa, a relação entre ambas poderia ter sido destruída. Elas eram muito próximas, apesar das táticas inconscientes de Jimmy que incitavam a desunião.

— A sra. Page adorou saber da nova casa de Kirsten em Castleknock — prosseguiu Anne-Marie. — Eu contei que era uma casa com cinco suítes e que Patrick tinha um... qual é mesmo o nome daquele carro?

— Lexus — respondeu Jimmy.

— Isso mesmo. Ela está mesmo muito bem, não é verdade? Comentei com a sra. Page, além de contar que, apesar de Kirsten não precisar mais trabalhar, vinha se dedicando a arrecadar fundos para aquele projeto ambiental...

Emma podia escrever um livro sobre os feitos da irmã, ditado orgulhosamente pela mãe. Kirsten havia se superado três vezes: casando-se com um corretor da bolsa de valores extremamente rico, evitando os pais, exceto no Natal, e, ainda assim, mantendo a posição de filha prodígio.

Apesar de ela amar a irmã e de as duas terem crescido quase como gêmeas, com apenas um ano de diferença entre elas, Emma não aguentava mais ouvir falar no maravilhoso trabalho filantrópico da outra, quando, na realidade, sabia que ela só se envolvera com entidades ambientais com o intuito de conhecer Sting e, assim, ter algo para contar às amigas enquanto almoçavam nos encontros sociais. Emma também estava farta de ver a forma como Kirsten e Patrick davam um jeito de escapar dos almoços de domingo, deixando que ela e Pete aturassem sozinhos pelo menos sete horas do discurso "O que acho que há de errado no mundo — Uma visão pessoal, por Jimmy O'Brien", a cada duas semanas. Na volta para casa, após o último almoço de domingo em que ouviram outro lenga-lenga, daquela vez a respeito dos emigrantes que iam à Irlanda em busca de empregos, Pete perguntara a Emma se ela conhecia a palavra "pansectário".

— O que é isso? — perguntara a esposa alegremente, satisfeita por terem cumprido a obrigação quinzenal.

— É uma pessoa sectária, intransigente em relação a tudo e a todos. "Pan" significa totalidade.

— Na certa, ela não existia até o papai aparecer, mas acho que a gente podia gravá-lo falando e enviar tudo para os funcionários de um dicionário de renome — sugeriu Emma. — A palavra "pansectário" certamente seria incluída na próxima edição.

Quando se aproximavam do aeroporto, Anne-Marie começou a se queixar. — Espero que Kirsten fique bem durante a próxima semana. Ela me contou que Patrick vai viajar.

Emma revirou os olhos. Ao contrário dela, Kirsten era uma sobrevivente. Se fosse colocada na face norte do monte Eiger com apenas uma tenda e uma caixa com cubinhos de caldo de carne, ela apareceria 24 horas depois com um lindo bronzeado, um monte de roupas novas e uma lista com números de telefones das pessoas interessantes que conhecera no caminho; todas teriam iates, vilas em Gstaad, personal trainers e relógios Rolex. Para a irmã, ficar uma semana longe de Patrick significava ter carta branca para fazer loucuras em Brown Thomas com seu cartão de crédito ouro e passar todas as noites enchendo a cara com vodca, com um admirador bêbado ao lado, numa boate. Emma não achava que ela fosse infiel ao marido confiável e complacente, mas, com certeza, gostava de flertar com outros homens.

— Ela vai ficar bem, mamãe — disse Emma, secamente.

No aeroporto, o pai as deixou na área de embarque com todas as bagagens e foi estacionar. Anne-Marie ficou logo alvoroçada: normalmente tranquila quando o marido estava por perto dando ordens em todo mundo, agitava-se logo se ele se ausentasse.

— Meus óculos! — exclamou ela, quando Emma pôs-se ao seu lado na fila vagarosa do guichê de embarque. — Acho que os deixei em casa!

O tom de histeria crescente na voz da mãe levou Emma a segurar sua mão e a afagá-la, oferecendo-lhe consolo. — Quer que eu procure na sua bolsa, mãe? — indagou.

Anne-Marie concordou, passando a pequena bolsa de couro creme para a filha. Os óculos estavam no compartimento lateral, dentro do estojo de tecido gasto, bem à vista, caso ela tivesse procurado.

— Estavam aqui o tempo todo, mãe.

A ansiedade de sua mãe diminuiu um pouco. — Tenho certeza de que esqueci alguma coisa — disse. Então se calou por um instante, fechando os olhos como se conferisse uma lista mental. — E você, não se esqueceu de nada? — perguntou, de súbito.

Emma balançou a cabeça, negando.

— Produtos de higiene e coisas do gênero — perguntou a mãe em voz baixa e sibilante. — Sabe-se lá o que se acha para comprar lá. Aposto que você esqueceu algo. Devia ter me lembrado de comprar essas coisas para você hoje de manhã, no supermercado, mas a sra. Page acabou me distraindo...

Emma tentou se desligar um pouco, mas as palavras de Anne-Marie continuavam a fazer troça dela. Produtos de higiene. Provavelmente teria sido boa ideia trazer absorventes, mas achou que não era bom dar chance ao azar.

Deveria ficar menstruada em quatro dias, mas esperava que dessa vez isso não acontecesse. Talvez estivesse grávida! Passara a semana toda cansada e tinha certeza de que seus mamilos estavam sensíveis, exatamente como descrevia o livro que tinha sobre gravidez. Nunca havia se sentido assim. Então, acabou se precipitando, tirando da mala todos os produtos que usaria no período menstrual; não trouxera sequer um tampão nem uma calcinha grande para os dias de fluxo intenso, para não atrair má sorte. Ela chegou a estremecer de emoção ante o pensamento.

Quando o pai se aproximou delas, queixando-se de que só conseguira estacionar em um local distante, Emma conseguiu mostrar-se solidária.

— Então, está tudo pronto? — perguntou ele. — Vamos aguardar na fila.

Em seguida, abraçou a esposa. — Egito, hein? Essas férias serão inesquecíveis, Anne-Marie querida. Só queria que Kirstin também pudesse ter vindo. Iria adorar. Além disso, não existe melhor companhia que ela. Mas está ocupada com o trabalho filantrópico e tem que cuidar de Patrick — disse, deixando escapar um suspiro terno e paternal. Emma voltou a roer a unha do dedão, que tinha conseguido deixar de lado até aquele momento.

Tenha calma, repetiu ela para si, usando a técnica do disco quebrado de que tanto gostava, que aprendera nos livros de autoajuda. Não permita que ele a atinja. Mas a incrível esperança que sentia iluminava-a de dentro para fora, fazendo com que Emma aturasse o pai com mais facilidade. Um bebê. Ela simplesmente sabia que dessa vez estava grávida.

CAPÍTULO 3

Penny estava deitada em cima da cama, com um ursinho de pelúcia parcialmente mastigado espremido entre suas patas douradas e olhava, ameaçadora, para Leonie. Era difícil imaginar aqueles enormes olhos castanhos transmitindo algo além de puro amor canino, mas Penny não era uma cadela comum. Metade labrador e metade retriever, tinha muita personalidade, qualidades quase humanas e ações calculadas para deixar a dona com o maior sentimento de culpa possível. Só quando entrava em frenesi por causa da sua vasilha de comida, Leonie percebia que sua melhor amiga não era gente, e sim cachorro. Mas, por outro lado, pensou a dona, divertida, por que achar que gulodice era um comportamento puramente canino? Ela própria comia feito uma leitoa. Como os cachorros e seus donos se pareciam, se Penny era uma glutona um pouco acima do peso e viciada em ração Pedigree, a dona podia ser considerada uma cópia idêntica dela. Uma loira desgrenhada e corpulenta com uma barriguinha e propensão a comer biscoitos. Bastava trocar a marca da ração pela de biscoitos e as duas se tornariam irmãs gêmeas.

Leonie retirou um velho sarongue cáqui do fundo do armário e colocou-o enrolado na mala, junto com algumas camisas de seda de grife em cores exóticas, sua marca registrada. Penny, que observava tudo da cama com mau humor, resfolegou alto.

— Sei disso — disse a dona, reconfortantemente, parando de fazer as malas para sentar-se na beira da cama e afagar a cadela, que estava inconsolável. — Não vou demorar. São apenas oito dias. Mamãe não vai ficar longe muito tempo. Além disso, você não ia gostar do Egito, querida. É quente demais.

Penny, com um histórico de sete anos de dedicação servil e estragada de mimos, não aceitou ser consolada, afastando a cabeça da mão gentil de Leonie. Resfolegou de novo, indicando que simples afagos não bastariam, mas biscoitos caninos resolveriam a questão e ela se alegraria.

Leonie — que apenas um dia antes dissera à cliente da clínica veterinária, na qual trabalhava como enfermeira, que os cachorros eram chantagistas terríveis e que ela não deveria em hipótese alguma dar comida ao pequeno Kibushi quando ele ficasse pedindo junto à mesa — foi depressa até a cozinha para buscar um biscoito Friskies e metade de outro, integral.

Como um soberano árabe recebendo presentes, Penny aceitou com satisfação ambos os biscoitos e, ao triturá-los, encheu de migalhas o acolchoado florido; em seguida, tornou a ficar enfadada. Achatou o ursinho de pelúcia, de modo ameaçador, com uma das patas, e encarou Leonie zangada. A cadela labrador, normalmente alegre, encrespou-se como se dissesse: *Vou telefonar para a Sociedade Protetora dos Animais agora e sabe onde você vai parar? No tribunal, sob a acusação de crueldade contra os animais. Imagina só, abandonar-me por causa de umas férias fajutas.*

— Talvez seja melhor eu não viajar — comentou Leonie desesperada, achando que não conseguiria deixar Penny, Clover e Herman por oito dias. Penny ficaria debilitada, mesmo sob os cuidados da adorável mãe de Leonie, Claire, que a deixaria dormir na cama o tempo todo e a alimentaria com fígado de cordeiro cozido.

Contudo, os três filhos de Leonie tinham ido passar três semanas com o pai nos Estados Unidos, e ela prometera oferecer a si mesma férias inesquecíveis para se alegrar. Não permitiria que animais mimados a chantageassem. De jeito nenhum.

Clover, a adorável gata amarela de Leonie, não se dava bem com os felinos de Claire e odiava hotéis para animais; provavelmente, iria se esconder no canto dos aposentos enquanto estivesse lá, entrando em greve de fome para tentar parecer anoréxica quando a dona retornasse. Até mesmo Herman, o hamster resgatado pelas crianças, ficou mal quando sua gaiola de luxo dúplex foi transferida para a casa de Claire. Leonie era obrigada a admitir que os três gatos siameses da mãe tinham um interesse fora do comum pelo pequeno Hermie, passando horas a fio olhando para a gaiola de acrílico, calculistas, ao que tudo indicava, imaginando como ele seria apetitoso quando conseguissem abrir a portinhola, mas, ainda assim... não se tratava de abandono.

Todavia, ela se sentia culpada por deixar os queridos bichinhos enquanto fazia um cruzeiro pelo Nilo em uma luxuosa cabine do *Queen Tiye* (com tarifa de 122 libras pelo quarto individual, excursão a Abu Simbel e um passeio extra de balão pelo Vale dos Reis, mediante confirmação de reserva).

— Eu não devia ir — repetiu ela.

Penny, sentindo a vulnerabilidade, abanou o rabo por um instante e mostrou os dentes, fazendo charme. Para completar, saltou sobre o ursinho, mordendo-o, brincalhona. *Como você pode abandonar um ser tão gracioso e adorável?*, perguntou a cadela, usando ao máximo sua habilidade de Manipulação de Humanos.

Será que valia mesmo a pena?, pensou Leonie, fragilizada. Podia passar os oito dias de férias em casa e ocupar-se com a poda do jardim, próximo ao rio. Qual era a vantagem de ter um chalé com uma área de 500 metros quadrados na pitoresca região de Greystones, no condado de Wicklow, se fosse para deixar o jardim acabado, com flores silvestres suficientes para virar um santuário de borboletas?

E, além disso, podia pintar os armários da cozinha. Ela vinha postergando essa tarefa desde que se mudaram para o local, sete anos atrás. Leonie odiava madeira escura.

Teria tempo também de fazer uma faxina no quarto de Danny. Havia dez dias que ele e as meninas tinham ido para Boston, e ela nem entrara em sua toca. Tinha certeza de que, sob a cama do filho adolescente, sobravam entulhos: meias fedendo a queijo bolorento e camisetas velhas com quantidade suficiente de DNA humano para fazer clonagem. O quarto das meninas estava impecável, pois Abby tivera um acesso de limpeza na tarde anterior à viagem e começara a arrumar tudo. Como se não bastasse, ainda forçara Mel a ajudá-la. Juntas, as duas encheram um balde de lixo com revistas velhas e bichinhos de pelúcia que nem mesmo Penny queria mais mordiscar, canetas velhas sem tampas e cadernos com metade das páginas arrancadas. O quarto ficou tão arrumado que nem parecia o de duas meninas de 14 anos, obcecadas por ídolos da música pop — exceto pelo cartaz de Robbie Williams com as bordas gastas, que Mel se recusou a jogar fora.

— Não fique triste, mãe — pedira Abby, quando Leonie olhara para o quarto e declarara que tinha a impressão de que as meninas iam embora e nunca mais voltariam. — Só vamos ficar três semanas com o papai. Você vai se divertir horrores no Egito, sair todas as noites para beber e paquerar homens bonitos e nem vai lembrar que viajamos.

— Eu sei disso — retrucou Leonie, mentindo e sentindo-se péssima por violar a regra de ouro de nunca deixar os filhos perceberem como ficava arrasada cada vez que passavam uma temporada com o pai. Não que sentisse inveja do tempo que Rav ficava com as crianças, de forma alguma. Simplesmente sentia muita falta deles, Boston era tão distante. Ao menos quando ele morava em Belfast, estava a apenas duas horas de Dublin. Leonie nunca pensou em intrometer-se em uma das visitas dos filhos ao pai, mas, naquela época, a ideia de que, se sentisse vontade de vê-los em meio às férias de um mês, isso seria possível, tranquilizava-a.

Essa era uma das razões pelas quais iria de férias para o Egito, gastando mais do que devia: para afugentar a dor da solidão enquanto os filhos estavam longe. Por isso interromperia seu ciclo de vida monótono. Passar as férias em um lugar exótico parecia ser uma boa forma de deslanchar uma vida nova e extraordinária. Ao menos, *deveria* ser assim.

O telefone na mesinha de cabeceira tocou alto. Leonie sentou-se na cama e atendeu, ajeitando o porta-retratos de moldura prateada com a foto dela e de Danny próximo à montanha-russa, na EuroDisney. Garotos de 19 anos não viajavam mais com as mães, lembrou a si mesma, sabendo que nunca mais os quatro sairiam de férias juntos.

— Espero que não esteja querendo desistir — bradou uma voz do outro lado da linha. Era Anita. Mais ruidosa, adorável e mandona que um técnico de time de futebol da primeira divisão, a amiga mais antiga de Leonie só conseguia falar em dois tons de voz: aos berros ou em sussurro alto, e ambos podiam ser ouvidos a 50 metros de distância. — Precisa descansar e, já que não vai para West Cork com a turma, tenho certeza que o Egito será perfeito. Mas não deixe que aquela bendita cadela faça você desistir.

Leonie deu um sorriso.

— A Penny está superdeprimida — admitiu. — E estou pensando duas vezes se será bom mesmo eu ir viajar sozinha.

— Vai desperdiçar o dinheiro? — vociferou Anita. Era o tipo de mãe de quatro filhos que não perdia uma promoção e reutilizava saquinhos de chá quando possível.

Leonie sabia que não aguentaria passar outras férias no grande bangalô alugado com "a turma", como Anita chamava o grupo que estava junto havia 20 anos, desde que se encontraram como recém-casados em Sycamore Lawns. Fazer parte de grupos era interessante para quem estava bem-casado, já os divorciados não se haviam adaptado bem na categoria.

Era horrível ser a única descasada da turma, e a coisa ficaria pior, agora que Tara (disponível por muito pouco tempo) se casara de novo e não teria mais interesse em dividir um quarto com Leonie, no qual as duas ficariam se queixando da solidão e da escassez de homens decentes. Depois das férias do ano passado com a turma, em que um marido bêbado surpreendera Leonie com um chupão e a apalpara na cozinha, tarde da noite, dizendo: "Sempre achei que você fosse liberada", ela prometeu a si mesma que aquilo jamais voltaria a acontecer.

Quando ela e Ray se separaram dez anos antes, ela se sentira bastante otimista em relação ao futuro. Após um casamento de uma década agradável, mas quase fraternal, ambos acreditaram que o melhor estava por vir. Mas quem se deu bem e triunfou foi Ray, com suas várias namoradas, enquanto Leonie ainda ansiava pelo verdadeiro amor que faria tudo valer a pena.

Fazia seis anos que não tinha um encontro amoroso; o último fora organizado por Anita com um desconhecido, um conferencista de faculdade, que era sósia — em todos os aspectos — de Anthony Perkins em *Psicose*. Desnecessário dizer que não deu certo.

— Leonie, sempre haverá um lugar para você em West Cork — prosseguiu Anita. — Seria ótimo se fosse e, se está pensando em desistir...

— Estava só brincando — apressou-se em dizer a amiga. — Estou louca para ir, sério! Sempre quis conhecer o Egito e não vejo a hora de comprar as maravilhosas joias egípcias — acrescentou, com genuíno entusiasmo. Sua coleção de bijuterias exóticas já ocupava quase toda a sua penteadeira, brincos de filigrana emaranhados com colares metálicos tailandeses, a maioria comprada em lojas étnicas de Dublin ou Londres, e não em seus locais de origem longínquos.

— Mas tome cuidado com esses mercados árabes e essas feiras — advertiu Anita. Era uma viajante desconfiada, que acreditava que qualquer lugar além do Canal da Mancha era isolado. — Sabia que eles adoram mulheres corpulentas no Oriente?

— Não me diga! — exclamou a amiga, voltando instintivamente a ser Leonie Delaney: ousada, sensual, a própria deusa em forma de mulher, uma imagem que ela vinha projetando havia anos. Se Anita imaginava que era tudo mentira e que a maior parte dos encontros amorosos ardentes que Leonie tivera fora em casa com o controle remoto e uma caixa de sorvete de morango, a amiga nunca dissera nada.

Depois de mais alguns minutos de conversa, durante a qual Leonie prometeu que se divertiria, desligou o telefone, pensando consigo mesma que se algum mercador de escravas brancas quisesse levá-la para ser escrava sexual, teria que ser muito forte. Com 1,76 metro e 95 quilos, ela dificilmente serviria como dançarina de harém, além de ser robusta o bastante para derrubar qualquer egípcio assanhado que ousasse beliscar seu traseiro.

Foi muito amável da parte de Anita dizer aquilo, pensou, enquanto avaliava o efeito da roupa que vestira, a saia indiana amarela com sua blusa favorita de seda preta e um colar em espiral de minúsculas contas de âmbar. Sabia que preto não era uma cor muito adequada para se viajar a um país quente, mas sentia-se muito mais à vontade quando a usava. Tinha consciência de que nada escondia seu tamanho avantajado, mas essa cor camuflava-o muito bem.

As cores vibrantes a favoreciam, e ela adorava vesti-las: túnicas soltas em tons fortes de carmesim, mantos grandes de veludo roxo e saias compridas, adornadas com lantejoulas indianas e bordados elaborados em matizes intensos. O estilo de Leonie, semelhante ao de uma cartomante aristocrática ou uma atriz elegante e exibida da Broadway dos anos 1930, não passava despercebido. Mas preto continuava a ser seu tom favorito, seguro e familiar. Satisfeita com sua aparência, na medida do possível, começou a se maquiar, passando uma base espessa com habilidade.

Se não houvesse escolhido a profissão de enfermeira veterinária, Leonie teria adorado ser maquiadora. Não fora abençoada com um rosto bonito, mas, quando se pintava, fazia mágica com os lápis e pincéis, deixando os olhos hipnoticamente destacados com bastante delineador preto, o que lhe dava a sensação de ser exótica e misteriosa. Como a mulher das antigas propagandas do chocolate Turkish Delight, que ficava sentada nas dunas, esperando por seu xeique. Com certeza, Leonie não estava gorda demais, nem velha, tampouco amedrontada, para amargar um futuro solitário, sem um homem.

Sua boca adorável, em formato de arco de cupido, certamente ficaria perfeita em uma modelo pequena e delicada, mas parecia um pouco incongruente em uma mulher alta e corpulenta. "Um belo exemplar", assim se referia a ela, com admiração, um senhor idoso que levava seu cão pastor à clínica veterinária.

Leonie tinha o rosto redondo, com maçãs proeminentes, que ela adorava, já que, não importava quão gorda ficasse, sempre se sobressaíam, evitando uma aparência flácida. Os cabelos, que na verdade eram da cor de burro quando foge, como ela mesma dizia, tinham os tons dourados da tintura que aplicava em casa, pois não podia mais se dar ao luxo de pintá-los no salão.

Mas o que chamava mais atenção nela eram os olhos lindos e enormes, com cílios naturalmente escuros e tom quase irreal, o mesmo azul-claro deslumbrante do mar Adriático.

— Seus olhos tornam você linda — dizia a mãe, encorajadora, enquanto a menina crescia. — Não precisa nem falar, Leonie, seus olhos o fazem por você.

A postura de sua mãe sempre fora a de que a pessoa podia se tornar o que bem entendesse. E, sendo ela própria uma mulher glamourosa, Claire sempre ressaltava para a filha que a beleza vinha de dentro.

Infelizmente, aos 19 anos, Leonie chegara à conclusão de que a mãe estava errada e de que olhos belos não seriam suficientes para transformá-la na mulher que desejava ser, estilo Catherine Deneuve. Ela se dera conta disso quando foi para a faculdade, após anos de educação em um ambiente feminino fechado do colégio de freiras. Foi apenas na Faculdade Dublin que teve contato com homens pela primeira vez. Descobriu também que os que ela paquerava na aula de Biologia pareciam gostar muito mais das colegas mais baixinhas e menos inteligentes. Os amores platônicos de Leonie convidavam-na a participar de sua equipe de cabo de guerra na semana da Feira da Caridade e chamavam as outras colegas para serem seus pares no Baile Beneficente.

Sentindo-se infeliz, ela concluíra que não passava de uma garota gorda e comum, motivo pelo qual decidira reinventar-se. A tímida Leonie Murray, que sempre ficava escondida nas fileiras de trás nas fotografias da escola, transformou-se na esplendorosa e excêntrica Leonie, amante de roupas exóticas, bijuterias extravagantes e maquiagem carregada, como se dissesse "estou pronta para o close-up, sr. De Mille", como Gloria Swanson em *O Crepúsculo dos Deuses*. Como era fisicamente maior que a própria vida, optou por tornar-se literalmente mais extraordinária que a própria vida. Espirituosa, vivaz e muito divertida, passou a ser convidada para todas as festas, embora nunca fosse chamada para um chamego na varanda.

Ray, seu primeiro e único verdadeiro amor, enxergara, além da camada de base da Max Factor, a mulher extremamente insegura que ela era. Mas os dois não tinham sido feitos um para o outro. O casamento fora um equívoco. Apesar de Leonie ter se sentido agradecida por haver sido resgatada da solidão, isso não era motivo suficiente para um casamento, percebeu mais tarde. Nem a gravidez. Às vezes se sentia culpada por ter se casado com ele por todos os motivos errados, para então, dez anos depois, acabar com tudo.

Um era o oposto do outro. Ray, um pacato estudante de Belas-Artes que nunca ia a festas de arromba e passava todo o tempo livre na biblioteca. Leonie, a *grande dame* do primeiro ano de Ciências. Ele lia Rousseau, ela repreendia o impertinente estudante de Agronomia que zombara de sua maquiagem pesada. (Ela choraria por causa disso mais tarde, mas, naquele momento, respondera à altura.)

Ray e Leonie se conheceram no cinema, assistindo ao filme *Noivo neurótico, noiva nervosa*, e acabaram passando a noite juntos, rindo da espirituosidade de Woody Allen. Nos últimos anos de seu casamento, ela concluiu que, além do senso de humor e da paixão pelos filmes de Woody Allen, eles tinham muito pouca coisa em comum. Eram polos opostos. Ray gostava de livros de não ficção e de discussões políticas; além disso, evitava festas. Leonie gostava de sair, de ir a discotecas e de ler romances água com açúcar enquanto degustava uma garrafa de vinho com uma barra de chocolate da Cadbury. A relação não teria durado nada, não fosse pela notícia da chegada do bebê Danny dentro de sete meses. Eles se casaram às pressas e foram incrivelmente felizes até a lua de mel terminar e ambos perceberem como eram diferentes um do outro.

Leonie sempre achou que já era alguma coisa eles terem permanecido juntos por dez anos em um relacionamento que, apesar da falta de brilho, fora civilizado e cortês. Manteve a união desestimulante por muito tempo, ciente desse fato, apenas por causa de Danny, Melanie e Abgail. Mas, por fim, teve um estalo e soube que era hora de partir. Começou a sentir-se sufocada, como se estivesse morrendo pouco a pouco e desperdiçando a vida nesse ínterim. Tinha que haver *mais* do que aquilo, intuía ela.

Não soube como encontrou forças para sentar-se perto de Ray e perguntar-lhe o que pensava de os dois se separarem. — Eu amo você, mas estamos com os pés e as mãos atadas — comentara ela, ganhando coragem após tomar duas taças de vinho do Porto aquecido. — Parecemos dois irmãos, e não marido e mulher. Um dia, você encontrará outra, ou eu vou conhecer alguém, e vamos viver uma verdadeira guerra de nervos, um brigando com o outro. Vamos nos odiar e fazer muito mal às crianças. É isso que você quer? Não seria melhor sermos honestos, em vez de nos iludirmos?

Foram momentos difíceis. Ray insistira que era feliz, que gostava do jeito que tocavam a vida. — Não sou romântico como você, Leonie, não anseio por um grande amor ou coisa do gênero — dissera ele, pesaroso. — Somos felizes juntos, não somos?

Quando os questionamentos vieram à tona, nada voltou a ser como antes. Ray e Leonie começaram a ficar distantes, pouco a pouco, até que o marido finalmente concluiu que a esposa tinha razão, que viviam um casamento pela metade. Chocou-a a rapidez com que ele começou uma vida nova, mas estava ocupada demais dando explicações aos três filhos para pensar no assunto. Ray progrediu longe dela. Fez um monte de amigos, viagens de férias interessantes e mudou de emprego. Passou a ter encontros amorosos, tornou-se estiloso e começou a apresentar as namoradas aos filhos. Leonie trabalhou duro, tomou conta das crianças e ficou à espera de que sua cara-metade desse o ar da graça, agora que estava solteira de novo. Mas, até aquele momento, nada de novo acontecera.

Como ela dizia a Penny, às vezes: — Eu devia ter ficado casada e arranjado amantes. *Isso* sim! Amor verdadeiro e romance com uma rede de segurança. Ao tentar fazer o que era certo, acabei errando feio.

Ela e Ray continuavam amigos, mas, naquele momento, as únicas pessoas que enxergavam a verdadeira Leonie eram seus três filhos.

Quando estava com eles, só usava duas camadas de rímel e um pouco de batom; além disso, deixava que a vissem de camisola. Deus do céu, como sentia falta das crianças.

Determinada a não se debulhar em lágrimas de novo por causa dos filhos, Leonie lembrou a si mesma que sempre desejara conhecer o Egito, um local cheio de magia. Não desistiria de seus planos por ter medo de viajar de avião. Para início de conversa, não podia se dar ao luxo de desperdiçar o dinheiro gasto com o pacote turístico e, além do mais, Leonie Delaney nunca fora mulher de vacilar. Determinada, pegou o delineador e fez um traço escuro tão grosso em cada olho que Cleópatra teria ficado orgulhosa.

Como ela poderia vencer obstáculos na vida se se acovardasse logo na primeira barreira: a viagem de férias sozinha?

CAPÍTULO 4

uatro horas depois, Leonie encontrava-se em uma fila no aeroporto comprimindo o guia turístico contra o peito e desejando que o voo fosse o mais rápido possível. Desde que assistira ao filme sobre o desastre na Cordilheira dos Andes, em que os passageiros tiveram de recorrer ao canibalismo para sobreviver após um acidente de avião, ela passara a abominar viagens aéreas. Na verdade, odiava-as.

— Vou dar um pouco de cetamina para você levar — brincara Angie no dia anterior, referindo-se ao potente tranquilizante de uso veterinário.

— Até pensei em levar um pouco mesmo — comentara Leonie, com seriedade. Embora tivesse comprado um frasco de tranquilizantes à base de ervas, pulseiras antienjoo para usar ao longo da viagem e essências aromáticas para passar nas têmporas, continuava mais estressada que o gato hiperativo da sra. Reilly quando cortavam as unhas dele. Apesar de ser um animalzinho adorável em casa — era o que sempre assegurava a sra. Reilly depois que Sootie arranhava alguém —, elas passaram a classificar o bichano de 5 anos de "perigoso", durante as consultas. Era necessário recorrer à sedação e ao uso de luvas grossas para acalmar Sootie antes de qualquer intervenção, por mais simples que fosse. Leonie desejou que a tripulação da aeronave sedasse seus passageiros.

Ela empurrou o carrinho, seguindo a fila, e observou os outros passageiros do voo MS634 com destino a Luxor. Ninguém mais parecia suar frio, apavorado. Muito menos a mulher magérrima no início da fila, com a expressão inquieta similar a do saluki hound, o cão real do Egito. Os cabelos castanho-claros, longos e sedosos, caindo sobre os olhos grandes e arredondados, reforçavam essa sensação. Com a roupa creme de tricô, que não lhe caía bem, parecia extremamente magra e infeliz. Devia ter uns 30 anos, supôs Leonie, mas se comportava com a mesma ansiedade de uma adolescente que estivesse detestando sair de férias com a família, quando preferia estar em casa.

Uma senhora mais velha, obviamente a mãe, estava ao seu lado, conversando com animação. A idosa usava um vestido floral fora de moda, do tipo que a mãe boêmia de Leonie teria se recusado a vestir anos atrás, pois só ficaria elegante com luvas e chapéu pillbox. Um homem imenso e barbudo aproximou-se das duas e começou a discutir com a atendente da companhia aérea, a voz estrondosa facilmente audível por todos aqueles que estavam na fila.

— Eu bem que podia me queixar para você, minha jovem, mas não sei de que adiantaria — esbravejou ele com a moça. — Deixei minhas expectativas muito claras para o pessoal da agência de viagem. Grave minhas palavras: não vão tirar vantagem de mim.

A Mulher Saluki desviou os olhos, envergonhada, e deparou com Leonie a observá-la. Constrangida, Leonie fitou o carrinho. Adorava espiar as pessoas, mas odiava ser pega no ato. Tentar adivinhar quem as pessoas eram e o que faziam só de espiar o que levavam no carrinho de supermercado era seu passatempo favorito. Não conseguia sentar-se no trem para Dublin por mais de cinco minutos sem especular o tipo de relacionamento que os passageiros à sua frente teriam. Seriam casados, sairiam juntos ou estariam prestes a se separarem? A mulher com o carrinho cheio de Häagen-Dazs com gotas de chocolate e silhueta de Kate Moss *tomava* mesmo o sorvete ou tinha uma fotografia de quando era gorda no sótão?

Adiante, a atendente chamou o "próximo", com voz aliviada. Quando o trio problemático finalmente saiu da fila após fazer o check-in, Leoni evitou encará-los, mas deu uma olhada furtiva na mais jovem.

Quando passou ao seu lado, ela guardava seus documentos com cuidado dentro de uma bolsinha elegante, na qual não caberia nem um quarto das maquiagens e tralhas de Leonie, e a enfermeira percebeu que a Mulher Saluki usava esmalte cor-de-rosa nas unhas roídas até o toco. A jovem olhava resolutamente para a frente, como se tivesse consciência de que a fila inteira tinha ouvido a discussão e receasse estabelecer contato visual com alguém. Definitivamente não apreciava a ideia de passar férias com os pais, concluiu Leonie.

A fila andou e, sem ninguém interessante para observar, Leonie ponderou a possibilidade de sair da fila e voltar para casa. Ninguém precisaria saber: bom, só a mãe, já que a casa dela seria a primeira escala para buscar a querida Penny e os outros bichinhos. Mas ninguém mais teria de saber.

Estava pensando em Anita. Àquela altura, achava-se a caminho de West Cork e só voltaria para Wicklow dali a três semanas. Nem se daria conta de que a amiga, uma divorciada de 42 anos, exuberante e aparentemente corajosa, cancelara as primeiras férias que planejara para si mesma, por medo de viajar de avião.

— Vou ao banheiro, mas não demoro. — Alguém disse com uma voz feminina suave atrás dela.

— Vou sentir sua falta — afirmou um homem.

— Ah — disse a mulher, suspirando. — Eu te amo.

— Eu também — ressaltou ele.

Leonie concluiu, melancólica, que eram recém-casados.

Fez de conta que olhava à sua volta, entediada, e vislumbrou um casal jovem se beijando carinhosamente, e em seguida, a mulher, que trajava um vestidinho de algodão rosa-claro e virginal, nada apropriado para uma viagem, foi rapidamente para o banheiro, virando a cabeça o tempo todo para olhar o marido, acenando para ele, com delicadeza, e sorrindo radiante.

Ele retribuiu o sorriso, segurando duas malas com uma das mãos, nas quais algum engraçadinho havia escrito "Sr. & Sra. Smith" em grandes letras brancas, com corretivo líquido.

Alguma vez na vida estivera tão apaixonada e feliz assim?, perguntou-se Leonie, virando-se para a frente e observando a fila, de forma inexpressiva. Não achava que sim, embora merecesse. Será que não existia por aí alguém feito para ela, que não a deixasse se afastar nem para ir ao banheiro sem lhe dar um beijo e pedir que tomasse cuidado? Tinha que existir. E não o encontraria em casa, capinando o jardim. Empurrou seu carrinho com determinação na fila cada vez mais curta. Egito, lá vamos nós.

Colocaram-na no assento 56C da janela, no fundo do avião. Quando ocupou seu lugar, Leonie deparou-se com as duas poltronas vazias a seu lado e estremeceu. Seria tão bom se pudesse trocar de lugar com alguém. Mas talvez ninguém tivesse interesse. Odiando a si mesma por estar tão nervosa, ela deu uma olhada no corredor para ver se havia uma aeromoça com quem pudesse falar sobre a troca de assentos. Em vez dela, viu uma graciosa mulher caminhando depressa em sua direção. Magra e segura de si, usava jeans, camisa branca e um cardigã de algodão azul-marinho jogado casualmente nos ombros.

Ela carregava a maleta no alto, para não bater em nada, mas, quando colidiu com um grandalhão que tentava meter uma sacola no compartimento superior de bagagens, deu um sorriso encantador, jogou os cabelos castanhos para trás e continuou andando. O homem acompanhou-a com o olhar, prestando atenção no requebrado suave dos quadris e nas pernas longas. Leonie tinha certeza de que a mulher sabia que estava sendo observada, por causa do leve sorriso no canto da boca carnuda enquanto andava. Esbanjava autoconfiança e elegância, sendo o tipo de mulher que nascera para fazer um cruzeiro pelo Nilo, com óculos de grife fincados nos cabelos e sapatos esportivos impecáveis. Quando Leonie tentava colocar os óculos nos cabelos eles sempre caíam.

A mulher chegou à fileira 56 e sorriu com simpatia para Leonie, que decidiu encarar o medo de frente.

— Eu deixei claro que não queria sentar na janela — explicou com nervosismo à morena charmosa, o temor de olhar pela janela do avião sobrepujava seu receio de incomodar.

— Você pode ficar na minha poltrona — disse a mulher, com um tom de voz amável e um leve sotaque do oeste da Irlanda. — Odeio ficar na do meio.

As duas trocaram de lugar e, enquanto a mulher se acomodava no assento da janela e colocava os óculos de tartaruga para ler o guia de viagem que tirara da pequena bolsa, Leonie sentiu um forte aroma do perfume Obsession e logo percebeu que a outra não usava aliança de casamento. Se estivesse viajando sozinha, podiam ficar amigas. Leonie sentiu-se feliz por ter a companhia de uma pessoa tão agradável. Sentiu que tudo daria certo.

Tentou relaxar e, confortavelmente instalada na poltrona do meio, deu uma espiada pela janela do avião. Pôde observar os carregadores pondo malas enormes na esteira rolante conectada ao compartimento de cargas da aeronave.

Quase todos já estavam a bordo, exceto as pessoas que ocupariam os assentos à frente das duas mulheres. Leonie, que já se aborrecera ao imaginar os carregadores jogando suas roupas e maquiagem de qualquer jeito, deixando tudo aos pedaços, observou os retardatários chegando. A mesma família que observara mais cedo vinha pelo corredor em sua direção. A mais jovem chegou primeiro, a franja longa e o olhar furtivo evitando que encarasse quem quer que fosse e, após meter uma mochila pequena no compartimento de bagagens, acomodou-se rápido no assento da janela. O outro casal veio logo depois. Leonie fez uma careta; pelo que vira no balcão de embarque, já imaginava como seria divertida a viagem com o sr. Boa-Praça em pessoa.

— Número 55B — murmurou a mulher mais velha. — Aqui está. Acho que vou ficar na poltrona da janela.

A jovem levantou-se em silêncio, cedendo o lugar à mãe. Parecia aguardar a decisão do pai de sentar-se do lado da esposa.

— Sente-se logo, Emma — pediu irritado o homenzarrão.

— Sinto muito — sussurrou a jovem. — Achei que...

— Quer que eu coloque sua valise no bagageiro, Anne-Marie? — interrompeu ele, com grosseria.

— Não... Bom, deixe-me ver — começou a falar a mais velha —, vou precisar dos meus óculos, dos meus comprimidos e...

Leonie olhou pela janela mais uma vez. Vida em família, que dificuldade! Quando tinha aquela idade, não viajaria com os pais nem que lhe pagassem. Aquela jovem devia ser louca ou quase.

Quando o avião decolou, por fim, Leonie fechou os olhos, apavorada; Hannah também fechou os dela, porém sorriu ante a lembrança de Jeff como garanhão na cama, algo tão revigorante quanto o empuxo do Jumbo; Emma colocou uma bala de menta na boca, sentindo-se mais calma por causa do meio comprimido de tranquilizante que tomara no banheiro, antes de partir. Ela tentou se acomodar, mas teve dificuldade, já que o pai ocupava a maior parte do espaço, de propósito.

Esperava que meio tranquilizante não prejudicasse o bebê, mas o pai estava de péssimo humor e deixara claro que infernizaria a vida de todos.

Emma vira várias pessoas observando sua família na fila, enquanto o pai, furioso por não poder fumar seu cachimbo a bordo, brigava com a pobre atendente. As férias seriam terríveis se ele continuasse se comportando assim. Ora, mas por que tinha concordado em vir?

Sentindo-se aliviada, Hannah recostou-se na poltrona do ônibus climatizado e concluiu que o único jeito de não sentir calor em Luxor seria ficando pelada com um saco de gelo amarrado ao redor do corpo. Eram 18h30 e, ainda assim, após ficar apenas 15 minutos do lado de fora do aeroporto, já estava derretendo. Teria entrado de imediato no ônibus refrescante da excursão Incrível Egito se não fosse pelos dois carregadores usando vestimentas árabes, que ficaram brigando para levar suas malas até o veículo.

— Ótimo trabalho em dupla, rapazes — disse ela, sorrindo para eles e dando a cada um uma gorjeta.

Fazia no mínimo 27 graus e já quase escurecera por completo. Sabe lá a quanto a temperatura chegaria durante o dia. Ela abanou-se com o folheto informativo que a guia de turismo entregara ao saudar o seu grupo de 32 viajantes.

— Podem ir para os ônibus enquanto eu termino de reunir o grupo — disse a guia animadamente, enquanto direcionava as pessoas para os veículos que já aguardavam os passageiros como se fossem monstros prateados e brilhantes, sob o calor vaporoso.

Com o frescor de uma margarida, Flora, a guia, trajava uma blusa azul-marinho de algodão e uma bermuda creme e emanava profissionalismo e tranquilidade. Precisaria realmente de muita calma para lidar com o homem horrível que se sentara no avião, na fileira da frente, pensou Hannah. Havia reclamado durante toda a viagem, dizendo que o prato servido deveria estar quente e não frio e perguntando se teriam direito a ressarcimento pelo atraso de uma hora na decolagem. Era implacável, pensou ela, aborrecida.

Fora extremamente rude com a aeromoça amável, de olhos escuros, que lhe dissera, hesitante, que não podia servir bebidas alcoólicas a bordo e, em Luxor, durante a verificação dos vistos no caos da área de desembarque, só um surdo não teria ouvido seus comentários sarcásticos sobre a ineficiência dos egípcios.

— Vocês chamam isso de aeroporto? — resmungara ele, enquanto a multidão que saíra do avião começava a circular na área de desembarque, procurando guias turísticos, tentando trocar dinheiro ou formando filas desorganizadas para a apresentação de vistos. — É uma vergonha fazer com que ocidentais venham para um lugar tão bagunçado quanto este. Não há placas, nem policiais, nem climatização apropriada, nada mesmo! Não é de se admirar que esse povo tenha sido governado por potências estrangeiras durante tanto tempo; não tem nenhuma organização. Só sei de uma coisa, quando voltar, vou escrever uma carta para o *Irish Times* e para a Embaixada do Egito.

Hannah não entendia por que ele se dera ao trabalho de visitar um país estrangeiro se sua intenção era apenas se queixar do calor e fazer comentários racistas e xenofóbicos a respeito da população local.

Tomando um gole na garrafa de água mineral, ela observou as pessoas ofegantes e suadas se arrastando até a escada do ônibus, enquanto falavam, toda hora: "Que calor!"

— Como está quente! — disse a loura corpulenta com a respiração entrecortada. Acabara de enfiar a mala de lona no porta-bagagem, deixando-se cair pesadamente na poltrona ao lado de Hannah. Era a mesma mulher que sentara ao seu lado no avião.

— É nisso que dá não ouvir os conselhos do agente de viagem. Ele avisou que no mês de agosto o calor era insuportável — disse Hannah, com um sorriso.

— Avisou mesmo? — indagou a mulher, enquanto buscava algo dentro de uma bolsa de camurça preta cheia, até que, triunfante, conseguiu pegar uma caixinha de suco de laranja. Colocou o pequeno canudo plástico, sorveu profundamente e, então, disse: — Meu agente não disse nada sobre o calor. Eu expliquei que só poderia viajar em agosto, e ele fez a reserva para mim. Meus filhos estão passando o mês fora, sabe? A propósito, meu nome é Leonie.

— Prazer em conhecê-la. Eu me chamo Hannah.

Leonie sabia que seu rosto estava mais corado que o habitual e que seus cabelos louros desgrenhados encrespavam-se cada vez mais sob o efeito do calor igual ao de um forno a 220 graus.

Ela quase não tinha conversado com a mulher que se sentara a seu lado no avião. Passou a viagem inteira apavorada, tentando se concentrar na leitura de um livro de suspense, esperando que, imersa na obra, esqueceria o fato de que estava voando. Já segura em terra firme, ficou aliviada e, loquaz, começou a puxar conversa. Hannah não parecia sentir calor: dava a impressão de estar acostumada a temperaturas em que daria para assar uma galinha ao ar livre.

— Lá dentro estava uma loucura — comentou Leonie, referindo-se à área de desembarque. — Aqueles homens ficavam pegando a minha mala para tentar colocá-la em seus carrinhos e toda hora eu tinha que trazê-la de volta. Acho que acabei rasgando alguma coisa ao tentar arrastá-la da última vez — prosseguiu, massageando os ombros.

— Eles são carregadores e ficam na esperança de receber uma gorjeta ao levarem a mala para você — explicou Hannah.

— Ah, isso nem me passou pela cabeça. De qualquer forma, ainda não tenho nada em moeda local — disse Leonie. — Vou trocar dinheiro no barco.

Começou a vasculhar a bolsa em busca de sua carteira, dando a Hannah a oportunidade de analisá-la. Ela concluiu que o nariz arrebitado de Leonie era estranhamente infantil, e a maquiagem que usava era um pouco pesada para o calor tórrido do norte da África. Mas nada escondia a energia que emanava da face vibrante daquela mulher, revelando uma miríade de emoções à medida que ia falando. Apesar de não ser bonita, tinha um rosto tão expressivo e meigo que se tornava atraente. Seus olhos, de um tom de azul fascinante, brilhavam como safiras do Ceilão. Hannah nunca vira alguém com olhos de um azul tão profundo, a não ser modelos fazendo propaganda de lentes de contato em revistas de luxo. Lógico que havia a possibilidade de Leonie estar usando lentes coloridas, mas Hannah seria capaz de apostar a própria vida que não. Era uma pena que usasse tanta maquiagem e um delineador tão forte. Dava a impressão de que entraria em cena a qualquer momento, parecia um disfarce, uma fachada atrás da qual se ocultava. Hannah sorriu para si mesma; todos tinham algo a esconder. Havia anos que ela própria dissimulava sua falta de instrução.

— Seria ótimo se a gente pudesse jantar juntas hoje, você não acha? — sugeriu Leonie, odiando a si mesma por estar falando feito uma matraca. Assustada ante a ideia de estar longe de casa e sozinha, sem pessoas simpáticas com quem conversar, ficou emocionada ao identificar uma viajante que estava na mesma situação que ela. No entanto, não queria ser encarada como uma pessoa carente nem solitária: como Hannah parecia extremamente autossuficiente e segura de si, talvez não quisesse uma companheira de férias. — Quer dizer, se não se importar em jantar comigo... — acrescentou Leonie, com a voz esmaecendo.

— Mas é claro que não me importo — afirmou Hannah, apesar de se sentir muito bem quando estava sozinha. Contudo, um estranho sentimento de proteção em relação à outra mulher, que devia ter o dobro de seu tamanho e medir 1,76 metro, tomou conta dela. — Vai ser ótimo ter companhia e, além do mais, vamos ficar muito mais seguras juntas, caso nos apareçam uns egípcios lindos e exóticos. Ou seria o público masculino que deveria ter medo de nós? — perguntou, brincando.

Leonie deu uma risada e olhou com pesar para o corpo robusto.

— Acho que sei me proteger e que a população masculina não precisa temer nada. — Pelo menos daquela vez não sentiu vontade de contar uma piada sobre homens nem de alardear que não conseguia viver sem eles. Quando fazia esse tipo de comentários idiotas, que só serviam para disfarçar sua insegurança, tinha a sensação de que estava se anulando. Naquele dia, não precisou fingir que era outra pessoa. Hannah era gentil e tranquila. Seria ótimo poder compartilhar as férias com ela.

O homem de barba mal-humorado subiu no ônibus com a esposa e a filha, e os três deixaram-se cair pesadamente nas poltronas da frente. Hannah e Leonie observaram o trio com interesse, enquanto o pai, em um monólogo, fazia críticas e a mãe se abanava um pouco com um leque espanhol nada apropriado para o local. O penteado da mulher mais velha, que usava os cabelos claros puxados para trás e parcialmente presos, parecia muito infantil para ela, como se ela fosse uma atriz fazendo o papel de menina ingênua, e seu vestido acinturado com saia ampla rodada dava a leve impressão de que ela estava participando de um concurso de fantasia. Parecia insatisfeita, como se tivesse avaliado brevemente o Egito e concluído que o lugar deixava a desejar. A filha sentou-se atrás dos dois, com o rosto pálido e o olhar distante.

— Espero que a gente não acabe ficando em uma cabine perto deles — sussurrou Leonie, com veemência. — Parece aquele tipo de gente que reclama até se não tiver do que se queixar.

— O pai, com certeza, é assim — concordou Hannah. — Mas eu sinto pena da filha. Imagine ter que aguentar um déspota falastrão como esse.

Observando o rosto retesado da mulher mais nova, Hannah concluiu que a moça mantinha o olhar distante por causa da vergonha que sentia do comportamento do pai. — Parece que ela vai começar a chorar a qualquer momento. Talvez devêssemos convidá-la para ficar com a gente — Hannah sugeriu, tomada pelo desejo de salvar mais um cão abandonado, já que acabara de fazer um salvamento do gênero.

Leonie vacilou.

— Não sei se seria bom... — disse ela. — E se o outro casal insistir em fazer amizade conosco também e a gente acabar tendo que amargar a companhia deles durante todo o cruzeiro?

— Leonie — começou a dizer Hannah, em tom de censura. — Na vida, às vezes, a gente tem que se aventurar. Além disso, vamos acabar compartilhando mesas de seis ou oito pessoas no barco, então, se ficarmos com eles, vamos ter que suportá-los de qualquer modo.

Já era noite quando o ônibus saiu pelas ruas de Luxor com destino ao barco. Flora sentou-se à frente, mostrando atrações turísticas e dando boas-vindas a todos.

— Vocês vão ter uma semana agitada — comentou a guia —, já que muitos dos passeios começam logo de manhã. Agendamos as saídas bem cedo porque os templos e pontos turísticos ficam cheios de visitantes durante o dia; além disso, é bem mais fresco e as excursões ficam mais agradáveis. Mas amanhã vão poder relaxar enquanto o barco navega até Edfu, onde faremos a primeira excursão, que começará logo depois do almoço. Esta noite, teremos um encontro de boas-vindas no bar às — ela consultou o relógio — oito e meia, o que será daqui a uma hora, e eu vou descrever nosso plano de viagem. O jantar vai ser às nove.

Hannah e Leonie observaram as ruas poeirentas imersas no escuro da noite, olhando atentamente para as moradias de adobe de um ou dois andares, tão diferentes de tudo na terra natal delas. Muitas pareciam inacabadas, como se outro andar estivesse em construção e depois os donos tivessem desistido. Havia palmeiras espalhadas entre essas casas rústicas e, ao longe, avistavam-se cultivos verdes e abundantes,que cresciam à altura de alguns metros.

Quando o ônibus passou pela Luxor iluminada, Leonie viu um asno solitário em uma choça coberta de palha. Como estava magro, ela pensou, sentindo um aperto no coração. Pôde ver as costelas incrivelmente expostas. Esperava não ter de testemunhar animais sendo tratados com crueldade: já bastava ter de acompanhar cachorros abandonados, que eram levados para a sala de cirurgia, depois de terem sido atropelados, em seu país. Pelo menos na sua terra, podia fazer alguma coisa por eles, mas, naquele local, era uma turista, e não uma enfermeira veterinária.

De súbito, a imagem de Penny veio à sua mente, os olhos cor de chocolate derretido demonstrando toda a tristeza de ter sido deixada para trás. Leonie sentia uma saudade enorme dela e dos outros adorados animais. Pobre Clover, trancada no hotel para gatos, e o pequeno Herman, sendo observado o tempo todo pelos vorazes bichanos da mãe. Além disso, sentia-se tão distante das crianças... Ao menos na Irlanda estava mais perto de Boston. A apenas um telefonema de distância. No Egito, ela estava separada dos filhos por dois continentes e estaria viajando, de forma que eles não poderiam localizá-la, se quisessem. E se algo acontecesse e Ray não conseguisse contatá-la...

Pare, ordenou Leonie, a si mesma. Não vai acontecer nada. Tentando afastar os maus presságios da mente, observou a paisagem pela janela e notou que a paisagem rural dava lugar a algumas ruas da cidade, com mais trânsito. Os demais veículos na estrada levantavam poeira: velhos Ladas com sinais luminosos no teto indicando que eram táxis, além de imponentes caminhonetes antigas de cores vivas, cobertas de pó. Letreiros luminosos na exótica escrita árabe reluziam sobre pequenas lojas e cafés e, sobre uma miríade de lojas de suvenires, viam-se letreiros brilhantes em língua inglesa.

Leonie observou que os homens se reuniam em pequenos grupos, distantes poucos metros uns dos outros. Sentavam-se ao lado de fora de casa para tomar café ou ver jogos de futebol na televisão. Muitos deles trajavam túnicas compridas de algodão branco e turbantes enrolados com capricho na cabeça. Os garotos mais jovens sentavam-se por perto, observando os turistas no ônibus e apontando para o veículo, animados.

— Não vi nenhuma mulher — sussurrou Leonie para Hannah, como se os homens olhando para elas da beira da estrada pudessem ler seus lábios.

— Eu sei — disse Hannah, também murmurando. — É uma cultura que parece ser voltada para o sexo masculino. Também não havia mulheres no aeroporto. O país é basicamente muçulmano, não é mesmo? As mulheres devem se vestir sempre com recato.

Arrependida, Hannah pensou nas roupas que havia trazido para as férias... entre elas constavam algumas peças diminutas que escolhera para tomar sol no barco. Como os guias turísticos informavam que as mulheres não deviam trajar shorts curtos ou vestimentas sem mangas para visitar os templos, ela trouxera também várias roupas mais fechadas. Todavia, se os egípcios desaprovavam trajes ocidentais, ela optaria por deixar os biquínis na mala. Não tinha intenção de ofender ninguém com suas roupas. Bom, deu-se conta com um sorriso, o pároco mais velho em seu distrito de

Connemara não gostaria mais de um biquíni de crochê cor-de-rosa que um religioso egípcio.

— À sua direita, está o Nilo — anunciou Flora, levando os passageiros a esticarem os pescoços para a primeira visão do grande rio. A princípio, Hannah não conseguia ver nada além das cabeças das pessoas tentando olhar de relance pela janela.

Então, pôde contemplar uma vasta extensão de água brilhante, cintilando com as luzes dos grandes barcos ancorados às margens do rio. O misterioso Nilo, a dádiva do Egito, como dissera Heródoto — ou seria o contrário? Não conseguia se lembrar. Reis e rainhas egípcios haviam navegado rio acima e abaixo em barcas reais, e os faraós velejavam para chegar a seus templos e adorar seus deuses. Tutancâmon, Ramsés, Hatshepsut: uma lista de nomes que remetiam a um exótico mundo do passado...

— Olhe só os barcos — comentou Leonie, ansiosa para saber em que tipo de embarcação passaria a próxima semana. Enquanto não visse o espaço de seu camarote, para ter certeza de que acomodaria sua mala enorme, não conseguiria concentrar-se direito nas glórias do Nilo. — Esse é enorme — prosseguiu, à medida que iam se aproximando de um palácio flutuante decorado com centenas de luzes coloridas. — Espero que seja o nosso barco. — O veículo não parou. — Poxa! — exclamou Leonie, dando de ombros.

De súbito, o ônibus trepidou e parou ao lado de um barco bem menor, pintado de azul-ultramarino, com *Queen Tiye* escrito na lateral, em enormes letras douradas. Composto de três conveses, sendo o terceiro parcialmente coberto por um toldo de lona, com a outra parte descoberta, cheia de cadeiras de vime e espreguiçadeiras espalhadas. O convés superior reluzia com um monte de luzinhas. Dava para ver algumas pessoas sentadas a uma mesa, com copos e garrafas à sua frente.

— Bonito mesmo — comentou Leonie, suspirando aliviada.

Todos se agruparam para sair do ônibus e identificar as respectivas malas para os carregadores, conforme orientação de Flora. Em seguida, desceram a escadaria de pedra do cais com cuidado e atravessaram a estreita ponte de corda e madeira até o barco.

Leonie apoiou-se nas cordas das laterais da ponte para manter o equilíbrio e, radiante, virou-se para Hannah.

— Bem ao estilo *Indiana Jones* — observou, emocionada com a aventura. — Será que aqui é a prancha de desembarque?

— Não sei dizer — respondeu Hannah, cansada. Começava a sentir os efeitos da noite em claro com o vigoroso Jeff. Tudo que queria naquele momento era cair na cama e dormir até o dia seguinte. Contudo, não queria perder a palestra de Flora. Ou não tomaria conhecimento do que ocorreria na viagem, e odiava ficar desinformada. Não dava para confiar no que as outras pessoas diziam.

Depois que todos preencheram as fichas de registro de entrada, Flora distribuiu as chaves dos camarotes. Os de Hannah e Leonie ficavam na frente um do outro.

— Não é divertido? — quis saber Leonie, com uma alegria infantil enquanto as duas caminhavam pelo corredor estreito até os camarotes. Nunca estivera em um barco como aquele antes.

As grandes balsas que navegavam para a França eram diferentes: modernas, porém enfadonhas. Tudo ali tinha algo de incomum e exótico. As paredes, forradas com uma madeira nobre escura, exibiam pequenas aquarelas vitorianas com molduras douradas e detalhes em filigranas retratando cenas do deserto. Até as chaves dos camarotes vinham decoradas com pequenas pirâmides de bronze. Leonie desejou que os filhos também estivessem ali para compartilhar aquela experiência. Mel ficaria entusiasmada com a ideia de comprar lenços de seda egípcios; Abby, em êxtase só de imaginar que visitaria os templos; e Danny importunaria a tripulação, insistindo em conduzir a embarcação. Esperava que os filhos estivessem se divertindo naquelas férias.

Abriu a porta da cabine com empolgação, mas, ao deparar com o cômodo que seria seu lar durante toda a semana seguinte, logo perdeu o ânimo. O camarote era minúsculo, não chegava nem mesmo ao tamanho de seu banheiro no chalé. Não havia quadros dourados trabalhados em filigranas nem o rico acabamento em madeira do restante do barco: o cômodo era todo pintado na cor creme, com cortinas amarelas e colchas com listras amarelas nas duas camas de solteiro.

Uma prateleira quadrada, de 15 centímetros, servia de penteadeira, e outra peça idêntica entre as duas camas exercia a função de criado-mudo. Havia um pequeno frigobar ao lado do armário, que não passava de um nicho com portas fixado à parede. Leonie enfiou a cabeça no banheiro e descobriu um ambiente minúsculo com pia, privada e chuveiro. Sua bagagem mal caberia no camarote e não adiantaria tentar meter seu amplo estoque de roupa no armário. Tampouco poderia ocupar a minúscula penteadeira: era óbvio que teria de usar a outra cama para organizar suas joias e maquiagens.

— Bem compacto, hein? — comentou Hannah, espiando pela porta entreaberta.

— Compacto não é exatamente a palavra. Ainda bem que não trouxe meu jovem amante para uma semana de embates amorosos no Nilo — observou Leonie, abrindo um largo sorriso. — A gente ia se machucar cada vez que passasse da penteadeira para a cama!

— Sorte sua de ter um jovem amante — brincou Hannah. — Precisamos compartilhar experiências mais tarde. — Como o carregador chegava com sua bagagem, ela sumiu de vista.

Leonie pensou, com tristeza, que não teria muitas histórias para contar.

Então, descerrou as cortinas e deixou que as luzes da beira do cais iluminassem o camarote. Ao abrir a janela, pôde observar as águas escuras e plácidas do Nilo. Com um arrepio de satisfação, ela tomou consciência de que estava ali de verdade. Não tinha vacilado e voltado para casa com medo; estava passando as primeiras férias por conta própria. Isso deveria contar quando o que estava em jogo era a conquista da independência.

Depois de desfazer as malas, ela tomou uma rápida chuveirada, achando graça do fato de o banheiro compacto ter apenas um espelho diminuto e ela não precisar olhar para seu enorme corpo rosado. Como de hábito, passou dez minutos experimentando roupas, tirando-as e jogando na cama as que não pareciam elegantes no espelho comprido do armário.

O vestido cor de vinho, de veludo bordado, era a peça mais bonita que trouxera, embora fosse quente demais para aquele calor; já o preto, sem manga, expunha tanto seus braços roliços que não suportava usá-lo. Hannah não teria esse problema, pensou ela, suspirando ao pensar no corpo fantástico de sua nova amiga. Esbelta e elegante, estava linda em suas roupas de viagem. Leonie daria a vida para ficar tão bonita de jeans.

Por fim, decidiu usar o vestido sem mangas com uma camisa de seda rosa desabotoada por cima, na esperança de que a longa cauda disfarçasse seu traseiro. Saiu do camarote cheia de expectativas para aquela noite.

O encontro informal que teria lugar no bar do convés superior antes do jantar só começaria dali a meia hora, mas Leonie decidiu se antecipar, para que pudesse devanear um pouco e observar o vaivém do local.

Enquanto fantasiava, teve uma visão de si mesma sentada no convés superior, rodeada por uma legião de homens e segurando uma taça de vinho, como se fosse uma personagem de Scott Fitzgerald. Mas, ao voltar à realidade, deparou consigo mesma nos espelhos embaçados que cobriam as paredes próximo à escadaria e viu o reflexo familiar: o corpo roliço de camponesa e uma maçaroca de cabelos que lembrava um punhado de feno desgrenhado e que nenhum creme para pentear resolveria.

Na verdade, era provável que os heróis de Scott Fitzgerald lhe entregassem os copos vazios de martíni e lhe pedissem outra dose, supondo que ela era a garçonete.

Arrependida por não ter feito uma dieta antes das férias, ela subiu até o bar movendo-se pesadamente. Decorado com painéis de madeira ornamentada, representava outra época, com a mobília art déco e litogravuras francesas expostas atrás do balcão.

Ela pediu uma taça de vinho branco ao barman jovem e sorridente, de olhos escuros. Assim que escreveu o número do camarote na comanda, pegou a bebida e foi para o lado de fora do convés, onde pôde sentir a brisa da noite acariciando sua pele e ouvir o burburinho do rio.

Não havia mais ninguém ali, e ela pôde inspirar profundamente em meio ao silêncio, interrompido apenas pelo som distante de música árabe proveniente de um dos barcos. Em meio ao calor agradável da noite, Leonie por fim conseguiu relaxar, observando a escuridão serena do Nilo. Não ficaria obcecada pela ideia de que tinha quarenta e tantos anos e não tinha namorado: estava decidida a aproveitar a viagem.

Dali ela via as velas altas dos barcos ancorados à outra margem do rio. Chamavam-se falucas, como a guia havia explicado. Era possível alugar-se uma e velejar pelo rio por algumas horas, pelo mesmo meio de transporte que as pessoas vinham usando havia milhares de anos. Que romântico!

Leonie pegou o copo, prestes a tomar um gole de vinho, quando ouviu, pelas portas amplas abertas, uma voz um tanto rouca e hesitante pedindo uma água mineral sem gelo.

Ela sorriu para si mesma e deu início a um de seus passatempos favoritos: adivinhar, pela voz, quem era a pessoa. Pensou nas duas senhoras tranquilas, os cabelos brancos realçados por um xampu de cor prata, que tinham subido no ônibus por último, fazendo um alvoroço, aliviadas por uma de suas malas não ter sido devorada pela esteira de bagagens, mas ter ido na carreta de bagagens errada, segundo a explicação apologética de um funcionário do aeroporto. Com certeza, era uma das duas. A voz parecia, contudo, muito sensual e bastante rouca ao dizer, com ansiedade: "Muito obrigada." Insinuante demais para ser de alguém com 70 anos, a não ser que fosse uma pessoa que tivesse passado a vida fumando um cigarro após o outro.

Virando-se na cadeira em que se sentara para confirmar se estava certa, Leonie espantou-se ao constatar que a voz pertencia à ansiosa Mulher Saluki dos pais infernais, que continuava usando o longo traje creme e transmitindo a mesma aparência imaculada. Mas, por algum motivo, havia algo de diferente nela.

Em vez da expressão distante que mantivera anteriormente, parecia cansada e, não, Leonie não estava imaginando coisas nem sendo simpática. Até a postura era outra: o corpo não estava mais retesado, e ela olhava ao redor como se tivessem tirado um peso de cima dela. Antes, evitara qualquer contato visual, como se isso fosse uma praga. Mas, naquele momento, olhando à sua volta, ela notou Leonie e lançou-lhe um meio sorriso que parecia quase um pedido de desculpas.

Leonie, naturalmente acolhedora, retribuiu o sorriso, mas arrependeu-se na mesma hora. E, se a mulher decidisse sentar-se à mesa de jantar com ela e Hannah, acompanhada de sua família medonha? E se não desgrudasse delas durante todo o cruzeiro? Que pensamento terrível! Hannah se aborreceria com essa ideia. Desejando não se sentir tão canalha, Leonie fechou a cara bruscamente e voltou a perscrutar o Nilo, como se fosse fazer uma prova sobre "Que tipo de objetos podem ser encontrados flutuando no Nilo em uma noite de verão".

— Está parecendo que acabou de levar um beliscão no traseiro — comentou Hannah, sentando-se na cadeira do lado oposto e colocando um copo de suco de laranja na mesa. — Ou está com a cara fechada justamente por ninguém ter feito isso? — Usando uma calça folgada branca com cordão e uma camiseta básica justa em tom caramelo, ela parecia ao mesmo tempo elegante e confortável. Leonie sentiu de imediato que exagerara no traje, com sua vaporosa blusa de seda cor-de-rosa.

— Na verdade, estou desviando o olhar da mulher que vimos mais cedo para evitar que pai e mãe da *Família Walton* resolvam sentar com a gente — explicou Leonie, sussurrando. — Ela sorriu para mim quando entrou, e estou morrendo de medo de iniciar uma amizade da qual não vou poder me livrar mais tarde. Não *suporto* gente como o pai dela. Nunca perco a paciência, a não ser com pessoas daquele tipo. Aí também fico saturada e acabo explodindo.

— Eu ia adorar ver você explodindo com ele. Seja como for, a pobre moça está sozinha — insistiu Hannah.

— Eu já cuido de muitos cachorros abandonados lá em casa, só falta agora recolher alguns raivosos por aqui — queixou-se Leonie, embora soubesse que Hannah tinha razão. A coitada estava sozinha, e não era justo deixá-la no ostracismo só por causa das pessoas que viajavam com ela.

As duas deram olhadelas furtivas para a jovem, que se acomodara na mesa do lado de fora do bar e tentava encontrar algo na bolsa, sem que ninguém percebesse. Não devia ter mais do que 30 anos, concluiu Hannah, e parecia completamente arrasada, como um gato que ficara no jardim durante a chuva. A mulher tinha o rosto comprido, isso Leonie percebera. Mas usar os cabelos longos e escorridos praticamente tapando a cara não ajudava em nada. Hannah suspeitava que alguém muito desagradável lhe dissera algum dia que se usasse franja longa disfarçaria o nariz grande. Talvez o pai odioso. Seria capaz de apostar que, se aquela mulher sorrisse e usasse roupas menos apagadas do que o traje creme horrendo e ultrapassado que vestia, ficaria no mínimo bonita.

— Vamos chamá-la para tomar um drinque com a gente — sugeriu Hannah. — Estamos convidando só a moça, e não o pai e a mãe — acrescentou. Afinal de contas, pensou consigo mesma, se nessas férias estava fazendo amizade com uma alma solitária, quando planejara ficar sozinha, poderia muito bem incluir uma segunda amiga. — Leonie, prometo que, se o pai também vier sentar com a gente e nos tirar do sério, eu me livro dele e da esposa!

Leonie riu.

— Se ele me aborrecer, não precisa se preocupar, *eu mesma* dou um jeito nele.

Hannah caminhou com elegância até a mesa da outra mulher, enquanto a nova amiga a observava com inveja. Caramba, como Hannah era magra e sensual! Leonie daria cinco anos de sua vida para ter a aparência dela por apenas uma noite.

— Oi, meu nome é Hannah Campbell. Como está sozinha, eu e minha amiga queremos convidar você para tomar uma bebida com a gente.

A moça sorriu com satisfação.

Hannah adorava quando tinha razão: ao se alegrar, a jovem ficava bonita; tinha um sorriso meigo e olhos de um tom azul esfumaçado, emoldurados por cílios claros. Seria tão bom se desse um jeito naqueles cabelos.

— Acho uma ótima ideia — disse Emma, com sua voz hesitante e gutural. — Fico tão inibida quando sento sozinha para tomar um drinque! Aliás, meu nome é Emma. Emma Sheridan.

Levando a sua bebida, seguiu Hannah até a outra mesa e estendeu a mão para Leonie.

— Emma Sheridan — cumprimentou ela, formalmente.

— Leonie Delaney — disse Leonie, sorrindo.

— Posso ficar aqui com vocês? — quis saber Emma.

— Será um prazer.

— Com certeza — concordou Hannah, percebendo que tinha que fazer algo para quebrar o gelo. — Precisamos de um drinque. O que vocês querem beber, meninas?

— Ainda tenho bastante água mineral — respondeu Emma, suspendendo o copo.

— Nada disso — retrucou Hannah, animada. — Tem que tomar um drinque de verdade.

— Na verdade, é melhor eu não beber. Meu pai, sabe... — balbuciou Emma. Mas logo a seguir caiu em si. Imagina se contaria àquelas duas mulheres que não ousava tomar um drinque porque o pai desaprovava mulheres que bebiam qualquer coisa que não fosse xerez, e que ela não conseguia enfrentar seu desprezo. Pensariam que era uma maluca. — Ele disse que a cerveja aqui é forte demais.

— Uma taça de vinho não vai fazer mal.

Algo caiu no chão e Hannah inclinou-se para pegar o objeto. Era um frasco de um floral de Bach, o antídoto fitoterápico contra estresse. A dose recomendada era de quatro gotas sob a língua para acalmar os nervos, ela sabia disso por ter usado esse floral por um bom tempo, enquanto se recuperava do baque da viagem atordoante de volta ao mundo de Harry.

Emma lançou-lhe um olhar desapontado.

— Quando viajo, fico estressada — explicou ela, de forma brusca, sem completar a frase com "quando viajo com meu pai..."

Hannah devolveu-lhe o frasco. — Bom, então você precisa mesmo de uma bebida.

Leonie comentou que o vinho que estava bebendo tinha um sabor diferente, porém palatável. E isso bastou. O barman trouxe três taças de vinho branco.

Emma, que parecia relaxar mais a cada minuto, tomou um gole caprichado da bebida. — Estava precisando disso — observou, dando de ombros, ofegante e satisfeita. — Então, vocês duas são amigas.

— Na verdade — disse Leonie —, a gente se conheceu no avião. Morro de medo de voar, e Hannah trocou de lugar comigo. Como estamos viajando sozinhas, fizemos amizade.

— Estou passando as férias aqui com meus pais — explicou Emma, enrubescendo ao lembrar-se de que as outras duas sabiam muito bem disso. Por sinal, todos os passageiros do avião ficaram cientes desse fato: o pai dela não passava despercebido. As duas deviam estar pensando, naquele momento, que Emma era realmente uma esquisitona, que andava grudada com os pais. — Meu marido teve que participar de um congresso e não pôde vir — prosseguiu. O nervosismo fez com que perdesse o tato. — Imagino que seus parceiros também não gostam de viagens culturais?

Hannah sorriu.

— Não estou namorando ninguém no momento, e meu último caso — ela esboçou um sorriso com os lábios carnudos ao se lembrar de Jeff —, bom, não sei dizer se ele viria para o Egito.

— Eu sou divorciada — revelou Leonie. — Eu e o meu ex pensamos em passar a lua de mel neste país, mas, na época, a gente estava sem dinheiro. Cheguei à conclusão de que, se fosse esperar pelo próximo casamento, ia demorar muito até poder viajar. — Ela afundou-se em sua cadeira, sentindo-se infeliz. Talvez fosse fadiga por causa da viagem ou algo parecido.

— Não seja tão derrotista — ressaltou Hannah, com amabilidade. — Se você deseja algo, vai conseguir. Se quiser um homem, vá e arrume um.

Leonie olhou para ela, atônita. A maioria de suas amigas, pelo menos Anita e as outras mulheres da turma, mudava de assunto toda vez que ela mencionava que estava solteira. Murmuravam que os homens não eram tudo na vida e perguntavam se, no fim das contas, elas mesmas não sentiam vontade de esganar o Tony/Bill/quem quer que fosse, a cada cinco minutos, por não abaixarem o assento da privada ou não tomarem banho com a frequência desejada? "Não seria muito melhor para você ficar sozinha?", questionavam em uníssono, com falso entusiasmo. "Sem ninguém para atrapalhar na hora de lavar a roupa? Além do mais, você tem as crianças..."

Mas Hannah não tinha esse tipo de escrúpulo.

— Vamos ajudar você a encontrar um cara legal e sem compromisso durante o cruzeiro — disse ela. — Tem que haver alguém nesse barco à procura do amor de uma boa mulher.

— Não é tão simples assim — protestou Leonie.

— Não disse que era fácil, mas, se quiser de verdade, você pode encontrá-lo. Só precisa de uma abordagem diferente nos dias de hoje. Você tem tanta coisa a seu favor, Leonie, que conseguiria alguém sem dificuldade, se realmente quisesse — salientou, dando uns tapinhas nas costas da amiga, tranquilizando-a.

Leonie ficou boquiaberta. Como Hannah fora gentil ao falar de seus inúmeros atributos! Mas, por outro lado, era uma maluquice imaginar que a conquista de um homem seria muito simples; que bastava querer e aconteceria. Talvez esse fosse o caso com pessoas como Hannah, mas o mesmo não ocorria com ela. Leonie indagou a si mesma em que lugar estariam, então, todos os homens disponíveis, nos últimos anos. Será que haviam ficado esperando que ela saísse do casulo de ter filhos com menos de 14 anos?

— O que quis dizer com "se realmente quisesse"? — perguntou Leonie, por fim.

— Existem agências de encontros, anúncios em revistas e cursos de manutenção de carros — disse Hannah, sem rodeios. — Você precisa tentar de tudo. É assim que se conhece gente hoje em dia.

— Minha amiga Gwen conheceu o namorado em um jantar organizado pelo clube de solteiros — salientou Emma.

— Clube de solteiros?

— É um clube para descasados que promove jantares uma vez por mês, para encorajar novos relacionamentos. Gwen disse que conheceu muitos homens, alguns bem esquisitos. Mas foi ali que encontrou Paul, e isso é o que importa para ela.

— Qualquer homem que me visse comer ia se desanimar — disse Leonie, apenas parcialmente brincando. — Ou então, eu teria que fazer o mesmo que Scarlett O'Hara: me fartar antes de sair e parecer sem apetite na frente da cara-metade. Mulheres com apetites vorazes espantam os homens. Disso, eu tenho certeza.

— Provavelmente eu iria escolher o prato mais cremoso do cardápio e, no final do jantar, meu queixo estaria cheio de molho; além disso, acabaria acertando pedaços de pão no olho de alguém — comentou Emma, sorrindo, de alto-astral após tomar a deliciosa taça de vinho. — Eu fico superdesastrada quando estou nervosa.

— Acho que todas nós ficamos — disse Hannah, com um suspiro.

Emma e Leonie acharam isso pouco provável. Hannah parecia por demais tranquila e segura de si. Até seus cabelos eram alinhados. Ela os trazia presos em um rabo de cavalo impecável, sem um fio sequer de cabelo escuro fora do lugar.

— Sério mesmo, eu fico toda atordoada — ressaltou Hannah, em protesto, ao notar que as outras duas mulheres pareciam desconfiadas. — Um mês atrás, fui a uma entrevista de emprego e, na hora de pegar o certificado do curso de computação na valise, eu me atrapalhei toda e meti a mão na bolsa, espetando os dedos na escova de cabelo. Sabem o que acontece quando uma cerda fica presa debaixo da unha...?

Todas estremeceram.

— O sangue brotou rapidamente e precisei usar um lenço de papel para envolver o dedo, enquanto mantinha a mão o tempo todo dentro da bolsa! Fui obrigada a fingir que nada tinha acontecido durante toda a entrevista. Eles devem ter achado que eu estava extremamente nervosa. Passei o resto do tempo com a mão fechada, tentando esconder o lenço de papel, para não dar a impressão de que era vítima de um acidente que necessitava de transfusão.

— Coitada de você — disse Leonie, solidária. — Mas, afinal, conseguiu o trabalho?

O sorriso triunfante de Hannah iluminou seu rosto e os olhos cor de caramelo faiscaram.

— Consegui, mesmo com o dedo ensanguentado.

Acenou para um garçom, para pedir mais vinho.

— Vou tomar uma água mineral — apressou-se em dizer Emma, pensando no bebê e no pai dela. Ainda se lembrava do terrível mal-estar no casamento de Kirsten, quando o pai ralhou com ela por estar bebendo demais na frente de todos os convidados.

— E qual é seu trabalho? — perguntou Leonie. — O que você faz?

— Eu era recepcionista de hotel, mas concluí que aquele emprego não me levaria a nada. Na verdade, o hotel era muito ruim, mas aceitei trabalhar ali para me livrar da minha ocupação anterior, ainda pior, numa loja. Agora, sou gerente de uma imobiliária. Sei que não tem nada a ver com os trabalhos anteriores, mas queria mudar de função. Nos últimos oito meses, fiz vários cursos noturnos numa escola de administração e iniciei um para corretores de imóveis. Não que eu ache que vá prosperar nessa área, que exige muitas qualificações, mas acho importante aprender o máximo que puder do ramo.

Engraçado, percebeu Hannah. Ela não falava de si mesma para alguém havia mais de um ano, desde Harry. E, lá estava ela, praticamente contando a história de sua vida, àquelas duas desconhecidas. Impressionante o efeito que as férias tinham sobre as pessoas... ou talvez fosse a mudança de ares.

— Uau! — exclamou Emma, admirada. — Uma mulher com uma missão a cumprir.

— É verdade que eu tenho uma missão: ser uma profissional de carreira, apesar de ter me desviado dos meus objetivos por alguns anos — acrescentou, sem querer mencionar que saíra de rumo por causa dos quase dez anos passados com Harry, que havia feito com que ela afundasse na sordidez de um relacionamento antes de trocá-la pela viagem à América do Sul.

— E a sua missão — disse Hannah a Leonie, decidida a mudar de assunto — é encontrar um homem, porque é o que deseja. Se eu posso me tornar gerente de uma agência imobiliária, você pode muito bem encontrar um companheiro.

— Os homens são a causa de todos os problemas — comentou Leonie, deixando escapar um suspiro e começando a tomar a segunda taça de vinho. — Na verdade, não é isso o que eu acho. Eu adoro os homens. Essa é a grande questão — acrescentou, desanimada. — Acho que eu acabo espantando todos eles. Mas nunca tentei conhecer ninguém através de uma agência de casamentos. Para ser sincera, eu imaginava que apenas os esquisitões agendassem encontro às escuras. Conhecendo minha falta de sorte, é provável que eu me depare com um assassino em série ou um maluco com tara por shortinhos de vinil e asfixia autoerótica.

Hannah deu um sorriso sombrio.

— Já encontrei malucos o suficiente sem a ajuda de agências de matrimônio. Não homens com tara por roupas de vinil, mas loucos. O último namorado que tive de verdade deveria ter vindo com um alerta do departamento de saúde e, ainda assim, eu conheci o cara no local mais seguro do mundo: uma lanchonete do McDonald's, na hora do almoço. Portanto, você pode muito bem tentar uma agência de matrimônios, Leonie. Pelo menos vai conseguir escolher com quem vai sair.

— Com o Harrison Ford — sugeriu Leonie, sonhadora. — Quero conhecer um clone dele, que adore crianças, animais e louras divorciadas acima do peso.

— E o seu marido? — perguntou Hannah a Emma, que, ao se lembrar de Pete, sorriu imediatamente.

— Ele é um amor — admitiu. — Tenho muita sorte. É um homem gentil e divertido, e sou apaixonada por ele. — O rosto de Pete lhe veio à mente: a expressão alegre, os olhos castanhos, o sorriso largo e os cabelos escuros cortados curtíssimos. O marido sempre dizia que não valia a pena deixar a cabeleira crescer, quando se tinha tão pouco cabelo. Ela adorava as entradas na testa dele. Gostava de beijá-lo na cabeça enquanto dizia que os homens carecas eram mais viris. Não sonhava com Harrison Ford nem com Tom Cruise. Não conseguia imaginar nenhum dos dois levando café na cama quando ela estivesse doente, nem massageando seus ombros para aliviar a dor nas costas, tampouco insistindo para que ela lesse uma revista quando estivesse cansada enquanto ele preparava o jantar. Tampouco deixando um bilhete terno entre as roupas da mala dizendo que a amava e não via a hora de ela voltar para casa. Peter adorava Emma e só concordara que a mulher viajasse por uma semana sem ele por não se dar bem com o sogro. — Faz três anos que estamos casados, e ele é maravilhoso comigo. — Então, não conseguiu resistir e contou-lhes sobre o bilhete carinhoso que o marido deixara na mala, entre suas camisetas.

— Ah, que romântico! — exclamou Leonie.

Quando ela e Hannah estavam no meio da segunda taça de vinho e as três mulheres conversavam, animadas, sobre o motivo que as levara a ir para o Egito, ouviram a voz estrondosa de Jimmy O'Brien, que acabava de entrar no recinto.

— Vou dizer uma coisa, se estão achando que podem chamar isto de barco de luxo, vou ter uma conversa séria com aquela guia a esse respeito. — Dizia ele a outro passageiro, ruidosamente. — O chuveiro é uma porcaria, e as toalhas ficam ensopadas porque a cortina não presta para nada e a água respinga em tudo. Ainda querem dizer que é uma viagem de luxo? Não mesmo. São um bando de charlatões, isso sim. Imagine só, dizer que esse barco é de primeira. Hã! Não quero me sentar do lado de fora — disse, dirigindo-se à esposa. — Vamos ser comidos vivos. Malditos mosquitos.

Hannah percebeu que, na mesma hora, Emma encolheu-se na cadeira, com uma expressão no olhar que denotava enorme cansaço. Algo que a própria Hannah aprendera a reconhecer com facilidade muito tempo atrás: sua mãe costumava ficar do mesmo jeito quando seu pai chegava em casa, arrastando-se, após um dia de apostas, caindo de bêbado, mal-humorado, à cata de um bode expiatório. Era um homem de baixa estatura com tendência a engordar e criar barriga, sobretudo por causa da cerveja; bastante diferente do pai de Emma, de proporções avantajadas, alto e forte. Jimmy era o tipo de homem que conseguia intimidar as pessoas e sentia-se bem fazendo isso. Não precisava beber para ficar mal-humorado: deixava claro que aquele era seu estado normal.

Emma dava a impressão de que preferiria ser arrastada sob a quilha do barco como punição a passar a noite com os pais. Uma onda de comiseração fez com que Hannah tocasse seu braço carinhosamente. — Não quer se sentar com a gente hoje, numa mesa separada? — perguntou baixinho.

Emma mostrou-se grata com o convite, mas, em seguida, balançou a cabeça. — Não dá, meus pais esperam que...

— Diga para eles que você tem certeza que preferem passar a primeira noite a dois, bem românticos, e não quer se intrometer — sugeriu Hannah, com veemência.

Ao imaginar os pais em uma noite romântica, Emma conteve o ímpeto de rir. Na visão do pai, romance era coisa de fracotes. Ele dera uma gargalhada na frente de Pete quando o rapaz a presenteara com uma dúzia de rosas vermelhas no Dia dos Namorados.

— É isso aí — disse Leonie, captando o espírito da coisa. — A gente precisa de um terceiro mosqueteiro. — A pobre da Emma era uma mulher amável e precisava urgentemente ser salva daquele homem odioso. — Diga que você já conhecia uma de nós e quer ficar batendo papo.

— Eles não vão engolir essa história — disse Emma.

O sr. O'Brien, que vira a filha conversando com duas mulheres que não conhecia, caminhou até a mesa delas, seguido de perto pela esposa, como se fossem um navio de cruzeiro e um rebocador entrando em um porto.

— Na verdade, meu círculo de amizade não é muito grande e, se a gente inventar que já se conhecia, ele vai fazer um questionário e logo descobrirá que é tudo mentira.

Leonie coçou o nariz, enigmática. — Acontece que sou uma grande atriz. A gente vai dizer que se conheceu no trabalho. Aliás, o que você faz?

— Trabalho para a Caridade KrisisKids, no departamento de projetos especiais.

— É uma organização dirigida por Edward Richards, o político aposentado, não é? — continuou Leonie. — Sua família é proprietária de Darewood Castle e cria cavalos de raça.

Emma ficou feliz em saber que Leonie conhecia a organização e seu diretor. Isso significava que a empresa encarregada de fazer a divulgação do trabalho que realizavam estava fazendo sua parte. Ela só não estava entendendo em que parte da equação que tentavam resolver naquela noite entrava Edward.

— Sou enfermeira veterinária — prosseguiu Leonie. — Edward costumava usar os serviços da nossa clínica. Que luxo, hein?

— Tudo bem por aí? — perguntou o sr. O'Brien, com a voz ruidosa, enquanto observava com desgosto a disposição da pequena mesa, com espaço para apenas três cadeiras.

Emma levantou-se de imediato, despedindo-se das duas com um sorriso nervoso e conduzindo os pais até outra mesa.

— Você não vai nos apresentar as suas amigas? — perguntou a mãe, com impaciência.

— Achei que você e o papai quisessem se sentar, mãe — disse Emma, pensando em uma forma de não arruinar as novas amizades, na iminência de ter de apresentar o pai a Hannah e a Leonie. Do jeito que ele estava rabugento por causa da viagem, só Deus sabia o que poderia aprontar. — Depois eu apresento as duas para vocês. Querem que eu peça água mineral?

A mãe começou a se abanar de imediato com as mãos, dando a impressão de estar prestes a desmaiar.

— Já que está tão quente, água mineral cairia muito bem.

— Sente-se, Emma, e pare de fazer confusão — ordenou o pai, bruscamente. — Uma hora, o garçom vai passar por aqui. Parece que esses egípcios não gostam de trabalhar. No nosso país, um minuto depois de se chegar a um bar, você já está com uma bebida na mão, mas aqui... é outra história. — Ele examinou a área do bar, em que um garçom estava ocupado atendendo a um grupo de pessoas que acabara de chegar e, aos brados, pedia coquetéis. — Esse povo não sabe o que é um bom serviço — vociferou.

Hannah e Leonie, que estavam perto dele, fizeram careta diante de tamanha estupidez. Emma encolheu-se na cadeira de vime. Era uma situação desastrosa e não fazia a menor diferença ela estar desfrutando da brisa balsâmica com a vibrante cidade de Luxor a poucos metros e os tesouros do Nilo prestes a serem explorados: estava passando as férias com o pai e ele estragaria tudo.

— Vou buscar as bebidas — anunciou a filha de repente, imaginando que, assim que se afastasse, o pai diria algo terrivelmente ofensivo sobre o garçom.

Ao ver Emma com o rosto vermelho de constrangimento quase correr para o bar, Leonie cutucou Hannah e disse: — A pobre coitada não vai aproveitar nada das férias se ele continuar agindo assim. É um idiota, e a filha está mortificada.

— Eu percebi — concordou Hannah. — Mas o que a gente pode fazer? É o pai dela, e ela tem que ficar junto dele.

Leonie deu um sorriso malicioso. — Talvez não. — Respirou fundo, levantou-se e caminhou até a mesa dos O'Brien, estendendo o braço coberto de pulseiras. — Mas que coincidência! — exclamou, com entusiasmo, apertando a mão do surpreso Jimmy, elegante como uma duquesa viúva, com a blusa de seda cor-de-rosa esvoaçando com suavidade enquanto se movimentava. — A fantástica Emma trabalhando com o querido primo Edward na KrisisKid. Isso é o que chamo de um mundo pequeno. Sou Leonie Delaney, descendente dos Wicklow. — Apertou com suavidade a mão flácida de Anne-Marie, esforçando-se para não se esquivar do contato gélido da mulher. — Sou do ramo do banco de investimentos da família, e não do político. Papai não suportaria se nos envolvêssemos nesse âmbito — prosseguiu Leonie, baixando o tom de voz, como se estivesse contando um segredo de família. — *É tão* ordinário. Estou en-can-ta-da em conhecer vocês.

Hannah observou-a, atônita. Minutos atrás, Leonie estava sentada tranquilamente; de súbito, tinha se transformado em um dínamo, com sua coleção de pulseiras esmaltadas e de bronze tilintando, enquanto enrolava os cabelos com a mão e fingia ser uma grande dama do ramo bancário. Foi uma interpretação sensacional, digna do Oscar.

— Edward Richards. — Leonie dizia à sra. O'Brien, determinada a dar seu recado. — O querido primo Edward; para nós, o Grande Neddy, é assim que o chamamos.

Hannah quase engasgou ao ouvir a nova amiga chamar de Grande Neddy o homem aristocrático e elegante que ela vira no jornal quando ele era político atuante.

— Na verdade — continuou Leonie, lentamente, com o recém-adquirido sotaque rebuscado —, faz meses que ele não vai a Delaney Towers. O papai e a mamãe sentem muita saudade dele.

Anne-Marie O'Brien parecia realizada. Aquela mulher bombástica, com a maquiagem pesada e um bizarro colar de metal, era, de fato, parente do chefe de Emma, o riquíssimo e bem-relacionado sr. Richards, membro de uma das mais famosas dinastias de políticos da Irlanda. A estranha Leonie devia ser uma de suas primas por parte de mãe. Mas, afinal, os ricos podiam se permitir excentricidades, concluiu Anne-Marie, com um sorriso acolhedor. Muitos dos milionários da informática só usavam jeans e camisetas velhas. Não dava mais para tentar adivinhar a origem de ninguém.

E a presença da prima de Edward Richards naquele cruzeiro significava que era um dos melhores, apesar das dúvidas de Anne-Marie ao ver o tamanho de seu camarote.

— Muito prazer em conhecê-la — disse Anne-Marie, com seu tom de voz baixo. — Somos Anne-Marie e James O'Brien, da Empreiteira O'Brien, sabe? Emma — prosseguiu, quando a filha chegou com as bebidas e deu um sorriso malicioso ao se deparar com Leonie sentada à mesa dos pais —, você é danada mesmo, imagine só, não apresentou a Leonie para a gente nem disse quem ela era. A mãe apontou o dedo indicador em sinal de reprovação. — Por que você e sua amiga não se sentam conosco? — perguntou Anne-Marie.

— Queríamos convidar Emma para nos fazer companhia — disse Leonie, com um ar indiferente — e deixar a senhora e seu marido apreciarem a noite *à deux*.

Anne-Marie pestanejou, enquanto Emma observava a cena cada vez mais perplexa. A mãe adorava usar expressões em francês, mas aparentava não entender o significado de *à deux*. Era estranho. Aliás, toda aquela conversa parecia saída de algum episódio de *Arquivo X*.

Emma sentia-se mal por deixar Leonie enganar os pais, mas pensou em como seria bom ter com quem conversar durante as férias. Após um dia inteiro convivendo com Jimmy e sem uma desculpa para se afastar dele, trocaria ideias até com alguém usando camisa de força, se lhe pedissem.

— É muito gentileza sua — disse Jimmy, que não falava francês, sem querer dar o braço a torcer.

A mãe de Emma continuava a fitar Leonie, sem expressão. — A gente estava falando do que mesmo? — indagou, com a voz lamuriosa. Emma achou que a mãe estava agindo um pouco estranho naquela noite. Mostrava-se distante e distraída, e não costumava ser assim.

Leonie resolveu agir. Pegou os dois copos de água mineral das mãos de Emma, colocou-os na mesa, diante do sr. O'Brien, e pegou Emma pelo braço.

— Vamos deixar vocês à vontade — disse, com meiguice.

— O que falou para eles? — perguntou Emma, quando se afastaram o suficiente para que não pudessem ouvi-las, repreendendo Leonie com delicadeza.

— Contei uma mentira. Disse que conhecia seu chefe — respondeu Leonie, apressada, sem querer entrar nos detalhes de seu estratagema pernicioso. — Eu disse que a gente queria conversar, entende? Sei muito bem como a coisa funciona com os pais; é provável que pensem que você ficaria perdida sem eles, mas Hannah e eu sabíamos que, na verdade, você precisava de um tempo. Assim, eles vão ficar a sós, como se fosse uma segunda lua de mel.

Emma franziu o cenho. Segunda lua de mel, claro!

CAPÍTULO 5

Ao se deparar com o templo de Hathor, Leonie soube por que fora ao Egito. O sol quente irradiava uma luz brilhante sobre ela e deixava o horizonte poeirento de um tom branco resplandecente.

O orgulhoso Ramsés II mandara construir aquele belíssimo templo em homenagem à sua amada, a rainha Nefertari.

O templo do próprio Ramsés, em Abu Simbel, era duas vezes mais espetacular: figuras monumentais do poderoso rei avultavam-se sobre os turistas, majestosa e impressionantemente proporcionais. Admirar o rosto do audacioso soberano, ao alto, compensava a longa viagem de ônibus. Só o fato de ficar ali de pé, sob o sol do deserto, ouvindo o som, que se repetia havia séculos, dos ambulantes tentando vender suas mercadorias e o zumbido dos insetos, fez com que Leonie tivesse a sensação de ter viajado ao passado. Ela imaginou a emoção dos arqueólogos que descobriram o fabuloso templo, soterrado nas areias do deserto por três mil anos. E foi ainda mais longe: apertando contra o peito seu pendente com o antigo cartucho egípcio, ela imaginou como se sentiria a rainha egípcia Nefertari, honrada por todos, linda, sempre coberta de joias de ouro de preço incalculável, parada ali, aguardando a abertura do templo. Perdida em seu mundo mágico e romântico, Leonie sentia-se ao mesmo tempo eufórica e deslumbrada.

Era assim que as pessoas ficavam ao contemplar o Taj Mahal, pensou, com reverência. Aturdidas e caladas diante da prova concreta do que a humanidade podia realizar. Por amor. E da mesma forma que o Taj Mahal, maior testemunho desse sentimento já construído, o templo de Nefertari fora erigido por seu marido embevecido, porque ele a amava demais. Enquanto o ônibus seguia lentamente em comboio pela estrada de Assuã, atravessando o deserto da Núbia, a guia de turismo explicou que nenhum outro soberano egípcio construíra um monumento como aquele. Eles erigiram edifícios majestosos em sua própria homenagem ou túmulos ricamente decorados para suas jornadas ao mundo do além, mas nunca, jamais, um templo dedicado à pessoa amada.

Leonie imaginou, sonhadora, como seria ser amada com tanta intensidade por um rei poderoso que concebesse um símbolo de amor eterno tão grandioso em sua homenagem...

— Leonie, a excursão já vai começar. Você vem com a gente?

A voz límpida de Hannah invadiu sua mente. Emma, pelo visto mais relaxada, seguia o grupo junto com Hannah, em direção ao templo. Leonie descobrira naqueles dois últimos dias de viagem que era muito fácil se perder de seu grupo em meio aos milhares de turistas que se aglomeravam em cada monumento do Egito. Ela quase se perdera no gigantesco e tumultuado Templo de Edfu e estava decidida a não repetir a experiência. Pegando a bolsa de lona, saiu correndo atrás das duas mulheres.

— Ufa! — exclamou, ofegante, ao chegar ao local sombreado onde Flora aguardava os outros membros do grupo. — Está quente demais para correr.

— O calor está demais para fazer qualquer coisa — concordou Hannah, afastando uma mecha de cabelo da testa úmida. — Não sei se vou aguentar mais de uma hora.

— E ainda temos que enfrentar o trajeto de volta no ônibus — queixou-se um dos companheiros de excursão, cansado depois das três horas e meia que passaram viajando de ônibus pelo deserto.

— É uma maravilha — disse Emma, alegremente. O rosto pálido estava rubro por causa do calor e os cabelos estavam presos em um rabo de cavalo, de forma a não encobrir a face. Vestia uma camiseta azul curta e bermuda de algodão fino, com uma estampa xadrez bonita. Parecia ter 20 anos de idade, totalmente livre de preocupações, ponderou Hannah, com satisfação.

Pela primeira vez na viagem, Emma sentiu como se tivesse uns 20 anos. Sua mãe estava com dor de barriga e chegara à conclusão de que não tinha condições de viajar de ônibus para visitar Abu Simbel. Consequentemente, seu pai desistira de ir também, deixando que Emma desfrutasse do primeiro dia sem a companhia de Jimmy e Anne-Marie, desde que chegara ao Egito. O alívio era enorme, como se tivesse tomado um analgésico após três dias aturando uma inoportuna dor de dente.

O casal O'Brien não estava gostando da viagem: a mãe, por encontrar-se o tempo todo em um estado de extrema ansiedade, ainda maior que de costume. Comportara-se de forma muito estranha no jantar da noite anterior, recusando-se a comer e parecendo ausente durante toda a refeição, olhando para o nada. O calor estava fazendo mal a ela, insistia Jimmy. O pai, que havia instigado a família a passar férias no Egito, passara a dizer a quem quisesse ouvir que a viagem não fora ideia dele e a resmungar com melancolia que Portugal sempre fizera bem à saúde do casal.

O dia ficou ainda mais agradável quando Emma percebeu que sua menstruação ainda não chegara. Estava grávida, tinha certeza disso. Toda vez que ia ao banheiro entrava em pânico, imaginando que encontraria uma mancha avermelhada reveladora no papel higiênico branco. Mas nunca havia nada. Que satisfação!

Ela suspirou, alegre, e segurou Leonie e Hannah pelos braços, levando as duas para dentro do templo, seguindo Flora, que erguia uma prancheta azul-escura da Incredible Egypt, para certificar-se de que o grupo podia vê-la.

Cheia de entusiasmo por causa da gravidez, Emma foi uma das poucas pessoas que não ficou desconcertada quando o ônibus quebrou na viagem de volta, apenas meia hora após a saída do templo. O veículo começou a ranger ruidosamente, sendo obrigado a parar nos arredores de um vilarejo poeirento. E, por mais que o motorista se esforçasse e xingasse, não conseguia dar partida no motor. Flora tinha explicado mais cedo que os ônibus e os táxis com destino a Abu Simbel sempre viajavam em comboio, para o caso de algum veículo quebrar no meio do deserto. Mas, infelizmente, o deles era o penúltimo do comboio que regressava a Assua, e o único veículo atrás deles era um micro-ônibus superlotado, que não tinha condições de levar mais ninguém.

— Não fiquem preocupados, pessoal, tudo vai dar certo — pediu Flora, corajosa, enquanto os motoristas do ônibus e do micro-ônibus, gesticulando com as mãos, perdiam tempo fazendo conjecturas sobre o motor.

Leonie, fascinada com os sinais de vida exóticos ao seu redor, estava satisfeita por ter a oportunidade de observar tudo pela janela, mas começou a esquentar demais dentro do ônibus, e o ar-condicionado foi desligado. Emma sentia-se exultante e ponto final. Nada poderia afetar o sentimento de pura felicidade que se apoderara dela.

Mais cedo ou mais tarde, acabariam voltando, e ela estava bem acomodada ali, com uma das mãos sobre a barriga. Criancinhas de olhos escuros saudavam os turistas no ônibus, e Emma sorriu para elas e retribuiu os acenos. Logo teria um bebê só seu. Seria parecido com ela ou com Pete? Decidiu que preferia um filho de olhos escuros. Imaginando um neném de olhos negros, usando macacão jeans, Emma deixou-se levar pela animada fantasia.

Preparada para tudo, como sempre, Hannah levara uma garrafa extra de água mineral em sua pequena mochila e dividiu-a com as duas amigas. Emma tinha levado balas, que serviram para enganar a fome de Leonie.

— Estou começando a me acostumar com as três refeições diárias fartas no barco — comentou Leonie, pesarosa. — Estou faminta.

— Eu também — concordou Emma. — Mas não se preocupe, eles vão conseguir consertar o ônibus — disse ela, confiante.

— Tenho minhas dúvidas — acrescentou Hannah, menos otimista. Detestava imprevistos em seu cotidiano. O ônibus deveria chegar a Assuã às sete e meia, a tempo para o jantar, às oito. Ela olhou para o relógio e constatou que já estavam parados havia vinte minutos. Logo, chegariam atrasados. Que droga! Odiava se atrasar e detestava qualquer bagunça em sua vida organizada. Sentiu sua pulsação aumentar conforme a tensão se intensificava. Gotas de suor que não tinham nada a ver com o calor começaram a brotar de sua pele. Sentiu um formigamento percorrendo seu corpo. Acalme-se, Hannah, ordenou a si mesma. E qual vai ser o problema se chegar atrasada? Não há nada que possa fazer a respeito. Além do mais, todos se atrasarão também. Fazia anos que não tinha um ataque de pânico, não era possível que fosse ser acometida por um àquela altura.

Flora subiu com dificuldade a escada do ônibus. — Sinto muito, mas todos terão que descer — mandou, mantendo a calma mesmo diante dos passageiros aborrecidos. — Telefonei para a empresa de ônibus e eles vão enviar outro, que deve chegar daqui a uma hora e meia. Sei que é muito tempo, mas o veículo sairá de Wadi al-Sabu, que fica no meio do caminho daqui até Assuã. Hassan me informou que tem um restaurante pequeno, mas muito bom, aqui na cidade. Eu vou até lá comprar comida, e nós podemos jantar aqui mesmo, já que vamos voltar para o barco mais tarde do que esperado.

Um burburinho de pessoas irritadíssimas foi a resposta às palavras da guia na frente do ônibus. Já na parte de trás, as pessoas demonstraram estar mais conformadas com a notícia.

— Estou morrendo de fome — comentou Leonie. — Podíamos ir logo até esse restaurante. Olhando à sua volta, percebeu que Hannah se mostrava estranhamente desanimada. Isso era incomum, pois a amiga parecia sempre tão tranquila e segura de si; nunca demonstrava preocupação com o que vestir, nem com o que comer, tampouco com o que pensavam a respeito dela. Todavia, quando soube da notícia de que se atrasariam algumas horas, ficou mais tensa do que uma corda de cabo de guerra.

Leonie não sabia o que fazer para acalmar Hannah. Foi Emma que tomou a iniciativa, já que estava acostumada a lidar com pessoas que ficavam ansiosas com atrasos.

— Não tem absolutamente nada que a gente possa fazer, Hannah — ressaltou Emma, com uma firmeza desconhecida pelas amigas. — Estamos presas aqui e precisamos manter a calma. Como mais cedo ou mais tarde vamos voltar para o barco, não tem motivo para entrarmos em pânico. Comer algo é uma ótima ideia.

— Eu sei disso — concordou Hannah, respirando profundamente. — É que eu detesto falta de pontualidade. Sou tão impaciente que, quando tenho que ficar à espera de alguma coisa, acabo me estressando. — Ela seguiu Emma obedientemente e saiu do ônibus. Leonie, que sempre se surpreendia com as pessoas e as novas facetas que revelavam, foi a última a sair. Ficou intrigada ao ver a pequena e irrequieta Emma se transformar de repente em uma mulher calma e audaciosa, enquanto Hannah ficava um caco. Parecia uma inversão de papéis.

As pessoas olharam atentas enquanto o grupo se dispersava pela cidade; adoráveis crianças de olhos escuros riam e apontavam para os estrangeiros, achando graça das pernas expostas de Emma e de sua cor clara. Homens orgulhosos em trajes árabes observavam a resplandecente Leonie, que usava uma leve roupa de seda branca e ondulante, com os cabelos dourados desgrenhados caindo sobre os ombros. A boca vermelha se destacava no rosto. Com o pingente do antigo cartucho egípcio e vários colares de contas em cores vibrantes, que comprara no local, pendurados no pescoço, tinha uma aparência exótica demais para aquela cidade poeirenta do deserto, em que predominava o tom de bege.

— Seu marido é um homem de sorte — disse um nativo sorrindo para ela, com admiração, antes de oferecer-lhe cartões-postais de Abu Simbel.

Leonie tentou não parecer satisfeita, mas não conseguiu evitar um sorriso disfarçado. Pelo menos uma vez, tinha sido ela a chamar a atenção.

— Muito obrigada, mas não vou querer não — disse, altiva, segurando o braço de Emma, seguindo a instrução do guia de viagem na parte que orientava mulheres que viajavam desacompanhadas.

— Não deixarei ninguém fugir com você — informou Emma, brincando, enquanto encarava os homens que olhavam para Leonie. — Sem dúvida nenhuma, você é a que está fazendo mais sucesso por aqui.

— Não seja tola — disse Leonie, totalmente envaidecida, mas sem querer demonstrar. — Não sou uma sereia, e sim uma mãe de três filhos que usa meias de compressão. — Todavia, não pôde deixar de sentir-se atraente. Afinal de contas, as pessoas, ou melhor, os homens, estavam olhando para ela. O estilo sofisticado de Hannah não lhes chamou a atenção, nem o frescor juvenil e a pele alva de Emma.

O mesmo ocorreu no restaurante, um local agradável e espaçoso, com bancos rústicos de madeira e almofadas desbotadas. O serviço era feito por três garçons que se mostraram encantados com a vistosa turista loura.

Flora, trazendo sua prancheta e seu celular, foi ignorada pelos homens, que fitavam Leonie enaltecidos, tratando-a como uma estrela de cinema.

— Faz de conta que é Madonna — sugeriu Hannah, sentindo-se mais animada. Seria ridículo ficar nervosa por causa de um ônibus quebrado. Precisava realmente aprender a contornar essas mudanças de humor.

Emma começou a cantar "Like a Virgin", enquanto as três eram conduzidas à mesa delas em um recanto espaçoso, decorado com um candelabro rebuscado e almofadas mais opulentas e confortáveis.

Leonie, que não sabia cantar nem se fosse para salvar a própria vida, acompanhou, desafinada, com a voz tremulando nas notas mais longas. Contudo, parou a tempo de o garçom mais velho levá-la ao assento mais confortável, fazendo uma reverência enquanto ela se sentava. Leonie deu-lhe um sorriso gracioso e observou-o com os olhos azul-safira. O garçom curvou-se ainda mais e, em seguida, afastou-se, para retornar com três copos delicados pintados.

— Mais Ribena — disse Hannah, pegando o copo diminuto e aspirando o aroma da bebida de fruta não alcoólica que ela e as amigas se haviam acostumado a beber no barco.

— Nem preciso dizer às madames que se divirtam — comentou Flora, chegando à mesa delas após todos estarem acomodados. — Só tenham em mente que as bebidas alcoólicas são pagas por vocês e que o ônibus deve chegar às oito da noite.

— Nós vamos embora? — perguntou Leonie, horrorizada. — Flora, por mim, nunca mais saía daqui.

A maioria dos restaurantes locais não servia bebidas alcoólicas, mas Leonie viu um dos garçons aparecer com uma garrafa de vinho tinto e comentou que ela e as amigas deviam pedir também.

— Agora vamos ter uma conversinha entre mulheres — disse Leonie alegremente, enquanto o primeiro prato com iguarias típicas chegava, e cada uma delas sorvia uma taça de Cru des Ptolemees.

Quando o prato principal foi servido — kafta de carneiro para Emma e Hannah, homus vegetariano e kebabs para Leonie —, já haviam discorrido sobre homens em geral e estavam ouvindo Hannah falar sobre Harry. Tinha sido um alívio descrever para alguém como ela ficara arrasada quando o companheiro anunciou que tudo estava terminado e que partiria em uma viagem pela América do Sul.

— Você pensa que conhece as pessoas, mas de repente elas decepcionam você. — Até o ano passado, ainda era doloroso falar sobre o assunto. Sentira-se tão abandonada e traída. Todo o tempo, o amor e a esperança que investira naquela relação foram jogados fora porque ele se sentia sufocado e precisava de um tempo. Era irresponsável e negligente, como todos os homens, mas ela o amara muito. Nem todas as aulas de aeróbica podiam minimizar a dor que sentira. Ao menos, o plano que tinha elaborado de manter-se longe dos homens — com exceção de encontros passageiros com caras como Jeff — evitaria que sofresse de novo. Não valia mesmo a pena.

— Mas o que é que ele foi fazer na América do Sul? — quis saber Leonie.

— Não sei nem quero saber — disse Hannah, aborrecida. — Desde que partiu, nunca mais tive notícias dele. Nem uma palavra sequer. Ele tirou todas as coisas do apartamento quando eu não estava lá e deixou um bilhete pedindo que eu enviasse sua correspondência para a casa da irmã. Hã! Só se esperasse sentado. Assim que o novo talão de cheque dele chegou, joguei no lixo junto com todas as suas contas. — Ela sorriu ao lembrar-se do fato. — E ainda tive que atender as ligações do chefe de Harry no jornal, aturando as queixas de que ele deveria estar escrevendo um livro sobre escândalos políticos para eles e, em vez disso, tinha deixado o país sem dar a menor satisfação. Aquele era o verdadeiro Harry: preferia fugir a enfrentar as responsabilidades — disse, com amargura.

Tanto Emma quanto Leonie mostraram-se dispostas a castrar Harry se algum dia se deparassem com ele, e Hannah sentiu-se grata por ter novamente amigas com quem pudesse trocar confidências. Estivera ferida demais pelo ex-companheiro para procurar as velhas amigas de quem se afastara quando se apaixonara. Naquele momento, sentiu como era reconfortante o apoio e a ira fraternais.

— Acho que nunca mais vou confiar num homem — admitiu ela, falando devagar. — Mas eu também não devia ter confiado no Harry. Como pude me deixar enganar tanto?

— Como é que você ia adivinhar? — perguntou Emma. — Não dá para ler a mente dos outros.

— Não tem nada a ver com ler a mente. Tem a ver com os homens. Não se pode confiar neles e ponto final — ressaltou Hannah. — Seja como for, eu não posso confiar nos homens que conheço. O seu Pete parece adorável, mas acho que existem pessoas que simplesmente não são feitas para manter relações duradouras. Acabam trocando os pés pelas mãos. Algumas mulheres vivem melhor sozinhas e eu sou uma delas. Posso me cuidar sozinha e não preciso de mais ninguém. Esse é o meu projeto de vida.

— Não acredito que pense assim de verdade — disse Leonie. — Você é uma mulher linda, Hannah, e pode ter o homem que desejar. Simplesmente acabou ficando com um cara fraco que abandonou você. Isso não é motivo para desistir de todos os homens. Ao cair, você tem que se levantar, sacudir a poeira e começar tudo de novo.

Na hora da sobremesa — frutas para todas —, passaram a expor suas teorias pessoais a respeito de como esquecer um homem. Emma não tivera muitos namorados antes de Pete, então deixou claro que não era uma especialista no assunto. — Quando conheci o meu marido, tinha 25 anos e só tinha saído com três outros homens antes. O último foi expulso lá de casa pelo meu pai quando chegou com um cigarro de enrolar. Papai disse que não queria que eu me corrompesse com drogas.

Todas riram com a história.

Leonie admitiu que Ray havia sido seu primeiro namorado de verdade e que a separação fora mais ou menos de comum acordo, então não tinha precisado sacudir a poeira. Todavia, ela não compreendia o porquê de Hannah ter deixado de procurar alguém até sentir-se forte o bastante para lidar com os homens à sua maneira. Ouviram a história do fabuloso Jeff, de como Hannah decidira que, depois de Harry, uma transa rápida seria uma ótima terapia.

— Como consegue fazer isso? — quis saber Leonie, fascinada.

— Fazer o quê? — perguntou Hannah, enquanto comia um pedaço de melancia e um pouco de suco escorria pelo seu queixo.

— Decidir que não vai mais se envolver com o cara e tratá-lo como um simples amigo, quando na verdade ele é seu amante. E se você conhecer um homem simplesmente lindo e não conseguir resistir? Aí você pode ficar completamente apaixonada.

Leonie queria acreditar que sempre haveria um homem maravilhoso aguardando na próxima esquina, que tudo dependia do destino, da sorte e de um horóscopo propício no *Daily Mail*. As pessoas acabavam se apaixonando, isso era inevitável. Contudo, não conseguiu convencer Hannah.

— Sabe como eu consegui? Ficando arrasada por vários meses depois que Harry foi embora. Após tanto sofrimento, não quero passar por tudo de novo. Se me tornar uma mulher insensível que descarta os homens, não estou nem aí. A cumplicidade alegre do amor não é para mim. Passei anos vivendo assim pra quê? Simplesmente para nada. Quando deu na telha, Harry foi embora e tudo que restou para mim depois de dez anos de amor e dedicação foi uma carreira sem futuro e um pneu furado. Afora o quesito da transa, os homens são um desperdício de espaço.

Emma caiu na risada por causa das duas amigas. Eram muito divertidas. Estava adorando ficar ali, sentada na almofada, com as pernas dobradas, enquanto ria à toa e falava sobre sexo e homens.

Ela mudou de posição para ficar mais confortável e sentiu uma dor familiar percorrendo seu corpo, distante, porém logo virou uma dor aguda, contorcendo suas entranhas. Sua menstruação! Meu Deus, não, ela chiou baixinho. Não era possível. Estava grávida; tinha certeza disso.

Emma olhou apavorada para as amigas, desejando que estivessem sentindo uma dor parecida, causada pela carne de cordeiro ou um camarão passado ou algo similar... A dor percorreu seu corpo mais uma vez. Era inconfundível, igual à que uma adolescente sentia quando tinha a menarca e não conseguia explicar a sensação para as amiguinhas que ainda não haviam passado por aquilo. Não dava para esquecer.

Estava menstruada! Emma deu-se conta de que não havia um bebê. Nunca houvera e provavelmente nunca haveria. Sentiu uma pontada de tristeza.

Afastou-se da mesa de forma desajeitada, deixando cair o guardanapo e derramando o que restava de sua única taça de vinho. — Preciso ir ao banheiro — disse, abalada.

No banheiro empoeirado e sem trava na porta, os temores de Emma foram confirmados. Ficou entorpecida ao ver gotas vermelhas reveladoras na privada. Usando um bolo de papel higiênico como absorvente improvisado, ela voltou para a mesa, sentindo-se extenuada, sem vida.

Leonie e Hannah souberam que havia algo de errado com Emma quando viram seu rosto lívido.

— Você está passando mal? — quis saber Hannah, preocupada.

— Será que foi algo que comeu? — indagou Leonie.

Emma balançou a cabeça, atordoada.

— É a minha menstruação — comunicou, simplesmente. — Achei que estava grávida, tinha certeza de que sim, mas agora... — Com a voz entrecortada, começou a chorar. — Sei que não estou.

Sentou-se ao lado de Leonie, que imediatamente a envolveu com um braço. — Pobrezinha, está sofrendo. — Leonie usou o mesmo tom de voz suave que empregava quando os meninos ficavam doentes ou tristes.

Emma chorava, e soluços entrecortados sacudiam seu corpo inteiro. Leonie percebeu então, sob a camiseta da amiga, como ela estava magra: era uma magreza exagerada, e não do tipo que Leonie almejava para si; estava ossuda, quase esquelética, os ossos à mostra como costela de cordeiro.

— Coitada, querida! Sei que é horrível, mas você é tão jovem. Tem muitos anos pela frente, Emma querida. — Leonie tentou consolá-la, com esperança de estar usando as palavras certas. — Tem casais que demoram vários meses até conseguir gerar uma criança.

— Mas já faz três anos que estamos tentando — revelou Emma, enquanto soluçava profundamente. — Três anos, e nada; a culpa é minha. Não sei o que vou fazer se não tiver um bebê. O que há de errado comigo? Por que sou diferente? Você tem filhos, por que eu não tenho esse direito?

Leonie e Hannah, que estavam em lados opostos da mesa, entreolharam-se. Não havia nada que pudessem dizer. As duas já haviam lido histórias sobre mulheres que se torturavam por não conseguir engravidar.

Contudo, nem uma nem a outra jamais conheceram alguém que tivesse passado por essa situação tão complicada. A não ser que a mulher em questão tivesse mantido seu dilema em segredo. Leonie vasculhou a mente em busca de referências sobre infertilidade. Será que não tinha lido algo sobre casais que depois de um período tentando freneticamente ter filhos, relaxaram, e as mulheres acabaram engravidando? E o fato de Emma estar tão magra também não ajudava. A pobre moça estava ficando com o sistema nervoso abalado por causa de tanta tensão. Não tinha muitas chances de engravidar naquele estado.

— Quer tanto ter um bebê que o estresse pode estar afetando demais você — disse Leonie, por fim. — Sabia que algumas pessoas acabam adoecendo por se cobrarem tanto e, quando relaxam mais, acabam engravidando? — O que Leonie disse pareceu tão pouco convincente quanto contar uma história sobre o Papai Noel a uma criança esperta de dez anos, que já tem sérias dúvidas sobre a existência dele.

— Mas, então, por que não engravidei assim que casamos? — perguntou Emma, soluçando. — Naquela época, a gente não estava preocupado com isso. Nem antes do casamento. Pete sempre ficava apavorado com a possibilidade de a camisinha arrebentar e eu ficar grávida. Dizia que meu pai o mataria. Talvez estejamos sendo punidos por algo, por termos transado antes do casamento ou... sei lá. — Ela fitou as duas amigas, desesperada, com o rosto vermelho e coberto de lágrimas. — O que será que eu fiz? Não sou realmente religiosa, mas seria capaz de passar horas rezando todos os dias, se achasse que funcionaria.

— Olhe para mim — pediu Hannah, com veemência. — Você não está sendo punida por nada, Emma. Não seja tão insensata. Sou cinco anos mais velha do que você e ainda nem encontrei o homem com quem quero ter filhos, então, você está muito mais adiantada que eu. Se formos entrar nessa onda de tudo-o-que-dá-errado-na-minha-vida-é-um-castigo, então eu devo ter feito algo muito ruim para ter ficado com Harry e depois ter sido dispensada. E, para completar, não me restou nem mesmo a perspectiva de um futuro pai para meus filhos que ainda não nasceram. —

Ela não acrescentou que crianças eram a última coisa em sua mente, com ou sem pai em potencial.

Os soluços de Emma diminuíram um pouco.

— Talvez fosse uma boa ideia procurar saber o que está acontecendo — sugeriu Leonie. — Mesmo que haja um problema, a medicina tem muitas alternativas nos dias de hoje para casais inférteis. Lembre-se de todos os bebês que nasceram com fertilização *in vitro*.

— Não posso expor Pete a tudo aquilo — contestou Emma, balançando a cabeça com tristeza. — É um verdadeiro pesadelo. Vi um programa na TV relatando o processo. — Enxugou os olhos, desesperada. — E ele não sabe como estou me sentindo, não mesmo. Ele adora crianças e não compreende que, se a mulher não engravidar depois de três anos, não há muita esperança. Não posso dizer isso a ele.

As amigas fitaram-na, alarmadas.

— Você nunca conversou sobre esse assunto com Pete? — quis saber Hannah, com suavidade.

— Ele sabe que quero ter um bebê, mas eu nunca lhe disse que estou obcecada.

— Por que não? — perguntou Leonie, abismada. — É óbvio que tem que compartilhar isso com ele; afinal de contas, ele ama você.

Emma deu de ombros, sem esperanças. — Fico pensando que, se não falar nada, vou acabar descobrindo que imaginei coisas e ainda ficarei grávida. Se procurarmos tratamento, tenho certeza de que os médicos descobrirão que a culpa é minha e deixarão claro que nunca poderei ter filhos... tenho certeza.

Ficou com o olhar vago e seu pensamento voou para um lugar distante.

— Vamos embora, senhoras. O ônibus chegou — anunciou Flora, com a voz clara. As três mulheres se sobressaltaram ao perceber que as outras pessoas do grupo estavam juntando seus pertences e se retiravam do restaurante, levando as inevitáveis garrafas plásticas de água mineral.

Hannah acenou para o garçom e pagou pelo vinho apressadamente, descartando a oferta de Leonie de contribuir com metade da conta. Emma não disse uma só palavra.

O trio, desanimado, voltou para o ônibus, Emma, com os olhos vermelhos, e Hannah, fitando o vazio da noite. O que havia de errado com ela? Por que não tinha, como Emma, um desejo cego de ser mãe? Seria anormal? Filhos nunca fizeram parte de sua meta de vida, que tinha uma única faceta: a segurança. Vencer na vida e ter segurança para nunca mais ter que depender de um homem, como a mãe dependera do pai irresponsável dela. Os anos que havia passado com Harry interferiram de forma terrível em seus planos: praticamente casada, transformou-se em uma pessoa caseira e sem ambição, além de ter esquecido que, quanto mais se precisa dos homens, mais eles decepcionam você. Bom, isso nunca mais aconteceria. Construiria uma carreira de forma a nunca mais precisar de um homem de novo.

Transar com caras como Jeff Williams era permitido: meras relações carnais com pessoas que não ousariam interferir em sua vida. Crianças também não faziam parte de seus planos. Talvez fosse uma pessoa insensível, mas não acreditava que seria uma boa mãe. No entanto, ainda apiedava-se de Emma. Sabia como era devastador desejar algo que não se pode ter. Estava cansada de saber. Tudo culpa do Harry, do idiota do Harry.

No final da tarde, Leonie, Emma e Hannah sentaram-se no convés superior, enquanto o barco navegava rio acima com destino a Luxor. As três amigas admiraram o disco dourado brilhante do sol descendo do lado esquerdo, cada uma com um coquetel suave na mão. Os raios banhavam as montanhas à direita com um rico e misterioso tom de rosa e dourado. Palmeiras ladeavam as margens do rio, como se houvessem sido plantadas por um jardineiro genial que soubesse exatamente como conseguir aquele efeito, ao mesmo tempo artístico e agradável.

— Eu tinha a impressão de que veria elefantes irrompendo de trás das árvores, como na África — admitiu Emma, sonhadora.

— Mas você *está* na África — ressaltou Leonie, com um sorriso.

— Essa não! Acho que o sol está danificando meu cérebro — murmurou Emma.

— Que sol que nada, isso é resultado dos coquetéis que anda tomando — disse Hannah. — Eu sei que são fraquinhos, mas você já tomou dois.

Aquela era a hora ideal para se sentar e contemplar em silêncio o vale que ia ficando para trás. O ar tornava-se mais fresco do que no início da tarde e, à medida que o barco se dirigia para o norte ao longo do Nilo, uma brisa refrescante soprava na direção das três mulheres, agitando os cabelos soltos de Emma, como se fosse um secador.

Era o penúltimo dia da viagem, e elas queriam absorver cada detalhe do país, determinadas a memorizar tudo. No dia seguinte, estariam o tempo todo ocupadas, visitando o Vale dos Reis e das Rainhas de manhã, e o Templo de Karnak de tarde. Flora avisara que não haveria um só minuto disponível no itinerário exaustivo, e aconselhou todos a aproveitarem a tarde livre.

As garotas estavam de pleno acordo. Logo após o almoço, os pais de Emma decidiram participar do jogo de cartas na área fechada do bar, e Jimmy O'Brien fez de tudo para que Emma entrasse no time dele. Mas ela recusou o convite.

— Vou tomar sol, pai — disse, com firmeza.

Ele mostrou-se genuinamente surpreso. — Mas você não prefere fazer companhia ao seu pai e à sua mãe?

Hannah e Leonie acabaram de tomar o café e saíram discretamente da mesa, para não deixar Emma constrangida. Não queriam testemunhar um desentendimento entre a amiga e seu pai. Mas Emma sentia-se mais forte na presença delas. Não acreditava que Leonie e Hannah ficassem amedrontadas na presença dos pais delas.

— Pai — começou a dizer Emma educadamente, com um inusitado tom de voz firme —, é claro que eu gosto de estar com você e mamãe, mas não precisamos ficar juntos o tempo todo. Eu quero tomar banho de sol e não jogar baralho. Espero que vocês se divirtam. — Levantou-se, beijou de leve o rosto do pai, tentando, assim, aliviar a tensão. A técnica funcionou: ele não disse nada, algo bastante incomum.

Ou simplesmente ficara chocado por Emma tê-lo enfrentado, pensou Hannah, com sabedoria. Se fosse psiquiatra, poderia escrever uma tese sobre Jimmy O'Brien. Depois de observá-lo por cinco dias, ela chegara à conclusão de que era um homem horroroso, com o ego inflado.

Na quarta-feira, ele insultara a bela moça da dança do ventre que subira à bordo com um grupo de músicos, dizendo a toda voz que ela "devia se vestir com decência e não sair se exibindo por aí como uma promíscua qualquer". Graças à interferência rápida de Flora, evitara-se um incidente internacional, já que o líder da banda parecia prestes a golpear a cabeça de Jimmy com seu teclado eletrônico.

— Não vamos agir com agressividade — pedira a guia, com calma, apaziguando todos à sua volta e gentilmente conduzindo Jimmy e Anne-Marie à outra parte do bar, em que escutou um sermão de dez minutos sobre "Por que era uma pena aquelas pessoas não serem católicos respeitáveis". Emma ficara vermelha de vergonha e quase não conseguira olhar a dançarina nos olhos.

Uma garota tão tímida quanto ela não teria a menor condição de enfrentar o pai, concluíra Hannah, enquanto tomava mais um gole de seu drinque. A mãe se comportava de modo esquisito, uma hora conversando, outra, mergulhando em um silêncio profundo, com o olhar distante, meio apático.

— Normalmente ela não é assim — comentara Emma, preocupada, certo dia em que Anne-Marie parara de falar no meio de uma frase e começara a cantarolar. — O papai insiste em dizer que o calor está afetando demais a mamãe, mas ela é sempre tão atenta! Não consigo entender o que há de errado.

As três mulheres haviam passado uma tarde esplêndida tomando sol no convés superior, lendo, conversando, bebendo água mineral e ouvindo a ininterrupta sequência de músicas da era das discotecas, que ressoava dos alto-falantes do barco.

O responsável pela seleção musical do barco tinha poucas opções e mudava de clássicos dos anos 70 para canções de antigos musicais.

— Se eu ouvir “Disco Inferno” mais uma vez, vou matar alguém — comentou Leonie, enquanto terminava seu coquetel Fuzzy Navel, de aguardente de pêssego e suco de laranja, e avaliava a possibilidade de tomar outro antes do jantar.

— Pelo menos abaixaram o volume — disse Emma.

— Só porque estavam assustando as vacas — esclareceu Leonie.

Nos trechos em que o rio ficava mais largo, existiam bancos de terra isolados, onde o gado pastava tranquilamente, sem demonstrar preocupação com a volta à terra firme.

— Deve haver faixas de terra ligando os bancos, um caminho que não podemos ver — observou Hannah, contemplando a última manada em uma ilha pantanosa e buscando uma passagem. — Com certeza, não sabem nadar. Além do mais, seriam devoradas pelos crocodilos.

— Os descendentes do deus-crocodilo Sobek capturariam todas elas — informou Leonie. Ela adorava ouvir histórias sobre os deuses egípcios e, todas as noites, lia trechos do guia sobre as atrações turísticas que veriam no dia seguinte.

— Que mulher aplicada! — brincou Hannah, enquanto jogava o guarda-chuva de papel do drinque da amiga nela.

— Você está com ciúmes — disse Leonie, bem-humorada, jogando o pequeno guarda-chuva de volta. Ele quicou na mesa e caiu ao lado da embarcação. — A professora vai colocar uma estrela dourada no meu caderno por eu ter decifrado o mistério do sacrifício dos peixes.

— O que foi um grande trabalho de inferência — admitiu Hannah.

As três tinham caído na gargalhada na noite anterior, quando Leonie deduzira por que os peixes nunca apareciam em oferendas nas inúmeras gravuras dos templos. Flora, a guia, costumava deixar uma pergunta sem resposta no final das excursões, à qual respondia no outro dia.

Na véspera, Flora explicara por que Hatshepsut fora a única rainha enterrada no Vale dos Reis, lançando a seguir uma nova charada sobre o sacrifício dos peixes.

Leonie, que era fascinada pelos mitos do Egito, concluiu que a resposta à charada tinha a ver com a história do deus Osíris. Hannah e Emma, sentadas no conforto da cabine de Hannah, compartilhando uma garrafa de aguardente de pêssego, riram tanto da explicação solene de Leonie que quase caíram da cama.

— Quando Seth, o irmão cruel de Osíris, o matou, desmembrando seu corpo e espalhando-o pelo Egito, a esposa angustiada, a deusa Ísis, encontrou todos os pedaços e uniu-os de novo — explicou Leonie, com entusiasmo. — A única parte que não foi encontrada, seu pênis, foi engolida por um peixe. Isso explica tudo.

Hannah se contorceu de tanto rir. — Você está querendo dizer que os peixes não podiam ser sacrificados porque um deles comeu o falo de Osíris?

— Isso mesmo, para mim faz sentido.

Emma descobriu que adorava aguardente de pêssego e teve um acesso de riso. — Mas a gente comeu peixe no jantar de hoje. — Conseguiu dizer em meio às risadas. — Acho que vou vomitar!

— Vocês são duas incultas — disse Leonie, com altivez. — Para falar a verdade, não sei por que vieram para o Egito. Deviam ter ido para Ibiza com uns caras cheios de tatuagens, carregando aparelhos de som portátil.

Emma, com um baque, caiu no chão. Em seguida, tapou a boca, rindo do barulho que fez.

— Daqui a pouco, seu pai vai aparecer aqui e mandar você para cama — reclamou Hannah. — Vou dizer para ele que vou rogar para Seth lançar sete pragas sobre ele... sacaram, Seth lançar sete pragas... — Ela caiu na risada, acompanhada por Emma.

— Queria ver a cara dele com o pênis engolido por um peixe — comentou Emma.

Leonie, tão concentrada em sua teoria sobre o Antigo Egito, bebera muito menos que as outras duas mulheres e resolvera deixar a história de lado. Ela levou Emma de volta para a cama e serviu-se de uma grande dose de bebida. Se não pode vencê-las, junte-se a elas, concluiu.

— Não sei o que vou dizer às pessoas quando voltar para casa e me perguntarem quem eu conheci no Egito — comentou, entornando o drinque em três goles. — Todos vão pensar que passei o tempo falando sobre civilizações antigas com pessoas cultas como eu, quando, na verdade, fiquei perambulando com duas alcoólatras insanas e loucas por sexo, que acham que as pirâmides são discos voadores disfarçados.

— Você está querendo dizer que não são? — indagou Hannah.

— Fica quieta e toma outro drinque — ordenou Leonie.

Os coquetéis Fuzzy Navel que elas tomaram no convés superior na noite seguinte haviam contribuído para a ressaca.

— Você não quer chamar o garçom e pedir outra rodada? — perguntou Hannah a Emma, que estava de frente para o pequeno bar do andar de cima, em que os garçons ficavam de prontidão.

— Preciso ir até o banheiro — explicou Emma. — Mas meu pai está no andar de baixo, consigo ouvir a voz dele daqui. Não quero descer, se não, ele vai querer que eu me sente com eles.

— Ele é meio autoritário — comentou Leonie com arrojo. Adoraria poder dizer que Jimmy O'Brien era um indivíduo tirânico, mas não achou conveniente.

— Você nem imagina quanto — especulou Emma. Os coquetéis Fuzzy Navel estavam subindo à cabeça. — Ele precisa estar no controle e acha que é o dono da verdade. Um verdadeiro pesadelo.

— Mas você o enfrentou mais cedo — argumentou Leonie.

— E, depois, vou ter que pagar por isso. Ele odeia que sua autoridade seja questionada em público.

— Você convive muito com seus pais no dia a dia? — indagou Hannah.

— O tempo todo — respondeu Emma. — Eles moram no mesmo quarteirão que nós. Como eu e Pete não podíamos comprar um imóvel com os nossos salários, o papai emprestou o dinheiro para que a gente pagasse a entrada da casa e depois insistiu que nós comprássemos a que ele tinha escolhido. Fica a cinco minutos da minha antiga casa.

Hannah sobressaltou-se. — Então, ele acha que pode visitá-la quando bem entender, para dar ordens, respaldado pelo empréstimo que fez?

— Você adivinhou. — Emma lembrou-se de como o pai manipulava as coisas de forma a fazer com que ela e Pete sempre fossem almoçar na casa dele a cada duas semanas. E planos para o Natal nunca eram cogitados. Só havia a opção do Natal na casa dos O'Brien e pronto.

— Você é filha única? — perguntou Leonie.

— Tenho uma irmã mais nova que já saiu de casa. Ela é casada e seu marido é muito bem-sucedido. O papai adora Kirsten, embora ela viva se esquivando de todos os compromissos familiares. Também conseguiu deixar de trabalhar, porque Patrick, meu cunhado, é cheio da grana. Resumindo, Kirsten faz o que bem entende.

— Deve ser ótimo ser assim — comentou Hannah. — Meu irmão Stuart é igualzinho. Quando a gente era pequeno, eu tinha que tomar conta das crianças da família, além de cuidar das galinhas da mamãe no verão. O Stuart nunca precisou lavar uma xícara. Que bicho preguiçoso! Era o preferido da mamãe e, agora, é o queridinho da esposa. Pam o trata como se fosse o próximo na linha sucessória ao trono. Devo acrescentar que não somos unidos.

— Eu e Kirsten nos damos muito bem — explicou Emma. — É muito divertida e adoro a companhia dela. Acho um milagre eu não odiá-la, já que o papai é tão fascinado por ela. Você tem irmãos, Leonie?

— Não, somos só eu e minha mãe e nos damos muito bem — contou, quase se sentindo culpada por não ser como as outras duas mulheres, que pareciam ter problemas familiares. — Meu pai faleceu anos atrás, e mamãe continuou levando a vida sozinha. Ela trabalha meio período, vai ao cinema, faz caminhadas, ah, e também está aprendendo a jogar golfe. Na verdade, é muito mais dinâmica do que eu. Nunca fica em casa à noite, enquanto eu vejo todos os capítulos de todas as novelas da televisão. Mamãe é uma pessoa muito tranquila e agradável.

— Como você — disse Hannah.

— Acho que sou calma mesmo — concordou Leonie. — Na maioria das vezes. Mas tenho um temperamento explosivo que vem à tona de vez em quando, mas aí... sai de baixo!

As outras duas fingiram estar se escondendo embaixo da mesa, com medo. — Você pode avisar a gente quando estiver prestes a explodir? — pediu Emma, com uma voz dócil.

— Não se preocupe, você saberá quando acontecer! Que pena que vamos embora — disse Leonie, melancólica, enquanto as três contemplavam o pôr do sol.

— Isso significa que as férias foram boas — ressaltou Emma.

— Vai ser bom voltar para casa, mas a viagem está sendo maravilhosa. Vou sentir falta de vocês duas.

Hannah sorriu, mas não fez comentário algum.

— Eu também vou sentir saudades — disse Emma, com franqueza.

Então Hannah falou: — Dizem que não levamos os romances das férias para a vida real, mas não precisa ocorrer o mesmo com as amizades. Temos nos divertido muito juntas. Podemos nos encontrar quando a gente for para casa e tentar continuar amigas. O que acham?

Emma sorriu, encantada. — Seria ótimo se isso acontecesse. Nós três nos damos tão bem. É uma excelente ideia.

— Também acho. Poderíamos jantar juntas uma vez por mês, por exemplo — sugeriu Leonie, entusiasmada. — Talvez em um local que ficasse a meio caminho das nossas casas.

Leonie começou a raciocinar. Ela morava em Wicklow, no sul de Dublin, a uma hora de carro do centro. Emma ficava no norte, em Clontarf, a quarenta minutos de carro do centro, enquanto Hannah morava na cidade, perto de Leeson Street Bridge.

— Minha casa fica a meio caminho da de vocês duas — disse Hannah. — Sinto muito. Vocês vão ter que dirigir.

— Eu não me importo — salientou Leonie. — Como tirei essas férias para ter novas experiências e não conheci ninguém parecido com Omar Shariff, ter conhecido amigas novas superlegais foi a segunda melhor coisa.

— Quer dizer que estamos em segundo plano? — quis saber Emma, jogando o guarda-chuva de papel do drinque *dela* em Leonie.

Leonie deu uma risada e jogou-o de volta. — Eu estava brincando. Está bom, vamos combinar uma primeira reunião duas semanas depois da nossa volta. Ainda estaremos fazendo sucesso com os nossos bronzeados. Ah, podemos também mandar revelar as fotografias que tiramos e fofocar sobre os nossos companheiros de viagem.

— Está combinado — disse Hannah.

Elas brindaram, com os copos já vazios.

— Um brinde à Grande Reunião Egípcia — sugeriu Emma, em voz alta. — Então, vamos pedir outra rodada?

CAPÍTULO 6

rrastando a mala atrás de si, Emma abriu a porta da frente e inalou o ar de uma casa cujas janelas não haviam sido abertas desde que partira. O lírio-da-paz no hall de entrada parecia um salgueiro-chorão, sedento, com as folhas curvadas, enquanto o pilar do corrimão estava coberto por uma pilha de capas de chuva e casacos de Pete. Ignorando a bagunça, Emma largou a mala ao pé da escada e dirigiu-se à cozinha.

Havia um bilhete na mesa, em meio aos jornais, aos folhetos e à correspondência acumulados há uma semana. Emma largou a bolsa, estremecendo com o frio de agosto na Irlanda, que parecia tão gélida em comparação com o Egito, e acendeu o fogo sob a chaleira. Só então leu o bilhete.

Estou louco para ver você, querida. Vou ver um jogo. Volto às sete. Já organizei o jantar. Não precisa preparar nada.

Com carinho, Pete

Ela sorriu. Jantar organizado provavelmente significava que ele passaria no Mario's a caminho de casa e compraria uma pizza tamanho família de quatro sabores, com uma guarnição de batatas com alho.

Emma levou o chá e a bagagem para o andar de cima e começou a desfazer a mala. Tirou saias, camisetas e roupas íntimas. No meio das coisas, estavam os cartões-postais, que ela não pôde deixar de comprar, além das estatuetas egípcias de imitação de alabastro, que acabara comprando no mercado árabe de Luxor. Retirou o papel de seda que envolvia uma delas, maravilhada com os entalhes meticulosos na escultura de Hórus, o deus falcão.

Flora, a guia, havia avisado ao grupo que viajara pelo Nilo que as estatuetas de alabastro verdadeiro eram feitas à mão e não quebravam à toa, ao contrário das cópias baratas vendidas nos mercados de rua. Emma não se importara com isso. Queria comprar lembranças baratas e divertidas para o pessoal do escritório e, a três libras egípcias cada, as estatuetas se encaixavam em seu orçamento. Satisfeita com as compras que fizera, tirou as outras peças das embalagens até que todas as seis estivessem à mostra, e começou a pensar a que colega daria qual escultura.

Tirou as sandálias do saco plástico e colocou a roupa usada no cesto de roupa suja, já entulhado com as coisas de Pete.

Mas, na verdade, não estava muito interessada em desfazer a mala: ansiava por ver Pete e contar-lhe tudo sobre as novas amigas e os lugares que haviam visitado... De repente, sua mão tocou em algo macio e maleável. No meio das roupas dobradas que não havia usado, achou um grande pacote de absorventes higiênicos de uma marca egípcia desconhecida, com a gravura de um pombo na frente. Emma retirou o pacote da mala, desanimada, e entristeceu de novo. Como era doloroso saber que não havia um bebê crescendo em segurança dentro dela, cercado e protegido pelo amor de seu corpo. Não existiria um neném com cabelos parecendo uma lanugem recostado em seu seio, nem uma boquinha macia procurando instintivamente pelo mamilo, nem uma criaturinha inocente chorando e dependendo dela para tudo.

A dor vinha de seu âmago. Podia senti-la no tórax, na cabeça e praticamente nos ossos, tão grande era a mágoa. Emma ouviu um ruído e percebeu que era ela mesma chorando num lamento, como uma mulher em um funeral.

Depois de passar dias se contendo, finalmente extravasou a tristeza que guardava no peito: cada pontada de dor, cada momento de angústia. Era como se uma represa tivesse rompido.

Naquele momento em que se encontrava ali, encolhida no chão do próprio quarto, recostada em sua cama, podia desabafar o quanto quisesse por seu bebê perdido. Para ela, era como se tivesse perdido um filho. Outra chance perdida, outra vida que pensara estar abrigando dentro de si se fora. Leonie e Hannah haviam sido boas com ela; fizeram de tudo para compreendê-la e consolá-la. Mas não podiam entender como se sentia. Leonie tinha três filhos adoráveis. Hannah não se interessava pelo assunto, pelo menos por enquanto; embora, para Emma, não fizesse sentido que uma mulher não quisesse ter filhos. Mas ela não queria. Então, a situação era bem diferente para elas.

Emma queria tanto ter um bebê que estava adoecendo. Aquilo a estava corroendo por dentro, pensou ela, enquanto as lágrimas escorriam pela face. Como era doloroso! Tanta dor não podia fazer bem a ninguém. Devia ser como um câncer, devorando a pessoa por dentro até não sobrar nada além de um invólucro, nada além de ódio e raiva por ter sido tolhida de algo tão simples.

As pessoas tinham filhos com tanta facilidade! As mulheres os tinham por engano e até abortavam. Emma sempre lia depoimentos de moças nos jornais que diziam coisas do gênero: "O pequeno Jimmy veio por acaso, depois dos outros seis, a gente não planejava ter mais..."

Ainda pior do que isso era trabalhar na KrisisKid, o que significa estar sempre exposta a histórias de crianças vítimas de abusos ou abandonadas. Crianças indefesas que haviam sido maltratadas pelas pessoas que mais deviam tê-las amado: seus pais. Era até melhor, Emma pensou consigo mesma, que sua função na instituição de caridade fosse administrativa, porque, se tivesse que lidar pessoalmente com as crianças que ligavam chorando para a linha de emergência do escritório, talvez não suportasse. Ela sabia que os próprios conselheiros tinham dificuldades. Algumas vezes saíam rápido depois de concluir o turno, extenuados e pálidos, incapazes de trocar ideias com os colegas depois de ouvir os segredos mais atrozes de uma criança. Não havia clima para conversas amenas a respeito do tempo ou de programas de TV depois disso. Emma tinha consciência de que ficaria desesperada se tivesse de lidar com uma criança relatando queimaduras de cigarro ou a ida de seu papai para sua cama no meio da noite, pedindo-lhe que guardasse segredo. Essas pessoas não eram pais nem mães, e sim criaturas malignas e demoníacas. Emma não entendia por que Deus lhes dera o dom da procriação.

Mas, então, como Deus escolhia quem teria filhos ou não? Quem decidia que Emma não seria mãe, ao passo que outras mulheres descuidadas e indiferentes teriam famílias do tamanho de um time de futebol? O rancor que sentia em relação a essas mães assustava Emma. Queria matar todas as mulheres que não davam valor às coisas nem sabiam o que era ansiar por um filho; que simplesmente sorriam quando o teste de gravidez dava positivo e diziam baboseiras do tipo: "Ah, bom, lá vem outro bebê para o time!"

Ou: "Como a gente sempre pensou em iniciar uma família, podemos muito bem começar agora!"

Ela as odiava, com todas as forças.

Quase tanto quanto detestava as mulheres que tratavam seus bebês como troféus, mostrando orgulhosa e presunçosamente ao mundo que elas haviam tido filhos, sem se importar com o fato de que algumas pobres coitadas não tivessem tido a mesma oportunidade. Emma concluiu que essas eram as que mais detestava, pois a desprezavam, tinha certeza disso.

Como Verônica, que trabalhava no escritório. Ela usava a maternidade como uma medalha de honra ao mérito, nunca se cansando de falar para quem quisesse ouvir como o pequeno Phil era uma graça. Sempre perguntava com malícia se Emma não pretendia ter filhos.

Emma, sua chefe, tinha certeza de que Verônica sabia e essa era a carta na manga da subalterna em relação a ela.

— Ultimamente, o Phil está engatinhando pela casa inteira feito um furacão — anunciara Verônica, certo dia, quando todos se reuniram para almoçar no escritório. Depois, fez um comentário dirigido a Emma, que nem estava prestando muita atenção: — Não acredito que até agora você e Pete não tiveram filhos, Emma. Melhor não adiar muito, sabe? De repente não vai conseguir engravidar depois! — aconselhou, com a voz estridente.

Emma sentiu vontade de esganar a funcionária na mesma hora. Em vez disso, deu um sorriso forçado e conseguiu retorquir: — A gente tem tempo de sobra para pensar nisso, não estamos com pressa.

Ela pensou em Verônica enquanto estava ali, sentada em silêncio, no chão do quarto, com as lágrimas salgadas secando no rosto. Como ia encará-la na segunda-feira? No decorrer da semana anterior, Phil deve ter feito algo prodigioso para um bebê de seu tamanho e é claro que Verônica devia estar avaliando a possibilidade de ligar para *O livro Guiness dos recordes*. Pediria a opinião de todos, ocupando-se mais do assunto que de seu trabalho. Não era uma boa assistente. Talvez por isso fosse maldosa de propósito. Detestava a chefe. Emma era competente em seu trabalho, mas não tinha filhos. Verônica não era uma boa profissional, mas nascera para ser mãe. Tratava-se de seu único trunfo, e ela sabia como usá-lo.

Emma estremeceu. Estava fazendo frio dentro de casa. Pete não se lembrara de ligar o aquecimento central antes de sair. Suas pernas e braços estavam rijos e doloridos, e ela ainda sentia a característica dor na região lombar por causa da menstruação. Por fim, levantou-se e foi ao banheiro lavar o rosto.

Uma mulher com a cara borrada encarou-a no espelho manchado. Se alguém observasse o rosto sem rugas e a tez pálida levemente bronzeada, veria uma jovem, mas, se fitasse os olhos inchados e vermelhos, enxergaria uma moça com mil anos de idade.

O familiar frasco cor-de-rosa de loção para bebê que estava na prateleira acima da pia zombou dela. Ela usava o produto para tirar a maquiagem dos olhos. Não por falta de uma loção de limpeza para a pele, mas porque adorava aquele cheiro de neném. Às vezes, usava o creme como hidratante e, por causa do aroma, imaginava um pequenino aconchegado a ela; naquele dia, ela colocou o frasco no armário do banheiro, onde não teria de olhar para ele.

Emma salpicou água no rosto e obrigou-se a pôr maquiagem. Não queria estar com a aparência de uma caveira quando Pete chegasse. Não era justo transmitir toda aquela tristeza para ele, nem fazer com que passasse pela mesma dor, só porque não conseguira engravidar. Bastava ela ter que viver a agonia de ser infértil, de ter um útero inútil: por que ele precisava passar por aquilo também? Às vezes se perguntava se era justo esconder seus temores do marido. Será que, ao dissimular a ânsia de ter um bebê, acabaria afastando os dois? Chegou à conclusão que não. Não deixaria que isso acontecesse.

Por via das dúvidas, tomou um dos tranquilizantes da mãe. Após um tempo, sentiu-se ligeiramente melhor e distraiu-se metendo uma pilha de roupas na máquina de lavar. Ainda se movimentava como uma autômata, mas estava mais controlada.

Achava-se encolhida em uma poltrona, assistindo ao filme de época que Pete gravara para ela enquanto estava de férias, quando ouviu o barulho da chave dele na fechadura.

— Querida, cheguei! Cadê você?

— Na sala de estar.

Em um minuto, ele chegou à porta, com os curtos cabelos ainda úmidos, já que não se preocupara em secá-los depois do banho de chuveiro. Era um homem robusto e confiável para jogar na defesa do time de futebol, e sua aparência amável fazia dele um excelente representante de vendas.

O rosto sincero, com os olhos castanhos afastados e risonhos e o sorriso honesto, foi motivo suficiente para que a gerente da empresa solicitasse uma quantidade muito maior de material de escritório que o planejado, simplesmente porque Pete dissera que precisaria de tudo aquilo. E ele não inventava esse tipo de coisa. Não se tratava de uma aparência ingênua simulada: Pete Sheridan era um cavalheiro de nascença — gentil, autêntico e bondoso com as crianças e os animais. Nunca burlava os gastos nem permitia que o caixa desse troco para 20 libras quando só lhe dera uma nota de 10. Honesto ao extremo, essa era a melhor definição do marido de Emma.

Ele abraçou com satisfação a esposa, beijando seu rosto e pescoço até que ela reclamasse que estava fazendo cócegas.

— Senti saudades — disse ele.

— Eu também — ressaltou ela, abraçando-o e se reconfortando com sua proximidade. Ela o adorava. Amava-o demais. Tudo o que queria, pensou, com o rosto roçando na lã áspera de seu casaco pesado, era ter um filho dele. Os olhos de Emma se encheram de lágrimas de novo e ela mordeu os lábios, tentando controlar-se. Não queria cair em prantos na frente de Pete. Tinha prometido a si mesma.

— Saia de cima de mim, seu chato — pediu ela, brincando, tentando parecer animada. — Você está me esmagando.

— Sinto muito.

Enquanto o marido levantava-se da poltrona, Emma secou as lágrimas com a mão.

Pete sentou-se em outra cadeira, de onde podia alcançá-la e segurar sua mão.

— Me conte tudo. Como foi a viagem? E o seu pai? Ele não acabou sendo detido e jogado numa prisão egípcia ou algo do gênero?

Apesar da falta de vontade, Emma conseguiu sorrir. — Não, mas fiquei surpresa com o fato de a guia de turismo não ter tentado fazer isso. Você precisava ter visto o papai esbravejando com ela ao saber que teria que pagar uma taxa para levar câmeras para certos pontos turísticos. — Estremeceu ao relembrar o fato, ficando com o rosto rubro de vergonha.

— Meu Deus, uma guia feminina — murmurou Pete. — Ele não deve ter gostado muito disso. — Não era segredo para ninguém o fato de Jimmy O'Brien considerar as mulheres menos evoluídas que os homens. Muito menos para a filha, que crescera ouvindo o pai impaciente dizer o tempo todo: "Deixa que eu faço isso. As mulheres são umas inúteis no quesito praticidade." Isso nunca chegara a incomodar Kirsten, porque ela gostava que as pessoas fizessem as coisas por ela e não tinha a menor intenção de aprender a ser prática.

— Nem queira saber — disse Emma, suspirando. — Ele se descontrolou completamente no Vale dos Reis e começou a gritar com a Flora, afirmando que tinha pagado pela viagem e que então qualquer taxa extra para uso de máquina fotográfica deveria estar incluída. Depois, papai ainda disse que era óbvio que os funcionários do guichê estavam se aproveitando do fato de Flora ser mulher, pois sabiam que ela engoliria aquela história. Então, era melhor ele ir até lá resolver tudo.

— Tentando resolver tudo, como sempre — comentou Pete, com conhecimento de causa. — Seu pai é mesmo uma figura!

"Figura" não era a palavra certa para definir o pai, pensou Emma.

— A viagem ao Egito foi incrível — prosseguiu ela com entusiasmo, enquanto apertava a mão de Pete, demonstrando estar feliz por voltar. — Mas, se não fosse pelas duas mulheres que conheci, Hannah e Leonie, eu teria ficado maluca. O papai quase me enlouqueceu e a mamãe deu a impressão de estar com os parafusos soltos.

— É por causa do seu pai. Ele provoca essa reação nas pessoas.

— Não. — Emma balançou a cabeça com veemência, negando. — Dessa vez, não tem nada a ver com ele. A mamãe está ficando muito esquecida. Na viagem, ficava tagarelando sobre moeda estrangeira e tentando calcular quanto valia a libra egípcia em relação à irlandesa. Normalmente deixaria esse tipo de coisa para o papai, mas, nesse passeio, ficou obcecada pelo assunto. Muitas vezes parecia estar ausente, como se não soubesse onde estava. Não sei não, viu, ainda não consegui entender bem, mas tem algo de errado com ela.

— Vem cá! — chamou Pete, levantando-se. Estendeu a mão para ajudar Emma a se levantar da cadeira. — Vamos colocar a pizza no forno; daí você vai me contar mais sobre as duas mulheres que conheceu na viagem. Se conseguiram a incrível façanha de manter sua mente longe dos seus pais, talvez aceitem o convite de passar o Natal com a gente.

— É uma ótima ideia — disse Emma, deixando escapar um suspiro, ao pensar na traumática alegria forçada na casa dos pais, local em que a paz e boa vontade para com todos os homens era um conceito desconhecido. — Você ia gostar muito delas, Pete. Hannah é muito segura de si e divertida. Claro que o papai não a suportaria. E Leonie é um amor de pessoa. É divorciada, tem três filhos, e acho que se sente muito sozinha. Hannah insistia o tempo todo que a nossa missão era encontrar um marido para Leonie.

— Neil está procurando uma mulher meiga e divorciada — comentou Pete, referindo-se a um de seus antigos colegas de escola. — A gente podia organizar um encontro entre eles.

— Na verdade, Neil está procurando uma mulher sexy que tome conta da casa dele de graça e, não, eu nem sonharia em apresentar a pobre da Leonie para ele — salientou Emma, séria. — Ela já sofreu muito na vida para ainda ter que se envolver com ele, suas caspas e suas fantasias sexuais.

— Vou contar para ele o que você disse, hein? — Pete cortava, desajeitado, o plástico que envolvia a pizza; em seguida, meteu-a no forno, que estava todo sujo de molho de tomate queimado e mozarela. Emma soube então que ele passara a semana comendo pizza. — Vamos encontrar com ele mais tarde, no pub.

Ela deixou escapar um gemido. — A gente tem mesmo que ir, querido? Pensei que fôssemos passar a noite tranquilos em casa, já que acabei de voltar.

Pete concluiu seu trabalho de cozinheiro profissional acendendo o forno e, em seguida, envolveu Emma com os braços.

— Eu sei disso, mas não deu para evitar. Hoje é o aniversário da Janine, e Mike quer que a gente comemore com eles.

Mike trabalhava com Pete na empresa de materiais para escritório, e os dois casais sempre saíam juntos para jantar. Emma gostava muito deles, mas não estava com vontade de socializar. Queria apenas ficar juntinho de Pete e talvez, apenas talvez, conversar com ele sobre o lance do bebê.

— Por que o Neil vai também? — perguntou ela.

— Ele estava no jogo hoje e Mike o convidou. Parece que algumas amigas solteiras da Janine vão estar lá e, você sabe como o Neil é, basta falar em mulheres desimpedidas para ele ficar babando e fazer de tudo para ser convidado.

— Basta falar em chimpanzés fêmeas e o Neil fica babando — ressaltou Emma. — E você ainda queria que ele se encontrasse com Leonie?

— Eu não sei como ela é — argumentou Pete. — Podiam ser feitos um para o outro.

Arrependendo-se de haver reclamado do compromisso que tinham à noite, Emma deu um tapinha carinhoso no traseiro do marido, que estava de jeans. — Não, querido, perfeitos somos nós dois juntos. Agora, diga uma coisa: chegou a comer algum dos pratos que eu mesma fiz e deixei no freezer para você ou gastou todo o salário na seção de comidas congeladas do supermercado?

Quando Emma e Pete, por fim, chegaram ao recanto em que Mike e Janine recebiam os convidados, o pub Cochman's estava um verdadeiro alvoroço, com a habitual multidão de sábado à noite.

— Oi, gente — cumprimentou Mike, levantando-se do banco do bar em que estava sentado para ceder seu lugar a Emma. — Senta junto com a

Janine. Ela está reclamando porque hoje é aniversário dela e a única coisa que a gente fez foi falar de futebol a noite toda.

Janine era o oposto de Emma. Parecia uma Gina Lollobrigida moderna, com curvas nos lugares certos, delineador nos olhos estilo deusa do sexo, lábios rubros e roupas justíssimas da Morgan, que deviam ter sido costuradas no seu próprio corpo. Emma e ela se davam superbem, pois tinham um senso de humor parecido e os mesmos problemas com as famílias. Só que, no caso de Janine, a mãe era uma pessoa dominadora, controlava a família com mãos de ferro sob a luva florida de cozinha. Costumavam passar horas e horas juntas, solidárias, falando dos problemas domésticos, enquanto os maridos debatiam o desempenho fantástico que tiveram em Shelbourne Park no dia anterior.

— Bem-vinda de volta — disse Janine a Emma, deixando uma marca do batom escarlate no rosto da amiga. — Pode ir contando tudo sobre as férias. Foram legais?

Já era hora de fechar quando, por fim, foram embora. Janine tomara a iniciativa, caso contrário, segundo ela, os rapazes nunca iriam para casa. Como Pete passara a noite sorrindo para Emma, sussurrando em seu ouvido que tinha sentido sua falta e que, quando chegassem em casa, teriam momentos de puro erotismo, ela não achou que seria complicado tirá-lo dali.

— Estou exausta e, se não cair na cama logo, vou ter um treco! — anunciou Janine, enquanto aguardavam no hall do pub os homens, que tentavam abrir caminho no meio da multidão. — A gente teve um dia superagitado ontem, Emma. Foi o batizado do bebê da irmã de Mike, e ela transformou o evento em uma grande festa.

Ao seu lado, Emma ficou tensa. Outro neném; Deus do céu, será que não havia escapatória?

— Francamente, você precisava ter ouvido a mãe de Mike falando depois de tomar umas bebidas. Ela está louca para ser avó pela primeira vez; deixou isso bem claro para a gente, dando indiretas. —Janine caiu na risada diante da ideia, sem se dar conta de que Emma ficara calada. Catou na bolsa uma foto de Polaroid com um bebê sorridente, careca e de olhos enormes.

Emma segurou a foto e, enquanto a observava, fez os comentários apropriados. Que neném lindo, pensou, ansiosa, com a tristeza crescendo dentro de si. Por que, por que, não podia ser dela?

— É muito fofo, mas, não me leve a mal, que bagunça, caramba! O bebê só tem dois meses e para ir a qualquer lugar é preciso praticamente levar uma van carregada de coisas. São mamadeiras, fraldas, carrinhos! Estou fora! — queixou-se Janine, enquanto Mike finalmente a alcançava e abraçava-a pelas costas. — Achei que estaria cansado demais para ter pensamentos eróticos — comentou, sorrindo.

— E por que estaria tão cansado? — quis saber Pete, com um brilho momentâneo no olhar. — Ele não fez bons lançamentos, deixou de fazer gol duas vezes e quase dormiu enquanto marcava o lateral do time adversário. Pode ficar tranquila, que ele está cheio de energia!

Os casais seguiram seus caminhos, pegando dois táxis, e combinaram de se falar por telefone durante a semana. Emma sabia que estivera muito calada durante o trajeto para casa, mas era algo que não podia evitar. A noite deixara de ser divertida depois dos comentários de Janine. Outra pessoa com um bebê. A irmã de Mike era um ano mais nova que ele, ou quase isso, o que significava que tinha uns 29 anos. Era mais nova que Emma, que ficava mortificada quando mulheres mais jovens engravidavam. Será que era assim que as moças se sentiam antigamente, quando suas irmãs mais novas se casavam antes delas? Ser mais velha e ficar solteirona seria algo para se envergonhar. Mas, naquele momento, vergonhoso era não ter filhos, enquanto mulheres mais jovens pariam como coelhas.

Ao chegar em casa, Emma subiu a escada devagar, ainda sonhando com os bebês. Para ela, foi quase uma surpresa quando Pete, em vez de ir escovar os dentes no banheiro, levou-a para a cama deles e começou a beijá-la ardentemente. Não era culpa dele, pensou ela, apática, enquanto deixava que desabotoasse sua blusa azul. O marido dizia que a adorava, mas Emma parecia não se emocionar com as palavras.

No começo, era tão maravilhoso quando faziam amor, lembrou Emma. Nenhum dos dois tinha muita experiência — bom, ela nem contava o ano que passara com o primeiro namorado adolescente. Mas ambos aprenderam a ter prazer na cama como um peixe aprende a nadar. Sua irmã Kirsten lhes oferecera o livro *Os prazeres do sexo*, como um presente secreto e divertido de noivado, e eles o leram do começo ao fim, sem entender muito bem algumas das posições mais atléticas.

Mas, naquele momento, era diferente. Emma não comprava morangos nem botões de flores de chocolate para usar em jogos eróticos na cama, tampouco óleo de massagem da Body Shop havia meses. Só fazia sexo pensando em engravidar. Pelo visto, o marido não notara essa mudança. Ele ainda sentia prazer e fazia tudo para que a esposa sentisse o mesmo. Contudo, não tinha consciência de que os momentos de amor apaixonado que costumavam dar tanto prazer a ela antes não a transportavam mais ao mundo de deleite do erotismo.

Em vez disso, ela desejava que cada esperma navegasse rapidamente pelo colo de seu útero, rompendo a minúscula abertura e emergindo como um guerreiro valente nas trompas de Falópio, em busca de seus óvulos preciosos. Enquanto Pete gemia em um arrebatamento sexual, Emma fazia uma incrível jornada, como a câmera de um documentário em uma filmagem inédita do interior do útero de uma mulher, e assistia ao milagre da concepção. No livro de Emma, o prazer sexual ficava em segundo plano diante da emoção da concepção.

Agora, a obra de Annabel Karmel sobre alimentação de bebês parecia à jovem esposa muito mais emocionante que *Os prazeres do sexo*. Escondidos no fundo de seu guarda-roupa, os livros sobre nenéns lhe traziam alívio e conforto. Assim como os artigos constrangedores de bebês que comprara em uma visita à Mothercare. Ela se sentira culpada só de entrar lá, como se a palavra "impostora" estivesse tatuada em sua testa. As pessoas perceberiam que não era mãe; só mulheres experientes tinham noção do sapatinho adequado a um recém-nascido. Chegou a planejar dizer que queria comprar um presente para uma amiga, se alguma assistente de vendas abelhuda percebesse a forma como manuseava sem muito jeito as pecinhas de roupa. Como não se aproximaram dela, levou com orgulho o vestidinho de lã cor-de-rosa. Ninguém compraria roupas de bebê sem precisar delas, certo? Deus não faria isso com uma pessoa. Claro que teria uso para elas. Talvez não naquele momento, mas algum dia, em breve.

No domingo, ela ligou para Leonie para lhe dar um alô. Não sabia explicar por que sentira aquela compulsão de falar com a amiga. Havia algo de reconfortante em Leonie e, além disso, ela e Hannah já sabiam como Emma se sentia extremamente deprimida por não ter filhos. Não havia por que mascarar fatos de pessoas que conheciam seus desejos mais íntimos.

— Emma! — exclamou Leonie, parecendo feliz em ouvir sua voz. — Como vai você, querida?

Emma engoliu em seco e deixou escapar um soluço.

— Nada bem, Leonie. Por isso estou ligando para você. Minha vida está um caos, sinto muito, é melhor eu...

Leonie a interrompeu. — Não ouse desligar, sua maluca. É sempre difícil voltar para casa e descobrir que as coisas estão do mesmo jeito que antes. Nós achamos que o mundo vai assimilar nossa motivação renovada, mas é claro que isso não acontece. É por causa do bebê? — perguntou ela, com doçura.

— Isso mesmo.

— O que é que você vai fazer hoje?

Emma balançou a cabeça e, em seguida, lembrou-se de que Leonie não podia vê-la e respondeu:

— Não sei ainda. Provavelmente nada de mais. A gente deve ir ver um filme à noite e, durante o dia, vou organizar as coisas em casa e lavar a roupa.

— Então você e o Pete não têm nada programado? Bom, será que ele se importaria se eu a roubasse por uma hora?

— Claro que não.

— Então está combinado. Vou ligar para Hannah e ver se ela tem um tempo livre. Vou pegar o carro e daqui a uma hora chego aí, certo?

— Certo — confirmou Emma, com a voz trêmula.

— Espera um minutinho que eu já ligo de volta para você.

Hannah só atendeu ao telefone na quinta chamada.

— Estava passando o aspirador de pó na casa — explicou a Leonie. — Estou de pé desde as oito da manhã e, como a bagunça era geral, limpei tudo, incluindo os armários da cozinha; além de ter lavado à mão parte da roupa.

Leonie deu uma risada.

— Você não quer vir arrumar minha casa depois? — indagou, brincalhona. — Tudo que fiz até agora foi levar Penny para passear e começar a considerar a possibilidade de desfazer a mala. Estou ligando porque a Emma me telefonou e parece estar bem abatida. Sugeri que a gente se encontrasse em uma hora para tomar um café. Quer ir junto?

— Quero, sim. Vocês podiam vir para cá — sugeriu Hannah. — Está tudo limpíssimo agora.

— Quer dizer que estava uma zona antes? — perguntou Leonie, brincando.

— Bom, na verdade, um pouco... — começou a dizer Hannah, quando se deu conta de que estava sendo neurótica com a casa e de que Leonie caçoava dela. — Sua boba! Traga os biscoitos que eu me encarrego do cafezinho, está bom?

Leonie pegou as informações sobre o trajeto, telefonou para Emma e combinou de se encontrarem dentro de uma hora.

— Pete, querido, vou sair por algum tempo — avisou Emma ao marido, que estava concentrado na leitura dos jornais de domingo na cozinha. — Como eu estou com um livro da Leonie e tenho que devolvê-lo, a gente resolveu se encontrar para tomar um café. — Ela não quis contar que encontraria as amigas porque precisava do apoio moral que só elas podiam lhe dar. Sentia-se como se estivesse traindo-o, ao procurar consolo com as amigas e não com ele, mas não podia dizer ao marido como se sentia. Não ainda.

* * *

O apartamento de Hannah parecia com ela: impecavelmente elegante, com cada coisa em seu devido lugar. Após se abraçarem, felizes, Emma e Leonie vaguearam pela pequena sala de estar, admirando a moderna lareira decorada com velas grossas, de tom creme, em castiçais de ferro, além do arranjo de cactos em um vaso com seixos rolados que ficava sobre a pequena mesa com tampo de vidro. Tudo era leve e moderno, desde as cortinas de musselina, drapeadas em uma haste de ferro fundido, até as mantas cor de aveia que Hannah arrumara com cuidado sobre duas poltronas antigas. Lindas fotografias em preto e branco de ruas da cidade, com molduras prateadas, estavam penduradas na parede marfim, contudo, não havia fotos de família, nem de Hannah sorrindo com outros parentes, percebeu Leonie. Era como se ela tivesse se divorciado do passado e usasse fotos artísticas, retratando a vida de outras pessoas, para esconder esse fato.

— Sinto muito pelo café! — Hannah pediu desculpas pela quinta vez, enquanto vinha da cozinha com três xícaras de cerâmica sobre pires grandes. Quando fora coar o café, ficara horrorizada ao descobrir que só tinha instantâneo. Ela gostava muito dele, mas não era de bom-tom servir algo instantâneo para as visitas. Odiava sentir-se insegura com coisas do gênero. Na casa dela, sempre tomaram chá, e os visitantes nunca foram exatamente gente da sociedade. Foi quando passou a receber convidados que Hannah percebeu sua falta de conhecimento de regras de etiqueta; não sabia como segurar um garfo nem como apresentar as pessoas. Gostaria de ser *blasé* no que tocasse a esses assuntos, queria saber por intuição, em vez de ter que observar os outros com cuidado para pegar dicas.

— Pare de fazer estardalhaço por causa do café! — exclamou Leonie, fazendo um gesto com a mão. — A gente não cresceu usando cafeteira lá em casa. Nunca tomamos café de verdade ou estaríamos falidos. O Danny adora essa bebida e consome meio quilo por semana.

— O café instantâneo está uma delícia — acrescentou Emma. — Seu apartamento é muito bonito. Você sabe bem como criar uma atmosfera aconchegante. Nunca acertaria fazer esse drapeado nas cortinas de musselina.

— A Penny derrubaria a haste numa semana, porque adora ficar atrás das cortinas quando está zangada — comentou Leonie, sorrindo. — Provavelmente é onde está agora, na verdade, com raiva de mim. Ficou toda animada quando cheguei em casa ontem, mas não me deixou sair de perto dela hoje de manhã, com medo de que eu a deixaria. Ela uivou quando me viu pegando meu casaco de sair.

— E como vai a pobre da Clover? — perguntou Hannah. — Ficou traumatizada com o hotel para gatos?

Leonie assentiu com a cabeça, sentindo-se culpada.

— Assim que cheguei em casa, ela se escondeu no quarto do Danny e não saiu mais. Deve estar debaixo do edredom, tremendo e enchendo tudo de pelo de gato. Mas o Herman está ótimo. Os gatos da mamãe não conseguiram aterrorizá-lo nenhuma vez. Na verdade, ele só conseguiu engordar.

Emma deu uma risada. — Acho que o Pete andou comendo a mesma coisa que o Herman. Passou esses dias à base de batata frita e pizza, e tenho certeza que ele engordou uns quilinhos. Todo mundo zombou dele no pub. — Sua expressão ensombreceu. — Foi por isso que me comportei feito uma idiota com você no telefone — disse a Leonie. — Não por causa do Pete, mas... — Deu um suspiro. — A gente estava no pub com os nossos amigos Mike e Janine, daí ela começou a falar da irmã do Mike, que teve um bebê e, não sei por que, fiquei arrasada. Não é ridículo? Basta alguém dizer a palavra bebê, e eu viro uma idiota chorona.

Emma tomou um gole de café escaldante. Parecia natural tratar daquele assunto ali. Em casa, teria ficado à beira de um ataque de nervos e se perguntaria se Pete e os outros pensariam que ela estava perturbada do juízo, se contasse como se sentia infeliz. Mas Hannah e Leonie achavam absolutamente normal as pessoas externarem seus sentimentos. Pareciam saber como era fácil alguém se tornar refém das emoções.

— Claro que não é ridículo — salientou Hannah, num tom gentil. — Também me sinto assim em relação ao Harry. Às vezes, acho que estou no topo do mundo, mas basta eu ver alguém passando na rua com uma jaqueta parecida com a dele e entro em pânico, não sei se de raiva ou tristeza. Fico imaginando o que diria a ele se o encontrasse de novo e qual instrumento usaria para torturar o crápula...

Emma sorriu, nervosa. — Tenho fantasias com bebês — admitiu. — Às vezes, quando eu estou no carro, fico imaginando como seria dirigir com um neném no banco de trás; conversaria com ele e contaria o que a gente ia fazer. Coisas do tipo "Mamãe vai levar você para comprar roupinhas novas nas lojas e, depois, a gente vai passear no parque e ver os patinhos". Eu nunca tinha contado isso para ninguém, sabem? Era algo muito pessoal.

Leonie deu um tapinha no seu ombro. — Pode contar tudo para a gente, Emma — disse ela, com sinceridade, como se estivesse lendo o pensamento da amiga. — É para isso que servem as amigas. Talvez por termos nos conhecido há pouco tempo e não termos passado por muitas coisas juntas, podemos nos aceitar como somos.

Emma assentiu.

— Eu sei disso. É incrível, não é?

A hora que passariam juntas transformou-se em uma hora e meia. Precisavam de mais café, e Emma insistiu em prepará-lo. — Se vamos ser amigas mesmo, você não pode tratar a gente como visita, Hannah. Meu Deus — comentou ela, dali a pouco. — A sua cozinha é impecável. Tem certeza que não é parente da minha mãe? Ela ia adorar você.

Hannah colocou um CD de Harry Connick Junior, e todas ouviram sua voz melodiosa enquanto comiam o resto dos croissants que Leonie levara.

— Adoro esse cantor — comentou Emma, enquanto Harry cantava "It had to be you" com sua interpretação especial.

— É verdade, pena que seu nome estrague tudo — brincou Hannah. — De qualquer modo, não quero nada com homens morenos. O meu Harry tinha cabelos escuros, então só quero saber de louros de agora em diante.

— Ah, e parecido com quem? — quis saber Leonie. — Descreve o homem de seus sonhos para a gente.

Sentada em uma poltrona, Hannah segurou as pernas junto ao tórax e o descreveu: — Alto, porque eu gosto de usar salto e detesto os mais baixos que eu. Musculoso, com certeza, e de olhos azuis, como os seus, Leonie, de um tom penetrante para vislumbrar a minha alma. Ombros largos e mãos maravilhosas para me tocar toda. E pele dourada, com cabelos louros combinando.

— Você está falando do Robert Redford — avisou Leonie. — E ele já é meu. Se aparecer na porta da sua casa, não deixo ninguém mais encostar o dedo nele! Ou a nossa amizade vai acabar.

— Você tem que criar o seu próprio homem dos sonhos — aconselhou Hannah. — Não pode simplesmente reproduzir o meu.

— Está bom, está bom. — Leonie adorava esse jogo. Muitas vezes fazia isso sozinha, criando fantasias a respeito do homem que a resgataria da solidão. — Sinto muito, Hannah, não estou copiando você, mas ele tem que ser alto e forte. Ou não vai conseguir entrar em casa me carregando, sem romper algum órgão vital. Ah — acrescentou, sorrindo —, e é óbvio que todos os órgãos vitais dele têm que estar funcionando perfeitamente. Que mais? Precisa ter mais de 40 anos, e acho que sou mais chegada aos morenos, mas até que ele pode ter uns cabelos brancos nas têmporas. Isso é muito sexy e charmoso. Dá para a gente se ver passando os dedos pelas partes grisalhas...

— Você não pode fazer amor com ele antes de acabar a descrição — brincou Hannah.

— Olhos castanhos e queixo de Kirk Douglas.

— Como é esse queixo? — perguntou Emma, confusa.

— Tem uma covinha — explicou Leonie. — Eu costumava ver todos os filmes antigos quando era criança e fantasiava com um Kirk meio malvado. Tinha um filme de pirata com ele e fiquei sonhando durante meses que era a mocinha da história. Ah, sim, e o sujeito tem que ser podre de rico, adorar crianças, animais e mulheres que não fazem dieta. Agora é sua vez, Emma.

Emma sorriu, tímida. — Sei que vocês vão pensar que sou maluca, mas o homem dos meus sonhos é o Pete. Não é muito alto nem musculoso demais, mas tem boa forma física. Está ficando careca, e eu gosto dele assim mesmo. Ele é tudo de bom.

Hannah e Leonie sorriram para ela, com carinho.

— Que ótimo — comentou Hannah.

— É amor de verdade! — ressaltou Leonie. — Sabia que você é uma mulher de sorte?

CAPÍTULO 7

O dia de Hannah vinha transcorrendo às mil maravilhas, até ela voltar para casa e deparar-se com o carteiro na entrada da frente do prédio, à noite. O funcionário do correio não foi grosseiro nem perguntou, zombeteiro, se ela usava camisa branca, jaqueta cinza-escuro e saia longa da mesma cor por ter entrado para um convento, como o mensageiro indagara certa vez, quando Hannah retornara de uma entrevista de emprego. Não, ele se limitou a enfiar um monte de cartas na portinhola da caixa de correio na entrada do prédio, o que bastou para acabar com o resto do dia dela. Hannah inclinou-se para pegar as cartas e viu que duas eram para ela, sendo uma com a caligrafia de Harry.

Reconheceu de imediato a letra inclinada e pouco legível. Antes, os dois brincavam a esse respeito, pois ele nem sabia fazer letra cursiva.

— Puxa! Estou morrendo de rir! Ha-ha-ha! — resmungou ela, naquele momento. Aquilo não era charmoso, nem divertido, mas uma tremenda estupidez! Imagine só, um homem de 36 anos que nem sabia escrever direito. Hannah largou o resto da correspondência na mesa da entrada, para os outros moradores pegarem, e entrou em casa, apressada, sacudindo os cabelos para se livrar dos respingos da garoa, que surgira do nada. Até então, o dia tinha sido maravilhoso.

Fora o seu primeiro dia de trabalho na imobiliária Dwyer, Dwyer & James, e ela chegara cedo. Após estacionar o carro em uma vaga na frente da sucursal da empresa, permanecera sentada por alguns momentos, respirando profundamente. Enchera os pulmões de ar, prendera a respiração e, em seguida, exalara devagar. Era uma ótima forma de se preparar bem para o dia. Alguém batera na janela de seu carro, levando-a a se sobressaltar. Como o vidro estava embaçado, ela o esfregou para ver quem a espiava. Uma mulher estranha sorria para ela. Parecia inofensiva, concluíra Hannah, notando a capa de chuva de boa qualidade, o rosto simpático de meia-idade e o colar de pérolas sobre a blusa cor-de-rosa com laço grande no pescoço. Mas, ainda assim, era esquisita. Abaixara o vidro do carro.

— Pois não?

— Você deve ser Hannah. Eu sou Gillian, da Dwyer, Dwyer & James. Estava na banca de jornais quando vi você no carro; achei que estava na dúvida se podia estacionar aqui ou não. Mas pode sim.

— Obrigada, você é muito atenciosa — comentara Hannah com educação, enquanto saía do veículo e imaginava que Dun Laoghaire devia ser um lugar bem enfadonho, se as pessoas passavam o tempo bisbilhotando de dentro da banca, à espera dos novos funcionários.

— Também parecia perdida em pensamentos — destacara a mulher, preocupada.

— Só me perguntando onde devia estacionar — mentira Hannah, descaradamente. Não ia dizer a ela que jamais se preocupara com esse assunto em toda a sua vida e que ficara sentada no carro por estar nervosa demais no primeiro dia do novo emprego e precisar de algum tempo para entrar com aparência calma e recomposta. Chegara à conclusão de que compartilhar a vida privada com as outras pessoas só trazia problemas. Como poderia assumir o papel da pacata e controlada sra. Campbell, se o pessoal soubesse que precisava recorrer a uma técnica de respiração iogue para se tranquilizar? A resposta era óbvia, simplesmente não poderia.

Duas horas depois, Hannah descobrira que Gillian cuidava da recepção fazia muitos anos e que trabalhava meio expediente para o sr. Dwyer sênior, um homem de aparência simpática, que podia ser visto pelas vidraças de seu escritório, enquanto lia uma pilha de jornais e pedia que Gillian dissesse que ele não estava, se ligassem.

— A recepção é tão tumultuada que, se eu pudesse, trabalharia apenas para o sr. Dwyer, tomando conta dele — murmurara Gillian, como se o patrão exigisse atenção especial.

Hannah ficara sabendo também que o exaustor do banheiro feminino estava com defeito (algo que Gillian relatara cochichando), que o jovem Steve Shaw passaria uma cantada nela na primeira vez que a visse, mesmo tendo acabado de voltar da lua de mel, e que Donna Nelson, corretora sênior da empresa e recém-promovida, era mãe solteira, "apesar de aparentar ser uma ótima moça", sussurrara Gillian, como se o fato de uma mulher ser mãe solteira excluísse a possibilidade de ela ser uma pessoa de caráter. Hannah evitara fazer comentários.

A recepcionista contara também que tinha problemas de coluna.

— Meu quiroprático recomendou que eu parasse de trabalhar, mas o que é que eu faria em casa? — comentara ela, dando uma risadinha. Hannah tivera de se controlar para não dizer algo do tipo: "Que tal escrever colunas para uma revista de fofocas?"

Gillian era casada com Leonard, tinha um filho e uma nora totalmente imprestável, além de um periquito macho australiano, chamado Clementine.

Hannah, que deveria estar recebendo instruções de Gillian no que dizia respeito às incumbências de uma recepcionista da empresa, teria preferido aprender mais sobre como atender um cliente e a área de atuação dos corretores a saber que Clementine era muito inteligente e fazia peripécias com seu espelho. Logo, ficara claro que, depois de Gillian ter revelado tantas coisas sobre si mesma, Hannah deveria retribuir, contando a própria história.

Apesar da avalanche de informações relacionadas à vida pessoal de Gillian, Hannah passara a manhã sem revelar nada de sua vida íntima. Tampouco mencionara que fora contratada como gerente, mas que lhe pediram que começasse pela recepção, para que aprendesse mais a respeito da empresa. Uma de suas primeiras tarefas como gerente seria treinar a nova recepcionista, que começaria a trabalhar na semana seguinte. Considerando que Gillian demonstrava apreciar bastante sua função privilegiada como assistente do sr. Dwyer, na certa não ficaria satisfeita ao saber que Hannah tinha um cargo mais alto que o dela. Algo que não demoraria a acontecer.

— Você é casada? — perguntara Gillian, com os olhos claros brilhando no rosto rosado e os brincos de pérola discretos refletindo a luz. Era um monstro, concluíra a novata. Um monstro que comercializava histórias trágicas da vida dos outros e precisava da de Hannah para adicionar à sua coleção de escalpos. — Ou noiva...?

Não fora a troco de nada que Hannah crescera em uma cidade longínqua do oeste, onde metade dos habitantes vivia fazendo fofocas maldosas.

— Nem um nem outro — ressaltara ela, com rudeza. Em seguida, lançara um olhar frio a Gillian, encarando-a por mais de trinta segundos, até ela desviar os olhos, pouco à vontade.

Hannah achara que a outra captara a mensagem.

— Vou fazer um chá para nós — dissera a novata, afetuosa. Afinal de contas, era importante não aborrecer Gillian. Hannah só queria deixar claro que não revelaria nenhum detalhe delicado de sua vida pessoal para ser exposto no quadro de avisos do escritório.

David James, que entrevistara Hannah na filial da empresa, no centro da cidade, chegara quase na hora do almoço.

— Ele fica a maior parte do tempo na nossa sucursal de Dawson Street, mas dá um pulo aqui de vez em quando — ressaltara Gillian, que procurava seu batom cor-de-rosa cintilante quando a silhueta do sr. James surgira do outro lado da porta.

Não vem tanto quanto deveria, pensara Hannah ao observar o péssimo estado de conservação daquele escritório, que contrastava com o visual elegante de Dawson Street. Neste, imperava o estilo minimalista, com móveis de designers famosos e gravuras modernas nas paredes, além de um ar de opulência discreta que pairava agradavelmente no ambiente.

A imobiliária Dwyer, Dwyer & James em Dun Laoghaire traduzia bem o conceito de um escritório elegante nos anos 1970. As paredes eram cor de café, as poltronas para clientes eram do tipo baixo e acolchoado, como as usadas na época em que *As Panteras* fizeram sucesso pela primeira vez, e as áreas privativas ficavam separadas das públicas por painéis de feltro marrom. Apesar do endereço nobre, o lugar estava em ruínas.

Entre um e outro monólogo de Gillian, Hannah se perguntara se não teria cometido um grande erro ao trocar um emprego tão bom por aquele. Como a Dwyer, Dwyer & James era uma imobiliária grande e poderosa, Hannah julgara que seria vantajoso para sua carreira trabalhar para eles como gerente; no entanto, aquele escritório parecia esquecido no tempo.

David James, um homem alto, de compleição forte e carisma capaz de emudecer todos à sua volta, entrou na sala, apertou a mão de Hannah, disse esperar que estivesse se adaptando bem e pediu-lhe que fosse ao escritório administrativo. Jogou a capa de chuva no encosto da cadeira e tirou o paletó, permitindo que se entrevissem os ombros musculosos sob a camisa azul-ultramarina. Hannah deu-se conta de que era um homem muito bonito. Não havia atentado para esse detalhe durante a entrevista; ficara nervosa demais. Contudo, havia um ar másculo naquele rosto largo, de estrutura óssea marcante, adornado por cabelos lisos e grisalhos. Devia ter quarenta e poucos anos, apesar de as rugas sob os olhos estreitos o envelhecerem um pouco. Tinha uma aparência impecável e, mesmo trajando roupas caras, dava a impressão de sentir-se tão à vontade cortando lenha no agreste quanto usando uma caneta Mont Blanc em um escritório elegante. Dava para deduzir, pelo seu bronzeado, que gostava de atividades ao ar livre. Envolver-se com ele podia ser perigoso.

— Você já conversou com o meu sócio, Andrew Dwyer? — perguntara o sr. James, enquanto se instalava em uma cadeira grande, sem olhar para Hannah, e examinava alguns documentos dispostos na mesa que requeriam sua atenção.

— Não, até agora só tive contato com Gillian — informara ela.

Seus olhos se encontraram por um momento, com empatia, e os olhos escuros, de David, cintilaram.

— Ah, você esteve com Gillian — sussurrara ele. — Na verdade, não é ideal que ela acumule duas funções. Por isso contratei você. Tenho certeza de que deve estar se perguntando se fez bem ao sair do Hotel Triumph para vir para este lugar.

Era exatamente nisso que Hannah estava pensando; todavia, era esperta demais para reconhecer. Manteve o semblante neutro.

— Esse foi nosso primeiro escritório. Faz dez anos que saí daqui.

Hannah ficara admirada. Pela conversa com Gillian, teria suposto que o sr. James saíra de Dun Laoghaire uns seis meses antes.

— Meu sobrinho Michael montou o escritório de Howth oito anos atrás, e pretendíamos trazê-lo para cá para assumir tudo, mas, por motivos pessoais, isso não foi possível. Além disso, eu não tive tempo de reorganizar este escritório. As coisas desandaram ainda mais após a morte do outro sr. Dwyer. Vamos ter muitas mudanças e concluí que precisaríamos de um bom gerente. Alguém que soubesse lidar com a equipe já existente e, ao mesmo tempo, trabalhasse bem com os novatos. Por esse motivo, contratei você. Sei que é muito dedicada e, além disso, gosto de seu estilo, Hannah.

"Nunca tivemos uma gerente antes. Gillian se encarregava dos pormenores, mas não conseguia dar conta de todo o recado. Precisamos de uma pessoa competente, que conduza a empresa com eficiência, que mande imprimir os catálogos de leilões de imóveis etc. Do ponto de vista da segurança, queremos alguém que monitore a movimentação dos corretores o tempo todo. Quando estiverem mostrando imóveis, sozinhos, você terá que seguir as normas básicas de segurança. Quero que entre em contato com os corretores de hora em hora e verifique se estão a salvo. Tenho certeza de que vai se sair bem."

— Obrigada — dissera ela, empolgada.

— É isso, então. Você pode ver se Donna Nelson já voltou e pedir que ela venha até aqui? Preciso falar com ela.

Hannah achara boa a ideia de trabalhar diretamente com David James. Objetivo e pragmático, não desperdiçava tempo com conversa. Ela gostava de trabalhar com pessoas desse perfil. Com ele, não seria preciso conversar a respeito do tempo ou comentar como o café do escritório era forte.

Gillian ficara morrendo de curiosidade para saber como Hannah tinha se saído.

— O sr. James não é um amor? — perguntara ela. — Ele nunca conseguiu se recuperar depois que seu casamento fracassou. Na verdade, saiu com algumas mulheres, mas não teve nenhum namoro sério. Acho que é um homem solitário, você percebeu isso também?

O que Hannah notara foi que Gillian teria dado um chute no Leonard, o pobre do maridão, e outro no talentoso Clementine, se tivesse a oportunidade de consolar o sr. James de uma forma nada platônica.

Na hora do fechamento do escritório, Hannah já havia conhecido todos os corretores da firma, tendo gostado especialmente de Donna Nelson. A mulher superelegante, de cabelos negros com corte Chanel e terno azul-marinho, transpirava eficiência. Cumprimentara Hannah com um sorriso velado que dizia: *Ela estava falando mal de mim, não estava?* Parecia óbvio que estava cansada de Gillian.

Hannah sorrira com amabilidade e perguntara: — O que acha da gente bater um papo durante a semana? Aí você pode me dizer como quer que as ligações de seus clientes sejam atendidas.

— Seria ótimo — dissera Donna, parecendo satisfeita. Provavelmente não aguentava mais ver Gillian tratando com rudeza a clientela e sentia-se aliviada por encontrar alguém que sabia atender direito a um telefonema, sem dar na cara das pessoas.

O mercado imobiliário não estava aquecido, mas, de qualquer forma, a voz afetada de Gillian, tão artificial como seu batom, não estimularia clientes indecisos a colocarem suas residências à venda na imobiliária Dwyer.

Uma pessoa que telefonara à procura de Donna recebera uma resposta bastante grosseira: — Se ela tiver tempo, ligará de volta.

— Era uma ligação particular — ressaltara Gillian em tom crítico, ao desligar o aparelho.

Mais uma vez Hannah preferiu não se pronunciar, todavia, prometeu a si mesma que, quando assumisse sozinha o comando do escritório, as coisas seriam bem diferentes. Nenhuma recepcionista treinada por ela, em momento algum, seria grosseira ao telefone.

Naquela tarde, David James havia conversado com Hannah rapidamente antes de sair da imobiliária, equilibrando sem jeito o corpo másculo na borda da escrivaninha dela.

— Está tudo indo bem? — perguntara ele. Hannah notara que Gillian, sentada ao seu lado, empertigou-se toda na cadeira, na esperança de ser notada.

— A-hã. Acho que em alguns dias vou pegar a mecânica do escritório, apesar de ser fácil perder ligações na mesa telefônica. A que a gente usava no Hotel Triumph era mais moderna e eficaz — comentara ela, com franqueza.

Naquele momento, Hannah percebeu claramente que Gillian se retesara, chocada com o fato de uma funcionária nova ousar dizer algo assim ao chefe. Contudo, David James apenas assentira.

— Vamos falar sobre isso depois. Até logo.

— Puxa, você é bem direta mesmo, hein? — comentara Gillian, com desdém, assim que ele saiu.

— Mas você fez o mesmo comentário sobre a central telefônica mais cedo — enfatizara Hannah, gentil. — Eu simplesmente contei para ele.

— O sr. James não gosta de ser incomodado com coisas desse tipo — dissera Gillian, em tom de reprovação.

Hannah se mantivera calada.

Ao voltar para casa naquela noite, ela se sentira satisfeita por ter mudado de emprego e teve certeza de que tudo daria certo na imobiliária. Mas o desgraçado do Harry e sua carta inoportuna acabaram com sua alegria.

Ela entrou no apartamento, jogou o casaco no gancho e abriu o envelope.

Querida Hannah,

Tudo bom, gata? Aposto que você já assumiu todos os hotéis de Dublin. Sabendo como é, com certeza conseguiu conquistar tudo.

Eu ainda estou viajando pela América do Sul. Passei uns dias em BA (Buenos Aires para você, broto).

— Broto! — resmungou ela, rangendo os dentes, furiosa. Que droga! Como ele ousava chamá-la de "broto"?

Estive viajando com uns caras e planejamos ficar mais um mês aqui, antes de ir para o Chile...

Hannah leu linhas e mais linhas que falavam de bicos como guia de turismo e relatavam como ele conseguira fazer alguns trabalhos em um jornal de língua inglesa no mês anterior. Só banalidades; não havia nada de pessoal, nenhuma alusão ao fato de ele ter lhe escrito só uma vez em um ano. Não que ela desejasse receber uma carta. Pelo menos, não naquele momento. No primeiro mês após ele ter partido, teria dado a vida para receber notícias suas. Nem que fosse um cartão-postal ou um telefonema dizendo que sentia saudades dela e que se arrependera de ter ido embora. Se tivesse ligado, implorando que ela o visitasse, Hannah teria largado o trabalho e embarcado no primeiro avião para o Rio de Janeiro. Era irrelevante que o houvesse expulsado do apartamento quando ele anunciara que a estava deixando para fazer uma viagem ao exterior, irrelevante que o tivesse acusado aos berros de ser um covarde imprestável com medo de assumir compromissos e irrelevante que lhe houvesse dito que nunca mais queria ter notícias suas nem ver sua cara. Jamais. Tudo isso porque sentia muita falta dele.

E, pela primeira vez em sua vida, Hannah soube que, quando uma pessoa adora alguém cuja ausência é sentida profundamente, ela vai acordar no meio da noite gritando o nome desse alguém, e não vai se importar com o que o amado disse ou fez, vai querer apenas que ele volte.

Sem ao menos terminar de ler a última página, Hannah dobrou a carta cuidadosamente, enfiando-a em uma gaveta da cozinha. Não queria pensar em Harry nem se lembrar da cara dele...

Onze anos atrás, ele lhe parecera um rapaz atraente, com suas características de universitário. Os cabelos escuros e compridos iam até os ombros e encaracolavam quando estavam molhados, os olhos azul-acinzentados eram caídos, dando-lhe a eterna aparência de carente, e a boca grande estava sempre prestes a dar um sorriso malicioso. Ele gostava de usar jaquetas folgadas e calças largas, que davam a impressão de ser vários tamanhos maiores que o dele. Mas tudo isso fazia parte do charme de Harry Spender: seu visual de garotinho levava as mulheres a sentirem vontade de tomar conta dele.

Ela havia cuidado daquele homem por dez longos anos. O casal se conhecera no McDonald's quando ele derramou milk-shake no uniforme de Hannah. Ela trabalhava então como consultora de produtos de beleza na Brown Thomas.

— Mas que droga! Desculpe, hein? Posso ajudar você a limpar? — dissera ele, com cara de inocente, arrependido ao ver a bebida de morango respingando da roupa dela e sujando o chão.

Então, Hannah fora com ele ao banheiro, nada nervosa por acompanhar um desconhecido, nem mesmo quando o rapaz entrou com ela no toalete feminino e insistiu em usar papel higiênico para absorver o milk-shake.

Naquela noite, devia ter recusado o convite de sair com ele para ir tomar um drinque. Mas Hannah puxara à mãe e, aos 27 anos, ainda era ingênua o bastante para ficar impressionada com alguém que havia escrito para o *Evening Press*, um jornal de verdade.

Na casa de Connemara, a família Campbell lia apenas duas publicações diárias: a local, chamada *Western People*, e a *Sunday Press*. Ela crescera com esses jornais, observara a mãe usar os da semana anterior para forrar o chão embaixo da mesa, quando as galinhas estavam chocando lá, e também para cobrir o piso em geral, de maneira que os homens não sujassem a sala com suas botas sujas de lama quando voltassem do trabalho na roça. Então, sair com alguém que trabalhava para a imprensa era demais!

Infelizmente, a mãe de Hannah não ficara nem um pouco impressionada ao conhecer o repórter presunçoso, e o status de Harry de nada adiantou. Mas não fez diferença. A filha já o amava e se via caminhando radiante ao longo da nave da igreja ao seu lado, com um vestido branco ou algo parecido, sorrindo para a foto oficial que sairia no tal jornal de domingo. Juntos na riqueza e na pobreza, na saúde e na doença. Hannah gostava da ideia, do conceito de estabilidade, de segurança.

Todavia, casamento era algo que não estava nos planos de Harry.

— Sou um cara de espírito livre, Hannah, você sempre soube disso. Pensei que tivesse gostado de mim justamente por isso — dissera quando ela o fitara pasma, no dia em que lhe contara sobre a América do Sul.

— Eu sei, só que até hoje, espírito livre para você era ir para festivais de música, comprar discos de Jimmy Hendrix e não pagar a conta do telefone até ameaçarem cortá-lo! — vociferara, quando finalmente recuperara a voz.

Harry dera de ombros. — Minha vida está passando — ressaltara, embora tivesse a mesma idade que ela. — Não vou desperdiçar meu tempo.

Essa viagem é tudo o que eu queria. Estou ficando estagnado, Hannah, nós dois estamos!

Fora então que ela jogara a jaqueta de couro dele na rua. — Vá embora! — gritara ela. — Vá embora já, antes que você desperdice ainda mais seu tempo precioso. Mil desculpas por eu ter sido tamanho estorvo e ter contribuído para sua estagnação!

Dali em diante, nunca mais ouvira falar de Harry nem o vira mais. Ele a deixara naquele momento e só voltara para pegar suas coisas no dia seguinte, quando ela não estava em casa. O ódio e a fúria se apoderaram de Hannah assim que seu companheiro saiu de casa. Ela entregou o apartamento que dividia com ele, mudando-se para outro menor e mais agradável e, com o dinheiro da caução, comprou um sofá e uma cama novos. Não havia a menor possibilidade de ela continuar dormindo na mesma cama que compartilhara com aquele idiota. Se ele quisesse receber alguma coisa, que a processasse. Já devia a ela dez anos de vida, sem falar nas quantias em dinheiro que Hannah vivia lhe emprestando, ano após ano, porque Harry torrava todo o salário que recebia.

Um ano se passara sem uma notícia sequer. E de repente, do nada, chegara uma carta. Após aquele primeiro dia no novo emprego, Hannah sentou-se por um instante na mesa da cozinha fitando o vazio. Então, abriu a gaveta e, decidida, leu o resto da correspondência.

Nos dois últimos parágrafos, Harry tocou no ponto crucial:

Tenho certeza de que você está se perguntando por que estou escrevendo esta carta, Hannah. A verdade é que não dá para eliminar alguém da vida depois de se passar dez anos com ela.

— Dá sim, pode crer — exclamou ela, enfurecida.

Daqui a alguns meses, vou voltar e queria muito ver você. Recebi notícias suas pelo Mitch, que me deu seu endereço novo.

— Maldito Mitch! — praguejou a moça. Ele era um dos velhos amigos de Harry. Hannah tinha se deparado com ele alguns meses antes, no supermercado, e lhe dissera onde estava morando.

Quero muito ver você de novo, só não sei se quer o mesmo. Vou entender se não quiser me ver, mas espero que não esteja mais triste.

Triste! Triste não era a palavra certa. Cheia de ódio descreveria melhor o quadro, pensou Hannah, aborrecida.

Penso sempre em você e, depois de tudo que passamos juntos, temos muito que conversar. Se quiser, pode me enviar um e-mail. Até mais, Harry.

O e-mail dele estava no final da carta, mas Hannah nem o conferiu. Chegou a ficar tonta, de tanta raiva. Como ele ousava? Justamente quando ela estava começando a se reorganizar, o seu ex tentava entrar sorrateiramente em sua vida, de novo. Ver Harry outra vez? Preferia operar o apêndice sem anestesia.

O escritório da KrisisKids estava silencioso e vazio às 8h15 da manhã de segunda-feira, quando Emma chegou, foi até a sua sala e a inspecionou, com satisfação. Apesar de pequena, quase um cubículo, era básica e simples; ela a adorava. As paredes apresentavam a mesma tonalidade verde-limão do restante do escritório, muito relaxante, a mobília tinha um matiz claro e as plantas cresciam exuberantes no alto das quatro arquivos, sob a luz natural proveniente de uma enorme janela panorâmica. Cartazes cobriam as paredes, dizendo aos visitantes CUIDE DAS CRIANÇAS — VOCÊ PODE SER A ÚNICA A FAZER A DIFERENÇA e informando o número de telefone da organização. Emma havia assumido o serviço de atendimento telefônico um ano antes e trabalhara duro para transformá-lo em um plantão 24 horas. Formar uma equipe que pudesse estar a postos em um horário desses era muito caro e cansativo, porém ela conseguira, e tinha um vasto rol de consultores qualificados. O serviço tornou-se um sucesso, apesar de às vezes tudo dar errado, com até quatro pessoas ligando ao mesmo tempo, dizendo que estavam passando mal. Graças à linha direta, a KrisisKid acabara de ganhar uma verba expressiva do governo e, com a ajuda da divulgação feita pela imprensa, recebia cada vez mais doações de pessoas físicas.

Acompanhar o desempenho dessa nova tecnologia era muito recompensador, todavia, Emma ficava triste ao pensar que um serviço como aquele era necessário. No cartaz, a fotografia granulada em preto e branco de um garotinho chorando era, na verdade, uma farsa. Pelo que Emma sabia, tratava-se de um modelo infantil, feliz, que a agência publicitária escolhera por ser franzino. Todavia, a imagem não deixava de ser marcante. Os olhos tristes do garoto pareciam acompanhar Emma por todo o escritório, relembrando-a de como as pessoas podiam maltratar as crianças.

Achava irônico uma mulher como ela, sem filhos, trabalhar em uma organização cuja prioridade eram as crianças.

A escrivaninha dela estava como a deixara uma semana atrás: nem mesmo um pedaço de papel ficara largado na madeira polida, a fotografia de Pete continuava ali, formando um ângulo reto perfeito com o monitor do computador, e a caixa de madeira pintada em que ela guardava os prendedores de papéis permanecia no lugar costumeiro, próximo ao telefone. Apenas a bandeja transbordando de papéis denotava que ela estivera de férias. Arquivos, cartas e fotocópias meio amassadas amontoavam-se em uma pilha perigosa, que ultrapassava as bordas do recipiente de plástico.

— As férias foram boas? — perguntou Colin Mulhall, com os olhos faiscando de curiosidade. Surgira do nada e achegara-se à escrivaninha de Emma.

Colin tinha uns vinte e poucos anos, era o segundo no comando do departamento de publicidade e também o fofoqueiro do escritório, implacável em sua busca por detalhes da vida pessoal dos colegas. Emma achava que o MI5, o serviço britânico de inteligência, estava perdendo por não contratar seus serviços. Podia ser que ele não falasse russo nem iraquiano, nem mesmo, por sinal, o inglês básico, contudo, sua habilidade de colher informações era insuperável. Não conseguia digitar um comunicado para a imprensa sem verificar pelo menos quatro vezes no corretor ortográfico o que havia escrito, mas, se alguém quisesse saber por que a novata da contabilidade estava chegando todos os dias no trabalho com os olhos vermelhos, Colin era a pessoa a se procurar. Só que Emma nunca gostou de fofoca. Não era a sua praia. Como sua mãe adorava fazer mexericos, e ela foi criada em um ambiente de intrigas, Emma tinha verdadeira ojeriza às pessoas que difamavam os outros. Não lhe interessava saber se a moça da contabilidade dividia o tempo com oito amantes, nem se era viciada em drogas, nem se tinha um fetiche por meias arrastão usadas sem calcinhas.

— Está certo, então — comentara Finn Harrison, porta-voz da empresa e chefe de Colin, que era chegado a uma fofoca, mas respeitava a posição de Emma de não se envolver.

— Não sei por que ela trabalha para uma instituição de caridade se não sente compaixão por ninguém nem se interessa pelas pessoas comuns. É óbvio que se julga superior e acha que não tem que ouvir as histórias enfadonhas das nossas vidinhas — dissera Colin, sinistramente, referindo-se a Emma. Ressentia-se por ela ter o cargo de gerente. Tinha de dar satisfações a ela, e isso o incomodava. Ele, Colin, é que deveria ser o terceiro no comando em relação a Edward Richards, e não a pudica Emma Sheridan. — Dona Presunçosa, com o marido perfeito e a postura impecável. Aposto que tem um segredo sombrio, o de estar transando com o patrão. A sua porta está sempre fechada. Planejando os encontros futuros, ô caramba! — Assim sendo, Colin e Emma não eram grandes amigos. Toda vez que ele fazia fotocópias dos comunicados para a imprensa, pessimamente redigidos, ela evitava aproximar-se da xerox. Porém, como depois do diretor da organização Emma era a terceira no comando e tinha acesso às informações privilegiadas, Colin sempre tentava puxar conversa com ela.

Emma farejou algo no ar. Suspeitou de que Colin tinha algo para lhe contar.

— Você nem imagina o que houve — disse ele, naquele dia, ligeiramente presunçoso com a ridícula gravata-borboleta (sua marca registrada, como costumava afirmar) e a vistosa camisa amarela, que não melhoravam nem um pouco sua aparência doentia.

— Tem razão, não imagino mesmo — ressaltou ela.

Os olhos de Colin semicerraram-se um pouco.

— O Edward contratou uma firma de publicidade para ajudar na divulgação da nossa linha direta. Ele acha que não estamos tendo propaganda suficiente.

— Mas, que loucura, tudo está indo muito bem! — disparou Emma. — Não acredito que ele esteja tomando uma decisão dessas sem me consultar. — Percebendo que tinha falado mais do que devia, ela calou a boca. — Preciso adiantar meu trabalho, Colin. Estou um pouco enferrujada por causa das férias.

— Se não me engano, você foi para o Egito, certo? — perguntou Colin, sabendo que estava sendo dispensado, mas ignorando, por ora, o fato. — O Pete gostou da viagem?

Emma não se conteve. Arregalou os olhos, com dramaticidade. — Pete não foi, Colin. A gente se fala depois.

Deixando Colin sozinho para interpretar o que ela dissera, Emma pôde concentrar-se em seu trabalho. Ao menos, os dramas que vivenciava no trabalho faziam com que ela esquecesse temporariamente a crise que vivia em sua vida pessoal.

CAPÍTULO 8

Do assento próximo à escada rolante, Emma viu Kirsten andando em meio à multidão que lotava o shopping center à tarde, transmitindo a imagem exata do que era: rica, bonita, orgulhosa e extremamente segura de si. Estava apenas 15 minutos atrasada, o que provavelmente era um recorde, pensou Emma, enquanto observava a irmã se aproximando com o andar confiante de uma supermodelo. Estava magnífica como sempre. Seus cabelos tinham então um tom castanho brilhante, que contrastavam perfeitamente com a pequena jaqueta de camurça creme, que ela usava sobre uma camiseta branca curta, com uma calça jeans desbotada. Emma ficaria ridícula usando roupas como aquelas, mas Kirsten as trajava com naturalidade. Os conhecidos de Emma sempre se mostravam surpresos ao serem apresentados a sua irmã, já que as duas eram tão diferentes. Era como olhar para as fotografias de antes e depois das reportagens de revistas luxuosas.

— Nunca imaginaria que vocês eram irmãs — diziam, surpresos, comparando Kirsten, chique e adorável, com Emma, ultraconservadora e quase antiquada. Kirsten se sentia completamente à vontade usando tiaras com pedrarias e circulando por todos os lugares com sapatos modernos pesadões, ao passo que Emma nem cogitaria usar mais do que simples grampos para prender os cabelos, além de ser fã de mocassins e escarpins.

Afora os cabelos, as roupas e a maquiagem diferentes, as duas irmãs tinham traços muito parecidos. Ambas tinham o nariz comprido, os olhos claros com matizes dourados e os lábios finos. Todavia, as semelhanças acabavam ali.

A autoestima inabalável de Kirsten fazia com que tivesse uma beleza maliciosa, que Emma tinha certeza de que nunca teria. Esperou a irmã chegar ao meio da escada rolante e acenou, chamando sua atenção.

Logo que a viu, Kirsten foi até a irmã e se acomodou no assento ao seu lado. Com um suspiro, vasculhou a pequena bolsa Louis Vuitton à procura de cigarros. Assim como o anel de esmeralda com lapidação quadrada que usava no anular esquerdo, a bolsa também era genuína.

— Sinto muito pelo atraso — desculpou-se a irmã, como fazia todas as vezes em que se encontravam. — Estava conversando pelo telefone com uma das mulheres do comitê e não consegui me livrar da piranha. Mas tinha certeza que você ia se sentar e pedir um café se eu demorasse. — Acendeu um cigarro e tragou profundamente.

Emma não conseguiu evitar um olhar de reprovação. Importava-se com a irmã e preferia que não fumasse.

— Pelo amor de Deus, Emma, esse cigarro tem baixos teores — ressaltou Kirsten, de antemão. — A nicotina é tão reduzida que a gente fica com a cara chupada que nem a de Tina Turner, de tanto sugar para sentir algum barato. — Ela deu um sorriso maldoso. — Sugar é um ótimo exercício para o Patrick. Não que ele pratique muito ultimamente. Vou acabar tendo que comprar Viagra se ele não se animar logo.

— Você é demais, Kirsten — disse Emma, com brandura. — Imagine como Patrick ficaria se ouvisse as coisas que fala. Ia ter um troço se soubesse dos seus comentários sobre a vida sexual de vocês. — Ela gostava do cunhado circunspecto e trabalhador e muitas vezes se perguntava como ele e a irmã conseguiam manter-se juntos há quatro anos, sem que um dos dois fosse parar no banco dos réus, acusado de assassinato.

— Só falo essas coisas para você, Emma — protestou Kirsten, com ar de inocente. — Se não conversar com alguém, enlouqueço. — Ele só faz trabalhar o tempo todo — resmungou ela. — Não para nunca. Não tem mais tempo para nós dois.

— De repente você não ficaria tão entediada se voltasse a trabalhar, né? — ressaltou Emma, sendo mais ríspida do que desejava.

— Não quero voltar a trabalhar e ponto final — disse a irmã dando de ombros, enquanto puxava a xícara vazia de Emma para usar como cinzeiro, já que não estavam na área de fumantes. — Não fui feita para isso, Emma, nem preciso do dinheiro. Eu odiava aquele emprego idiota na cooperativa de crédito, ter que acordar cedo e encarar o trânsito, e ainda precisar ouvir gente gritando comigo quando eu me atrasava. Além disso, o Patrick gosta que o jantar seja servido na mesa quando ele chega. Não dá para fazer isso e trabalhar ao mesmo tempo, dá?

— Mas você não sabe cozinhar. Se não fosse pelas refeições prontas, Patrick já teria virado um esqueleto.

— Ah, não enche, vai! — exclamou Kirsten, de bom humor. — Quer que eu pegue outro cafezinho para você antes que a gente comece a fazer compras?

Enquanto tomavam café, as duas trocaram ideias a respeito de sua missão: comprar um presente de aniversário para a mãe, que completaria 60 anos na quarta-feira seguinte.

— Tem que ser algo especial — ressaltou a irmã mais velha. — Mas já quebrei a cabeça e não cheguei a conclusão alguma.

— Nunca sei o que comprar para a mamãe. Bom, vamos logo com isso. — Kirsten apagou o terceiro cigarro e levantou-se. Em seguida, dirigiu-se à escada rolante. — Está ficando cada vez mais difícil escolher presentes para ela. Outro dia perguntei se não ia usar o bônus para o salão de beleza que dei de presente de Natal e ela me perguntou "Que bônus?". Parece até que está ficando gagá.

A preocupação constante no fundo do subconsciente de Emma veio repentinamente à tona. — O que você acabou de dizer?

— Que ela está ficando gagá. É verdade, Emma. Antes de vocês irem para o Egito, eu conversava ao telefone com mamãe, quando ela me perguntou como andavam os pais de Patrick. Tipo... meu Deus! O pai dele morreu faz dois anos! Será que a mamãe vem tomando alguma coisa que tem feito com que fique grogue? Só pode ser isso. Afinal, qualquer pessoa normal precisaria tomar tranquilizantes para viver com o papai, e a gente não pode culpar a mamãe por isso...

Enquanto a irmã mais nova tagarelava, Emma começou a levar a sério os pensamentos que vinha tendo com frequência nos últimos meses: havia algo de errado com a mãe, com a cabeça dela.

Ela tivera vários acessos de pânico enquanto estavam viajando. Aferrara-se à moeda corrente do Egito, recusando-se a entregar as notas na hora de pagar as compras, crente que estava sendo enganada pelos vendedores. Em várias ocasiões tentara entrar no camarote errado, algo que Jimmy achou irritante. Além disso, toda hora perdia alguma coisa — os óculos, o fio da conversa. Emma sabia que aquilo não era normal.

— Tem razão — disse, abalada.

— Acha mesmo? — perguntou a irmã mais nova, parecendo satisfeita, enquanto passava a mão pelos cabelos brilhantes. — Pensei que você gostasse mais de quando eu era loira. Patrick adora essa cor, ele acha sexy...

— Não estou falando disso. Eu me referia à mamãe. Acho que está ficando gagá. Que coisa horrível de se falar, é tão degradante. O que quero dizer é que mamãe anda confusa e está se comportando de forma estranha. Parece até... — Emma hesitou em pronunciar as palavras — demência senil.

— Não seja ridícula — retrucou Kirsten. — Ela é jovem demais. Isso é coisa de gente idosa, não tem nada a ver com a mamãe. Não vamos mais falar nesse assunto, está legal?

Kirsten odiava enfrentar dificuldades. Quando pequena, simplesmente se recusava a falar das coisas que a aborreciam, como na vez em que tirou nota baixa na prova e a professora fez observações sarcásticas em seu caderno a respeito de seu comportamento perturbador na sala de aula.

— Sinto muito, Kirsten — disse Emma com firmeza —, mas temos que falar sobre isso sim. Não adianta nada ignorar o assunto, porque o problema não vai desaparecer. Seria como ter um nódulo no seio e não procurar o médico; como diz o ditado: "O que os olhos não veem o coração não sente."

— Mas se eu tivesse um caroço no seio ia procurar o médico — enfatizou a irmã mais nova.

— Como se você não estivesse protelando a ida ao dentista há três anos!

— Isso é outra história. É melhor a gente se apressar, se não, vamos ficar sem tempo, Emma. Temos que comprar o presente da mamãe, e ainda quero passar na Mango para ver as novidades.

Emma desistiu, e acompanhou a irmã até a loja de roupas. Não valia a pena discutir com Kirsten quando ela metia algo na cabeça. Além disso, talvez tivesse razão. Demência era mesmo um problema de pessoas idosas.

A irmã mais nova dirigiu-se à arara que expunha as roupas de tamanho pequeno da butique. A mais velha optou por procurar saias longas, adequadas para usar no trabalho. Depois de passar os olhos rapidamente pelas saias lisas, em tons de cinza e preto, similares às que já faziam parte de seu guarda-roupa, Emma retornou ao setor em que Kirsten garimpava as araras, à procura de tops de elastano que pareciam pequenos até para uma criança de oito anos. Separou dois na cor rosa-shocking, que ficariam lindos ou horrorosos em contraste com seus cabelos. Em seguida, perambulou até a próxima arara.

— Olha que coisa linda! — exclamou a irmã mais nova, detendo-se em uma calça preta skinny com uma fileira de contas prateadas enfeitando as costuras laterais.

— Por que você não prova? — perguntou Emma mecanicamente, como vinha fazendo havia anos, desde que começaram a sair para fazer compras juntas, quando eram adolescentes. Sua função era segurar as bolsas e fornecer os diferentes tamanhos, enquanto Kirsten deixava todas as clientes enfurecidas na fila do provador, já que ficava pelo menos meia hora no cubículo, descartando roupas como se fosse Imelda Marcos comprando sapatos, em um verdadeiro frenesi.

— Boa ideia, acho que vou prová-la. Mas me deixa só pegar mais algumas coisas. Não vou me dar ao trabalho de tirar a roupa toda só para provar dois tops e uma calça comprida.

Enquanto a irmã mais nova vasculhava os cabides com o olhar de uma especialista, Emma pensava na mãe. Gostaria de ser como Kirsten e não enfrentar os problemas ou simplesmente eliminá-los da mente. Mas não conseguia ser assim. Tinha certeza de que havia algo de errado com Anne-Marie. Emma só esperava — ou melhor, pedia a Deus — que não fosse demência senil.

Ela já lera um pouco sobre isso, ao passar os olhos pelas seções inseridas entre artigos de moda e reportagens sobre os problemas das leitoras, nas revistas femininas. Não que se interessasse muito; entretanto, a vontade de saber do sofrimento dos outros, nem que fosse para agradecer à estrelinha da sorte por não estar enfrentando o mesmo, levou-a a aprender alguma coisa a respeito da doença. Era como se um intruso se insinuasse na mente da pessoa e, traiçoeiro, fosse tomando conta de tudo, pouco a pouco, fazendo-se presente com lapsos de memória, antes de levar a... a que mesmo? Emma não tinha certeza. As pessoas morriam daquilo?

Esperando Kirsten do lado de fora do provador, ela tentou tirar o problema da cabeça. A irmã tinha razão. Anne-Marie ainda era jovem demais para isso... não era?

— A tia-avó Petra não vem, né? — perguntou Kirsten, enquanto observava o esboço que Emma fizera, definindo onde os convidados se sentariam à mesa do jantar de aniversário da mãe.

— Claro que sim — disse Emma, erguendo a cabeça após regar o ganso no forno de novo, o rosto avermelhado por causa do calor e do esforço. — É a única tia viva do papai, e ele ficaria furioso se ela não fosse convidada.

— É uma criatura perturbada e insuportável. Todo mundo odeia essa mulher — enfatizou Kirsten. — Se o papai quiser convidá-la para a bendita casa dele, não estou nem aí. Mas não entendo por que o resto da família tem que conviver com a praga.

— Pois é — disse Emma com rudeza, cansada de esperar pela ajuda de Kirsten. A irmã não fizera nada desde que chegara, uma hora antes, com os cabelos recém escovados, e não parecia ter intenção de começar. — E quem teria que aguentar o tremendo mau humor do papai se ela não viesse? Eu, claro. Não ia acabar nunca.

— Emma, olha só o que está dizendo! A casa é sua, você é adulta e pode convidar quem bem entender. Deixa o papai ter um acesso de raiva se for o caso. Não dê importância. É o que eu faço. — Kirsten passou a unha pintada de lilás pela lista. — Monica e Timmy Maguire! Droga, ele vai botar o Patrick contra a parede e perguntar onde aplicar as ações, como sempre. Eu já disse para o Patrick cobrar da próxima vez.

— Você adora dizer para os outros o que devem ou não fazer — disse Emma, enfurecida, finalmente chegando ao limite. Estava com calor, esgotada e suada e, além de tudo, farta de Kirsten. — Você veio aqui para ajudar ou só para deixar claro que sou uma pessoa incompetente?

Kirsten não se deixou irritar. — Calma, mana. Você só está brava porque sabe que eu tenho razão. Já que não vai mesmo enfrentar o papai, melhor seria voltar a morar com ele: você faz tudo o que ele manda, de qualquer forma.

Emma sentiu a raiva escapulir como o gás de um balão furado, e seus olhos ficaram rasos d'água. O ganso ainda não estava pronto, os convidados deviam chegar em uma hora e Pete, que havia prometido voltar cedo, ficara retido com um cliente em Maynooth e não estaria em casa antes das sete.

— Falar é fácil — salientou ela, aborrecida, as lágrimas sentidas começando a escorrer por seu rosto. — Você sempre foi a preferida deles. Podia até mandar o velho se danar, que ele sorria para você com tolerância. Mas comigo é diferente, ele me odeia. Nada do que faço ou digo presta. Na verdade, eu só queria mesmo ser respeitada; será que é pedir demais? — Tentou enxugar o rosto, porém as lágrimas continuavam a rolar.

Se ataques de raiva não afetavam Kirsten, choradeira menos ainda, motivo pelo qual lidava tão bem com as maquinações do pai.

— Ele não a odeia, mana — destacou ela, com calma, ignorando seu choro. — O papai é um tirano, e você deixou que a fizesse de saco de pancada. Nem eu nem Pete podemos ajudá-la. Só você pode mudar isso. Deus do céu, Emma, se é capaz de gerenciar aquele bendito escritório, pode muito bem lidar com o papai. O que quer que eu faça agora? Acho melhor você ir lá em cima dar um jeito nessa cara ou então Petra, a Medusa, vai insultar você de todas as formas por não estar cuidando de si mesma depois do casamento.

O jantar de aniversário serviu para mostrar a Emma e Kirsten que seus temores em relação à mãe eram infundados. Anne-Marie desfilou pela casa com o marido a tiracolo, sorrindo o tempo todo e exibindo o novo par de brincos.

— Não são lindos? — perguntou ela, faceiramente, jogando para trás dos ombros uma mecha dos cabelos longos e louros, que deixara soltos. — Foi seu pai que me deu de presente — ressaltou, dando um beijo, feliz, na filha mais nova. — Kirsten querida, não sei o que passou pela minha cabeça naquele dia, eu já encontrei o ótimo vale-presente que você me deu no Natal. É horrível ter que admitir isso, mas eu tinha me esquecido por completo dele, e agora já perdeu a validade, mas foi muita consideração sua. Não estava conseguindo enxergar mais nada com os óculos antigos, mas veja só. — A mãe mostrou os óculos de armação dourada e estilosa que comprara. — Estes são novinhos em folha e não tenho mais dificuldade nenhuma em ler as coisas. Emma, querida, estou sentindo um cheiro delicioso vindo da cozinha, só espero que não seja ganso. Você sabe que sua tia Petra acha essa ave indigesta desde que a comemos no batismo de Roland, em 1957.

Emma e Kirsten trocaram um sorriso cheio de cumplicidade.

— Mais um motivo para servir ganso, você não acha? — sussurrou a irmã mais nova.

Emma assentiu, aliviada. Não havia nada de errado com sua mãe nem com a mente dela. Nenhuma pessoa que conseguisse se lembrar do mal-estar causado por um ganso assado num batizado em 1957 podia estar perdendo a memória.

Meia hora depois, todos os convidados já haviam chegado e circulavam pela casa, conversando. Emma estava de pé, ao lado da porta da sala de jantar, passando os guardanapos que acabara de tirar da máquina de secar roupas. Anne-Marie teria um ataque se ela usasse guardanapos de papel.

— Que sala de jantar agradável! — Ela ouviu Monica Maguire dizendo. — Adoro esses quadros — prosseguiu ela, provavelmente elogiando as gravuras de Paul Klee, tão apreciadas por Emma.

— Na verdade, não gosto do estilo. — Emma escutou o pai falando, em tom brusco. — Mas o que é que a gente pode fazer? Eu e Anne-Marie demos o dinheiro da entrada da casa, e gostaríamos de ter ajudado na decoração, mas você sabe como os jovens são mal-agradecidos.

De pé, atrás da porta da sala, Emma sentiu a raiva percorrendo seu corpo. Como seu pai ousava dizer às pessoas que havia dado o dinheiro da entrada da casa? Como? Aquilo era um assunto particular! Além do mais, o pai não *dera* o dinheiro; ela e Pete haviam combinado com ele que aquilo seria um empréstimo e todo mês o casal depositava um valor na conta de Jimmy. E o pai ainda comentava o assunto, displicentemente, com uma vizinha. Parecia até que a filha e Pete eram crianças ou então uns aproveitadores que usavam e abusavam dos pais... Que coisa mais horrível, um verdadeiro terror! Sentiu um ódio tão feroz pelo pai que abalou sua natureza pacífica. Deus, como ela odiava aquele homem!

CAPÍTULO 9

Leonie não ficou nem um pouco satisfeita consigo mesma. Apesar de ter passado horas penosas pintando a cozinha, o resultado não foi o que esperava. Tinha planejado algo simples: depois de assistir a vários programas de televisão sobre renovação de ambientes, convencera-se de que podia transformar a pequena cozinha do chalé em um espaço de degustação com toques de cultura egípcia; para tanto, bastaria usar uma tinta azul-marinho, algum estêncil com motivo artístico e uma lata de tinta spray em tom metálico. Entretanto, aquilo que na telinha parecia facílimo de ser feito em meia hora de programa, já que a equipe contava com uns vinte ajudantes, inclusive carpinteiros profissionais, designers de interiores e vários funcionários da emissora, tornava-se complicado na prática. Depois de passar três noites e um domingo inteiro atolada até os joelhos em jornais velhos, enquanto os animais penavam em outro cômodo, Leonie achou a cozinha horrorosa. Duas das paredes ficaram tenebrosas, com o azul-escuro cheio de estrelas argentadas, que supostamente refletiam a cor prata dos puxadores dos armários. Até esses móveis, pintados de amarelo-claro para combinar com o madeirame da cozinha e com as outras duas paredes, ficaram com as portas cobertas de bolhas, como se fossem lesões de varíola, quando a tinta secou, ainda que Leonie tivesse preparado as superfícies com todo o cuidado.

A ideia de colocar estrelas no teto tinha sido excelente e divina, mas o azul-escuro, preponderante em todos os lugares, fez com que o espaço — reduzido, mas felizmente, voltado para o sul — parecesse sombrio. Então, mesmo cansada, ela pintou novamente duas das paredes. Foram necessárias três camadas de amarelo-claro para cobrir o azul.

Além disso, a borda decorada com o estêncil, descrito como "um motivo egípcio inspirado em pássaros e outros animais" no livro que Leonie pegara na biblioteca, ficou parecendo o desenho todo borrado que uma criança de quatro anos, que ainda fazia xixi nas calças e chorava atrás da mãe, faria no primeiro dia de escola.

— Estava meio chamativo, Leonie — ressaltara a mãe, com delicadeza, quando chegara naquela tarde trazendo flores de seu jardim e um bolo, que ela mesma preparara, para festejar o retorno das crianças. — Acho mais bonito como está agora — comentou Claire, enquanto procurava um vaso para as flores cor de marfim e, ao mesmo tempo, colocava a chaleira para ferver. — Tinha ficado escuro demais, com tudo pintado de azul.

— Eu sei, mãe — ressaltou Leonie, coberta de tinta e exausta, após decorar a cozinha por 48 horas. Ela estava um caco. A legging preta lembrava o teste de manchas de tintas de Rorschach em amarelo-claro e azul, e o velho suéter cinza de Danny não estava em melhores condições. As mãos de Leonie tinham ficado cheias de emulsão, e ela precisava ficar pelo menos uma hora debaixo do chuveiro.

— O que fez o dia todo, mãe? — perguntou Leonie, enquanto procurava Penny sob a mesa, para acariciar suas orelhas sedosas. A cadela, que havia sido completamente ignorada durante a sessão de pintura, deu um grunhido, satisfeita.

— Passei horas fazendo o vestido de casamento da filha da sra. Byrne. Aquelas duas deviam ser enforcadas. A mãe vive mudando de opinião e toda hora pede que eu refaça algo. Ela insiste em ficar por perto quando eu estou costurando e, como os gatos ficam se enroscando em suas pernas, está sempre coberta de felpas. Vou esgotar meu estoque de fita adesiva de tanto tirar pelo de gato do vestido. — A mãe de Leonie trabalhara como costureira e, depois de se aposentar, abrira o próprio ateliê de costura. Era uma excelente profissional e seu ateliê, de frente para a rua, em Bray, andava lotado de clientes ansiosas por encomendar vestidos de debutante ou de casamento, por uma ninharia. — Claire pegou o maço de cigarros e acendeu um. — Parei de trabalhar às cinco e aproveitei para fazer uma pausa e vir até aqui. Quer que eu faça um chá para nós ou está muito ocupada?

— Parou de trabalhar às cinco? — Leonie caiu em si e deu um pulo em sua cadeira. — Então que horas são agora? Tirei o meu relógio do pulso para não sujá-lo de verniz e pensei que fossem no máximo três.

— São cinco e meia.

— Minha nossa, as crianças vão chegar daqui a uma hora — lamentou-se Leonie. — Não vou conseguir me trocar para estar lá no aeroporto a tempo de recebê-las.

— Bem que achei você tranquila demais. Para que mudar de roupa para ir até lá? Vá assim mesmo — aconselhou a mãe, sensata.

— Gostaria de estar mais arrumada quando eles voltassem para casa. — comentou Leonie, vasculhando os jornais em busca de suas chaves. — Queria também deixar a casa linda e organizada...

— Eles ficarão tão felizes em ver você, que nem vão ligar para um pouco de tinta. Vou preparar alguma coisa para vocês jantarem, está bem?

Cansado do voo transoceânico, o trio surgiu com meia hora de atraso por trás de um carrinho lotado de sacolas, mochilas e malas volumosas. Graças aos artigos de revistas para adolescentes, que alertavam sobre o perigo de se adquirir câncer de pele, Mel e Abby estavam pálidas, como ditava a moda. Por outro lado, Danny voltara superbronzeado. Todos vestiam roupas novas, o que fez Leonie se sentir instantaneamente culpada: era óbvio que o pai deles concluíra que andavam maltrapilhos e dera um banho de loja nos filhos. Leonie era uma péssima mãe, uma esbanjadora que torrava o dinheiro nas férias enquanto os filhos precisavam de roupas novas. Todavia, ela se lembrou de que a maior parte do seu vestuário provinha de brechós.

Concluía-se, então, que as mães deveriam se vestir com andrajos para que os filhos usassem marcas conhecidas, além de qualquer modelo de tênis da Nike que fosse anunciado 24 horas por dia na MTV.

— Adivinha só, mãe — disse a empolgada Mel, depois que a roupa nova de todos foi elogiada e eles estavam no carro, chacoalhando com tranquilidade, a caminho de casa.

— Ela arranjou um namorado — contou Danny, interrompendo a irmã.

— Não arranjei nada! — gritou ela.

— Arranjou sim — insistiu Danny, dando a impressão de não ter 19, mas 14 anos, como suas irmãs gêmeas. Aliás, como Mel, não Abby, já que esta era tão madura que mais parecia ser quarentona.

— Não arranjei e nem era disso que eu ia falar! — vociferou Mel.

— Parem agora com isso — ordenou Leonie, desejando que os filhos tivessem ao menos esperado o carro se afastar do aeroporto para iniciar a inevitável briga. O relacionamento entre Danny e Mel era explosivo e suas conversas sempre acabavam em discussão. Tudo isso por serem muito parecidos. Abby, séria e reservada como o pai, era o oposto dos irmãos.

A frase favorita de Mel aos quatro anos era “Eu quero igual o do Danny...”. O jantar, o suco, o brinquedo de Danny. Bastava algo ser dele para a menina querer. Enquanto isso, o garoto, na maturidade de seus nove anos, era tão maldoso quanto a irmã. O bichinho de pelúcia preferido de Mel, sem o qual a menina se recusava a dormir, ficara escondido em meio à coleção de bonecos Action Man de Danny durante três noites criminosas e insones, até que Leonie o encontrasse, quando passava o aspirador de pó no quarto dele.

No carro, naquele momento, os ânimos se acalmaram unicamente porque Danny decidiu ouvir música no seu novo discman, colocando os fones de ouvido e dando de ombros, entediado, como quem diz “Essas mulheres, hã!”. Leonie estremeceu ao pensar no preço de um aparelho daqueles. Sem dúvida, algumas centenas de dólares. Ray devia estar ganhando rios de dinheiro.

— Será que eu devo contar pra ela? — Abby perguntou a Mel, com um sussurro.

— Deve sim. — Mel estava ficando entediada. A menina olhou para fora da janela com seu rostinho comprido, fazendo bico, aborrecida. Como era a mais formosa da família, até com a cara fechada ficava bonita. Herdara os grandes olhos escuros do pai, tinha sobrancelhas delicadamente arqueadas, pele clara e lábios carnudos. Parecia uma dessas modelos de passarela tentando fazer cara de brava para tirar uma fotografia.

— Contar o quê? — quis saber a mãe, fascinada e ao mesmo tempo louca para saber das novidades.

— Bem, o papai... — Abby começou a falar, lentamente.

Mel não se conteve, interrompendo a irmã. — Ele vai se casar — gritou ela. — Com a Fliss! Ela é linda, adora esquiar e convidou a gente pra ir pro Colorado com eles, e também pro casamento. Vai mandar fazer vestidos para nós. Quero o meu curto, pra poder usar com botas de cano longo.

Ela parou de falar ao receber uma cotovelada da irmã gêmea nas costelas.

— Eu sei que é meio inesperado, mãe — comentou Abby com delicadeza, sensata demais para a idade, ciente de que talvez fosse difícil para a mãe receber essa notícia.

Inesperado, pensou Leonie, lutando para manter-se concentrada no volante. *Inesperado não era a palavra certa. Ray ia se casar de novo*. Ela mal podia acreditar. Enquanto continuava sozinha, sem qualquer perspectiva romântica, o ex-marido, que ela pensara que acabaria tendo um colapso por ser tão tímido e introspectivo e por ter ficado arrasado quando o casamento deles acabara dez anos antes, estava apaixonado e ia se casar.

Leonie sentiu um nó na garganta e ficou feliz por Danny estar sentado no banco da frente, com ela; o rapaz era desligado e isolara-se com seu discman, ouvindo um som de batucada. Já se a observadora Abby estivesse ali, notaria imediatamente os olhos marejados da mãe.

— Que ótimo — conseguiu dizer ela, com as palavras quase entalando na garganta. — Essa é uma notícia maravilhosa. Quando vai ser o grande dia?

— Em janeiro, mãe — disse Mel, pensativa, vendo-se envolta por um vestido minúsculo de seda, as pernas longas com botas de cano alto, fazendo com que os homens de meia-idade sofressem um ataque do coração. — A família da Fliss tem um chalé no Colorado e ela e o papai vão se casar no inverno, quando tiver neve. Imagina só a gente esquiando! Daí eu quero ver a sebosa da Dervla Malone se gabar das férias dela. A vaca pensa que ir para a França é chique! Hã. Que ela vá pra merda!

— Melanie! — Ao encarar a filha com um olhar fulminante pelo retrovisor, a mãe quase bateu o carro em um ônibus, cujo motorista estava dirigindo feito um louco. — Se você aprendeu a falar assim durante as férias, acho bom ir parando. A gente não fala palavrão lá em casa.

A menina jogou os cabelos castanhos e lisos para trás, indiferente, e enquanto fazia isso torceu o narizinho perfeito.

— Relaxa, mãe — sussurrou, baixinho.

— Eu escutei o que você disse — retrucou Leonie, com firmeza.

— Ah, mãe — suplicou Mel, em tom conciliatório, receando que Leonie a proibisse de ir ao casamento. — Sinto muito, mas isso nem é palavrão. Lá em Boston, as pessoas falam assim o tempo todo. Sabe, todo mundo na Irlanda diz "porra" a cada cinco minutos. Os amigos do meu pai dizem isso o tempo todo. Acham que a gente fala: a porra do supermercado.

— Mel! — exclamou Abby, enfurecida.

— Não usamos essa linguagem toda hora nem queremos que você faça isso, está me entendendo? — retrucou Leonie com brusquidão, sem entender por que a reunião da família Von Trapp não estava transcorrendo às mil maravilhas, como planejara. Não havia mais lugar para abraços apertados e palavras chorosas do tipo "Mãe, a gente sentiu tantas saudades suas que nunca mais vamos viajar sem você".

Uma das filhas tinha virado norte-americana do dia para a noite e não via a hora de voltar e encontrar-se com a noiva do pai, o menino estava envolvido com sua música, rejeitando o abraço da mãe. Somente a meiga Abby demonstrava certo contentamento por ter voltado para casa.

— Me diz como é esse gatão com quem você andou saindo — prosseguiu a mãe, tentando amenizar a conversa.

As duas meninas começaram a dar risadinhas.

— O nome dele é Brad — contou Abby, ansiosa. — Ele é alto, tem 16 anos, cabelos louros e dirige um jipe. Ficou apaixonado pela Mel e levou a gente pra comer pizza.

— Brad, hein? — disse Leonie, com um falso sorriso. Sua cabeça estava rodopiando. Um garoto de 16 anos com carro próprio, saindo com sua filhinha! Melanie tinha apenas 14, era uma menina sabida, mas, ainda assim, muito jovem. Aquilo era demais. O que é que o Ray estava pensando da vida? Ela podia ter sido assaltada, estuprada ou sabe-se lá o que mais!

— Os pais dele são amigos do papai, e voltamos logo para casa — prosseguiu Abby. — A gente prometeu que não ia demorar mais que duas horas, além do mais, a pizzaria ficava na mesma rua.

— Eu não fiquei muito interessada nele, era imaturo demais pra mim — comentou Mel, de forma despreocupada.

— Não era não! — protestou Abby. — Ele era um cara muito legal — acrescentou com a voz afetada.

Subentendia-se: *Queria que ele tivesse se apaixonado por mim e não por Mel.*

Leonie ficou com o coração apertado por causa da filha querida, tão parecida com ela. Abby não tinha a beleza natural de Mel. Era alta como a irmã, porém forte e corpulenta, herdara os cabelos castanho-claros da mãe, antes de ela começar a tingi-los, e os impressionantes olhos azuis, que tornavam mais vivaz o rosto redondo e simpático. Todavia, a menina sabia que, em comparação com a irmã gêmea, uma "Ferrari" suntuosa e graciosa, ela não passava de uma "caminhonete" confiável e duradoura.

A mãe a adorava e só enxergava beleza e nobreza de caráter na face meiga e agradável de Abby. Mas meninas de 14 anos não tinham interesse por coisas nobres, sonhavam em se tornar deslumbrantes estrelas de cinema da noite para o dia, com garotos caindo aos seus pés como moscas. O sonho de Mel se concretizara, o de Abby, não. E não havia nada que Leonie pudesse fazer para mudar a situação.

Chegando em casa, as gêmeas saíram do carro depressa, ansiosas por verem os queridos animais de estimação, Penny, a gata Clover e Herman.

— Penny! — gritaram as duas irmãs ao mesmo tempo, quando a avó abriu a porta da frente e a cadela pulou para fora como uma tigresa que estivera enjaulada, histérica de alegria. Em seguida, todos se abraçaram e as crianças entraram em uma competição para afagar Penny, para provar que eram suas preferidas e ver de quem ela mais sentira falta. Com a indiferença típica dos felinos, Clover não se deixou ludibriar por afagos e, balançando a cauda, com indiferença, correu para o jardim.

— O cheiro de tinta deixou a gata agitada — observou a avó, brincando.

As malas foram largadas na entrada, à espera de que Leonie as carregasse para os respectivos quartos.

— Mãe! — vociferou Mel, horrorizada com a cozinha, que estava cor de marfim da última vez que a vira. — O que é que você andou fazendo?

— Uma orgia com Francis Bacon — disse Danny, sorrindo por trás da irmã, enquanto observava a área do desastre, que a avó não conseguira limpar totalmente. — Você andou ajudando a mamãe, vó?

— Não. E pare de fazer gozação com a pobre da sua mãe. Ela só estava tentando deixar a casa mais bonita — repreendeu a avó, enquanto se dirigia ao fogão, em que borbulhava um apetitoso ensopado de frango. — Sua mãe precisa de ajuda para arrumar tudo.

— Tenho que ligar para um monte de gente — enfatizou Mel, saindo rapidamente dali, com medo de estragar as unhas lidando com jornais sujos e emulsões. Fliss havia feito unha francesinha na menina antes de partirem para o aeroporto de Logan. O trabalho doméstico danificaria o esmalte, e a jovem queria estar com as mãos impecáveis no dia seguinte, quando fosse visitar a arqui-inimiga e falsa admiradora Dervla Malone.

— Eu também. — Danny partiu como um raio, deixando Abby, a mãe, a avó e a alegre Penny no meio de um monte de latas e folhas de jornal salpicadas de tinta.

— Eu ajudo você, mãe — disse Abby, leal, como sempre.

— Não se preocupe, querida, vamos comer na sala de estar — comentou Leonie, decidida, enquanto olhava para o caos com desânimo, sabendo que decididamente não tinha condições de encarar uma faxina. Meteria todo aquele jornal em um saco, e pronto. — Obrigada por ter preparado a comida — acrescentou ela, dando um beijinho no rosto da mãe.

Todos comeram com os pratos nos joelhos, na frente da TV, na sala de estar. Danny, de posse do controle remoto, trocava de canais incessantemente enquanto devorava nacos de frango com arroz.

Verde, pensou Leonie, olhando a sala ao seu redor, pequena, porém aconchegante, cheia de plantas e com as paredes verde-maçã. Era desse tom que deveria ter pintado a cozinha e não de azul-escuro. Se conseguissem suportar aquele azul por mais alguns dias, ela refaria o serviço no próximo fim de semana. Talvez um verde mais claro...

As palavras de Mel lhe chegaram aos ouvidos, afastando seu pensamento das cores.

— A Fliss é superlegal — dizia a jovem, aos sussurros, à avó, que, sabiamente, assentia com a cabeça, tentando não olhar para a filha.

Leoni ficou rubra ao perceber que a mãe estava com pena dela. Que horror! Claire gostava muito de Ray e ficara arrasada quando o casamento da filha acabara. "Leonie, quando você sai para pescar de verdade, percebe que não tem tantos peixes assim no mar", dissera Claire, gentilmente, na época. "Vocês se gostam: não pode continuar vivendo com ele e esquecer essa história de amor verdadeiro? Tenho bastante medo de que se arrependa depois."

Passaram-se dez anos, e mamãe tinha razão, pensou Leonie, com amargura. Enquanto Ray havia namorado sério com várias mulheres, ela, que acreditava piamente no amor verdadeiro, tinha arranjado pouquíssimos namorados, a ponto de achar a paquera com o carteiro romântica e excitante. E o mensageiro, para completar, já passara dos 60 e era grisalho.

Então, ela fingiu estar concentrada no programa humorístico a que Danny estava assistindo e começou a prestar atenção sorrateiramente no que Mel estava contando à avó a respeito das férias.

— A casa do papai é grande, mas não o bastante para nós, vó, apesar de ter várias suítes — comentou a menina, que crescera em uma série de casas pequenas e, naquele momento, morava em um chalé com apenas um banheiro, que sempre tinha uma fila de espera.

— A Fliss quer transformar um dos quartos em um closet, já que ela tem um montão de roupa!

Hã, resmungou Leonie para si mesma. Devem ser minissaias curtíssimas e roupas justas de couro. Imaginou-a como animadora de torcida, com cabelos louros reluzentes e dentes que, quando ela era criança, nunca haviam devorado barras de chocolate carregadas de açúcar. Ou talvez fosse uma executiva obstinada, uma advogada poderosa que gostava de usar terninhos impecáveis, como uma personagem de *LA Law*. Leonie interrompeu os pensamentos, de súbito, horrorizada consigo mesma. O que havia de errado com ela? Será que estava cega? Fora ela que quisera deixar Ray e que iniciara o processo angustiante de separação e divórcio. Por que sentiria, então, ciúmes da deslumbrante Fliss? Ele tinha direito de começar uma vida nova; a própria Leonie o havia obrigado a isso, não havia?

Em que tipo de pessoa ela se transformaria, se sentisse despeito da felicidade de Ray? Seria uma piranha, isso sim. Uma piranha insensível.

Abby estava apenas beliscando, sem apetite. Normalmente, devoraria tudo, comendo com uma voracidade muito maior que a irmã gêmea, que comia pouco. Naquele dia, contudo, Abby estava brincando com a comida, indiferente.

— Está se sentindo bem? — perguntou a mãe, preocupada, olhando do outro lado da mesa de centro para o local em que Abby estava sentada, do lado da avó, no sofá-cama.

Abby deu um largo sorriso.

— Estou, mãe. Só perdi a fome.

— Acho que é a primeira vez que isso acontece — comentou Danny, rindo.

Os olhos da menina soltaram faíscas, porém ela não disse nada.

A mãe deu-lhe um sorriso encorajador e prometeu a si mesma que enforcaria Danny quando estivesse sozinha com ele. Se o menino nem sabia soletrar a palavra "consideração", imagine se conhecia seu significado. Abby levou os pratos para a cozinha em silêncio, enquanto Mel buscava algo em uma maleta muito moderna, de vinil, que Leonie nunca vira antes. Mais presentes de um pai coruja.

— Aqui estão as fotos das férias — anunciou Mel com satisfação, ao encontrar um monte de envelopes com fotografias. — Estava ansiosa pra mostrar pra você, mãe.

Leonie contraiu o maxilar e deu um sorriso forçado, esperando poder simular um pouco de prazer ao ver a imagem da encantadora Fliss.

Leonie, Claire e Mel se amontoaram no sofá de dois lugares para ver as incríveis imagens. O primeiro álbum tinha fotos típicas de Mel, mostrando pessoas com as cabeças cortadas ou vitrines de lojas chiques de Boston, cujos reflexos nos vidros não deixavam ninguém ver nada.

— Não sei por que não saíram boas — ressaltou a menina, consternada, enquanto todos tentavam identificar quem era quem nas fotos desfocadas.

As do segundo álbum estavam melhores.

— Fui eu que tirei essas — disse o altivo Danny, do alto de seu posto de "rei do controle remoto".

Após algumas fotografias das meninas e de Ray, que estava bronzeado e com uma aparência saudável, havia uma de Fliss.

— Foi nesse dia que a gente pegou a balsa para ir até Martha's Vineyard — contou Mel, pensativa, enquanto passava a foto para a mãe.

Ao ver a foto, Leonie ficou chocada. Em vez de se deparar com uma jovem encantadora como imaginara, viu uma mulher com pelo menos a mesma idade que ela. Mas a semelhança acabava ali. Era alta como Ray e magra, tinha os cabelos escuros, cortados como os de um garoto e um rosto lindo e sem rugas, que fez Leonie se perguntar quando a Revlon a contrataria para fazer um comercial de hidratante retratando mulheres deslumbrantes com mais de 40 anos. Usava um jeans desbotado, que revelava suas longas pernas e uma camisa polo azul-marinho, metida na cintura da calça. Estava sorrindo em todas as poses, ora abraçando Ray, ora dando risadas com Mel e Abby, que tinha vergonha de ser fotografada. Até Danny foi forçado a posar na balsa, com os longos cabelos assanhados, ao lado de Fliss.

— Ela é muito legal e inteligente, sabe? É uma das advogadas da firma do papai — continuou tagarelando Mel, sem perceber que a mãe passava as fotos para Claire com os movimentos mecânicos de um robô. — Tem roupas lindas. Papai brinca com a Fliss, por ter sido eleita "A Advogada Mais Elegante" da firma por dois anos consecutivos!

Leonie tinha plena consciência de que nunca seria eleita a mais bem vestida de nada, a não ser que camisões folgados de seda com saias volumosas combinando fossem considerados, de repente, *haute couture*.

— O mais incrível é que ela não usa maquiagem — acrescentou Mel, com admiração, crucificando de vez a mãe. — Só rímel e um pouco de brilho nos lábios, nada mais. Se bem que ela faz as unhas, como todo mundo nos Estados Unidos.

Leonie pensou em seu próprio rosto cheio de base e no tempo que gastava todas as manhãs para se maquiar. Não saía de casa sem antes passar delineador nos lábios, lápis preto e blush. Imagine só, um pouco de brilho e rímel.

O orgulho com que a filha descrevia a futura madrasta, elegante e charmosa, levou a mãe a imaginar o que Mel realmente pensava dela. Será que ela sempre quisera que Leonie fosse assim? Desejaria que agisse como Fliss, em vez de fingir ser feliz, brincar e dar gargalhadas das piadas mais insossas só para não demonstrar sua insegurança? Foi doloroso imaginar o que a filha achava dela: uma gorda que tentava esconder as gordurinhas usando roupas folgadas e ridículas, além de tentar parecer atraente usando maquiagem demais.

— Mas agora está na hora de ver *Coronation Street* — anunciou Claire em voz alta. — Você vai ter que mostrar o resto amanhã, Mel. Não posso perder a novela. Agora, vá até a cozinha e prepare um chá para a gente. Já estou velha e preciso me alimentar bem. Aproveite e traga uns biscoitinhos também.

Mel obedecia de imediato aos pedidos da avó. *Era o jeito como Claire falava*, pensou Leonie, agradecida pela interrupção; se ela pedisse que Mel preparasse chá, a filha teria resmungado: — Peça para a Abby fazer. Ela está na cozinha.

Como previsto, a menina pegou as fotografias e foi fazer chá, cantarolando baixinho, contente.

— Mude de canal, Daniel — ordenou Claire.

O menino pôs no canal da novela, e a música tema inundou o ambiente. Claire deu um tapinha na perna da filha, mostrando-se solidária. Leonie sabia que a mãe não faria comentários relacionados à nova mulher de Ray, a não ser que ela pedisse sua opinião. Claire tinha consciência de como a filha estava sofrendo, simplesmente por conhecê-la tão bem.

Assistiram à televisão por duas horas e, depois, Claire decidiu ir embora.

— Tenho que fazer quatro vestidos de damas de honra essa semana, então preciso me apressar — explicou ela, enquanto pegava as chaves no vaso de cerâmica da entrada. As meninas saíram do quarto para se despedirem da avó com um beijo; Danny resmungou um "até logo" de dentro da cozinha, onde preparava um sanduíche de queijo.

Antes de sair, Claire deu um abraço apertado e reconfortante na filha.

— Ligue para mim amanhã, se quiser conversar. — Foi tudo que disse; uma mensagem codificada que significava: se você quiser cair no choro ao telefone, falando de Ray e Fliss, pode me telefonar.

Depois que ela se retirou, Leonie ficou andando de um lado para o outro, arrumando a sala de estar e dando uma organizada na cozinha bagunçada. Mel tinha deixado os envelopes na mesa de centro da sala de estar, e Leonie sentiu-se atraída por eles como se tivessem um ímã. Queria olhar mais uma vez, ver como Fliss era bonita, magra e perfeita.

Da mesma forma que uma pessoa fazendo dieta sente-se inexoravelmente atraída pela última barra de chocolate recheada no fundo do armário, Leonie não conseguiu conter a vontade de ver aquelas imagens mais uma vez. Danny estava distraído, assistindo a um seriado policial, e não notaria nada, ao menos era isso que ela esperava. Leonie pegou os álbuns em silêncio, levando-os até seu quarto. Penny a seguiu, leal, deitando-se na cama com a dona, enquanto ela via os retratos, sentindo-se culpada.

Leonie olhou tudo, tomando cuidado para não embaralhar as fotografias, receando que a filha soubesse a sequência em que estavam. Eram vários os retratos de Fliss, muito mais do que Mel tinha mostrado.

Havia um com a família reunida, jantando em um restaurante de luxo. Mel, ao lado de Fliss, usava um top cintilante que Leonie não conhecia, adulto demais para ela. Abby, de camisa branca, tinha a aparência de sempre. O pai, no entanto, estava completamente mudado, fulgurante como o top da filha. A fotografia seguinte era um close do ex-marido com a namorada, em que Ray mostrava-se radiante, transbordando de felicidade, como

Leonie nunca o vira antes. Ela foi obrigada a admitir, com tristeza, que ele não era assim no seu tempo.

Leonie passou os olhos pelos outros retratos, cada vez mais desanimada. Em seguida, colocou as fotografias de volta nos envelopes, deixando todos no cesto de vime, em que guardava contas a pagar e cartas, na mesa da cozinha. Assim, se Mel perguntasse por eles, a mãe diria que os guardara no cesto.

No quarto das meninas, Abby estava lendo *Orgulho e Preconceito*, seu livro favorito, enquanto Mel, na penteadeira, fazia uma esmerada limpeza de pele com creme gelado.

Leonie percebeu uma mudança de hábitos, já que a filha nunca se interessara por rituais de beleza; imaginava, satisfeita, que problemas de pele não lhe diziam respeito e sim às meninas menos bonitas. Nunca fizera nada além de remover o rímel que usava sem precisar. Naquele momento, Mel massageava o rosto com habilidade, usando um disco de algodão, como se fosse uma restauradora trabalhando em uma pintura do impressionista Monet.

A mãe sentou-se na beira da cama de Mel.

— É tão bom ter vocês de volta — disse ela, desejando não estar se sentindo uma intrusa no quarto das filhas, após ficar apenas três semanas longe delas.

— Eu sei, mãe. Só não queria voltar pra escola. Odeio livros e não vejo a hora de janeiro chegar — resmungou Mel.

Abby não estava com vontade de conversar, o que era bastante incomum. Costumava ir para a cama de Leonie e sentar-se com as pernas cruzadas, no cantinho. Ficava ali, acariciando as orelhas aveludadas de Penny, falando pelos cotovelos até que mãe e filha percebessem que já passava das onze e, assustadas, lembrassem que se levantariam às sete no dia seguinte. Naquela noite, porém, a menina apenas esboçou um sorriso para a mãe e, desconfiada, voltou a ler seu livro, deixando claro que não estava para conversas. Talvez ela também sentisse saudades da impecável Fliss, pensou Leonie, com tristeza.

Sentindo-se abandonada e infeliz, Leonie se recolheu. Apagou a luz da entrada, trancou a porta dos fundos depois que Penny saíra para fazer suas necessidades e pediu que o filho abaixasse o volume da televisão. Então foi para a cama.

Ela não costumava ouvir o radiorrelógio antes de dormir, mas, naquela noite, sentia-se tão só que o ligou. Estavam transmitindo um debate sobre agências matrimoniais.

— Por acaso daria pra encontrar um cara lá do interior sem algum tipo de ajuda? — indagou uma senhora, arguindo com um homem que estava na linha e afirmava que pagar para conhecer alguém era uma apelação.

— Aposto que você é um tribufu — disse o homem, presunçoso, deixando claro que era casado e tinha quatro filhos.

— E eu sou capaz de jurar que a sua esposa está metendo o chifre em você, seu trouxa — retorquiu a ouvinte.

O locutor do programa resolveu intervir ao perceber que o nível da discussão estava caindo.

— Voltamos após as últimas notícias. Vamos entrevistar um casal que encontrou o verdadeiro amor através de um anúncio — disse ele, com o tom de voz suave.

A atenção de Leonie foi inteiramente captada. Uma hora depois, ela desligou o rádio, apagou a luz e ficou deitada no escuro. Não era a única, no fim das contas. Havia muita gente solitária que não sabia onde encontrar um novo amor. Pessoas que se sentiam velhas demais para frequentar pubs com clientes na faixa dos 20 anos e jovens demais para ir a chás com baile. A mulher que dera a entrevista no rádio ficara sozinha como Leonie um dia. Julgara-se incapaz de encontrar um novo amor. Depois de colocar dois anúncios no jornal local de Belfast, começara a sair com um homem adorável. E, naquele momento, os dois estavam planejando o casamento, e foram convidados a participar de um documentário a respeito das soluções alternativas para pessoas descasadas. Leonie concluiu que poderia tentar fazer o mesmo. Se arranjasse um namorado, não ficaria deprimida pensando em Ray e Fliss, nem no suposto mau humor de Mel por voltar para casa, tampouco no seu peso, que vinha aumentando cada vez mais.

Aconchegou os pés no edredom e começou a elaborar um plano, animada. Talvez colocasse um anúncio no jornal ou visitasse uma agência matrimonial que se encarregasse de marcar os encontros. Sua missão, caso optasse por tomar uma atitude, seria achar um homem. Era isso, tinha de encontrar alguém. Então ficaria satisfeita consigo mesma, certo?

— O que significa BSDH? — perguntou Leonie, enquanto lia seu horóscopo na copa, durante os dez minutos de descanso que tentava tirar todos os dias entre o horário de atendimento matinal e o das cirurgias.

Angie, a única veterinária da clínica, desgrudou os olhos das palavras cruzadas que fazia rapidamente, em apenas sete minutos, todas as manhãs.

— Bom senso de humor — respondeu ela com seu forte sotaque australiano, os olhos no tom cinza-claro examinando a colega. — Por quê?

— Por nada.

Alguns momentos se passaram.

— Você está pensando em colocar um anúncio para procurar um namorado?

Leonie deu um sorriso, enrubescendo. Seria um erro tentar enganar Angie, uma das mulheres mais espertas que conhecia.

— É exatamente isso. Será que vai parecer que estou desesperada? Sabe, eu nunca vou encontrar alguém por aqui, vou?

— Não vai mesmo. Só se optar por fugir com o carteiro, que, por sinal, sempre está paquerando você. Toda vez que você atende à porta ele entrega a correspondência na maior lentidão.

— Imagine, Angie. O homem está praticamente aposentado. E, se for o melhor que eu puder conseguir, posso desistir, isso sim. Sabe, tem coisas que eu não consigo entender. Certas pessoas acham que trabalhar numa clínica veterinária é algo extremamente luxurioso, cheio de feromônios, só porque lidamos com animais. Não vejo por quê! O que tem de sexy em encarar Tim enquanto ele opera as glândulas anais de um gato qualquer?

— É o tal do velho fetiche envolvendo médicos e enfermeiras — ressaltou Angie, com ares de sabedoria. — Nos romances sempre existe um médico transando com uma enfermeira, no intervalo de cirurgias de implantação de quatro pontes de safena. É pura ficção, mas as pessoas acreditam que aconteça na realidade. É o efeito do jaleco branco. As mulheres se imaginam transando de modo irracional com um cara vestido de branco, porque ele está no comando; assim podem usar uma desculpa do tipo: "Não pude fazer nada, Vossa Excelência, ele me forçou."

— No mundo da fantasia tudo parece fácil, só que a realidade é bem diferente — ressaltou Leonie, desistindo de seu horóscopo porque os virginianos teriam um dia péssimo e brigariam com todo mundo. — O Tim é bem casado, Raoul está comprometido e, a não ser que a gente vire lésbica, você não é uma possibilidade. Se ao menos Raoul fosse para a América do Sul, poderíamos contratar um jovem veterinário bonitão e ficaríamos vidradas, olhando por sobre a mesa de cirurgia enquanto estivéssemos castrando um bichano amarelo. — Ela deu um suspiro ao imaginar a cena. — De qualquer forma, ele seria um louco se se apaixonasse por uma divorciada com três filhos, você não acha? Falida e mãe de três. Estou lisa de novo, Angie. Usei quase todo o limite do meu cheque especial, e Mel está se queixando porque precisa de roupas novas...

— Colocar um anúncio é uma ótima ideia — enfatizou a amiga antes que Leonie começasse a se deprimir. — Muita gente usa esse serviço hoje em dia. Além do mais, você não vai encontrar o homem dos seus sonhos nesta cidade, vai? Já sabe o que vai escrever no anúncio?

Leonie retirou um recorte de jornal do bolso.

— Peguei esse modelo no *Guardian*, que estava na sala de espera da cirurgia. Tem várias páginas de anúncios, na seção chamada "Almas gêmeas". Só não consigo entender o que querem dizer. Passei um tempão lendo e não entendi nada, é como ler chinês. Escuta só isso: — Loura Magra Brincalhona F, BSDH, n/f, QCH criativo, de preferência AMC para um rel. amoroso. Ld.

Angie traduziu: — Loura, magra, brincalhona, do sexo feminino, com um bom senso de humor, não fumante, quer conhecer homem criativo, de preferência alto, moreno e charmoso, para um relacionamento amoroso. De Londres.

— Ah, entendi. — Leonie observou os demais anúncios. — O problema é que todas essas mulheres são magras e todos os homens querem que as namoradas sejam assim. Olhe só: "Procuro mulher esbelta e atraente..." Podia se tratar de uma assassina, que nem naqueles filmes, com um machado na mão, mas se for esquelética, tudo bem.

— Larga de ser boba — disse Angie, que era alta, atraente, com o corpo atlético e magra, magérrima.

— Mas é verdade. Veja.

Juntas, as duas colegas analisaram a lista. Desde os homens que se autodefiniam como "fofos" (isso significava que eram gordos, ressaltara Angie) até aqueles que diziam algo no estilo "difícil de definir em quatro ou cinco linhas" (o que queria dizer que se tratava de um baixinho gordo, vira e mexe confundido com um porco, dissera Angie).

Elas caíram na risada ao ler algumas descrições: o auxiliar de enfermagem que queria uma companheira divertida e aventureira; Sir Lancelot que procurava sua Guinevere.

— Será que a candidata precisaria usar uma touca e um cinto de castidade? — perguntou Angie.

— Escuta só: "Homem tímido, 35, virgem, procura alguém similar para uma relação". Como alguém pode ser virgem com 35 anos? Que esquisito!

— Não se ele for religioso — observou Angie.

— É verdade, não tinha pensado nisso. O que significa "busca alguém para um possível relacionamento"? — perguntou Leonie, cismada.

— Significa que ele quer transar loucamente depois do jantar, com você de cara cheia, e daí nunca mais vai querer ver o seu rosto — disse Angie, demonstrando conhecimento. — Isso aconteceu com uma amiga minha em Sydney. Apesar de ser veterana em anúncios pessoais, teve uma vez que ela se deu mal. O cara disse que era um médico bonitão e não estava mentindo, então minha amiga esqueceu o plano de bancar a durona e transou com ele no primeiro encontro. Com direito a champanhe, tinta corporal de chocolate, máquina Polaroid, a coisa toda. Nunca mais viu a cara do sacana.

Leonie estremeceu ao pensar em alguém com uma máquina Polaroid tirando fotos dela, nua. Leu mais alguns.

— "Procuro loura classuda para jogos e diversões." Que coisa de louco! Por que ele não contrata logo uma prostituta?

— Tem todo tipo de anúncio. Na verdade, o melhor é anunciar num jornal do interior.

— Você acha mesmo?

— Tenho certeza. Alguém que tenha uma lareira aconchegante e vários potes de dinheiro e que fique bem com botas de borracha.

— Tem vários caras assim em Wicklow — disse Leonie, com semblante inexpressivo. — A sala de cirurgia deve estar abarrotada de caixas em consignação, todas cheias de rosas vermelhas por conta da novidade de que estou procurando um novo amor. Deve ter também um carneirinho doente, que precisa ficar em observação. E a gente aqui, conversando. Vamos com isso, é melhor a gente voltar ao trabalho.

Naquela manhã, as duas ainda discorreram sobre anúncios pessoais, enquanto Angie esterilizava, com destreza, quatro gatas e duas cadelas, além de ter arrancado o dente de um velho Beagle.

Leonie ajudou-a, raspando a barriga dos animais e desinfetando-as antes de Angie começar o trabalho. Também fazia parte do trabalho da assistente monitorar a respiração e a coloração dos animais. Os mais velhos costumavam ser colocados no oxigênio durante os procedimentos. De modo geral, os mais novos não precisavam desse recurso. Leonie, no entanto, ficava de olho na coloração deles, para certificar-se de que estavam inalando a quantidade adequada de oxigênio. Se a língua do animal começasse a ficar cinzenta, ela administrava oxigênio puro.

— Seja honesta quando fizer o anúncio — aconselhou a colega, suturando com delicadeza a barriga marfim e macia de uma gatinha malhada.

— Ponha "voluptuosa", porque é o que você é, e precisa ter certeza de que a pessoa que for a esse encontro saiba disso. Não vai querer se deparar com um cara que vai querer fazer de tudo para que você perca peso.

— É muito bom ter ao menos uma amiga que seja honesta comigo — disse Leonie, atenta à respiração da gatinha. — Se perguntasse a outra pessoa, iria ouvir um monte de mentiras, até mesmo que sou magra. Minha mãe diz que sou bonita à minha maneira e me aconselha a não fazer dieta, para ela, é bobagem.

— Sua mãe é maravilhosa, mas dieta não é bobagem não. Metade das mulheres do país faz o possível e o impossível para tentar emagrecer. É uma perda de tempo, e você sabe disso. Além do mais, a maioria das pessoas que perdem peso acaba engordando de novo, mais cedo ou mais tarde.

— Nem me fale! — resmungou Leonie, incomodada com a cintura da calça do seu uniforme azul, que estava apertando demais sua barriga. — Se eu decidir colocar o anúncio, o que devo escrever?

— Voluptuosa, sensual... — sugeriu a colega.

— Ah, imagina! — exclamou Leonie, sentindo-se, no fundo, lisonjeada. — Sensual! Não sou mesmo.

— E por que não? — perguntou a veterinária, enquanto terminava o procedimento com o bichano. Ela aplicou uma injeção de antibiótico no animal e levou-o de volta à gaiola. Ao retornar, trouxe um Yorkshire para ser castrado e retomou a conversa como se nunca a tivesse interrompido. — Você é sim, em todos os sentidos da palavra. A sensualidade não é necessariamente ligada ao sexo, sabe? Tem a ver também com pessoas que gostam de usar todos os seus sentidos, como você.

— É, mas se eu colocar um anúncio no *Wicklow Times* dizendo que sou sensual, vai aparecer um monte de homem pensando que estou à procura de outro tipo de parceiro, do tipo que deixa dinheiro no consolo da lareira.

— Está bem, você venceu. O que você acha de "Loura de olhos azuis, voluptuosa..."

— "... que adora crianças."

— Isso pode desanimar o cara — ressaltou Angie —, já que ele pode concluir que você está à procura de um doador de espermas, não de um namorado.

— Certo, mas eu vou ter que falar das crianças.

— "Que adora crianças e animais?" — sugeriu Angie.

— É isso aí.

A veterinária continuava empolgada com a conversa e pretendia continuar a tratar do tema. Leonie, entretanto, não queria que a equipe inteira da clínica ficasse a par de sua vida pessoal. Louise, uma das outras enfermeiras, entrava toda hora na sala de cirurgia, e Leonie não queria que ela escutasse o que diziam.

— Depois nós conversamos sobre esse assunto — sussurrou ela para Angie.

Após as cirurgias, Leonie foi limpar as gaiolas. Como era enfermeira, trabalhava a maior parte do tempo na parte de trás da clínica, onde as gaiolas para os pacientes cobriam duas paredes. A qualquer momento, podiam estar ali até quarenta animais, olhando tristonhos para as enfermeiras e os veterinários, enquanto aguardavam suas cirurgias ou se recuperavam delas. Naquele momento, havia vários bichos aguardando esterilização no período da tarde, além de três agendados para fazer exames de sangue, com o objetivo de se detectar o que havia de errado com eles.

Bubble, uma linda gata branca de orelhas rajadas vinha vomitando sem parar e precisava fazer uma série de testes, incluindo os de função hepática e renal. Não era a primeira vez que ela sofria na veterinária. Os gatos brancos tendiam a pegar câncer de pele nas pontas das orelhas e Bubble já passara por três cirurgias. Como tinha familiaridade com a clínica, sempre fugia quando a portinhola ficava aberta, de forma que Leonie resolveu colocar uma placa na gaiola com os dizeres "Fujão". Era melhor do que "Feroz", que era a placa colocada diante dos gatos bravos, que as pessoas levavam de vez em quando. Esses bichanos praticamente selvagens revelavam-se muitas vezes soropositivos para o vírus HIV na versão felina e muitas vezes eram sacrificados. Leonie já ficara com vários arranhões ao ser atacada por essas pobres criaturas mal-amadas.

Debaixo de Bubble ficava Lester, um furão amarelo, que aguardava adoção. Ele era meio fujão também, tendo conseguido escapar dos braços de Louise naquele dia, mais cedo, e se escondido no armário de remédios por dez minutos, antes de ser recapturado. Com cuidado, Leonie tirou Lester da gaiola, para limpá-la. Em seguida, colocou-o de volta junto com um bichinho de pelúcia e ficou observando enquanto o animalzinho brincava com ele, mordendo o pescoço, exaltado. Ela havia considerado a possibilidade de adotá-lo, por não suportar ver animais abandonados. Sabia que furões gostavam de morder, mas, até aquele momento, Lester não fizera mal a ninguém. Porém, ao ver o furão destruir o ursinho, ela pensou melhor.

Como será que Lester se descreveria em uma nota de jornal?

Jovem macho, de pelo macio, interessado na vida de Houdini, procura casa aconchegante para compartilhar com alguém que não ligue para mordiscadas. As fêmeas interessadas devem gostar de farrear no jardim e apreciar odores fortes e másculos.

Leonie começou a rir sozinha. Com aquela descrição, Lester parecia irresistível. Ela precisava aprender a ler os anúncios nas entrelinhas. Caso contrário, só Deus sabia o que poderia acontecer.

CAPÍTULO 10

única desvantagem de ser a única dentre três funcionárias que sabia lidar com a central telefônica era ter de, inevitavelmente, assumir o controle quando a recepcionista não estivesse disponível.

E Carolyn, a jovem que vinha trabalhando nessa função na Dwyer, Dwyer & James nas últimas duas semanas, nunca estava disponível. Hannah já começava a se arrepender de tê-la contratado. Carolyn já faltara na semana passada, por causa de problemas de saúde, e, hoje, ligara às dez para as nove para comunicar que estava com um resfriado forte.

— Dá para você ficar na recepção hoje? — perguntara Hannah a Gillian, que ainda estava bastante ressentida com o fato de Hannah ter sido contratada como gerente. Gillian adorava saber onde estavam todos os corretores e ligar para eles com o intuito de checar se tudo ia bem. Dava-lhe poder sobre eles.

— Eu só posso até o almoço — respondeu ela, bruscamente. — Vou trabalhar apenas meio expediente hoje.

O que significava que Hannah não teria a oportunidade de dar continuidade ao próprio trabalho e teria de passar a tarde na recepção, atendendo às ligações, enquanto tentava encontrar uma consignação de materiais de escritórios que sumira.

Naturalmente, bastava alguém entrar que os telefones começavam a tocar sem parar. A mulher parada à recepção não pareceu ter se impressionado com o fato de Hannah ter atendido quatro ligações antes de lidar com ela. A moça movimentava-se com impaciência, mas a gerente aguardou até a luzinha vermelha da central telefônica apagar, indicando que Donna Nelson tinha desligado o telefone.

— Donna, tem uma ligação para você na linha um: um tal de sr. McElhinney sobre a propriedade em York Road.

— Obrigada, Hannah.

Virando-se na cadeira nova e bastante confortável, Hannah, por fim, encarou a mulher de expressão ansiosa diante de si, em frente ao balcão da recepção. Tratava-se de um balcão baixo: tinha de ser, explicara Hannah a David James quando ele conversou sobre a reforma do escritório com ela. "As pessoas precisam ver a gente e não sentir que estão fazendo fila no correio."

— Sinto muito mesmo por todas as interrupções — disse Hannah, em tom conciliatório. — Hoje o movimento está terrível aqui. Em que posso ajudá-la?

— A casa número 73 da Shandown Terrace já foi vendida? — quis saber a moça, a voz elevando-se a cada palavra, a face ligeiramente sardenta, atormentada. — A gente sempre adorou essa rua e queria muito morar lá. Não me diga que já foi vendida.

— Espere um momento — pediu Hannah, em tom reconfortante. Em seguida, procurou nos arquivos no computador e achou a casa. Steve Shaw, o jovem corretor antipático da imobiliária estava encarregado da venda. Ele levara duas pessoas para vê-la, mas ninguém fizera uma oferta.

"Uns vinte mil paus vão ter que ser investidos até para os ratos criarem coragem de morar nela!", exclamara o corretor quando voltara da primeira visita ao imóvel.

— Tenho boas notícias — disse Hannah. — Ainda está à venda. Quer conversar com o corretor encarregado dela?

Alguns minutos depois, Steve já se encontrava sentado no sofá bege da área de recepção com a moça — sentado até perto demais, na opinião de Hannah. Aquela era a técnica do rapaz para vender imóveis: invadir o espaço pessoal das mulheres e flertar com elas como se fossem as criaturas mais lindas que ele já vira.

Ele tentou agir desse mesmo modo com Hannah assim que a conheceu. Tendo acabado de voltar da lua de mel bem bronzeado, achou que estava lindo. E que ela também era uma gata, e foi assim que começou a chamá-la.

— Por que está vindo trabalhar nesta empresa, Gata, se só vai partir o meu coração? — perguntara na primeira vez que Hannah recusara seu convite para almoçar, o que ocorrera apenas cinco minutos depois de se conhecerem. Nem mesmo a olhada séria que ela lhe lançara detrás dos óculos de Madre Superiora adiantara. — Você fica muito sexy quando olha para mim desse jeito — dissera ele, com descaramento.

Steve vinha fazendo os gracejos há três semanas, e até aquele momento Hannah resistira à tentação de colocá-lo no devido lugar. Até aquele momento.

De sua posição atrás do balcão da recepção, ela observou-o pôr a mão no joelho da cliente. *Totalmente inapropriado*, pensou Hannah. A mulher ficou tão aliviada ao saber que a adorada casa não havia sido vendida que nem pareceu notar o gesto inadequado e deu um largo sorriso para Steve.

Foi uma tarde movimentada. Desde que David James assumira o controle da empresa, o lugar estava a pleno vapor. Panfletos sobre a imobiliária tinham sido distribuídos na região, dois novos corretores foram contratados e o escritório em si fora redecorado durante um fim de semana. As paredes já não estavam cor de café e as divisões marrons acabaram sendo retiradas. Em seu lugar fez-se uma réplica da filial de Dawson Street, com gravuras elegantes, iluminação discreta e belos móveis. Hannah ficara encarregada da transformação, e apreciara muito o trabalho. O balcão da recepção era um móvel curvo laminado, de madeira de bordo, e as flores naturais do vaso que ficava ao lado do novo computador de última geração costumavam ser trocadas a cada três dias. Até mesmo o exaustor defeituoso no banheiro feminino fora consertado. David James comentou que gostaria de que a transformação fosse bastante completa.

Mesmo não sendo do tipo que jogava conversa fora, ele notava cada detalhe. David James e Hannah entendiam-se perfeitamente. Reuniam-se duas vezes por semana para tratar de negócios, e ela percebeu que ansiava por aquelas sessões de uma hora. A portas fechadas, ele não era o sujeito calado e durão que aparentava ser. Quando terminavam de discutir as melhorias no escritório, ele pedia que Gillian levasse café e os biscoitos com gotas de chocolate de que tanto gostava.

— Não devia estar comendo isto — dissera David, com sentimento de culpa, em sua reunião naquela manhã, enquanto mergulhava o terceiro biscoito no café —, mas eu simplesmente adoro.

— Achei que só as mulheres eram loucas por doces — brincara Hannah. Ela descobrira que ele tinha um ótimo senso de humor e apreciava gracejos.

— Não podemos ser todos máquinas de combate com silhuetas elegantes como você — ressaltara ele, olhando com aprovação o corpo esbelto dela, realçado pelo conjunto de casaco e blusa de seda vinho e a calça cinza de corte impecável.

Se qualquer outra pessoa tivesse feito esse comentário, Hannah teria ficado ressentida, julgando ser uma indireta de conotação sexual. Mas se sentia à vontade com David James. Apesar de se darem muito bem no trabalho, Hannah jamais notara qualquer indício de inadequação em seu comportamento em relação a ela. Eram colegas, e nada mais.

— Se Gillian não fosse tão profundamente apaixonada por você, não ganharia esses biscoitos com gotas de chocolate — comentara Hannah com malícia.

— Ela não é, imagine! — exclamou ele, olhando para o alto, horrorizado.

Hannah acabou rindo. — Sinto muito, David, mas ela tem uma queda, sim, por você.

Sem desejar revelar muito, ficou quieta.

— Está brincando, não está? — perguntou ele.

— Estou — mentira. — Brincadeira. Melhor eu ir trabalhar, David.

Ela saiu do escritório, achando engraçado, no íntimo, que alguém tão observador quanto David não conseguisse notar que Gillian era totalmente obcecada por ele. Para um homem brilhante, capaz de detectar as mínimas nuances em uma conversa de negócios, ele se mostrava bem ignorante no que dizia respeito às pessoas. Gillian lançou um olhar ferino para Hannah quando esta voltou a sentar-se à mesa organizada. Ninguém se ressentia mais em relação às reuniões regadas a café de David e Hannah do que ela.

O expediente estava prestes a terminar quando David ligou para Hannah do telefone do carro.

— Tem um cliente chegando para se encontrar comigo, mas estou vinte minutos atrasado. Dá para você avisar para ele e servir um cafezinho, Hannah? Espero que não se importe em ficar até mais tarde, acontece que é importante. Ele é um velho amigo meu, Felix Andretti.

Que exótico, pensou ela, anotando o nome. Às seis, os funcionários que não estavam mostrando casas ou encontrando-se com clientes arrumavam suas coisas e iam embora.

— Vai ficar até mais tarde? — quis saber Donna, passando pelo balcão da recepção com Janice, uma das corretoras recém-contratadas.

— Na verdade, não — explicou Hannah. — Vou fazer algo para David.

— Não quer tomar um drinque no McCormack depois? Eu e a Janice acabamos de chegar à conclusão de que precisamos de uma bebida estimulante. Geralmente, nunca tenho tempo, mas posso sair um pouco hoje.

— Eu gostaria muito, mas não vai dar — lamentou ela. — Já tenho um compromisso.

— Deixa pra lá, então. Fica para a próxima, está bom?

Naquela noite, havia a reunião do grupo do Egito. Ela, Leonie e Emma iam tomar um drinque no hotel Sachs e, em seguida, iam jantar. Leonie insistiu várias vezes que fossem a uma boate depois.

— Nunca tenho a oportunidade de ir a boates — comentara ela com melancolia ao telefone.

Hannah sorrira ante a ideia de as três saírem para dançar, tendo como parceiros apenas as bolsas, mas não prometera nada. Entretanto, tinha levado seu vestidinho lilás para usar, caso mudasse de ideia.

Já às seis e meia, ela soltara os cabelos, pusera mais maquiagem, inclusive o batom rosa brilhante que ia bem com o vestido, e borrifara uma dose caprichada de Coco Chanel. Teria de sair nos próximos minutos para conseguir se encontrar com as amigas no hotel Sachs, mas ainda não trocara de roupa.

Maldito David e seu cliente idiota! Quando se passaram mais cinco minutos, sem sinal de nenhum dos dois, ela pegou o vestido, posicionou-se atrás do arquivo grande para que pudesse checar a porta sem ser vista e tirou a roupa. Por sorte, estava terminando de arrumar o vestido nos quadris quando ouviu a porta de vidro enorme e pesada abrir-se devagar.

Lutando para abaixar o vestido adequadamente, estava prestes a ir atender ao cliente quando se deu conta de que um vestido de noite justo e sexy não era bem um traje adequado para receber o amigo recomendado do chefe. Então, agarrou a capa de chuva azul-marinho; tentava abotoá-la quando viu pela primeira vez Felix Andretti.

Ainda bem que o expediente terminou, pensou Hannah, de súbito, pois não sabia se conseguiria atender a um cliente e fitar a visão diante de si ao mesmo tempo. O cara era de tirar o fôlego: não moreno, como o nome italiano sugeria, mas de compleição dourada, como folhas de outono.

A pele tinha um tom bronzeado, os cabelos eram louros, a cabeleira de mechas sedosas caía sobre os estonteantes olhos castanhos e aquele rosto... Bem-apessoado não era a palavra certa. Maxilar protuberante, nariz alongado e aristocrático e maçãs do rosto nas quais se poderia pendurar um chapéu. Não deixava nada a desejar ao Robert Redford quando jovem, pensou Hannah, chocada. Leonie teria tido um troço se o houvesse visto. No terno de linho marfim, Felix Andretti mostrava-se tão alto e esguio quanto qualquer caubói. Ela não desgrudou os olhos dele.

— Bela roupa — disse ele em tom brincalhão, os olhos castanhos límpidos percorrendo o corpo entrevisto em meio à capa de chuva aberta, o vestido curtíssimo e as pernas cobertas pela meia-calça fina, que, por milagre, não furara durante o dia.

Pela primeira vez, Hannah perdeu o autocontrole. Riu nervosamente.

— Eu vou sair com umas amigas e tive que trocar de roupa. David está atrasado e pediu que eu ficasse esperando você.

— Não sei como agradecer a ele — disse Felix Andretti.

Hannah não conseguia descobrir que sotaque era aquele. Com certeza, nem irlandês nem britânico. Ele dava a impressão de ser um sujeito grã-fino, como diria sua mãe. Após anos de trabalho limpando os quartos dos convidados ricaços do hotel Dromartin Castle, a sra. Campbell se tornara bastante avessa à gente refinada.

— Posso lhe oferecer um cafezinho? — sugeriu Hannah, ansiosa para manter a conversa em território seguro. Aquele homem era amigo de David; paquerá-lo estava fora de cogitação.

— Posso pedir outra coisa? — perguntou ele, arqueando a sobrancelha dourada com malícia.

— Ah... sim, claro.

— Quero você, então.

Ela pestanejou.

— Eu não estou no cardápio — brincou Hannah, apreciando a conversa.

— Quer dizer que me ofereceu chá? — perguntou ele, semicerrando os olhos.

Os olhos dela brilharam. — Infelizmente, só chá. O suco de laranja já acabou.

Felix Andretti sentou-se na beira do balcão da recepção e observou-a com evidente interesse.

— David disse quanto tempo ia demorar? — quis saber. — É só que... seria conveniente para mim se ele nem aparecesse.

Quando Hannah atirou a cabeça para trás e deu sua gargalhada profunda e rouca, quem se surpreendeu mais foi ela mesma.

Hannah, a srta. Fria-como-gelo Campbell, a mulher que poderia subjugar invasores vikings com uma olhadela ferina, flertando como uma louca com aquele louraço de cair o queixo! Inacreditável. Mas um prazer.

Talvez o gerente gostosão da academia do hotel tivesse aberto as comportas e permitido que ela confiasse de novo no sexo oposto, pensou Hannah, sentindo uma onda de empolgação. E por que não? Já estava sozinha havia muito tempo. Merecia um homem em sua vida.

— Aposto que o seu cartão de visitas diz "sedutor profissional"? — Ela sorriu para ele e deixou a máscara de mulher conservadora e gélida cair. Quando o fez, parecia que tinha mudado fisicamente. O semblante relaxou, a tensão se esvaiu de seu corpo, a postura ficou mais natural e, por instinto, sensual.

— Na verdade, diz "ator" — explicou ele.

— Ah.

— Desapontada?

Hannah balançou a cabeça, deixando os cabelos agitarem-se com suavidade nos ombros. Ficavam bonitos quando fazia isso, e ela queria que ele notasse.

— Nunca conheci um ator antes. Não da forma apropriada — corrigiu.

— Quer dizer então que já conheceu um inapropriadamente? — Ele abriu um largo sorriso.

Ela apontou o dedo para Felix Andretti, repreendendo-o.

— Dar uma de engraçadinho não vai levar você a lugar nenhum na vida.

— Não sei não — disse ele, inclinando-se um pouco mais para onde ela estava, em pé, atrás do balcão. — Já me levou bem longe até agora. Apesar de tudo ter melhorado muito, com certeza, desde que conheci você.

— A gente ainda não se conheceu. Foi o que eu quis dizer sobre conhecer atores apropriadamente. Nós dois não fomos apresentados, então não nos conhecemos da forma adequada. Os outros que conheci também não foram apresentados.

— Eles deviam estar cegos se não queriam ser apresentados a você — ressaltou ele calorosamente, estendendo a mão com formalidade. — Prazer em conhecê-la, senhorita. Felix Andretti, às suas ordens.

Ela pegou a mão dele, apreciando a sensação da pele quente contra a sua e a excitação que sentiu no ventre diante de seu toque.

— Hannah Campbell, muito prazer em conhecê-lo.

— Agora que já nos encarregamos da parte apropriada, podemos passar para a inapropriada? — quis saber ele, com os olhos escuros cintilando. — Então, o que foi que você quis dizer sobre se encontrar com umas amigas? Não dá para cancelar e sair comigo, em vez disso?

— Não — respondeu Hannah, sorrindo. — Não dá. É uma noite especial, vou sair com boas amigas e não posso deixá-las na mão.

— Só tem mulheres? — perguntou ele.

— Só.

— Ótimo, então vou com você.

— Mas você não pode.

Felix fingiu que estava pensando no assunto.

— "Não pode" é uma expressão que eu não conheço.

— Acho que "não" você também não conhece — comentou Hannah, brincalhona.

Ele concordou, com um sorriso.

O telefone tocou, e Hannah atendeu. Era David procurando por Felix. Ela passou o fone para ele e ouviu os dois combinando um encontro em algum outro lugar, já que David ainda estava atrasado.

— Bom, melhor eu ir andando — disse ela, com suavidade.

— Posso ver você de novo? — perguntou Felix, inclinando-se sobre o balcão, e ficando a apenas alguns centímetros dela. Hannah sentiu o perfume de sua loção pós-barba e ficou desnorteada, como se tivesse bebido.

— Pode sim, mas agora tchau.

— Você quer uma carona? — indagou ele.

— Vou pegar um ônibus porque deixei o carro em casa.

Felix deu um sorriso quase feroz. — Eu a levo, daí a gente pode conversar no caminho. Quero saber tudo sobre você.

Hannah pensou na segunda carta de Harry, que pesava feito chumbo na sua bolsa, com seu pedido de que respondesse à primeira que ele mandara. Recebera a correspondência de manhã e já a lera duas vezes. *Por favor, quero que se encontre comigo, é muito importante.*

Que Harry fosse para o inferno. Ela precisava viver um pouco.

Envolta em um vestido flutuante de cor cereja e com as unhas e os lábios pintados da mesma cor vibrante, Leonie entrou discretamente no bar do Sachs, enquanto tentava disfarçar o constrangimento. Deixara de lado o costumeiro visual com roupas pretas e reduzido consideravelmente a quantidade de maquiagem. Essa mudança levou-a a ter a sensação de estar seminua ou com a saia presa na calcinha. Mas nenhuma daquelas pessoas ficaria sabendo disso. Para elas, tinha de parecer autoconfiante e relaxada. Precisava ser a mulher que dali a pouco encontraria as duas amigas para contar-lhes todas as novidades emocionantes.

Localizou Emma quase de imediato. Estava encolhida num canto perto de uma das janelas, com um traje neutro, de trabalho. Tomava uma bebida que devia ser água mineral. Isso vai mudar já-já, decidiu Leonie, enquanto passava com elegância pelo bar. Como havia deixado o carro em casa, podia tomar alguns drinques, e insistiria para que Emma pegasse um táxi na hora de ir embora, se necessário, porque ela ia ter que se descontrair também. Emma soara deprimida ao telefone, apesar de ter se esforçado para não o demonstrar. Leonie se convencera havia anos de que, apesar de o álcool não curar nada, alguns copos de vinho afastavam um pouco a dor, tornando-a mais suportável.

— Emma, querida, que bom ver você.

— Leonie!

As duas se abraçaram calorosamente, e Leonie ficou feliz em constatar que a amiga não estava mais tão magricela como no Egito. Emma jamais seria uma candidata a membro dos Vigilantes do Peso, mas, ao menos, perdera o visual esquelético.

— Você está demais! — exclamou Emma. — Essa cor lhe cai muito bem. O vestido é novo?

— Mais velho que a fome, quase da minha idade — ressaltou Leonie. — Nunca tive coragem de usá-lo antes, mas hoje estou comemorando... — ela interrompeu o que estava dizendo e sorriu —, não posso contar nada enquanto Hannah não chegar. Precisamos de toda a confraria para fazer revelações.

— Ainda bem que pelo menos uma de nós tem notícias boas — disse Emma, recostando-se à banqueta, retraída, como se toda a energia tivesse sido drenada do seu corpo.

Leonie examinou-a; era naturalmente pálida e nem mesmo uma semana no escaldante sol do Egito fora suficiente para fazê-la se bronzear, exceto por uma suave cor rosada no nariz e nas maçãs do rosto. Contudo, parecia mais lívida agora do que Leonie esperava. Afinal, as três amigas tinham retornado havia apenas três semanas. Ela própria ainda estava toda sardenta, algo que realçava ainda mais com generosas camadas de pó bronzeador.

— O que aconteceu? — perguntou ela, com carinho, dando um tapinha no joelho esguio de Emma.

— Bem, não sei nem por onde começar — resmungou a amiga, pensando nas preocupações com a saúde da mãe e nos comentários do pai a respeito do empréstimo, que a vinham deixando louca de tanta frustração.

— Não sem a minha presença, você não pode emitir um som sequer sem que eu esteja por perto — disse uma voz, e logo Hannah apareceu, atraindo alguns olhares admirados, inclusive o do garçom que tinha ignorado as outras duas até então.

Com os olhos brilhando, Hannah sentou-se ao lado de Emma e tentou, sem sucesso, disfarçar o enorme sorriso que trazia no rosto.

— Meninas, vocês não sabem o que acabou de acontecer! — exclamou ela, extasiada e com a boca trêmula, enquanto umedecia os lábios carnudos com a língua, um tique nervoso que estava claramente tirando a concentração do garçom.

— Posso trazer um drinque para você? — perguntou ele, tentando não babar, com um sotaque que parecia ser de um alemão.

Hannah encarou-o com os olhos cor de caramelo e suspirou. — Pode sim — respondeu ela, com uma voz lânguida que mais parecia um convite para ir para a cama. — Um martíni com soda, obrigada.

O garçom pareceu entender que as palavras "martíni com soda" eram, na verdade, um código para "Você pode me levar para o outro lado do balcão e fazer sexo selvagem comigo?", pois ficou olhando para Hannah, vidrado, por vários minutos, até Leonie resolver que queria saber logo que acontecimento emocionante a amiga tinha para contar, sem a presença do rapaz de queixo caído.

— Vou querer uma taça de vinho branco, e você também, Emma — pediu Leonie, em um tom de voz alto.

Emma sequer tentou protestar, e o garçom sumiu de vista.

— Veja bem — disse Leonie, dirigindo-se a Hannah —, se o Mel Gibson entrou no seu escritório hoje e pediu que você mostrasse pessoalmente um ninho de amor, vai ter que me dar o telefone dele e vou precisar também de todas as medidas do galã. Ou então a nossa amizade vai morrer por aqui, entendeu?

Hannah soltou uma gargalhada, parecendo uma garota traquina de algum convento, matando a aula de economia doméstica para fumar sorrateiramente um cigarro.

— É muito melhor que o Mel Gibson. Com certeza! — disse ela com um sorriso exultante, enquanto dava tapinhas no peito como quem quer reduzir seus batimentos cardíacos.

— Como é possível? — indagou Emma, impaciente.

— É, quem poderia ser melhor que Mel Gibson? — questionou Leonie que, na noite anterior, se divertira à beça na companhia de Mel e de uma garrafa de Lambrusco, graças a uma velha cópia de *Máquina Mortífera*.

— Felix Andretti — disse Hannah, suspirando.

— Quem? — perguntaram as outras duas em uníssono.

— Ele é um ator. O homem mais lindo que já vi na vida. É mais velho do que Brad Pitt, mas tem o mesmo visual dele. Ah, não sei nem como descrever.

— Vai ter que dar um jeito! — protestou Emma, empolgada. — A aventura mais animada que tive desde a última vez que encontrei vocês foi empurrar o carrinho no supermercado, enquanto me decidia se comprava bife ou se aproveitava de novo a oferta especial da carne de porco. Preciso de um pouco de animação na minha vida, então pode desembuchar — ordenou ela, com a voz rouca e alegre.

— Está bem.

As amigas se acercaram da banqueta para ouvir tudo sobre Felix, mas precisaram esperar até o garçom servir as bebidas, o que ele fez com extrema lentidão.

— Obrigada — disseram elas mecanicamente, desejando que o rapaz se mandasse.

— Ele é heterossexual, solteiro ou tem uma esposa louca trancada no sótão, como o sr. Rochester? — perguntou Leonie, quando ficaram sozinhas de novo.

Hannah deu a impressão de ponderar a respeito disso.

— Sabem de uma coisa? Não sei nem quero saber! Ele é um gato e eu estou muito a fim dele. É simplesmente lindo de morrer, meninas! — comentou, com um sorriso afetado.

Ela tomou um gole do martíni sem saboreá-lo. Estava empolgadíssima e não precisava de álcool para se animar.

— Felix é meio espanhol e mora em Londres há alguns anos. Vai atuar num seriado para televisão em Wicklow nos próximos seis meses e precisa de um apartamento. É amigo do meu chefe, só não sei dizer de onde se conhecem. São completamente diferentes um do outro. O David é todo formal e sério, já o Felix é exótico, diferente, um homem de espírito livre. Não fica fazendo planos e faz o que dá na telha — ressaltou ela, sonhadora, lembrando-se de como ele cogitara mudar os planos para aquela noite só para sair com ela. De uma hora para outra. Ele fora tomado por uma atração repentina e fulminante, como ela.

Emma pensou consigo mesma que Felix não parecia diferente de Harry, o homem de espírito livre que deixara Hannah de coração partido quando o desejo de ser diferente e exótico, bem como de fazer o que lhe desse na telha, acabou levando-o a largar a companheira sem a menor cerimônia para viajar pela América do Sul. Mas Emma não fez comentário algum. Hannah estava tão decidida a nunca mais se deixar machucar por um homem que a amiga tinha certeza de que seria cuidadosa. Certamente seria.

Nesse ínterim, Leonie estava com um olhar nostálgico, achando tudo aquilo muito romântico. Emma percebeu que, mesmo sendo uma pessoa tão pé no chão, a amiga perdia toda a noção de realidade quando o assunto era o coração.

— O que foi que o Felix disse quando chegou e por que começou a conversar com você, se tinha ido encontrar o sr. James? — Leonie perguntou, quase sem fôlego.

Hannah descreveu o momento em que trocava de roupa, com a saia do vestido praticamente na cintura, e Felix entrou, de repente, em sua vida. As amigas caíram na gargalhada ao imaginar a situação.

— Detestaria ver que tipo de cara entraria na sala de cirurgia bem na hora em que eu estivesse me desvencilhando de meu uniforme e colocando uma roupa sexy — brincou Leonie. — Provavelmente o vigário da comunidade com seu poodle, e nenhum dos dois com o coração forte. Ambos teriam um colapso.

Emma deu um leve empurrão nela.

— E você, como está? — perguntou. — No Egito, foi a estrela do show. Só espero que não fique de baixo-astral agora que voltou para casa.

— Só estava brincando — retorquiu Leonie com rapidez. — Para falar a verdade, meu humor está ótimo. Agora, Hannah, conte mais alguns detalhes picantes do charmoso sr. Andretti.

Hannah não precisou de mais estímulos. Ainda arrebatada por causa dele, sua cabeça girava sem parar. Então, falar de Felix era tudo que queria. Se estivesse com outras pessoas, teria mantido a usual compostura, mas com Leonie e Emma, bom... Elas eram amigas de verdade e não colegas nem parentes, tampouco gente com interesse dissimulado por sua amizade. Como podia confiar nelas, falou abertamente.

— Pensei que estivesse dando um tempo dos homens por ora — ressaltou Leonie, brincalhona, após um discurso de Hannah de 15 minutos sobre como Felix era lindo e charmoso, como tinha um físico longilíneo e gracioso, tal qual o dos leopardos silvestres...

Hannah mordeu o lábio.

— Na verdade, estava mesmo, mas não dá para a gente deixar passar as oportunidades quando elas aparecem. E ele representa uma enorme! Você ia adorá-lo, Leonie. Ele até queria ter vindo aqui hoje.

— Que pena que não veio — disse Leonie, suspirando. — Deve ser ótimo. E talvez só assim eu possa me encontrar com um homem: quando você me apresentar o sr. Maravilha e eu tocar na jaqueta de camurça dele ao cumprimentá-lo.

Hannah arrependeu-se de imediato de ter tagarelado sem parar sobre Felix.

— Na verdade, não foi tão divertido assim — explicou ela, depressa. — Na certa, nunca mais vou ver o cara de novo. Estou fantasiando à toa. Eu já disse mesmo que vou me concentrar no trabalho e não vou me envolver com outro homem.

— Mas, se for amor verdadeiro, você não pode deixar passar — ressaltou Leonie. — Tem que seguir com a maré, quando for a hora certa. Eu disse que seria loucura se você decidisse nunca mais se envolver com um homem de novo, não foi, Emma?

— Foi sim, Leonie. Mas agora conta para a gente as suas novidades. Ela tem algo emocionante para nos contar. — Emma comunicou a Hannah.

— Na verdade, nada de mais se comparado com Brad Pitt II.

— Conta logo, anda — pediu Hannah.

— Está certo. Coloquei um anúncio na seção de encontros do *Evening Herald*.

— Viva! — gritou Hannah.

— Fez muito bem — disse Emma, satisfeita. — O que você escreveu e que dia vai sair no jornal? Ou será que já recebeu uma resposta?

— Trouxe o anúncio para vocês verem — contou Leonie, enquanto o procurava na bolsa. — Foi um pesadelo escrevê-lo, isso eu posso dizer. Imaginem só, falar sobre mim mesma.

— Loura cheia de vida, engraçada e charmosa... — disse Hannah na mesma hora.

— Procura um homem que a trate com carinho, porque ela é do bem e merece encontrar um grande amor — completou Emma.

Leonie enrubesceu.

— Vocês duas são tão amáveis. Gostaria que estivéssemos juntas quando escrevi o anúncio. Minha amiga Angie, que trabalha comigo, acabou me ajudando; se não fosse isso, eu não teria conseguido.

— Deixa a gente dar uma olhada — pediu Hannah.

Juntas, elas leram cuidadosamente a cópia manuscrita do anúncio de Leonie:

Loura escultural, divorciada, na faixa dos quarenta, adora crianças e animais e procura homem amável com BSDH para amizade e possível relacionamento. Caixa Postal nº 12933.

— Vai sair no jornal de amanhã e por mais dois dias — explicou ela.

— Você está animada? — perguntou Hannah, enquanto acenava para o garçom.

— Animada e amedrontada — admitiu Leonie. — Uma parte de mim está superempolgada e a outra está apavorada.

— Pelo menos teve coragem de ir adiante — enfatizou Emma, com entusiasmo. — Isso é o mais importante.

— Tenho que confessar que só tomei coragem de escrever o anúncio por causa do Ray, meu ex-marido — disse Leonie. — Não pude comentar nada ao telefone porque as meninas estavam sempre por perto quando vocês ligavam. O fato é que elas voltaram das férias nos Estados Unidos animadas porque o pai vai se casar de novo. O que é maravilhoso — acrescentou ela rapidamente, caso as amigas pensassem que ainda sentia algo pelo ex. — É só que...

— Isso fez com que começasse a achar que havia algo de muito errado com você, porque nada de novo aconteceu na sua vida e na dele, sim — ressaltou Hannah, com sagacidade.

Leonie assentiu com a cabeça.

— Na verdade, Ray e eu nunca devíamos ter ficado juntos. Eu já sabia disso, e, um belo dia, ele acabou aceitando o fato. Mas a gente passou por muita coisa junto, sem falar nas crianças. Temos um vínculo importante, e me importo com ele. Para falar a verdade, sempre achei que me daria melhor do que ele.

Ela lembrou que, no início, sentia-se culpada por ter acabado o casamento, já que instigara a separação e ficara com os filhos.

— Achei que ele ficaria sozinho — prosseguiu ela, com amargura. — Agora Ray refez a vida dele, e eu não.

— Você tem uma família maravilhosa e está satisfeita com seu trabalho — protestou Hannah. — Isso também significa reconstruir sua vida. Ter alguém que a compartilhe com você é puro lucro. Ouvi dizer que lá pelo ano 2050, trinta por cento das pessoas viverão sós. Isso é normal.

— Falou a mulher que está nas nuvens por causa de um ator espanhol charmoso.

— Não é nada sério. É só um passatempo — enfatizou Hannah.

— Como é a noiva dele? — perguntou Emma, sentindo que a amiga, extremamente autocrítica, não havia dito tudo e que ficaria arrasada se a nova mulher de Ray fosse linda.

— Um espetáculo — disse Leonie com secura, confirmando o pressentimento de Emma. — Mel a adora e tirou um monte de fotografias deles todos. Tem a minha idade e não é daquele tipo de loura oxigenada e fútil, não. É uma advogada, o meu oposto: magra, elegante, com cabelos escuros e curtos, não usa maquiagem e fica linda de jeans e camisa polo. Basicamente, transpira classe.

— Você também tem classe — lembrou Emma, com veemente lealdade.

— Na verdade, não estou me colocando para baixo. Só que ela não é do meu time.

— Você está é imaginando coisas — disse Hannah, pedindo rápido outra rodada de drinques.

— Uma hora dessas vou mostrar as fotos para vocês. Parece o tipo de mulher que, na certa, foi convidada para ser modelo aos 17 anos, mas que, na época, preferiu ir para Harvard com o intuito de ganhar uma fortuna como advogada brilhante a fazer comerciais de batom. — Leonie olhou com tristeza para o copo vazio.

— Ela deve ser muito ruim de cama, então — insistiu Hannah. — Do tipo que acha que transar com a luz acesa é o máximo da perversão.

— Isso mesmo — acrescentou Emma. — Provavelmente acha que sexo oral significa falar sobre a relação. Ela deve ter algum defeito fatal! Ninguém é perfeito.

Após séculos discutindo o que poderia haver de errado com a aparentemente impecável Fliss, passando por doenças venéreas e uma operação para mudança de sexo que teria feito com que ela deixasse de ser um tenista chamado Alan, as três finalmente saíram para pegar um táxi e buscar um restaurante, antes de ficarem chapadas por causa dos estômagos vazios.

Em Baggot Street, foram para um pequeno restaurante italiano, onde consumiram duas garrafas de vinho e comeram lasanha, pizza e um delicioso carbonara, que Hannah declarou ter sido o melhor que já provara desde que estivera na Itália.

— Eu nunca fui para a Itália — disse Leonie, sonhadora. — Adoraria ir até lá.

— É um lugar maravilhoso — enfatizou Hannah —, mas vai demorar muito até eu voltar. Depois da viagem ao Egito, fiquei sem um tostão furado.

— A viagem para o Egito foi demais — acrescentou Leonie.

— Foi lá que a gente se conheceu, mas nenhum dos planos que eu tinha até então se concretizou. — Emma olhou com tristeza para o resto de lasanha no prato. — Eu planejei conversar com o Pete sobre fertilização in vitro e não falei. Além do mais, meu pai arrasou comigo e com o meu marido um dia desses e eu nem reagi. Sou uma tremenda covarde!

— Conta para a gente o que aconteceu.

— Tinha convidado algumas pessoas da família para jantar lá em casa, no aniversário da mamãe e, no meio da reunião, depois de eu ter saído mais cedo do trabalho e me matado para fazer o jantar especial, o papai contou para um monte de gente que tinha dado para nós o dinheiro da entrada da casa.

— O quê? — indagou Hannah, que estava entendendo a fala embaralhada de Emma, mas ficara atônita com o que a amiga dissera.

— Ele deu 12 mil libras quando a gente comprou a casa. Vocês devem lembrar, pois contei isso para vocês. Mas, na verdade, não foi uma doação, mas um empréstimo, que estamos pagando. Acontece que o papai disse para a vizinha dele que tinha dado essa quantia para nós. E ainda insinuou que foi muito dinheiro. Ficou até parecendo que pagou o valor total da casa e que eu e o meu marido somos mal-agradecidos. O Pete se sentiu insultado.

— Foi ultrajante para vocês dois — ressaltou Leonie, zangada.

— Foi pior para Pete — insistiu Emma. — Ele dá um duro danado para que a gente tenha uma boa moradia, a melhor alimentação e tudo o mais. Só que nós não tínhamos muito dinheiro guardado para a compra de um imóvel e fizemos um empréstimo e, por causa disso, o papai está tratando o Pete como se ele fosse um aproveitador. Isso é o que me tira do sério. E eu não fiz nada para defender o meu marido.

E ela vinha se sentindo amargurada desde então. Sentia-se como um vulcão prestes a explodir. Acostumara-se a ser menosprezada por Jimmy O'Brien, mas não podia ver seu querido Pete ser humilhado. Porém, isso havia acontecido e ela não tomara uma atitude, decepcionando Pete. Ao ficar calada, acabara deixando de apoiar o marido. A raiva tomou conta dela mais uma vez.

— É muito difícil dizermos o que pensamos para a família — comentou Leonie, diplomática.

— Não é não — disse Hannah, rapidamente. — Você precisa enfrentar o seu pai, Emma. Ele é um tirano e nunca vai deixar de agir assim.

Emma massageou a cabeça, que começou a latejar de uma hora para a outra. — Por favor, meninas, podemos esquecer esse assunto? Não quero mais falar dele. Eu nem devia ter trazido isso à tona.

— Mas trouxe — protestou Hannah. — E agora precisa falar disso e tomar uma providência...

— Está certo, mas não agora! — vociferou Emma, deixando as amigas espantadas. — Quero esquecer essa história, está bem?

Leonie apertou carinhosamente a mão de Emma.

— Você tem razão, depois a gente volta a abordar esse assunto. Hannah você podia dar uma piscadinha para o garçom? Veja se ele nos traz o cardápio com as sobremesas. Estou pressentindo que vamos comer um zabaione.

Eram duas e meia da madrugada quando Emma, sentindo-se deliciosamente embriagada, deitou-se na cama, sorrateira, ao lado de Pete, que já dormia, e aconchegou-se a ele. Não costumava acordá-lo, mas, aquela noite, precisava de carinho.

— Está tudo bem, Emma? — murmurou ele, enquanto se virava, sonolento, e a envolvia com os braços.

— Está, sim — disse ela, encolhendo-se sob o edredom e puxando o corpo vigoroso do marido para perto de si. — Você sentiu saudade de mim?

— Muita — respondeu ele, acomodando a cabeça na curva do pescoço de Emma e beijando-a, ainda tonto de sono. — Como foi a noite?

— Maravilhosa. Só que a gente bebeu demais, e eu deixei o carro no Hotel Sachs. Você pode me dar uma carona até lá para eu pegá-lo amanhã?

— Por você, faço tudo. Sabe de uma coisa?

— O quê? — perguntou ela, beijando a careca dele.

— Eu te amo, mesmo com hálito de alho!

Emma fez cócegas nele, em retaliação.

— Mas isso foi só para disfarçar o cheiro do outro cara com quem eu estava. Aquele, sabe, com 1,95 metro, professor de caratê. Ele usa uma loção pós-barba muito forte, e a única maneira de dissimular o cheiro é comer alho.

—Vou matar esse cara — disse Pete, com a voz cada vez mais sonolenta. — Posso dormir agora, mulher insaciável?

CAPÍTULO 11

Esperar um telefonema de Felix Andretti era pior que ficar esperando Godot, concluiu Hannah. Quando ele não deu notícias um dia depois de se conhecerem, ela respirou fundo e disse a si mesma que era uma demora mais que natural. Felix estava agindo com tranquilidade, evitando dar uma de ansioso. Era perfeitamente compreensível. Mas nem por isso ela deixava de se sobressaltar toda vez que o telefone tocava, desejando desesperadamente que fosse ele. Acabou nem saindo para almoçar naquela quinta-feira. Pediu que Gillian lhe trouxesse um sanduíche.

— Tenho muito o que fazer — disse a outra vagamente, revisando os arquivos e tentando parecer ocupada demais para perder cinco minutos indo até a lanchonete.

Hannah acabou lendo o jornal e fazendo as palavras cruzadas enquanto saboreava o sanduíche de atum e tomava duas xícaras de café. O tempo todo, ansiava ouvir o toque do telefone.

Na sexta-feira, ela resolveu pôr os sapatos de salto altíssimo, uma saia preta longa com fenda lateral e um cardigã macio de caxemira, em um tom de bronze que lhe caía bem. Soltou os cabelos e colocou as lentes de contato, em vez dos óculos, que poderiam parecer pouco atraentes. Como pusera o conjunto de calcinha cavada e sutiã coral claro, estava se sentindo supersexy e excitada. Chegara à conclusão, presunçosa, de que Felix era o tipo de homem que apareceria do nada, com um convite para jantar. Se isso acontecesse, Hannah morreria, mas teria que recusar. Enquanto trabalhava, imaginou-se repreendendo-o por sua audácia de esperar que ela largasse tudo para ir com ele.

"Você acha por acaso que eu sou o tipo de mulher que aceita sair com um homem de uma hora para outra?", perguntaria ela, maliciosa, levando-o a se lamentar de tanto desejo e sofrimento. "Sinto muito, talvez eu possa reservar um horário para você na minha agenda no mês que vem..." — Era bem provável que nem ela aguentasse esperar tanto tempo, mas não queria que Felix pensasse que estava desesperada.

— Hannah — interrompeu Gillian, com rudeza —, aquele homem veio verificar o encanamento do banheiro masculino. Não se esqueça de mencionar o problema da cozinha para ele. — Tirada de seu devaneio, Hannah tratou de cuidar disso.

— Vai a algum lugar especial hoje, lindona? — inquiriu o encanador, insolente, ao observar as pernas bem torneadas, destacadas pela saia sensual, enquanto ela o acompanhava até a cozinha.

Hannah lançou-lhe um olhar ferino.

— Eu só estava perguntando — murmurou ele, concentrando-se, então, no trabalho.

Já passavam das cinco e meia, e Hannah ainda não recebera nenhum telefonema particular. Ela sentiu vontade de chorar.

Ficou de pé, próximo à escrivaninha, enquanto arrumava os papéis com lerdeza. Começou a achar que só teria notícias de Felix na semana seguinte, se é que ele a procuraria. Ele somente podia contatá-la no trabalho.

David James saiu de sua sala e deu um bocejo. Trazia sua pasta em uma das mãos.

— Vai a algum lugar especial, Hannah? — perguntou ele, examinando-a de alto a baixo, desde o cardigã justo até os sapatos provocantes.

— Se fosse você não faria essa pergunta, cara — resmungou o encanador, que passava rumo à saída. — Essa aí vai acusar você de assédio sexual.

O sujeito passou rapidamente por Hannah, antes que ela pudesse encará-lo.

David sorriu.

— Ele assediou você?

— Não — admitiu ela. — Ele só me pegou num mau momento.

— O que você acha de sair para tomar um drinque e melhorar esse astral? — perguntou David, distraidamente, tamborilando na escrivaninha.

Hannah negou com a cabeça. Estava se sentindo infeliz demais para se animar.

— É só uma bebida, e você ainda pode se lamuriar comigo — insistiu David.

Ela pensou em ceder. Um drinque não a ia matar e, enquanto estivesse conversando com David James, não ficaria choramingando por causa do maldito Felix.

— Tem uma ligação para você na linha um — gritou Donna. — É particular.

Hannah estremeceu de tanta emoção. — Não vai dar — disse ela a David. — Vou sair com alguém.

David deu de ombros.

— Vejo você na segunda, então.

Ela agarrou o telefone e apertou a linha um.

— Hannah, é a sua mãe. Sei que estou ligando na última hora, mas preciso saber se Stuart e Pam podem ficar com você nesse fim de semana.

— Como assim? — perguntou ela, irritada por ser a mãe na linha e não Felix. Ficou ainda mais furiosa ao pensar que Stuart e a esposa passariam alguns dias com ela. O apartamento era pequeno demais para acomodar hóspedes e, para completar, ela não se dava bem nem com Pam nem com o irmão. — Está muito em cima da hora. Por que eles não avisaram antes? E por que você que está ligando, mãe? O Stuart não sabe mais usar o telefone? — perguntou ela, sarcástica. O irmão era o queridinho da mãe e ela fazia tudo por ele.

— Por favor, Hannah, não fique zangada — disse a mãe, impassível. — Os dois estão indo para um casamento e os planos de ficar no hotel não deram certo. É o mínimo que você pode fazer. Eles vão chegar aí às dez da noite. Além disso, Pam comentou que não se importa de cozinhar.

Hannah sorriu com desdém. Não que tivesse a menor intenção de ir para a cozinha, de qualquer forma.

Enquanto dirigia para casa, aborrecida, imaginou como seu apartamento impecável ficaria após um fim de semana com Stuart; provavelmente, uma zona. Hannah colocou lençóis limpos e um edredom no leito do quarto de hóspedes, mas não mudou a roupa de cama; deixou que o irmão fizesse isso. Ela não era gerente de hotel. Na verdade, devia ser por isso que Stuart estava indo para a sua casa. Era pão-duro demais para pagar uma pousada, pensou ela, acertando em cheio.

Preparou uma omelete para si mesma e foi assistir à televisão, fula de raiva com o irmão displicente e Felix. Por que teria se dado ao trabalho de lhe dar uma cantada e fingir que estava louco por ela, se não tinha a menor intenção de vê-la novamente? *Qual era a dele?* Hannah não conseguia entender. Será que a paquera não passava de um esporte? Talvez sujeitos bonitões como Felix tivessem um placar com marcações para avaliar o quanto eram irresistíveis. Devia ser isso. Imaginou o louraço se gabando: "A mulher da imobiliária ficou caidinha por mim. Vou dizer uma coisa para vocês: ela estava na palma da minha mão."

Stuart e Pam chegaram às onze e meia da noite, acordando Hannah, que caíra no sono em frente da TV, após ver *Frasier*.

— Pensamos que você tivesse saído, já que é sexta-feira — disse Stuart, largando a mala enorme no chão. Em seguida, perambulou pelo apartamento, com curiosidade.

— Como poderia ter saído se estava esperando por vocês? — indagou a irmã, irritando-se na mesma hora.

— Por que não deixou a chave com o vizinho? — perguntou ele.

— Você podia ter feito reserva num hotel — sugeriu Hannah.

Pam, acostumada com as farpas disparadas entre o marido e a cunhada, foi até a cozinha e pôs a chaleira no fogo.

— Por favor, sintam-se em casa — disse Hannah, agressiva, ressentindo-se com a forma como a esposa do irmão foi se instalando sem a menor cerimônia, sem pedir licença.

— Já estamos mais do que à vontade — enfatizou Pam, uma criatura presunçosa que não dava a mínima para insinuações ou indiretas.

— Lugar agradável — disse Stuart, jogando-se no sofá e checando sua maciez. — E aí, já arrumou um namorado?

Hannah lembrou por que ela e Stuart brigavam feito cão e gato quando eram crianças. Apesar de serem fisicamente parecidos — ele era alto, de cabelos escuros e com olhos da mesma cor dos da irmã —, diferiam completamente no que se referia ao temperamento. Stuart era preguiçoso, desleixado e, como ele mesmo gostava de se vangloriar, "gostava de falar o que lhe dava na telha". No dicionário de Hannah aquilo significava que o irmão era de uma rispidez que beirava a grosseria. Um despertava no outro o que havia de pior. Ela o considerava um sanguessuga, enquanto ele achava a irmã chata e pedante. Na época em que ela trabalhava no hotel Triumph, o irmão achava muito natural requisitar hospedagem como cortesia para os amigos farristas. No entanto, se Hannah lhe pedisse que fizesse uma revisão no seu carro, já que ele era mecânico, o irmão sempre deixava para depois, até ela se zangar e pagar alguém pelo serviço.

— É claro que tenho um namorado, Stuart — falou a irmã com aspereza. — Ele é ator e está viajando — mentiu Hannah. — Deixei lençóis limpos no quarto de hóspedes e toalhas em cima do roupeiro. Agora vou dormir. Boa noite.

— Não quer tomar chá? — perguntou Pam, aparecendo na porta da cozinha, com uma bandeja de chá e biscoitos.

— Não.

Ao menos os dois saíram cedo na manhã seguinte, após discutirem longamente sobre quem havia deixado o espelho embaçado. Pam ainda saiu se queixando de Stuart, afirmando que ele nunca a elogiava.

Hannah, já desperta, preferiu continuar deitada, evitando assim participar da discussão. Dava para escutar tudo através das paredes finas do apartamento.

— Comprei esse chapéu só para usar no casamento — vociferou Pam. — O mínimo que você podia fazer era dizer que é legal, Stuart.

— Mas eu não gostei dele — bradou Stuart. — Você é ruiva e ficou esquisita de chapéu vermelho.

Somente quando o irmão e a cunhada saíram de casa, batendo a porta ruidosamente, Hannah pôde relaxar. Ela se levantou e fez um pouco de café enquanto planejava seu dia. Faria compras, iria à academia e, à noite, veria um filme com Leonie e as gêmeas. Só então lembrou-se de que não havia deixado a chave do apartamento com Stuart e Pam. *Fazer o quê?*, pensou ela, implacável. Não estaria em casa antes das onze e, se o irmão e a cunhada chegassem mais cedo, teriam que esperar do lado de fora. Hannah achou que aquilo serviria de lição por eles terem sido sovinas e não quererem gastar com hotel.

Chegou em casa às onze e meia, cansada, mas tranquila. Divertira-se tanto com Mel e Abby que não tivera tempo de se sentir deprimida. As gêmeas ficaram o tempo todo pesquisando quais eram os garotos mais bonitos dentro do cinema, o que foi muito mais divertido que assistir ao filme. Chegando em casa, Hannah subiu a escada que levava a seu apartamento e deu de cara com Pam e Stuart sentados, fulos da vida, próximo à porta de entrada.

— Como conseguiram entrar no prédio? — indagou Hannah, aborrecida com o fato de algum morador ter permitido a entrada dos dois.

— Isso não interessa — resmungou o irmão, obviamente irritado. — Por que diabos você não deixou uma chave do apartamento com a gente? Ou então, por que não estava aqui para abrir a porta?

— Eu saí com o meu namorado e não imaginei que vocês fossem voltar tão cedo. A boca-livre já acabou?

Ela os deixou entrar e, na mesma hora, Stuart se jogou no sofá de roupa e tudo e caiu no sono. Os roncos do irmão embriagado reverberaram por todo o apartamento, e Hannah o observou com desagrado.

— Não entendo como você ainda fica com ele — disse ela à cunhada, olhando o irmão deitado de bruços. — Não passa de um bêbado, como o pai.

— Isso não é verdade. Ele não parece nada com o pai de vocês — protestou Pam.

— Você acha que não? — retrucou Hannah, com amargura. — Pois está enganada; se quer saber, Stuart não passa de um inútil preguiçoso. Para mim, é uma surpresa que ele ainda trabalhe. Pensei que você o sustentasse e, a essa altura, achei que o único empreendimento dele fosse com o agenciador de apostas.

— Stuart largou o jogo e, além disso, não é um beberrão — enfatizou Pam. — Caramba, a gente estava num casamento! Eu nem lembro a última vez em que ele ficou bêbado. Só porque você não se dá bem com o seu pai, não quer dizer que tem que viver brigando com o Stuart.

— Mas eu não faço isso — disse Hannah, com aspereza. — Só acho que o meu irmão está seguindo os passos dele. Tal pai, tal filho.

— Pode ser também tal mãe, tal filha — retrucou Pam, sagaz.

Hannah se revoltou.

— Não sou parecida com minha mãe. Eu me recuso a ficar presa a um traste que não serve para nada.

— E o que você me diz do Harry? — indagou a cunhada, maldosa. Os lábios de Hannah tremeram. Aquilo já era demais. — Quem fica correndo atrás de homens inúteis é você. Pelo menos, o Stuart se casou comigo — acrescentou Pam, com desdém. Em seguida, tirou Stuart, sob protestos, do sofá, arrastando-o para o quarto de hóspedes. Hannah ficou na sala, furiosa e infeliz.

Ela não se apaixonava por homens inúteis, simplesmente fora pura falta de sorte. E nada além disso. Pam não sabia o que estava dizendo. Se Hannah fosse casada com alguém tão desmotivado quanto Stuart, não se vangloriaria do fato. Parecia até que, para certas mulheres, a aliança de casamento representava o objetivo único e final da vida. Como podiam ser tão tapadas?

Cansada, após duas noites se revirando na cama, pensando no que Pam lhe havia dito, Hannah perdeu a hora na segunda-feira e, quando deu por si, já estava passando o noticiário das oito.

— Mas que droga! — exclamou ela, arrastando-se para fora da cama, ciente de que não teria tempo de lavar os cabelos. Tomou uma ducha rápida, colocou a primeira roupa que encontrou no armário, um vestido marrom liso que só lhe caía bem quando estava muito maquiada e com os cabelos limpos e volumosos e, 15 minutos depois, já havia saído de casa. Aproveitou para passar um pouco de sombra e batom enquanto aguardava no sinal e praguejou por não ter tido tempo de lavar os cabelos; odiava quando ficavam oleosos.

— O fim de semana foi bom, hein, Hannah? — perguntou Gillian em voz alta, lançando um olhar enfático para a colega, que, às nove e dez, passou às pressas pela entrada do escritório.

Em resposta, Hannah apenas torceu o nariz. Não deixaria Gillian irritá-la.

Pegou uma xícara de café e sentou-se à sua escrivaninha, tentando organizar as ideias. Estivera tão distraída pensando em Felix na quinta e na sexta que acabara ficando com o trabalho atrasado. Às dez e meia, só havia bebido metade da xícara e, como não tomara café da manhã, estava faminta. Apressou-se até a cafeteira na esperança de encontrar café fresco e talvez alguns biscoitos. A máquina estava vazia e o pote também. Esgotada, faminta e triste, Hannah sentiu vontade de chorar. O mundo estava contra ela.

Seu telefone tocou, e ela voltou à escrivaninha para atendê-lo.

— O que vai fazer essa noite, srta. Campbell? — perguntou Felix, languidamente.

Chocada, Hannah quase deixou o aparelho cair no chão.

— Ah... nada — respondeu ela, surpresa demais para fazê-lo sofrer, como planejara.

— Que bom. Não quer ir ao teatro comigo? Depois a gente pode jantar junto.

— Seria ótimo — enfatizou Hannah, sem forças, sentindo um misto de saudade e puro prazer por ele ter ligado. — A que horas, então?

— Encontro você no pub que fica na frente do teatro The Gate, às sete. Não vejo a hora de ver você. — E desligou o telefone.

Quando Hannah se conscientizou de que Felix realmente ligara para ela, seu estômago começou a revirar e, em seguida, foi como se tivesse levado um soco, pois lembrou-se de que estava com os cabelos sujos, a roupa errada e não teria tempo de ir em casa para se trocar.

E nem ao menos perguntara o nome da peça a que iam assistir. E quanto ao seu discurso feminista de que o casamento era coisa de covardes? "Vou fazer com que ele sofra!" Ah, tá. Hannah podia se comparar a um gato carente que virava a barriga para *qualquer* um a fim de receber carinho. Ainda assim, esboçou um sorriso. Se o Felix fosse acariciar a sua barriga, não ia se importar nem um pouco.

Decidida a não se deixar distrair pensando nele o dia inteiro, procurou se concentrar no trabalho. Concluiu que seria melhor avisar a David que sairia mais cedo naquele dia. Assim, poderia voltar correndo para casa, arrumar o cabelo e procurar uma roupa linda e sensual para usar.

Mas o Cupido não estava ganhando o páreo. Às cinco, David convocou a equipe sênior para uma reunião. Enquanto ele discorria sobre as metas de venda, o plano principal e o desempenho do grupo, Hannah se contorcia em sua cadeira. Não escutou absolutamente nada do que ele disse. Em sua mente, pensava no que havia no seu guarda-roupa e tentava lembrar se havia passado a ferro a blusa nova de seda vermelha da Principles, a que era acinturada. E a roupa íntima...? Se o sutiã bege rendado estivesse no cesto de roupa suja, ela teria um troço. Era supersexy e ficaria um espetáculo com a blusa vermelha, se alguns botões ficassem abertos, deixando entrever seus contornos. Hannah não costumava usar decotes acentuados, mas fizera o teste na frente do espelho de casa e decidira que aquele visual ficava bastante sedutor. Estava inclusive usando lentes de contato, tendo deixado os óculos de lado, para variar.

— Sei que estamos passando um pouco do horário — prosseguiu David, olhando para a irrequieta Hannah —, mas uma velha colega dos Estados Unidos está aqui e gentilmente concordou em dar uma palestra sobre as novidades do mercado imobiliário de lá. Podem ser conselhos valiosos, se considerarmos os vários clientes americanos que estão se mudando para cá. Quero apresentar para vocês Martha Parker...

Normalmente, Hannah ficaria fascinada pela elegante e bem arrumada srta. Parker, com seus impecáveis cabelos curtos, terno creme de corte perfeito e extrema autoconfiança. No entanto, a única coisa que desejava naquele momento era que aquela mulher descesse do palco para que ela pudesse voltar correndo para casa e se arrumar. Mas que nada! A srta. Parker tinha muito a dizer e levou meia hora para fazê-lo. Já eram seis e cinco quando a equipe desocupou o escritório de David. Hannah não poderia passar em casa, então. Teria de operar milagres usando maquiagem e desodorante e ainda rezar para que as luzes estivessem reduzidas no teatro.

O que era mesmo que tinha lido em uma revista feminina a respeito do uso de talco para disfarçar cabelos sujos? Coloca-se um pouco na divisão dos cabelos, deixa-se um pouco para retirar a oleosidade e, em seguida, passa-se a escova. Parecia bastante simples. Ela compraria o talco no caminho.

Após quase ter se asfixiado no banheiro feminino depois de usar desodorante demais e passar talco demais, o que a levou a perder cinco minutos só para retirar o pó de seu vestido, acabou se atrasando dez minutos. E mesmo com todo o desodorante e a generosa borrifada de Opium de Donna, tinha certeza de que estava toda suada quando chegou ao pub.

Até na multidão que lotava o bar para ir ao teatro, Felix se destacava. Hannah viu o homem louro, de porte imponente, desde a entrada, e notou que ele conversava com alguém. Era ainda mais bonito de perfil, o nariz reto similar ao de reis jovens e arrogantes, como os retratados em quadros medievais, e o maxilar forte se pronunciando, de forma máscula. Ele jogou a cabeça leonina para trás e deu uma gargalhada. Hannah atravessou o lugar, sorrindo por tabela. Então ele se virou e a viu. Os olhos castanhos aveludados se estreitaram em virtude de seu sorriso de satisfação.

Ela se sentiu derreter por dentro, enquanto se aproximava do grupo. Em vez de pegar sua mão ou beijá-la no rosto, ele a puxou para perto de si com os braços longos e fortes. Ela ficou envolvida pelo abraço de Felix, que inclinou a cabeça e beijou-a nos lábios. Totalmente inesperado, o beijo foi incrível! Partes esquecidas do corpo de Hannah se amoldaram ao dele, excitadas. Os lábios másculos comprimiram sua boca carnuda e suas línguas se enredaram com paixão.

— Por que não perguntam logo se alugam quartos por hora? — perguntou alguém, com sarcasmo.

Os dois se separaram, Felix esboçou um sorriso e Hannah enrubesceu.

— Você não pode me culpar. Ela não é linda? — perguntou ele à pessoa que tinha falado, cingindo sua acompanhante com um dos braços.

— Tudo bem, querida? — perguntou Felix a Hannah em voz baixa. — Não parei de pensar em você um minuto sequer.

Um diabinho dentro de Hannah levou-a a dizer: — É mesmo? Só que demorou um tempão para me procurar.

— Ai, isso doeu — retrucou ele, sorridente, enquanto beliscava a cintura dela. — Ela é brava. Mas acho que mereço.

Hannah retraiu-se. Não devia ter dito aquilo, mostrou-se carente e insegura. Por que não dissera logo, então, que não tinha desgrudado do telefone durante dois dias, aguardando sua ligação?

— Passei dois dias agitadíssimos, filmando sem parar — explicou Felix. — Essa é a minha desculpa e vou me ater a ela. E, então, o que vai beber?

Hannah já estava bastante alta sem beber nada e decidiu tomar apenas água mineral.

— Por que não toma um drinque de verdade? — indagou Felix. — Imaginei que fosse o tipo de mulher que usasse vibrador, fabricasse os próprios tampões e bebesse uísque puro.

O grupo caiu na gargalhada.

— Sou durona só com os homens — enfatizou Hannah, com suavidade, entrando no clima. — Fora isso, sou completamente feminina.

— Ah, minha querida — disse Felix com a voz rouca. — Você é mesmo meu tipo. Uma água mineral, então.

Ele não a apresentou ao grupo, mas Hannah não se importou com isso, já que o ator tivera outro comportamento quando estava sozinho com ela no escritório. Preferia tê-lo só para si.

Às sete e meia eles foram para a casa de espetáculos. Ao ver os cartazes, Hannah soube que aquela seria a primeira apresentação da nova produção de *O leque de lady Windermere*. Não gostava muito de ir ao teatro e ficou nervosa, pois não queria deixar que isso transparecesse. Parecia óbvio que Felix, como ator, era frequentador assíduo. Ela detestava imaginar que sua falta de cultura se tornasse pública. Vinha se esforçando para se mostrar uma pessoa mais intelectualizada, mas isso não incluíra ainda a arte dramática. Ela havia crescido na casa dos Campbell, sem contato com a arte, a não ser pelas instruções que vinham nas embalagens dos iogurtes.

Bom, pelo menos era isso que ocorria com seu pai e Stuart, para os quais ler algo além dos resultados das corridas era perda de tempo.

Logo após terem entrado no ambiente, Felix disse que precisaria se ausentar por um momento.

— Tenho que cumprimentar uma pessoa. Não vou demorar — disse ele, deixando-a em meio à multidão, no foyer.

Sentindo-se meio perdida, Hannah olhou à sua volta, esperando encontrar uma pessoa em quem pudesse se espelhar e que aparentasse estar à vontade e não nervosa, como ela. Havia duas mulheres ao seu lado que, volúveis, conversavam sobre artes com loquacidade, com os braços cobertos de pulseiras, que tilintavam enquanto as duas tomavam vinho branco.

— Ouvi dizer que o grupo Lubarte Players está pensando em encenar *Vera* — disse uma delas.

— É mesmo? Que horror — acrescentou a outra. — É uma peça muito ruim. Nem dá para acreditar que é de Wilde. Eu sempre digo isso. — As duas começaram a rir.

Quando Felix retornou, os dois foram até seus assentos. — Adoro Wilde — disse Hannah suspirando. — Escutei em algum lugar que um grupo de teatro vai fazer a montagem de *Vera*. Eu nunca gostei daquela peça, não acho que seja um clássico dele.

Felix lançou-lhe um olhar impressionado. — Não sabia que era uma fã dos palcos, querida — comentou.

Hannah deu um sorriso, tranquila. — Nunca me subestime — disse, simulando uma voz severa.

Ela achou a peça incrivelmente espirituosa e não sabia dizer se o intenso prazer que sentia tornava o espetáculo mais emocionante ou se isso ocorria porque Felix estava sentado ao seu lado em silêncio com a mão entre suas coxas, acariciando seu joelho sobre o tecido do vestido longo.

Durante o intervalo, o casal se misturou aos outros espectadores, com Felix conduzindo-a pela mão, enquanto eles perambulavam pelos grupos.

Todos que chegavam abraçavam e beijavam o ator, encantados. Quando a quinta pessoa se jogou sobre Felix, parabenizando-o pelas críticas fantásticas que recebera por sua última performance, Hannah concluiu que seu acompanhante era uma celebridade. Pelos comentários, ela deduziu que ele fora ator coadjuvante em uma produção anglo-canadense de época, que se desenrolava no século XVIII. Naquele momento, ele estava participando de uma produção britânica, um filme de baixo orçamento, que estava sendo rodado na Irlanda. Ficou subentendido que pelo menos metade da comunidade de atores irlandeses fazia parte da filmagem.

— É uma ninharia, mas ajuda a pagar a hipoteca — lamentou-se um homem elegante de terno de veludo, que fazia uma ponta no filme.

— Não quis fazer parte de uma trama pobre e sem enredo como aquela! — exclamou uma atriz, torcendo o nariz. Felix explicou a Hannah, aos sussurros, que ela fora descartada no primeiro teste.

Após vários beijos lançados ao ar e exclamações do tipo "Você tem que jantar lá em casa uma hora dessas, meu querido", os dois voltaram aos seus lugares para assistir à segunda parte do espetáculo.

— Vamos sair à francesa quando terminar a apresentação — murmurou ele no ouvido de Hannah, com a respiração acariciando-a. — Quero você todinha para mim e, se ficarmos circulando, teremos um séquito.

Quando suspenderam as cortinas pela terceira vez, Felix levou Hannah para fora do teatro, e os dois entraram em um táxi que os conduziu até o Trocadero, na outra margem do rio. O restaurante era um reduto tradicional de artistas famosos, que ali compareciam após as apresentações.

Enquanto juntava duas mesas na parte de trás do estabelecimento, Felix pediu salmão e champanhe para os dois, sem nem olhar o cardápio.

Hannah não sabia dizer o que a estimulava mais: o jeito como aquele homem fabuloso olhava para ela, cheio de avidez, ou a forma como tomava conta de tudo. Era tão dominador que chegava a causar um *frisson* de puro erotismo nela quando se imaginava na cama com ele. Certamente, estaria no controle todo o tempo, com o corpo dourado e musculoso penetrando no dela, pele sobre pele...

Pãezinhos frescos foram trazidos à mesa. Felix passou bastante manteiga em um deles e o ofereceu, aos pedacinhos, a Hannah, que saboreou a manteiga derretida dentro da minibaguete. — Suave, fluida e deliciosa — disse ele. — Será essa a sensação quando fizermos amor, Hannah. Delicioso, mas — ele sorriu com malícia — não suave.

Hannah engoliu em seco. Tudo estava acontecendo rápido demais, porém sentia-se incapaz de reagir: ela o desejava também.

O champanhe chegou. Felix não desgrudava os olhos dela enquanto bebia. O líquido explodiu na boca de Hannah como saborosas agulhas e alfinetes estimulando sua língua.

— Você é linda — disse ele, com a voz macia, tocando o rosto dela com os dedos longos. Acariciou suas maçãs do rosto e, em seguida, deslizou as mãos até seus lábios cheios e trêmulos, deixando que um dedo adentrasse languidamente sua boca. Instintivamente ela o sugou, mantendo-o prisioneiro enquanto sua língua o vasculhava, sentindo o gosto salgado da sua pele. À medida que o tempo ia passando, o erotismo aumentava, mais do que com qualquer outro homem que conhecera, e estavam em um restaurante! Só Deus sabia como seria estar sozinha com ele, sem uma multidão de garçons e a companhia de outras pessoas jantando.

A boca de Felix curvou-se em um sorriso, que acionou algo no seu âmago. O desejo se apossou dela como uma represa que rompera. Ele retirou o dedo, levando-o à própria boca, como se quisesse sentir o gosto dela. Felix colocou a cabeça de lado, fazendo uma avaliação. — É doce — comentou ele. — Como você. Doce... — a voz dele baixou uma oitava até adquirir um timbre completamente sedutor — e maduro.

Hannah respirou com dificuldade.

Um garçom apareceu com dois pratos de salmão defumado.

Ela sentiu vontade de agarrar Felix, dizer aos garçons para esquecerem o peixe e fugir com ele para seu apartamento, onde mostraria a ele exatamente quão doce ela era.

Mas Felix atacou seu prato com o mesmo fascínio que deixara transparecer ao acariciá-la.

— Eu estava faminto — disse, enquanto espremia limão sobre a comida, com uma das mãos, e com a outra, garfava as porções do peixe. Por alguns instantes ela o observou enquanto comia. Não estava com um pingo de fome, já que o desejo expulsara todas as necessidades primárias de seu organismo. Hannah adorava o jeito como os cabelos louros caíam sobre os olhos hipnóticos e a enorme boca se escancarava, mostrando lindos dentes brancos e brilhantes, enquanto ele comia a refeição. Era um homem que vivia de paixão, pensou Hannah com melancolia, paixão pela comida, pelo amor, pela vida e pelo sexo.

— Você não está com fome? — indagou ele, olhando para o prato intocado.

Ela deu um sorriso estranho. — Para falar a verdade, não. Você tirou meu apetite.

Felix puxou o prato de Hannah para si, devorando-o também. Ela acabou de beber o champanhe que estava na taça, servindo um pouco mais da bebida para os dois.

— Quero saber mais sobre você — disse ela, tomando fôlego.

Para a maioria das pessoas, esse era um pedido difícil. Todavia, Hannah estava prestes a descobrir que, para um ator, isso era um convite para fazer um discurso tão familiar quanto olhar o próprio rosto no espelho pela manhã. Felix adorava falar de si.

Comendo com voracidade e sorvendo o champanhe com avidez, ele contou a ela suas expectativas e falou de sua carreira. Hannah, que tentava acompanhá-lo no champanhe, ficou completamente fascinada.

Felix evitou comentar a respeito da família e da juventude. "Não costumo falar disso", explicou, os olhos escuros e emotivos encarando os dela. Mas sentiu-se à vontade para tratar de outros assuntos. Aos 37 anos, estava finalmente prestes a fazer um enorme sucesso. Havia sido uma escalada difícil. Ele relatou o trabalho em uma fracassada novela da televisão britânica e o primeiro papel em um filme, em que seus poucos minutos na tela haviam sido cortados na edição. Mas tudo mudaria em breve. Uma série humorística, em que fazia uma ponta, estava fazendo cada vez mais sucesso e seu telefone não parava de tocar, desde então, com ligações de agentes. Felix afirmou, com orgulho, que sua hora havia chegado.

Ele vivia num ritmo frenético, com muitas festas, estreias e farras, tudo para se tornar membro do clube seleto dos ricos e famosos. No entanto, Hannah percebeu instantaneamente que Felix buscava, no fundo, segurança. Era como ela, tinha certeza disso. Alguma coisa em seu passado o havia marcado, fazendo com que ansiasse por um porto seguro que nunca conhecera antes. Ela poderia lhe proporcionar isso.

O grupo do teatro chegou, finalmente, com as pessoas lançando beijos pelo Trocadero, acenando aos amigos e, com mais entusiasmo, aos inimigos.

— A gente estava tentando adivinhar em que lugar vocês dois tinham se metido — disse o homem de terno de veludo, em tom acusador.

— Prezo muito a minha privacidade — enfatizou Felix, com brandura.

O grupo, fazendo pouco do comentário de Felix, dirigiu-se às mesas próximas ao casal.

— Sentem noutro lugar — disse ele, rude. — Queremos ficar a sós.

Normalmente ela abominaria esse tipo de grosseria, mas, com Felix, a coisa mudava. Era tão incrivelmente lindo e talentoso que as pessoas se viam atraídas por ele, e a única maneira de se livrar delas era sendo brusco.

Os dois conversaram até ficarem roucos; a segunda garrafa já estava quase vazia quando o garçom chegou com duas taças de Sambuca, de cortesia.

— Não vou querer, não — disse Hannah, dando uma risada afetada e fitando a pequena taça de licor flamejante. — Já estou bêbada. Não quero nem imaginar o que seria capaz de fazer se bebesse mais.

Um brilho malicioso faiscou nos olhos de Felix. — Não quer mesmo? — perguntou ele.

O ator estava recostado na cadeira, olhando-a de modo possessivo, enquanto passava os dedos longos pela borda de sua taça. Em seguida, puxou a cadeira para a frente. Ela se sobressaltou ao sentir a mão dele tocando suas coxas sob a mesa, suspendendo com suavidade seu vestido e revelando suas pernas.

Mesmo inebriada, Hannah tentou detê-lo. Havia outras pessoas em volta, alguém podia ver.

— As pessoas podem estar olhando — disse ela, escandalizada.

— E daí? — inquiriu ele, erguendo uma das sobrancelhas com cinismo. — Por mim, que fiquem olhando.

Hannah mostrou-se chocada.

— Não dá para ver nada. Tem a toalha da mesa cobrindo — explicou ele, tranquilizando-a.

Felix suspendeu o vestido de Hannah e, estendendo o braço, foi acariciando a perna coberta apenas pela meia-calça. Ela estremeceu ao sentir o toque dele, ainda na metade de sua coxa, e soube que, se ele subisse um centímetro a mais, não conseguiria conter um gemido. Não tinha como controlar a onda de erotismo que invadiu seu corpo. Era como se estivesse conectada a uma máquina cheia de eletrodos, estimulando suas zonas erógenas com inimaginável prazer. A mão dele continuou avançando.

— Na próxima vez que a gente sair, vai ter que usar meias de seda — murmurou Felix. Ela soltou um grito abafado e, de repente, do nada, a mão dele não estava mais ali. — Vamos embora — disse ele, de forma brusca.

Beijou-a no táxi a caminho de casa e nada mais. Simplesmente beijos lascivos que a derreteram por dentro, enquanto a língua dele explorava a sua. Hannah sentiu o coração bater feito um metrônomo, enquanto ela o conduzia escada acima até a porta da frente de sua casa. Atrapalhou-se com o molho de chaves e deu uma risada afetada por conta da própria estupidez. Felix não sorriu. Finalmente, ela conseguiu acertar a chave na porta e a abriu.

— Não vá pensando que é o Palácio de Buckingham... — começou a dizer, enquanto largava a bolsa na mesa da entrada. Não conseguiu fazer mais nenhum comentário.

Bastou Hannah fechar a porta da frente para Felix enroscar-se nela, abraçando-a e trazendo-a para perto de si. As mãos dele exploraram seu corpo, tentando tirar seu casaco. As duas bocas se uniram, os lábios apertados um contra o outro, línguas entrelaçadas e emaranhadas, cheias de paixão. Ele conseguiu tirar o casaco de Hannah e começou a suspender o vestido dela acima das coxas. Em troca, ela o livrou de sua jaqueta e começou a arrancar-lhe a camisa, sem se importar com os botões que se soltavam à medida que ela puxava e chocalhavam no chão como granizo.

— Você é linda — disse ele, ronronando como um gato e abaixando a cabeça dourada em direção aos seus seios, enquanto as mãos percorriam o corpo sob o vestido. Como se fossem dançarinos experientes e primorosos do grupo Riverdance, os dois se distanciaram apenas o tempo suficiente para tirar a roupa. Foi então que Hannah se lembrou de que estava usando aquela meia-calça horrenda; livrou-se dela com rapidez e deu graças a Deus por estar vestindo uma calcinha de seda preta decente, mesmo que fizesse conjunto com um sutiã branco de algodão, velho e sem graça. Era uma pena que não estivesse irresistível, como a combinação sexy de renda transparente cor de coral. Ela arrancou o sutiã de algodão e, ao olhar para o parceiro, percebeu que ele vestia apenas uma cueca boxer e a encarava. Tinha um corpo glorioso: esbelto, longilíneo e bronzeado, com proporções perfeitas. Hannah notou a proeminente ereção de Felix sob o tecido da cueca. Com um movimento rápido, ele a agarrou, suspendeu-a em seus braços e levou-a até o sofá. Depois, deitou-se sobre ela, friccionando o corpo no de Hannah, triunfante, passando as mãos por seu torso, os dedos massageando os mamilos eretos dela, e afundou a boca apaixonadamente em seus cabelos.

— Você é bonita e muito sexy, soube disso no momento em que a vi — disse ele com a voz rouca.

Se ele estava loucamente excitado, então encontrara alguém à altura. A sexualidade que Hannah reprimira por tanto tempo veio à tona, como uma tigresa entediada que estivesse no cativeiro e, de repente, fosse libertada em uma floresta pululante de vida. Eles fizeram sexo de modo frenético e selvagem, não da forma dócil e gentil que ocorria quando ela transava com Harry. O ex era tranquilo e reconfortante, o ator, ardente, primitivo e descontrolado. Felix comprimiu a boca contra a dela, invadindo-a, louco para saborear cada pedacinho da parceira. Por sua vez, ela enterrou as unhas nas costas do parceiro enquanto ele a penetrava, gritando de prazer ao sentir que os dois corpos formavam um só. Unidos, os dois gemeram e ofegaram, frenéticos, buscando satisfação, ao mesmo tempo em que desejavam que aquela relação maravilhosa não acabasse. Uma camada de suor brilhante cobria o corpo despido de Hannah quando ela apertou Felix contra si, cingindo-o ainda mais com as pernas e os braços, envolvendo a cintura dele com suas longas pernas até atingir um orgasmo abrasador, que a satisfez completamente.

Como se estivesse esperando por ela, Felix gemeu e, com o corpo teso, atingiu o clímax, murmurando o nome dela inúmeras vezes seguidas, até lançar-se no sofá ao lado da moça, exausto e encharcado de suor.

Ficaram enrodilhados como cachorrinhos, respirando profundamente. Hannah teve a sensação de que cada músculo havia sido estendido até o limite, e seu corpo ficou relaxado, desfrutando de momentos gloriosos, após o orgasmo. Ao mesmo tempo, sentiu-se em paz, como se houvesse nascido para experimentar aquele ato primitivo. Na verdade, pensou ela, sentindo uma adoração profunda, talvez tivesse nascido para Felix.

Ele levou a mão dela até os lábios e beijou-a ternamente. — Você é maravilhosa — disse ele.

— Olha só quem está falando — brincou Hannah. — Estou tão exausta, Felix. Acho que vou cair no sono aqui mesmo.

— Para a cama — anunciou ele, levantando-se com agilidade e estendendo a mão para ela.

Os passarinhos cantavam suas belas canções quando Hannah acordou no dia seguinte, com a cabeça latejando pelo excesso de champanhe. Ela virou-se na cama e seu braço tocou o corpo quente dele. Não havia sido um sonho, o que a fez regozijar-se. Uma ressaca não era nada perto de tanta felicidade.

Movimentando-se silenciosamente para não acordá-lo, ela foi até a cozinha, descalça e completamente nua, e tomou dois comprimidos para dor de cabeça com um copo d'água. Em seguida, bebeu outro copo para saciar a sede provocada pela ressaca, e se dirigiu, na ponta dos pés, até o banheiro. Os cabelos estavam completamente emaranhados, com mechas embaraçadas para todo lado. A maquiagem, que não vira a cara de compressas de algodão ou de cremes de limpeza na noite anterior, deixara várias camadas de manchas sob seus olhos. A boca ainda estava vermelha por conta da combinação dos longos beijos selvagens e do atrito com a barba de Felix durante a madrugada. Resumindo, uma aparência que faria Hannah soltar resmungos. Só que, daquela vez, algo reluzia por trás do cansaço, da vermelhidão e dos olhos de panda, uma expressão de delírio e contentamento. Seus olhos brilhavam, e ela não parava de sorrir. Estava feliz, apaixonada! Ela sorriu exultante para a própria imagem. Amor, amor, amor.

Após recuperar um pouco da glória perdida e escovar os dentes até as gengivas doerem, receando estar com mau hálito, Hannah meteu-se novamente debaixo do edredom, movendo-se, sinuosa, até ficar com metade do corpo sobre Felix. Ele não quis despertar, mas sua mão preguiçosa moveu-se, envolvendo o seio da parceira, acariciando com lentidão seu mamilo, até Hannah suspirar; só então abriu os olhos.

— Você gosta de fazer amor pela manhã? — indagou ele, com a voz rouca. — Pelo desempenho de ontem, tinha deduzido que era boêmia.

Em resposta, Hannah meneou-se, insinuante, até ficar completamente em cima de Felix, exultando ao sentir o corpo frio junto ao aquecido e sonolento do parceiro. — Acho que sou tanto do dia quanto da noite — disse ela.

— Ótimo — ressaltou ele, puxando sua cabeça para perto da sua.

A luz suave do sol de outono iluminava o estacionamento da Dwyer, Dwyer & James quando Hannah chegou ao trabalho balançando alegremente a bolsa. A fachada do escritório ficara bonita depois de ter sido repintada de branco e amarelo como a flor do açafrão, logotipo da empresa. Hannah sorriu; tudo lhe parecia belo naquele dia, até mesmo o guarda de trânsito de aparência austera que ficava no início da rua e a multara na semana anterior. Ela concluiu que era maravilhoso estar apaixonada. Melhor do que viver em um mar de rosas.

— Bom dia, Hannah — disse David James, saindo do jaguar prateado.

— O dia está lindo, não acha? — comentou Hannah, exultante.

David observou-a, intrigado. — Está com cara de quem andou tomando prozac ou algo parecido — observou ele, jocoso.

— Não é nada disso. É que estou muito feliz. Adivinha quem eu encontrei ontem? — prosseguiu ela, ciente de que não devia dizer nada, mas com uma vontade incontrolável de pronunciar seu nome. — Felix Andretti.

David franziu o cenho. — Em que lugar? — indagou ele.

— No teatro — respondeu ela, aérea. — Ele parece ser muito legal — enfatizou Hannah, com a esperança de que James deixasse escapar algum fragmento de informação.

— Você acha? — disse ele, arqueando uma das sobrancelhas. — Esse não parece o Felix que eu conheço e tanto aprecio — ressaltou ele. — Na verdade, ele faz mais o tipo de playboy de carreira. Legal definitivamente não é a palavra usada para definir Felix. As pessoas ou o amam ou o odeiam. As mulheres o adoram até serem descartadas, e os homens muitas vezes o detestam por ele fazer tanto sucesso com o sexo oposto.

— É mesmo? — comentou Hannah, tentando ocultar o choque. — Não sei por que, mas ele me pareceu gente boa. — Ansiava saber mais, porém, não ousou perguntar.

— Ele estava acompanhado? — perguntou David, parado em frente à mesa dela.

— Não — respondeu, com ar de inocente.

David sorriu e dirigiu-se à sua sala. — Ele deve estar perdendo o jeito — enfatizou ele, falando por sobre os ombros. — Nunca o vi sem uma legião de mulheres a sua cola.

Hannah passou a manhã remoendo aquela história. Felix e um bando de mulheres lindas. Estava enciumada demais para sentir-se lisonjeada com o fato de o divino sr. Andretti tê-la considerado digna dele. Muito pelo contrário, não conseguia deixar de pensar que dormira no primeiro encontro com um mulherengo que vivia cercado de beldades, dispensadas a seu bel-prazer.

O que mais podia esperar?, concluiu ela, com ciúmes. Felix tinha 37 anos, claro que conhecera dezenas de mulheres antes dela. E se depois de ter conseguido levá-la para a cama não quisesse mais nada? Talvez por isso as mulheres o detestassem. Pela segunda vez em 24 horas, Hannah ficou chocada, e seu coração disparou. Como podia ter sido tão estúpida a ponto de dormir com ele na primeira noite? Que tipo de mulher ele deve ter pensado que era?

Relembrou-se, frenética, da despedida pela manhã.

Ele só dissera uma coisa: "*Adiós*, boneca", beijando-a apaixonadamente na soleira da porta e prometendo que ligaria para ela. Não chegou a ser uma promessa, pareceu mais um "te ligo depois".

Hannah sentiu-se como um jogador que arriscava sempre os mesmos números e, bem no dia em que eles foram sorteados, se esquecera de apostar. *Mas que tipo de mulher imbecil você é?* Ela já se perguntara mil vezes, quando um entregador chegou à sua escrivaninha, escondido atrás de um enorme buquê de rosas.

— Oh! — exclamou ela, engolindo em seco. — São para mim?

— Se você é Hannah Campbell, são — disse o mensageiro. — Por favor, assine aqui.

Ela cheirou o buquê, tentando inalar a fragrância, mas percebeu que não tinha qualquer aroma. Mesmo assim, achou-o lindo.

— Para quem são as flores? — indagaram os outros funcionários.

Hannah abriu o cartão.

— Para Hannah, meu maravilhoso pêssego maduro. Vejo você esta noite. Passo para buscá-la às oito.

Sentiu a felicidade transbordar por todos os poros de seu corpo. Felix não achou que ela era uma prostituta idiota; afinal de contas, queria vê-la naquela noite. Que maravilha!

CAPÍTULO 12

Leonie olhou para o gato completamente sedado na gaiola. Ele parecia uma almofada cor de marmelo, todo encolhido, com as patas fofas estiradas inertes, no cobertor de pele de carneiro do pós-operatório. Pobre Freddie.

A operação para remover os elásticos que ele havia engolido fora arriscada, e Angie ficara compreensivelmente nervosa por operar um gato tão velho.

— Ele tem 14 anos e pode morrer com a anestesia — dissera a veterinária, preocupada, a Leonie.

Contudo, não havia outra opção e, ao saber quais eram as chances de Freddie, a sra. Erskine caíra em prantos, com o adorado animal de estimação nos braços, e afirmara que o felino era o único consolo em sua vida desde que o marido morrera.

— Por favor, façam a cirurgia. Eu sei que ele está velho, mas eu também estou, e ficaria perdida sem ele.

Angie dera uma palmadinha no braço da velha senhora, apoiando-a e acompanhando-a para fora da sala de cirurgia até a sala de espera. Leonie, segurando o gato, ficara com um nó na garganta. Todavia, a operação de Freddie fora um verdadeiro sucesso, foram retirados cinco elásticos de seu intestino que, se não tivessem sido removidos, certamente o teriam matado.

Leonie aproximou-se da gaiola e acariciou seu pelo, com carinho.

— Você é um guerreiro, hein, Freddie? — disse, com suavidade, enquanto observava o movimento do corpo do bichinho respirando fundo. Louise, a outra enfermeira, precisava fazer algumas ligações para outros donos ansiosos de animais, e ela se oferecera para dar as boas-novas à sra. Erskine. A idosa ficaria muito feliz. Mas nas próximas horas, enquanto não se recuperasse do efeito da anestesia, Freddie não poderia ter alta.

A enfermeira verificou as gaiolas próximas à dele. As vizinhas de Freddie eram duas gatas que haviam sido esterilizadas aquela tarde e ainda estavam nocauteadas. Três gaiolas abaixo, porém, o ocupante estava completamente desperto. Era um bichano preto que aproveitara a vida como um Don Juan felino em seu bairro, gerando inúmeras ninhadas. Mas chegara a hora de passarem a faca nele, e o animal fora castrado em uma das cirurgias de Angie, naquela tarde de quarta-feira. O gato berrou no fundo da jaula, olhando, feroz, para Leonie, como se soubesse exatamente o que haviam feito com ele e estivesse determinado a se vingar pela perda de sua virilidade felina.

— Hoje a noite promete? — inquiriu Angie, saindo do minúsculo banheiro da sala de cirurgia, após trocar de roupa para ir embora.

— Psiu — sussurrou Leonie, horrorizada. — Alguém pode ouvir o que está falando. Não contei para mais ninguém, e, sim, hoje a noite promete, sim!

Leonie já estava arrependida de ter marcado um encontro às escuras. Para início de conversa, lamentou ter colocado o anúncio pessoal no jornal. Além disso, arrependeu-se por ter contado a alguém. Até aquele momento, só Hannah, Emma e Angie sabiam. Mas já era gente demais. As amigas a vinham apoiando, e Angie tocava o tempo todo no assunto, cada vez mais entusiasmada, como se Leonie estivesse para anunciar seu noivado a qualquer momento. Se não fosse pelo apoio de Hannah, encorajando-a com calma e sensibilidade, Leonie teria jogado todas as mensagens que lhe foram enviadas na lata do lixo.

Recebera dez respostas ao seu anúncio de "loura divorciada e escultural". Duas vieram de homens que a consideraram uma prostituta oferecendo seus serviços sob o disfarce da respeitabilidade. Um dos interessados enviara uma mensagem toda borrada, escrita com esferográfica, dizendo-lhe que "uma mulher com filhos devia ter vergonha de se oferecer aos homens como uma desavergonhada". Ela considerou a possibilidade de guardá-la para a posteridade, mas optou por não fazê-lo, por questões morais. As outras sete pareceram-lhe razoáveis. Bom, quase. Mas, na verdade, Leonie vinha se fazendo esta pergunta havia um mês: "O que poderia ser considerado 'normal'?"

Será que o homem que disse gostar de golfe era do tipo que só falava de handicaps e não cogitava passar os dias de verão com ela, quando poderia estar no campo, jogando? Será que o "profissional bem-humorado, amante de teatro e literatura" não passava de um esnobe de carteirinha, que daria uma cusparada ao ver um exemplar de *Hello!* na mesa da cozinha de Leonie e insistiria em ler Kafka na cama?

Hannah ficara animada com a quantidade de respostas que a amiga recebera.

— Não te falei que tinha um monte de homens sozinhos querendo apenas encontrar alguém? — dissera ela quando Leonie telefonou para contar a novidade, animada. — Você já decidiu quantos vai contatar?

— Vou entrar em contato apenas com o que tiver mais a ver comigo — informara Leonie, ainda com a convicção de que bastava se encontrar com um e tudo se resolveria.

Hannah evitou fazer comentários, pedindo apenas que a amiga lesse a descrição de alguns deles. Ambas concluíram que Bob, descrito como "alto, quarenta e poucos anos, perdendo cabelo, mas não o bom humor", parecia o mais interessante.

— Deixe as outras respostas guardadas — aconselhara Hannah, sensatamente. — Se o Bob for um excêntrico, você ainda pode ligar para os outros.

Leonie concordou, mas, no fundo, sentiu que Bob podia ser muito bem o homem de seus sonhos. A resposta que dera ao anúncio era tudo que ela imaginara ouvir: "*É a primeira vez que faço isso. Socorro! Tenho quarenta e poucos anos e meu último relacionamento terminou um ano atrás. Não tenho a menor ideia de como marcar esse tipo de encontro, hoje tudo é completamente diferente de quando eu era jovem. Adoro crianças, animais, alpinismo e filmes. Nunca respondi a um anúncio desses, e espero que seja obra do destino nós nos conhecermos logo na primeira vez em que tento fazer isso. E, então, vamos sair juntos?*"

A penúltima frase havia sido decisiva para Leonie. Ela acreditava piamente em sorte, sina e destino; na ideia de dois amantes que viviam afastados e se encontravam por acaso, simplesmente porque foram feitos um para o outro no grande cosmo do amor...

— Onde você vai se encontrar com o sr. Maravilha? — indagou Angie, enquanto passava batom na boca.

— No China Lamp — respondeu Leonie. Ele dissera a ela que estaria de jeans e jaqueta de tweed, sentado do lado esquerdo do recinto. Ela achara a voz do pretendente linda ao telefone: suave e refinada. Chegara à conclusão de que o restaurante chinês em Shankhill ficava afastado o bastante de Greystones, o que evitaria o encontro com algum conhecido, embora não eliminasse por completo essa possibilidade. Se isso ocorresse, morreria de vergonha.

— Ah, meu Deus, será que é maluquice minha fazer isso? — perguntou ela, em voz alta. — Já tenho 42 anos e inventei de marcar esse encontro às escuras. É mesmo uma loucura, você não acha?

— Nada disso, é algo absolutamente normal hoje em dia — disse Angie, imperturbável.

— E se ele for um esquisitão? Talvez fosse melhor eu cancelar ou não aparecer. — O pânico começou a se instalar. Aquela era a etapa final, um estágio bem mais adiantado que colocar o anúncio ou responder às cartas endereçadas a caixas postais anônimas. Até então, tudo podia não passar de uma brincadeira de criança. Ninguém a conhecia, ninguém podia entrar em contato com ela, a não ser que ela quisesse. Mas, a partir daquele ponto, a história era outra.

— Quer fazer o favor de relaxar? Ele deve estar dizendo para os amigos que está morrendo de medo de encontrar essa mulher voluptuosa, que faz contato com homens ingênuos através de anúncios, para fazer sexo selvagem.

Leonie estremeceu ao tirar a túnica do uniforme azul.

— Estou começando a achar que sou uma dessas. As pessoas normais não se conhecem assim, não é verdade?

— Quando todos os seus amigos estão casados ou vivendo em harmonia com alguém e a única proposta que você recebe é de maridos entediados querendo uma transa rápida, essa é a saída, sim — ressaltou Angie. — Aposto que não contou isso para ninguém.

Leonie sorriu, com amargura. Não havia falado nada nem para a mãe. Não que Claire fosse reprová-la. Muito pelo contrário, ficaria animadíssima ao ver a filha tomando uma atitude para sair da solidão infindável de mulher divorciada com filhos. É que era meio constrangedor contar às pessoas mais queridas e próximas que colocara um anúncio para... bom, dar um jeito na vida pessoal. Por esse motivo, ela também não dissera nada aos filhos. As crianças pensavam que ela ia a Dublin para jantar com Emma e Hannah. Seria humilhante demais se eles descobrissem que a mãe estava marcando encontros às escuras — o que contariam correndo ao exultante Ray —, enquanto o pai estava prestes a se casar com a advogada Mais Bem Vestida, Inteligente e Bela da Região Metropolitana de Boston. Deus, como ela odiava aquela piranha!

— Dê o número do telefone dele para mim — ordenou Angie.

— O número dele?

— Caso ele seja mesmo um esquisitão, sua boba. Assim, se não vier trabalhar amanhã, eu chamo a polícia e toda a sua sórdida vida pessoal vai sair nos tabloides.

A brincadeira de Angie surtiu efeito. Leonie começou a rir, de forma incontrolável.

— Não sei qual é a graça — disse Tim, o veterinário sênior, mal-humorado, enquanto chegava com um cão dinamarquês do tamanho de um pônei, com a perna mancando. — Tenho que ficar até mais tarde e operar Tiny. Ele está com um estilhaço na pata. Você pode ficar também, Leonie?

— Não pode não — disse Angie, com brusquidão. — Ela já trabalhou até mais tarde duas vezes esta semana. Peça para a Louise ficar.

Leonie acenou para Angie, agradecida, pegou o casaco e a bolsa e saiu.

Ao chegar em casa, a Terceira Guerra Mundial havia sido deflagrada, e Leonie se viu arrastada para o conflito para servir de árbitro antes mesmo de tirar o casaco. No dia anterior, aproveitando-se do fato de a mãe ter planejado sair à noite, algo muito raro, Mel havia perguntado se ela e Abby podiam levar algumas colegas para jantar. Leonie dissera que não havia problema e, em seguida, fora diligentemente ao supermercado para comprar salsichas vegetarianas e verduras para grelhar, que eram, naquele momento, os pratos mais populares entre as adolescentes politicamente corretas de Greystones. No entanto, Danny chegara em casa com convidados inesperados, dois colegas grandalhões e desengonçados como ele. Como fazia horas que os meninos haviam feito sua refeição gigantesca na cantina do colégio, eles deram uma baixa na geladeira, comendo todo o jantar de Mel e Abby, além da salada de batata que Leonie havia separado para levar de almoço no dia seguinte.

— E ele nem gosta de comida vegetariana! — gritou Mel com a mãe, os olhos brilhando em uma mistura de lágrimas e fúria.

— Aqui também é minha casa, e você devia ter avisado que essa comida sem graça era para suas amiguinhas — disse Danny com ironia, tentando manter a calma, para impressionar os amigos. No entanto, em seguida ele se dirigiu para o quarto e bateu a porta com tanta força, que o chalé inteiro tremeu. O som de música alta começou a vir de lá, e Mel caiu no choro.

— Odeio o meu irmão! — exclamou a irmã, soluçando. Leonie a abraçou, perguntando-se se teria tempo de se empetecar para ir ao encontro às escuras. Penny, que detestava brigas, estava enrodilhada em seu cesto, próximo à penteadeira, com ar de infeliz, os olhos escuros poços de sofrimento. Trocando um olhar com sua dona, a cadela choramingou com meiguice. Leonie lançou-lhe um beijo por sobre a cabeça de Mel. Penny estava com aquela expressão carente de quando não saía para passear.

— Está tudo bem — disse ela à filha. — A gente vai depressa até o mercado e compra outra coisa para as garotas comerem, certo?

Mel deu uma fungada e limpou o nariz na manga da roupa. Mesmo vestida com a jaqueta minúscula cor-de-rosa, de mangas compridas, e calça jeans baggy desbotada, um dos trajes norte-americanos adultos demais para ela, Mel parecia ter menos de 14 anos quando ficava aborrecida.

— Está certo — respondeu ela, com má vontade.

Naquele momento, a campainha tocou, ruidosa.

— Elas chegaram — disse Mel, lamuriosa. E voltou a soluçar.

Ouviu-se o burburinho de vozes femininas exaltadas e Abby, a conciliadora, apareceu na porta da cozinha e comentou com alegria:

— A Liz e a Susie querem comer batatas fritas hoje, Mel. A gente pode ir até a lanchonete, mãe? — perguntou Abby. — Não demoramos mais do que 15 minutos, vinte no máximo.

— Podem, sim. Mas não demorem muito. Quero todas vocês de volta antes de eu sair — advertiu Leonie, aliviada por saber que o ameaçador acesso de fúria havia passado.

— Obrigada, mãe — disse Mel, com um sorriso encantador e o bom humor restaurado. — Você tem dinheiro para me emprestar? — pediu, com jeitinho.

— Pode pegar os trocados na minha bolsa, mas não toque na nota de vinte libras.

— Juro que não vou pegar — disse ela, enquanto saía, dançando. Ouviu-se então um coro de vozes dizendo "Ele é o maior gato!".

— É um dos amigos de Danny? — perguntou uma voz esbaforida, que Leonie identificou como sendo de Liz. Deduziu então, que um dos colegas de Danny, o parecido com Ricky Martin, havia espiado da porta do quarto para saber que barulheira era aquela.

— É, sim. Vou apresentar para vocês quando a gente voltar — enfatizou Mel, como se não houvesse acabado de ameaçar de morte e destruição o irmão e os amigos, minutos atrás. A porta da frente bateu, e a música ficou um pouco mais alta no quarto de Danny.

Com a paz parcialmente restaurada, Leonie suspirou e começou a imaginar se teria tempo de tomar uma ducha rápida. Quando Mel retornasse, ficaria intrigada ao ver a mãe toda empetecada apenas para ir jantar com duas amigas. Ela só pensaria em se arrumar assim para alguém do sexo masculino e suspeitaria se a mãe demorasse mais tempo do que o normal para se preparar a fim de sair com as amigas. Quinze minutos bastariam para se refrescar, pensou Leonie, ansiosa. Todavia, Penny tinha outros planos. Como ninguém estava mais gritando, ela resolveu sair do cesto, esticando-se preguiçosamente na frente de Leonie, arqueando as costas douradas e, em seguida, sacudindo-se, soltando pelos caninos dourados por toda parte.

Ficou claro que a cadela estava pronta para ir passear, e mais claro ainda que nenhuma das crianças, que a adoravam e disputavam seu carinho, sairia com ela. Leonie teve de ceder e dizer a palavra mágica:

— Passeio? — Ela sabia que Penny fingia não entender frases do tipo "Saia de cima do sofá!" ou "Você é uma danada por comer os restos de galinha do jantar". Mas Penny entendia de imediato a palavra "Passeio".

Danny deduziu que ela sabia até mesmo soletrar a palavra, porque quando alguém perguntava algo como "Alguém já levou a cachorra para p-a-s-s-e-a-r?", ela começava a latir, feliz.

— Vamos, Penny — disse Leonie, agachando-se para acariciar sua amiga mais querida. — Vamos logo com isso.

Ela pegou o casaco no gancho da porta dos fundos, tirou a coleira de Penny do bolso e foi passear naquela noite de outubro. Eram quase seis e 15 e ainda havia luz, mas um vento gelado soprava no vale, sacudindo as folhas das faias ao longo do caminho. Animada com o passeio, Penny saiu aos pulos, puxando a dona atrás de si enquanto atravessava poças d'água e espalhava as folhas amontoadas. As duas passaram apressadas pelos chalés da rua, enquanto o vento assobiava, penetrando pelo agasalho de Leonie. Ambas atravessaram a rua principal e entraram à esquerda, em uma pequena travessa sinuosa, que se afastava das ruas suburbanas de Greystones. Quando estava escuro demais para seguirem pela campina, a ruela era a melhor opção de passeio para Penny. Durante o verão, Leonie não se importava de andar pelos campos, enquanto Penny saltitava, entusiasmada, pelas margens dos canais que circundavam a área e pelas árvores que a ladeavam. Todavia, quando escurecia mais cedo, ela preferia andar pela alameda, onde ao menos poderia correr caso se deparasse com uma figura ameaçadora. Nunca deixara Mel e Abby passearem no campo com Penny; o lugar era isolado demais e elas poderiam dar de encontro com algum desconhecido.

Naquela noite, ela e Penny caminhavam apressadas pela ruela, a cadela farejando em meio às folhas amontoadas, nas quais os cachorros das redondezas haviam deixado suas marcas. Tinha que urinar em todos os lugares com odor interessante, olhando com ar de culpada para a dona, como se dissesse com os olhos "Sinto muito, mas tenho que fazer isso". Normalmente, Leonie não se importava com o que Penny fazia ou com o tempo que perdia levando a efeito o que achasse necessário. Mas, naquela noite, não poderia esperar.

— Vamos com isso, meu docinho — disse ela, em tom de reprovação —, não dá para você fazer xixi em todo lugar. Mamãe tem que voltar depressa para casa. Prometo que amanhã a gente demora mais.

— Olá.

Leonie quase teve um troço. Não havia visto o homem passando pelo grande portão preto, acompanhado de dois cães pastores escoceses, que puxavam as coleiras. Morrendo de vergonha por ter sido flagrada paparicando o cachorro, balbuciou um rápido "Olá" e saiu, apressada.

Que desagradável! Ele não tinha cara de quem chamava os cachorros de "meus docinhos" ou os deixava subir na cama de noite para receber afagos. Era um grosseirão, mais parecido com um urso, que comprara a velha casa, a qual pertencera ao médico, e, provavelmente, deixava os pobres cães dormirem no frio, em canis. Leonie continuou andando. Ainda não dava para ela voltar ou passaria pelo sujeito, que podia achar que não merecia ser dona de um cachorro por ter dado um passeio tão curto com ele. Embora já fosse seis e meia, ela continuou a passear com Penny, que continuava a puxar a guia diante da dona, com empolgação. Dez minutos depois, Leonie percebeu que não teria tempo nem de tomar uma chuveirada, quanto mais um banho de banheira, então deu a volta, retornando à sua casa, andando o mais depressa que podia.

Quando abriu a porta da cozinha, um bafo de ar quente lhe deu as boas-vindas, e o cheiro apetitoso das batatas fritas do Luigi's fez com que se desse conta de que estava faminta. As meninas estavam sentadas à mesa da cozinha, comendo de forma delicada. Ultimamente, Mel apenas beliscava a comida. Parecia uma top model, decidida a fazer a folha de alface durar e levando até dez minutos para consumi-la. Mas, pelo menos, estava comendo, pensou a mãe. Por outro lado, Abby não demonstrava sentir a menor fome. Naquele momento, servia suco de laranja para todo mundo, enquanto ouvia Liz contar uma história enrolada sobre uma lição de casa dificílima de francês e como a sua professora deveria ser metralhada.

— Tudo bom, sra. Delaney? — perguntaram em coro Liz e Susie, interrompendo a história da aula de francês imediatamente.

— Tudo bem, meninas — respondeu Leonie, contendo o impulso de roubar uma batatinha. — Você não vai comer nada, Abby?

— Já comi, estava morrendo de fome — ressaltou ela, depressa.

— Certo, então vou deixar vocês à vontade.

Quinze minutos depois, Leonie já se encontrava a caminho em seu carro, esperando não estar com uma aparência horrível. Com certeza, Bob a imaginava como uma mulher charmosa e coberta de joias, transbordando autoconfiança. No entanto, ia se deparar com uma natureba desgrenhada, provavelmente cheirando a batata frita, suor e *eau de toilette* cirúrgica, pois a única coisa que deu tempo de fazer foi ir ao banheiro e passar uma toalha úmida no corpo. O último borrifo de Opium, definitivamente, não fora suficiente.

O China Lamp, em Shankhill, abrira alguns meses atrás, mas, ao olhar para a edificação de tijolos vermelhos, Leonie achou-a estranhamente familiar e lembrou-se de que estivera no local há séculos, quando ainda era o Punjab Kingdom. Fora até lá quando ainda era casada com Ray. Estacionou do lado de fora, saiu do carro e resistiu à tentação de se arrumar na frente do espelho. Teria que se apresentar com a maquiagem que fizera pela manhã. Era uma mulher moderna e comum que teria um encontro às escuras. Muita gente fazia isso, não havia razão para ficar nervosa.

Ao entrar no recinto, sua coragem desvaneceu-se e ela quase saiu correndo. Como faria para localizar um homem que não conhecia? Iria atrás do garçom e diria com uma voz arrastada: "Meu nome é Desirée, e estou procurando um cara desacompanhado, de jaqueta de tweed e jeans. Marquei um encontro com ele aqui. Sabe onde está?" Ela sentiu-se bastante constrangida só de pensar nisso. O que estava fazendo era ridículo. Devia estar em casa, assistindo à televisão, batendo papo com as amigas de Mel e Abby, comendo o resto das batatas fritas e lavando a louça decorrente do ataque seguinte à geladeira por parte de Danny e cia., e não ali, procurando um desconhecido.

— Leonie?

Ela piscou os olhos e focou a visão no homem à sua frente. Usava jeans, jaqueta de tweed e camisa azul-clara impecável. Ela notou que também era alto, e muito. Quando o pretendente dissera que estava ficando careca, não exagerara. Os cabelos rentes e escassos confinavam-se a uma reduzida região do couro cabeludo. Contudo, tinha um rosto simpático, com aparência cansada, mas, ainda assim, simpático. Felizmente, não parecia alguém saído de *Psicose*.

— Bob? — perguntou ela, com um sorriso forçado.

— Isso mesmo! — Ele a beijou no rosto, desajeitado. — Como estamos nos encontrando pela primeira vez, achei que ficaria muito óbvio se trocássemos um aperto de mãos, sabe, ficaria claro que a gente não tinha se visto antes — disse o pretendente, com precaução. — Vamos sentar.

Ele dirigiu-se depressa a uma mesa de canto e puxou a cadeira para Leonie, como se ansiasse vê-la confortável. Ela achou que, juntos, não pareciam nada com um casal ridículo, que se conhecera através de um anúncio de jornal. Nenhum dos dois colocara uma rosa vermelha entre os dentes nem levara um exemplar do *Time Out* debaixo do braço.

Ela sentou-se, obediente, e o garçom chegou com o cardápio. Ficou surpresa ao constatar que era o mesmo atendente que conhecera nos tempos do Punjab Kingdom. Quando ele se afastou, Leonie tentou lembrar o que se dizia ao se encontrar alguém pela primeira vez.

— Então — disse ela com animação. — É um prazer conhecê-lo, por fim. — Sabia que estava dando outro sorriso forçado.

— Igualmente — ressaltou Bob, com um sorriso similar no rosto. — Bom, vamos dar uma olhada no cardápio?

— Vamos, sim! — exclamou Leonie. Tudo era melhor que iniciar uma conversa. Ela fingiu estar concentrada nos detalhes do menu e tentou avaliar de forma sorrateira seu acompanhante. Aparentava ter uns cinquenta e poucos anos, e não quarenta e poucos; talvez isso fosse consequência do trabalho como professor. Seu cabelo estava ficando grisalho, e o rosto, bastante enrugado. Mas ela não tinha moral para falar. Todos os dias, quando se observava no espelho, percebia como seu rosto se parecia cada vez mais com um mapa rodoviário de Paris, com direito a tudo, até às vias periféricas em vermelho.

Bob tinha olhos azul-escuros amigáveis, mas meio ansiosos. Era fácil imaginá-lo, sério, à frente de uma sala de aula, tentando ensinar aos jovens os mistérios enigmáticos do... do quê?

— Você dá aula de quê? — perguntou ela, encantada por ter encontrado um assunto para conversar.

Os olhos dele se iluminaram.

— De Matemática e Física.

O sorriso de Leonie esmaeceu. Se ele houvesse mencionado Biologia ou História, a enfermeira poderia tentar levar uma boa conversa. Mas Física e Matemática... Uma visão da irmã Tomás de Aquino lhe veio à mente. A religiosa, de pé, próximo ao quadro-negro, esperava que Leonie, então com 15 anos, recitasse o Teorema 2.3. Se não lhe falhava a memória, a irmã teve de esperar um bom tempo.

— Puxa vida! — exclamara ela, impotente. — Não sou exatamente uma pessoa com o raciocínio lógico desenvolvido.

— Não se preocupe com isso — disse ele, interrompendo Leonie. — A maioria das pessoas não é. Muito menos os meninos que estou ensinando agora — ressaltou ele, fazendo uma careta. — Seja como for, não vamos falar do meu trabalho. É muito enfadonho em comparação com o seu. Minha ex sempre dizia que eu podia participar dos Jogos Olímpicos na categoria Mais Maçante quando começava a discorrer sobre o meu trabalho. Em vez disso, vamos falar do seu.

Leonie arquivou o comentário desagradável sobre a ex (namorada ou esposa?) para futura análise e começou a descrever seu dia a dia. Contou como, às vezes, um animalzinho supostamente meigo, que se segura no colo, pode dar uma mordida de uma hora para outra e se revelar o sucessor de *Tubarão*, deixando a pessoa urrando de dor. Os dois riram da situação, o que ajudou a quebrar o gelo. Logo, Bob contava histórias de Brandy, seu querido cão terrier. Era encantador e adorava comer rolinhos de figo e lamber o resto de licor Bailey's Irish Cream das taças.

— Deve ser muito fofo — disse Leonie. Se Bob tinha um cachorro, era bom sinal. Ela jamais poderia se relacionar com alguém que não gostasse de animais.

— Na verdade, não está mais comigo — acrescentou o pretendente, com um suspiro. — Ele ficou com minha ex e seu novo marido. Tem muito espaço na casa dela, e também é mais justo. Eu passo o dia fora, sabe? E ela está sempre lá, com o bebê.

— Ah!

O garçom nem imaginava que estivera prestes a ganhar um beijo por ter chegado exatamente naquela hora.

— Estamos prontos para fazer o pedido — ressaltou Leonie, animada.

— Ainda não sei o que vou querer — disse Bob, agitado.

O garçom começou a se afastar.

— NÃO! — exclamou Leonie, em voz alta. — Já vamos decidir, e não vai demorar nada. — A escolha dos pratos serviria ao menos para esfriar a conversa a respeito dos ex-companheiros.

Mas a tentativa não deu certo, pois Bob não chegou a ser persuadido. Obviamente, partindo do princípio de que uma namorada nova tinha de saber tudo sobre seus envolvimentos anteriores, ele julgou ter a obrigação de contar a Leonie tudo que fosse relacionado a Colette. Na hora em que o garçom trouxe o pato grelhado, Leonie já sabia mais a respeito de Colette do que do próprio Bob. Ela também era professora, mas interrompera a carreira para ter o primeiro filho. Morava em Meath, estava fazendo um curso de aromoterapia nas horas livres e tinha facilidade para tocar violino, mas não continuara os estudos.

— Mas não acha que está na hora de pensar em você? — questionou Leonie, já saturada do pato e de Colette. — Por isso estamos aqui, Bob. Para pensarmos no nosso futuro. — Ela o encarou, sincera, do mesmo jeito que fazia quando tinha de explicar a uma criança, na sala de cirurgia, que os bichos de estimação eram uma grande responsabilidade e que era preciso tomar conta deles, não bastava abraçá-los de vez em quando e depois jogá-los em uma gaiola suja.

— É verdade — admitiu Bob, com arrebatamento, como se estivesse acostumado a passar horas a fio refletindo a respeito da ideia de levar a vida adiante. — Dar um passo à frente, encontrar outras pessoas que saibam o significado da solidão: a dor, a mágoa, as noites insones. Posso ver que você sabe do que eu estou falando, Leonie — acrescentou ele, acaloradamente, enquanto percorria com os olhos a túnica de veludo roxo dela, que deixava os seios mais volumosos. — Você parece ser muito compreensiva.

Leonie assentiu com a cabeça, perguntando-se se ele esperava que esse tipo de compreensão significasse que ela aconchegaria a cabeça dele entre seus seios, e a deixaria ali, à vontade. Provavelmente sim. Colette fora escolhida para o papel da companheira perfeita que partira, e ela seria a substituta de toque maternal, que daria a Bob um pouco de carinho e aliviaria sua angustiante solidão.

— Não é todo mundo que entende a dor de ser descartado e abandonado, apenas porque a pessoa deixou de ser como era antes — disse Bob, fitando as sobras do jantar. — As pessoas mudam, eu sei disso agora, mas o casal pode fazer isso junto. Pode ser um desafio, mas não é impossível. Só é preciso que o parceiro dê a oportunidade.

— Você quer dizer que Colette não lhe deu a oportunidade? — indagou Leonie, desistindo de levar adiante qualquer diálogo que não tocasse no nome da outra.

Ele sacudiu a cabeça, com tristeza.

Leonie suspirou. Estava claro que Bob não precisava de uma parceira e sim de um grupo de apoio do tipo: Associação de Descartados e Ansiosos para Desabafar. O pretendente concluíra erroneamente que uma loura divorciada voluptuosa pertencia ao mesmo âmbito emocional e, por esse motivo, respondera ao anúncio. Não estava à procura de amor. Já *era* apaixonado por Colette.

O único aspecto positivo da devastação emocional de Bob era que ele tinha deixado de ficar tão nervoso. Leonie percebeu que, enquanto ela se sentia um pouco apreensiva diante da perspectiva de ser flagrada em um encontro às escuras, Bob estava quase histérico. Cada vez que um garçom entrava em seu campo de visão, ele estremecia, como se todos os membros do conselho de pais fossem surgir do nada e dizer para ele que encontros escusos não eram um bom exemplo para mentes jovens e impressionáveis.

Enquanto comia, displicente, mais um canapé de camarão, Leonie perguntou a si mesma o que ele estava fazendo ali. Os dois até chegaram a conversar sobre os outros supostos passatempos de Bob: ir ao cinema e escalar montanhas.

— Não sou muito de fazer escaladas, mas saio para passear com Penny todos os dias. Adoro ir ao cinema, também, só não tenho companhia porque minha mãe prefere ir ao teatro e as crianças só querem assistir a filmes de James Bond ou de atores novos, que não conheço.

— Podemos combinar de ir juntos — comentou Bob, parecendo satisfeito. — O que você acha de sairmos no mesmo horário na semana que vem? Você escolhe o filme.

Pelo menos já teria um encontro, por mais chulo que fosse, na semana seguinte, pensou Leonie, enquanto dirigia para casa, empanzinada de comida chinesa e ainda assim, sentindo-se vazia. Bob certamente não correspondia ao que buscava, mas podia ser um novo amigo. Não era o eterno conselho das colunistas de revistas? "Conheça novas pessoas, faça novos amigos e, quando menos esperar, encontrará um companheiro." Palavras que, teoricamente, tinham lógica.

Que noite estranha! Ela se deu conta de que até sobre Ray conversara. Na verdade, quando se estava com uma pessoa que adorava discutir relacionamentos fracassados, ficava difícil deixar de contribuir com sua experiência pessoal. E Bob mostrara-se realmente interessado, apesar de surpreso, ao saber que ela havia encorajado o fim do casamento.

— Você simplesmente concluiu que estava tudo acabado? — perguntara ele, chocado.

Leonie dera de ombros.

— Por que haveríamos de continuar casados, se não combinávamos um com o outro? — questionara ela. — Muita gente se acomoda por pura conveniência, apenas para ter alguém ao seu lado. Não dá para entender. É como desejar algo secretamente e, ao mesmo tempo, ter medo de concretizá-lo. Isso não é amor, e sim medo do desconhecido. Eu não poderia levar uma vida dessas. Tenho convicção de que existe uma pessoa perfeita para cada um de nós, em algum lugar.

Bob a fitara com um olhar tão inexpressivo que ficara óbvio que ele não a estivera acompanhando. Na verdade, nem a mãe conseguira compreendê-la, pensou Leonie, enquanto estacionava o carro do lado de fora do chalé. De vez em quando, Claire, que normalmente só tomava suco de laranja, bebia umas taças de vinho e começava a repreender a filha por ter se divorciado.

— Você nunca mais vai encontrar um homem como Ray — dizia ela, com tristeza.

Leonie deu graças a Deus por não ter contado a Claire que teria um encontro às escuras. Com certeza, Bob não era como Ray — um homem para casar, em outras palavras.

O bom humor de Mel parecia ter desaparecido quando Leonie chegou em casa.

— Danny é um babaca — disse ela, com raiva, vindo da sala de jantar antes que a mãe tivesse tempo de tirar o casaco.

— Não use esse tipo de palavreado, Melanie — pediu Leonie, cansada. — O que é que ele fez dessa vez?

— Passou a noite vendo vídeos, e a gente não pôde ver *ER* com Liz e Suzie — lamuriou-se Mel. — Além do mais, deixou os amigos fumarem dentro de casa — acrescentou ela, triunfante.

— Dá para você calar essa boca? — bramiu Danny, que estava escutando tudo da sala de TV.

— É verdade, você deixou seus amigos fumarem mesmo! — vociferou Mel.

— Pode crer, e você é a dona Certinha, que torceria o nariz se lhe oferecessem um cigarro, não é?

Na mesma hora Mel calou a boca. Leonie deduziu que a filha devia estar fumando também. Isso teria que acabar. Mel não receberia um tostão de mesada se começasse a fumar. Mas essa discussão ficaria para a manhã seguinte. Leonie não tinha mais condições de tratar disso naquela noite.

— Vocês vão parar com esse bate-boca agora — disse a mãe, com firmeza. — Não estou com paciência para isso. Parem de agir como crianças.

Abby estava na cozinha com Penny e deu um sorriso radiante quando a mãe entrou no recinto.

— Isso mesmo, mãe. Os dois estão brigando desde que você saiu. Quase telefonei para a vovó e pedi para ir pra casa dela. Queria ficar longe dessa confusão. Ah! E Hannah telefonou e pediu que você ligasse de volta quando chegasse. — Os olhos de Abby brilharam, maliciosos. — Eu não contei que você disse que ia sair com ela e Emma.

— Eu vou te contar um segredo, mas tem que prometer que não vai falar para ninguém.

— Mãe! — exclamou Abby, sentida. — Você está careca de saber que eu sei guardar segredo.

— Eu sei disso. — Abby era capaz de levar um segredo até o túmulo. Sua irmã gêmea, ao contrário, prometia não contar nada, mas não conseguia fazê-lo por mais de um dia. Leonie não gostava de pedir que ela deixasse de contar detalhes à irmã, mas sabia que Abby ficaria contente se a mãe arranjasse um namorado e que Mel não sentiria o mesmo. Caprichosa e mandona, esta gostava de ser o centro das atenções. Não lidaria bem com o fato de ter que dividir a afeição da mãe com mais ninguém, mesmo que esse alguém fosse Bob.

— Saí para jantar com um homem. Hannah marcou o encontro com um amigo dela — revelou, de improviso. — É uma ótima pessoa, e minha amiga achou, com razão, que poderíamos nos dar bem. Só que ficamos apenas amigos. Vamos ao cinema na semana que vem, mas nunca seremos nada além disso.

— Você ainda ama o papai? Por isso que nunca arrumou um namorado? — perguntou Abby, de repente.

Foi como se Leonie tivesse levado um soco no estômago. — É isso que você acha? — indagou a mãe. — Que eu gosto tanto de seu pai que fiquei triste por ele ter encontrado Fliss?

A menina calou a boca com medo de dizer algo errado, mas concordou com a cabeça.

— Não é nada disso, querida — disse Leonie. — Estou feliz por Ray ter encontrado alguém e não gosto dele da forma que está pensando. Adoro seu pai, mas como amigo e pai dos meus filhos, e isso é tudo. — Deus do céu, pensou ela, perplexa. O que mais poderia dizer à filha para convencê-la de que não estava com o coração despedaçado por causa do casamento de Ray e Fliss? — Não fiquei triste por causa do casamento...

— Mas deu a impressão de ter ficado arrasada — deixou escapar a filha.

— Dei mesmo?

Abby concordou com a cabeça.

— É que fiquei chocada, nada mais — explicou Leonie, com dificuldade. Devia ter dado uma péssima impressão no dia em que os filhos chegaram dos Estados Unidos. Achou que tinha disfarçado bem, mas, pelo jeito, não tinha. — Não quis namorar ninguém enquanto vocês estavam pequenos. Não dava para pensar em homens e ao mesmo tempo cuidar de vocês. — Ela estendeu a mão e acariciou Abby.

— Quero ver você contente — disse a filha, com o rosto abatido. — Se o papai está feliz, quero que você também se sinta assim. Esse homem que você conheceu hoje é legal?

Pela primeira vez desde que a conversa extenuante começara, Leonie sorriu com espontaneidade.

— É legal, mas não é nenhum Brad Pitt.

Abby caiu na risada.

— Mel ia matar você se fosse.

— Na verdade, ele é professor, e eu o achei simpático. Mas creio que o máximo que vai acontecer é irmos juntos ao cinema. Ainda assim, é bom fazer novos amigos. É cansativo sair todas as vezes com os conhecidos de vinte anos atrás, da época de Ray.

— Papai disse que ia adorar se você fosse ao casamento — enfatizou Abby.

Leonie ficou atônita.

— É muito amável da parte dele, mas... não acho uma boa ideia.

Abby não terminara. Visto que abordara o assunto, estava decidida a ir até o fim. — A gente teve uma longa conversa no dia em que Fliss levou Mel para fazer compras. Ele perguntou de você. Queria saber se estava bem. Disse que nunca esteve tão feliz.

— Que ótimo! — exclamou Leonie, desanimada. — E é claro que estou feliz também, Abby. Tenho vocês três, Penny e Clover. Não preciso de um homem para me alegrar, você sabe disso. Sua avó vive sozinha e está muito satisfeita, não está?

— A vovó é diferente, não precisa de ninguém.

Leonie concluiu que o que a filha dissera era verdade. Claire era uma daquelas pessoas que curtia a solidão, satisfazendo-se com a companhia de seus amados gatos. De quando em vez, aparecia na vida da filha, o que fazia com o maior prazer. Tomava uma xícara de chá com ela e depois voltava para seu santuário. Era uma pessoa solitária, e Leonie gostaria de ter herdado esse traço.

— Uma noite dessas eu estava imaginando como vão ficar as coisas quando eu, Danny e Mel formos embora e você ficar apenas com Penny — disse a filha. — Vai se sentir sozinha, mãe. Eu sei que vai.

— Abby. — Leonie beijou a filha na testa. — Isso ainda vai demorar muito. Não vamos nem pensar na época em que já não estarão aqui, está bem? Agora é melhor ir para a cama, querida. Amanhã é dia de aula, apesar de, pelo visto, sua irmã ter se esquecido disso.

Enquanto Abby saía para chamar a irmã para dormir, Leonie sentou-se à mesa da cozinha e telefonou para Hannah, que pediu mil desculpas por ter ligado quando ela estava fora.

— Já eram onze horas quando telefonei e pensei que já estivesse em casa. Deve ter valido a pena — acrescentou ela com um tom de voz cheio de cumplicidade.

— Bom... isso depende do que você quer dizer com "valer a pena" — ressaltou Leonie.

— Ah.

— "Ah" mesmo. Vamos definir a situação da seguinte forma: se eu fosse você, não esperaria encontrar um convite de casamento debaixo do seu capacho tão cedo.

— Bom, não imaginei que você estivesse procurando um vestido branco, mas imagino que Bob não seja a resposta às preces de uma solteira sonhadora.

— Só se a solteira em questão fosse uma psiquiatra especializada em trauma pós-separação à procura de um tema para a sua tese de doutorado.

— Você está de brincadeira!

— Bem que eu queria. O homem é gentil e educado, mas obcecado pela ex-mulher. No nosso próximo encontro, já sei que vou ver uma fotografia dela — brincou Leonie.

— Então você marcou outro encontro com ele!

— Não exatamente. Vamos só ao cinema. Provavelmente um filme sueco em preto e branco — ressaltou ela, dando de ombros. — Mas ao menos vou sair desta casa.

— Ligue para o próximo cara da lista — sugeriu Hannah.

Leonie negou com a cabeça e, em seguida, lembrou-se de que estava ao telefone e a amiga não podia vê-la.

— Acho que já chega de encontros às escuras por ora — salientou ela. — Um passo de cada vez.

— Leonie, você não pode retroceder agora — protestou Hannah. — Pense nos outros que responderam ao anúncio. Pode ter um incrível, o sr. Maravilha em pessoa, esperando que algo aconteça na vida dele.

— O sr. Maravilha pode esperar — disse Leonie, com firmeza. — Preciso de um tempo para me recuperar de meu primeiro encontro com Bob. Quem sabe — acrescentou ela, mesmo sabendo a resposta — *ele* não se tornará o sr. Maravilha. Talvez só precise de tempo.

— De tempo para fazer análise, isso sim! Está bem, você venceu. Não vou falar mais nada sobre o próximo pretendente, mas não vou ficar calada para o resto da vida. Não quero que o romance do século tarde a acontecer e vou pegar no seu pé até que se torne realidade!

Hannah foi se deitar e começou a folhear sua cópia de *Aprendendo sobre propriedades: O seu guia imobiliário.* David James tinha lhe dado o material e ela já lera a metade, consumindo-o com avidez para aprender o máximo possível sobre sua nova profissão. No entanto, depois de falar com Leonie, não conseguiu mais se concentrar.

Leonie era uma grande contadora de histórias. Conseguia fazer com que os casos mais idiotas se tornassem hilários, ainda mais se estivesse sendo autodepreciativa. Sua versão do encontro com Bob tornou-se clássica; Hannah pensou que era uma pena ele não ter dado certo. Leonie merecia um cara legal. Como Felix. Ela largou o livro, abraçando os joelhos com as mãos. Felix, Felix, Felix... Até seu nome era emocionante. Que cara incrível, carismático e talentoso. Bastava imaginar uma qualidade, e ele a tinha. Não havia palavras suficientes para definir todos seus pontos positivos.

Além disso, era ambicioso como ela, uma das coisas que tinham em comum.

— Você parece minha cara-metade — murmurara ele apenas uma noite antes. Estavam deitados na cama dela, Felix no lado em que Hannah normalmente dormia, esparramado no lençol recém-trocado e com o corpo nu convidando-a a acariciá-lo. — Estamos na mesma sintonia, Hannah: você quer conquistar o mundo, e eu também. É uma obsessão perigosa. — Ele ficara brincando com o cabelo dela, fazendo cachinhos com os dedos longos e delicados. — E não sou fanático apenas pela minha carreira. Também sou louco por você, sabia? — enfatizara, com os olhos escuros pensativos.

Hannah tivera medo de falar e quebrar o encanto. Seria errado dizer que era louca por ele também, mesmo sendo verdade. Não conseguia pensar em mais nada. Fora um milagre ter conseguido trabalhar nos últimos dias, visto que ficara o tempo todo sonhando acordada com Felix. Na realidade, não conseguia entender como, do dia para a noite, deixara de ser desconfiada e precavida só por causa dele. Caso se encontrasse com Emma e Leonie, então, as amigas não a reconheceriam: a mulher adorável que costumava ter tudo sob controle, passara a tremer nas bases se Felix simplesmente olhasse de esguelha para ela. A Dama de Ferro havia se transformado em uma mulher apaixonada e estava adorando sentir-se assim.

Felix sentara-se na cama e inclinara-se em direção a ela, o olhar lascivo percorrendo sua nudez.

— Você é muito sexy — dissera ele baixinho, com um timbre harmonioso e profundo.

Como de costume, Hannah tivera a sensação de estar derretendo por dentro. Nunca conhecera alguém com uma voz tão sensual. Imaginara como ele seria no palco, com seu tom potente e ressonante alcançando a última fileira, e fascinando todos os espectadores.

— Adoraria ver você no palco — deixara escapar ela.

— Não tenho trabalhado em peças ultimamente — informara, enquanto, com os dedos, traçava figuras no ombro nu da parceira. — Prefiro fazer cinema. Se a série televisiva der certo, posso finalmente ficar famoso, querida. E se eu fizer sucesso, você vai comigo para Londres?

Hannah ficara em silêncio. Não acreditava no que ele havia dito. O estilo de vida de Felix exigia que fosse um espírito livre. Tendo isso em mente, ela vinha tentando manter uma relação desprendida. Nunca esperava que ele a procurasse de novo e encarava cada telefonema de seu novo amante como um bônus extra. Imaginara que ele não suportaria uma mulher que ficasse grudada nele. E então lá estava ele, fazendo planos para o futuro. Ela sabia que precisava tomar cuidado. O amor podia machucar muito mais que o ódio. Hannah tinha medo de se tornar íntima demais de Felix. Depois que se entregasse a ele de corpo e alma, poderia ser descartada.

— Fico feliz em ouvir isso, mas nunca imaginei que nossa relação se tornaria permanente — respondera ela, escolhendo as palavras com cuidado. — Eu não poderia pensar em nada mais maravilhoso do que morar com você, Felix, mas a gente tem os próprios sonhos e expectativas e não quero amarrar ninguém.

Ele encostara a cabeça no ombro dela, passara a língua por sua pele e, em seguida, beijara-a com ardor.

— É por isso que gosto tanto de você, Hannah. Você é independente e dona do próprio nariz — enfatizara ele, ao afastar os lábios dos dela. — Isso me faz sentir diferente, revigorado. Somos feitos um para o outro, querida. Você é a mulher ideal para mim. Um artista precisa de uma companheira forte como você e não de uma dona de casa qualquer, que entra em crise nervosa, toda vez que ele faz uma cena de amor com a atriz principal. Você é a estrela, Hannah.

Felix lhe dera um sorriso triunfante, ao qual ela correspondera, agradecendo a Deus por não ter estragado tudo, desmanchando-se toda só de imaginar que viveria com ele. Felix gostava de mulheres autossuficientes, que mantinham tudo sob controle, e considerava Hannah Campbell uma delas. Não cabia a ela o papel da mulher que pegava no pé e ficava louca de ansiedade por causa do parceiro bonitão. Forte e Independente eram seus sobrenomes. Ela deslizara a mão sob o edredom, encontrando o tórax musculoso de Felix.

— Cem abdominais por dia — contara ele, orgulhoso, na primeira vez que ela elogiara seu físico. Tábua era apelido. Mas, naquela noite, Hannah não estivera interessada naquilo.

— Você está com uma pistola no bolso ou só feliz em me ver? — sussurrara ela, descendo ainda mais a mão.

— Não tenho bolso nenhum — ressaltara o amante, com a voz rouca. — Mas, com certeza, olhar para você me dá muito prazer.

* * *

— A noitada foi boa, hein? — perguntou Gillian, com nervosismo, quando Hannah chegou ao trabalho na manhã seguinte, ainda radiante por causa da noite maravilhosa. Estava descansada, pois Felix lhe dissera que precisava dormir bem.

"Minha pele fica horrível quando não tenho uma boa noite de sono", dissera ele, desculpando-se, quando pedira que ela apagasse as luzes à meia-noite. No entanto, eles recuperaram o tempo perdido no amanhecer, quando acordaram e tiveram novos momentos eróticos. Era inacreditável o que aquele homem podia fazer com aquela boca impecável, feita para aparecer na TV... Hannah soltou um suspiro.

— Foi muito boa, sim — respondeu ela a Gillian automaticamente, ignorando a malícia contida na pergunta. — Me conte as novidades, Leonard melhorou do resfriado?

Hannah tinha descoberto que Gillian gostava de bater papo e de falar sobre problemas de saúde pela manhã e adorava quando os colegas se mostravam interessados, fazendo-lhe perguntas. Do contrário, sentava-se a sua escrivaninha pelo resto do dia, com a cara fechada e ressentida, desconsiderando friamente qualquer comentário simpático. Em poucos dias, Hannah concluíra que um pouco de conversa logo cedo na Dwyer, Dwyer & James tornava o ambiente mais aprazível.

— Queria ter gravado o seriado inspirado em Jane Austen que passou na BBC ontem, mas saí de casa e acabei me esquecendo. Você chegou a ver, Gillian?

— Para ser sincera, eu prefiro documentários — respondeu Gillian, com desdém. — Ele estava passando na TV, mas eu não prestei atenção — acrescentou ela, começando, então, a descrever minuciosamente o primeiro capítulo do seriado de época.

Enquanto a colega falava, Hannah aproveitou para deixar sua escrivaninha pronta para as tarefas do dia. O movimento aumentara muito nos últimos tempos na imobiliária. "Essa agitação toda vai diminuir com o fim da alta temporada", comentara David James. Agitação ou não, Hannah precisava de um novo fotógrafo, com urgência. O atual tinha a capacidade de fazer uma mansão gloriosa, cercada de jardins e valendo milhões de libras esterlinas, parecer um sobrado precisando de reformas. Não ia mudar, e Hannah estava determinada a se livrar dele antes que o novo fluxo de clientes começasse a procurar outras imobiliárias. Obviamente, fotografias malfeitas só davam certo quando as pessoas iam visitar as residências e descobriam que a casa que pensavam ser horrorosa era ótima e cheia de potencial. Mas as imagens péssimas se tornavam um empecilho quando os clientes não queriam nem ir ver as casas. Ele tinha que ser demitido, e pronto. Naquele dia, faria ligações em busca de um substituto.

— Aonde é que você foi ontem, se não estava em casa vendo TV como as demais mortais? — indagou Gillian, maliciosa, fingindo tirar poeira do tampo da escrivaninha.

— Fui dar uma volta. — Nem passou pela cabeça de Hannah contar para Gillian, a fofoqueira, que vinha saindo com um ator. Mas cedeu um pouco ao ver a expressão contrariada no rosto da colega. — Com umas amigas. Nós fomos jantar num restaurante indiano. — Na verdade, ficara em casa com Felix; os dois tinham pedido essa comida típica da Índia, mas ela não podia contar a Gillian que seu namorado lambera um pouco do molho raita, à base de iogurte e pepinos, que derramara sobre os seus mamilos, já que eles estavam jantando nus.

— Não suporto comida indiana — comentou a colega.

Tenho certeza que mudaria de ideia se o prato fosse servido num deus sensual e louro de 1,83 metro, pensou Hannah, sorrindo enigmaticamente.

Ao meio-dia, ela já havia contatado quatro profissionais e agendara visitas ao escritório para que eles apresentassem seus portfólios. Demitiu o fotógrafo que trabalhava para a empresa e contratou um temporário para substituí-lo.

— Você não pode fazer isso comigo — dissera ele, furioso ao telefone, quando Hannah, polida, ligara para informar-lhe que ele teria de cumprir o aviso prévio. — Trabalho há muito tempo para o seu chefe. Vou passar por cima de você e vai ser demitida, sua desgraçada! Não pode me dispensar!

— Na verdade, posso — ressaltara Hannah, com calma. — Você trabalha para nós como freelancer, o que significa que nem precisaria de aviso prévio. Fiz isso em respeito ao longo tempo que nos prestou serviço. Não seria necessário. Se quiser, pode ligar para o chefe. Mas vai ver que essa é uma decisão definitiva.

— Assim... do nada? — vociferara ele. — Nunca imaginei que seriam capazes de fazer isso comigo. Quando penso no tanto que trabalhei para essa firma, enfrentando o mau tempo para fazer com que uma espelunca nojenta parecesse habitável, fica difícil aceitar que estou sendo descartado por uma presunçosa, que provavelmente transou com alguém para conseguir o cargo que ocupa. Ou será que arranjou um namorado e quer colocá-lo no meu lugar? É isso, então? Puro e simples nepotismo.

Aquilo bastara para Hannah. — Se você não previu que seria demitido, então deveria estar em outro planeta — ressaltara. — Desde que essa filial entrou em processo de revitalização, tenho ligado para você, reclamando das suas fotos mal enquadradas. Lembra-se da casa em Watson Drive? Você teve que voltar lá duas vezes por causa das péssimas fotos que tirou. Da primeira vez, a residência ficou totalmente fora de foco. Não dava para ver onde a casa terminava e a garagem começava. Os proprietários pensaram até em procurar outra imobiliária e só não o fizeram porque oferecemos um desconto nas taxas e prometemos tirar novas fotos, até que ficassem satisfeitos. Só assim continuaram com a gente. Você deveria ter imaginado que não estávamos satisfeitos com seu trabalho. E para seu conhecimento, não estou demitindo você para colocar uma pessoa da família no seu lugar. Tenho quatro candidatos para serem entrevistados amanhã que estão loucos para ocupar o seu posto. Como gerente do escritório, eu tenho a obrigação de deixar as coisas funcionando perfeitamente. Se você estivesse trabalhando direito, não teria perdido o emprego. Passe bem.

Ao desligar o telefone, percebeu que David James e metade dos funcionários a estavam encarando. Gillian parecia ultrajada. David estava com uma expressão divertida, os olhos escuros reluzindo ao fitá-la, e a boca, normalmente séria, curvando-se em um sorriso.

— Muito bem — comentou ele. — Você demorou até demais para tomar essa decisão. Os retratos dele são tão escuros que quase podem ser considerados arte moderna.

Hannah esboçou um sorriso tímido. — Ninguém gosta de demitir as pessoas, mas tem que ser feito se quisermos que a empresa volte a crescer — disse ela, com seriedade. Era a primeira vez que tomava essa decisão, mas seus colegas não precisavam saber disso.

Ela podia ter vindo de uma família em que as pessoas eram acostumadas a receber ordens, e não a dá-las, mas Hannah estava decidida a ocultar esse fato. Sabia ter condições de se comportar como os membros de uma classe privilegiada com a maior naturalidade.

O telefone tocou e Hannah sobressaltou-se, pensando se tratar de Felix, mas era David James que estava na linha. — Você pode vir até meu escritório? — perguntou.

Ele examinava um arquivo sobre a mesa, e Hannah teve a estranha sensação de que estava longe dali. Parecia distraído, até mesmo cansado, algo muito incomum. Era um homem tão cheio de energia, a ponto de Hannah imaginar que se faltasse luz, ele iluminaria o ambiente com a própria aura. Mas, naquele dia, estava com olheiras e novas rugas se formavam em seu rosto de traços marcados. Sua aparência era a de alguém que passara a noite em claro com uma criança doente, mas ela sabia que ele não tinha filhos.

Gillian sempre falava da ex-mulher de David, com quem ele tivera uma estreita relação tensa. De acordo com a rede de inteligência monitorada pela colega, eles estavam separados havia alguns anos, mas não eram divorciados. O chefe ainda a amava, insistia em dizer a fofoqueira, mas não era correspondido. Apesar de a maioria das fofocas de Gillian parecer muito exagerada, aquela fazia sentido; do contrário, por que um homem lindo e inteligente como David ainda estava solteiro?

Hannah ficou imaginando se a vida amorosa infeliz o estava deixando abatido ou se era algo relacionado ao trabalho. No entanto, não cogitou em sondar. Qualquer coisa que não envolvesse trabalho era tabu entre os dois, mesmo considerando a boa relação que mantinham.

Trataram rapidamente do perfil do fotógrafo que buscavam e, no final da conversa, Hannah continuou sentada.

— Posso ajudar em mais alguma coisa, David? — perguntou ela, convicta de que o chefe ainda tinha um assunto para discutir.

— Não, Hannah, isso é tudo. — Ela levantou-se, graciosa. — Para falar a verdade, pode sim. — Ele parecia pouco à vontade. Começou a brincar com a caneta enquanto falava. — Sei que isso não me diz respeito, mas fiquei sabendo que está saindo com Felix Andretti.

Hannah olhou para ele. Fora pega de surpresa pelo comentário tão pessoal.

— Você não tem nada a ver com isso, David — disse ela, formal. — Mas é verdade, estou me encontrando com ele. Está prejudicando meu trabalho, de alguma forma?

David suspirou. — É melhor você descer do pedestal, Hannah — disse ele com exasperação. — Não estou querendo dar uma de chefe implacável e, além disso, não existe nenhuma lei que proíba você de sair com amigos meus. Apenas fiz uma pergunta. Encontrei algumas vezes com o Felix, recentemente, e ele não tocou no assunto.

Hannah o fitou. Que estranho! Felix não tinha dito nada a ela sobre ter estado com ele. E mais esquisito ainda era o namorado não haver mencionado nada a seu respeito para David; talvez tivesse preferido não fazer comentários, para o bem dela.

— Foi um produtor de cinema amigo meu que me contou que ele estava saindo com você. Fiquei surpreso, só isso. Não achei que Felix fosse seu tipo. — David ergueu o olhar e encarou-a. A expressão em seu rosto era, como sempre, indecifrável. Donna sempre dizia que ele devia ser um excelente jogador de pôquer. Não dava para imaginar o que estava pensando por trás daquela fachada fria e distante.

— Fica difícil traçar um perfil do tipo de pessoa de que a gente vai gostar — comentou Hannah, evasiva, tentando parecer calma, apesar do turbilhão de emoções que se apoderara dela, ao saber que seu amor secreto fora revelado. Seria possível que Felix encontrara com seu chefe e não comentara nada com ela? O que mais estaria escondendo dela? Era tão enigmático, fazia tanta questão de deixar partes de sua vida envoltas em mistério.

— Claro que fiquei contente em saber da novidade — salientou ele, lenta e dolorosamente, como se estivesse arrancando um dente. — Só fiquei preocupado com você, e nada mais. É minha melhor funcionária, e não quero que fique com o coração partido porque sem querer eu apresentei um...

Hannah, por fim, percebeu aonde ele queria chegar. — Porque você me apresentou sem querer para um o quê? — quis saber, aborrecida, quando ouviu a crítica implícita.

A expressão no rosto de David era impenetrável enquanto pressionava a ponta da caneta contra a mesa até deixar uma marca.

Ele deve estar odiando fazer isso, pensou Hannah de repente, notando como o chefe estava tenso. Todos os músculos de seu rosto estavam contraídos. Era óbvio que não gostava de se envolver em assuntos pessoais, mas ele tinha algo de conservador que fazia com que se sentisse na obrigação de ajudar seus funcionários. Chamá-lo de vitoriano era pouco.

— Alguém com a reputação de ser um playboy inveterado — disse David, finalmente, como se tivesse sido nuito difícil escolher as palavras certas.

— Já estou bem crescidinha, David, e sei cuidar de mim mesma — ressaltou Hannah, sendo conclusiva. Para ela, a conversa acabava ali. — Mais alguma coisa?

David negou com a cabeça, olhou para ela por um breve momento e voltou a se concentrar em seus papéis.

O resto da manhã transcorreu com rapidez. Hannah tentou não pensar no fato de que Felix se encontrara com David e não dissera nada. Tinha certeza de que não fora de propósito.

Descartando o pensamento de que Feliz era dissimulado, começou a planejar o jantar daquela noite. Felix viria após o primeiro dia de filmagem em Wicklow. Hannah dissera a ele que em vez de pedirem pizza, ela iria cozinhar, apesar de ficar nervosa só de pensar que prepararia algo além de peito de frango regado a um molho comprado pronto.

Normalmente, ela ficava fora do escritório durante todo o horário de almoço, preferindo comer um sanduíche lá mesmo antes de fazer uma breve caminhada de dez minutos e desanuviar a mente para o turno seguinte. Mas, naquele dia, assim que deu uma da tarde, ela saiu, sorrateira, e foi até a rua principal de Dun Laoghaire, a fim de providenciar algo especial para o jantar. Decidiu que compraria uma boa garrafa de vinho e passou os olhos pela vitrine da loja de bebidas, perguntando-se se o mais caro seria também o melhor. David com certeza sabia comprar vinho, pensou ela, enquanto olhava distraída para as estantes de bebidas. Pensara em pedir seu conselho mais cedo, porém, após a estranha conversa da manhã, não cogitaria uma coisa dessas. Pensando no comentário do chefe de que ela não sabia cuidar de si mesma, odiaria mostrar sua falta de savoir-faire no quesito vinho. Não, preferia perguntar ao atendente da loja.

— Não entendo muito de vinhos, mas gostaria de comprar um tinto espanhol... — Tentou se lembrar do nome do vinho que Felix escolhera da primeira vez em que saíram para jantar. Com certeza, espanhol. Mas a pronúncia de Hannah era horrível. — Marquês de...? — perguntou, com hesitação, achando que havia pronunciado o nome completamente errado.

— De Caceres — acrescentou o homem da loja, confiante.

Admitir que não entendia de um determinado assunto era novidade para ela, mas havia funcionado, decidiu Hannah, enquanto caminhava de volta ao escritório, carregando uma torta à provençal, duas garrafas de vinho e uma porção do caríssimo presunto de Parma. Tinha certeza de que Felix ficaria impressionado. Não sabia mesmo cozinhar. No tempo em que vivera com Harry, eles sobreviviam à base de frango preparado com molho pronto ou pediam comida pelo telefone.

"Basta pressionar o botão de rediscagem do telefone e você vai falar com o Kung Po Palace", costumava brincar Harry. Ele achava engraçadíssimo contar isso às pessoas. Mas Harry também não era nenhum grande cozinheiro. Para ele, preparar comida caseira significava colocar as embalagens de alumínio no forno e reaquecê-las quando chegava em casa.

Por outro lado, Felix havia dito a Hannah que adorava cozinhar. "Em breve vou preparar um bife à parmegiana para você", prometera ele. Ela ansiava por esse momento. Enquanto isso, mostraria ao namorado que entendia de culinária, mesmo que não fosse exatamente verdade. A torta à provençal viera pronta da delicatéssen, mas Felix não precisaria saber disso.

Durante a tarde, Hannah ficou tão ocupada que mal teve tempo de pensar no namorado, mas, de vez em quando, ele lhe vinha à mente. Às seis e meia ela já estava em casa, cantarolando, enquanto arrumava despreocupadamente os lírios em seu vaso de vidro. Colocou o CD de *Carmen*, serviu uma taça de vinho para si mesma e foi preparar o jantar. Felix havia dito que chegaria no máximo às sete e meia.

Às oito, as pontas das fatias de presunto de Parma começaram a enrugar, já que estavam descobertas sobre a mesa cuidadosamente posta, e Hannah resolveu colocar os pratos de volta na geladeira. Serviu-se de mais vinho e ficou esperando.

Quando deram dez horas, ela comeu sua porção da refeição, com apatia, e começou à assitir a segunda metade de *Tudo por uma esmeralda*. Já vira o filme tantas vezes que não precisava assistir aos primeiros 45 minutos para saber o que aconteceria. Enquanto via o filme, inadvertidamente prestava atenção ao possível som de passos vindo do lado de fora de casa. Uma das lajotas do piso da entrada do prédio fazia um barulho inconfundível quando alguém pisava nela e, até mesmo de seu apartamento, no primeiro andar, Hannah ouvia quando alguém se aproximava do condomínio em estilo vitoriano, com fachada de tijolos vermelhos. Ela sentou-se, sobressaltada, quando alguém pisou na lajota às dez e meia, mas afundou de volta na poltrona, desanimada, ao perceber que se tratava do casal do apartamento do térreo chegando em casa e fazendo barulho. A garrafa de vinho já havia acabado quando Michael Douglas e Kathleen Turner se beijaram no novo iate que estava sendo rebocado pelas ruas de Nova York. Hannah desligou a televisão, jogou o jantar de Felix no lixo e foi dormir. Não saberia dizer por que fora para a cama, pois ficou deitada no escuro, de olhos abertos. Não conseguia dormir, mas ir para a cama era algo automático, como levantar no dia seguinte e ir trabalhar.

Ninguém na Dwyer, Dwyer & James percebeu que os olhos cor de caramelo de Hannah, normalmente tão cheios de vida, estavam embotados. Ela fez questão de não demonstrar nada. Falou de amenidades com Gillian, entrevistou quatro fotógrafos com seu jeito polido e chegou até a comer um sanduíche de atum com Donna Nelson na pequena lanchonete ali perto. Conversou, deu risada e trabalhou, tudo com o piloto automático ativado. Mas por dentro estava furiosa não apenas consigo mesma, por ter sido tão idiota a ponto de confiar de novo em um homem, como também com Felix, por tratá-la tão mal. Se o visse mais uma vez, iria matá-lo, era melhor que isso não acontecesse.

Hannah não era a única pessoa no escritório a demonstrar extremo mau humor. David James estava em péssimo estado de ânimo.

Chegara até a gritar com Steve Shaw por ter perdido uma venda e, mais tarde, as vidraças de sua sala reverberaram por causa dos berros que ele dera com alguém ao telefone, o que não costumava fazer. Hannah sabia bem como David James estava se sentindo. Podia até ter gritado junto.

Quando ele abriu a porta de seu escritório e pediu café "imediatamente", aos berros, a equipe inteira se encolheu, cada um em seu lugar, esperando não ser o escolhido para levar o pedido do chefe e enfrentar sua ira.

— Vá você — Gillian implorou a Hannah. — Não estou muito bem. Não conseguiria encarar o sr. James desse jeito.

Tudo pela paz de espírito. Hannah preparou o café e colocou quatro biscoitos de chocolate na bandeja antes de entrar na sala de David. Ele fixou os olhos nela, notando a maquiagem pesada que Hannah pusera para esconder as olheiras e o vestido cavado, vermelho e brilhante, que colocara pela manhã para melhorar seu astral. Apesar do corte tradicional, a roupa não conseguia esconder suas curvas longilíneas; como o vestido ia até acima do joelho, mostrava boa parte de suas pernas, além dos elegantes sapatos de salto alto. Ela deixara os cabelos soltos, na esperança de se sentir uma mulher desejável, e não uma vadia que não conseguia manter um homem por mais de algumas semanas. Os cachos longos e brilhantes ondulavam-se ao redor de seu rosto com graça, escondendo parcialmente seus lindos brincos de pérolas.

David não pareceu estar impressionado.

— Gostaria muito que seus assuntos particulares não interferissem em suas obrigações para com esta empresa — disse ele, com aspereza, enquanto olhava para ela, implacável. — Não acredito que esses trajes estejam de acordo com a Dwyer, Dwyer & James.

O vulcão que crepitava dentro de Hannah entrou em ebulição.

— O que você quer dizer com isso? Já usei essa mesma roupa muitas vezes na imobiliária e, além disso, não estou vestida assim porque vou sair com alguém. Muito pelo contrário. Vocês homens são todos iguais — acrescentou, enfurecida.

Os olhos frios de David ficaram alguns graus mais quentes.

— O que quer dizer com "muito pelo contrário"? — perguntou o chefe com suavidade.

Hannah não estava mais suportando aquela situação. Sempre controlada e calma, teria preferido andar nua sobre brasas do que colocar sua conduta profissional em xeque no ambiente de trabalho, mas, naquele dia, exausta e com o coração partido, jogou tudo para o alto.

— Escolhi essa roupa para lembrar a mim mesma que sou uma mulher poderosa e inteligente, que não precisa de um maldito homem por perto, muito menos de um chefe cri-cri que não suporta ver uma mulher usando roupas sensuais, que podem tirar um pouco de seu poder. — Calou-se. Sua voz estava trêmula de raiva. — Porque estou por aqui com os homens e ponto final. Vocês são todos uns inseguros, traidores e mentirosos!

Hannah bateu a bandeja com força na mesa do chefe, derramando o café. Em seguida, pegou dois biscoitos e, maldosa, jogou-os dentro da xícara. — Aí está seu café, Vossa Senhoria. Espero que engasgue!

Ela bateu a porta ao sair, dirigindo-se ao banheiro feminino, onde permaneceu alguns instantes com a testa encostada nos azulejos frios, tentando esfriar a cabeça. Não pediria desculpas de jeito nenhum. David havia passado dos limites com sua críticas. Não tinha direito de fazer comentários tão pessoais. E, se ele achava que tinha razão, era bom começar a procurar outro gerente de escritório, porque ela pediria demissão. Só estava arrependida por ter falado demais. Se o chefe não percebesse que as coisas iam mal entre ela e Felix, era mesmo um tapado. Que se danasse, então!

— Não sei o que você falou, mas o David parece muito melhor agora — sussurrou Gillian a Hannah, enquanto ela se sentava à escrivaninha, com altivez, desafiando qualquer um a repreendê-la. — Está rindo tanto que provavelmente dá para ouvi-lo do meio da rua.

Hannah o avistou através da divisória de vidro, o telefone grudado na orelha, morrendo de rir, com a cabeça empertigada e os olhos apertados, achando graça de tudo.

— Como todos do sexo masculino, ele tem que ser mantido com rédea curta — enfatizou Hannah, implacável. — Os homens só compreendem as coisas assim.

Uma hora mais tarde, David saiu da sala, com a pasta e o casaco. Parou na frente de Hannah e aguardou. Normalmente, ela teria sorrido para ele, admirando a elegância do chefe em seu terno cinza de lã italiano, que combinava perfeitamente com sua compleição forte, o corte bem traçado enfatizando os ombros largos e disfarçando um pouco da gordura que se localizara na região da cintura, por conta dos vários almoços de negócios. Naquele dia, ela apenas lhe lançou um olhar penetrante.

— Você está sabendo que vou passar o fim de semana prolongado em Paris, não está? — perguntou ele.

O olhar de Hannah era impenetrável. Por ela, David podia até viajar para Katmandu montado num camelo manco, que daria no mesmo.

— É uma pena que eu tenha que fazer essa viagem. Precisamos muito conversar — acrescentou ele, parecendo quase arrependido.

Hannah não se importava nem um pouco se ele estivesse se sentindo culpado e quisesse se desculpar. Que ficasse com peso na consciência: desejava que todos os homens do planeta se sentissem assim. Era o que mereciam.

— Na terça-feira estou de volta. O que acha de almoçarmos juntos? — O rosto do chefe perdera a aparência impenetrável. Parecia até esperançoso... exatamente, essa era a definição correta. Como se esperasse que ela não pedisse demissão, concluiu Hannah.

— Está bem — respondeu, fria como uma duquesa.

Ele saiu sorrindo e, antes de bater a porta, virou-se, malicioso, e piscou para Hannah na frente de todos que estavam no escritório. Era realmente incorrigível, pensou ela, com raiva.

O restante da sexta-feira transcorreu com rapidez e, ao pensar que passaria o fim de semana em casa, sem Felix, Hannah decidiu trabalhar no sábado pela manhã. A opção era essa ou passar o dia se sentindo como uma bola murcha. Ela não sabia explicar por que se sentia tão vazia sem ele. Tinha vivido muito bem, sozinha, durante um ano e meio. Por que então, apenas um mês depois de conhecer Felix Andretti, ele já se tornara tão importante em sua vida? Por que tudo que gostara de fazer até então, como ir à academia ou ficar sentada em sua sala de estar aconchegante, lendo um livro, parecia sem graça e desinteressante?

— Pensei que tinha desistido de trabalhar nos finais de semana, agora que a filial está em ordem — comentou Donna, às oito e 15 da manhã de sábado, quando Hannah chegou ao escritório.

— Preciso organizar algumas coisas e nunca tenho chance durante a semana, quando o movimento é intenso demais — destacou Hannah, inclinando-se sobre a cafeteira que borbulhava, para que a colega não percebesse suas olheiras. Planejara disfarçar seu desgosto, maquiando-se no banheiro feminino. Pensou que seria a primeira a chegar, mas, como Donna já estava ali, tinha que manter uma conversa. A colega era uma daquelas pessoas que pegavam as coisas no ar, e Hannah não queria que ela notasse a tristeza profunda que emanava dela, como radioatividade de plutônio.

Bocejando de propósito para dar a entender que dormira tarde, Hannah pegou a bolsa e a xícara de café, e se dirigiu ao banheiro.

— Tenho que me empetecar toda para não assustar os clientes — disse ela, com indiferença. — Não deixe que eu esqueça que não posso tomar vinho espanhol demais de novo — acrescentou, com ar de arrependida.

— Estava afogando as mágoas? — perguntou Donna, com gentileza.

Hannah parou e olhou para ela. A colega não era curiosa nem fofoqueira. Era apenas uma pessoa intuitiva.

— Estou deixando transparecer tanto assim? — perguntou Hannah.

— É que ontem você parecia estar arrasada. Mas acho que ninguém mais percebeu — acrescentou Donna, depressa. — Você disfarça muito bem, só que eu conheço essa expressão, já fiquei muitas vezes desse jeito. Sinta-se à vontade para desabafar. Pode deixar que não vou alimentar a rede de informações de Gillian. Também não vou me aborrecer se não quiser conversar. Ontem, quando fomos almoçar, tive a impressão de que estava precisando de um ombro amigo, mas vou compreender se não quiser falar da sua vida.

Hannah largou a bolsa e a xícara de café na mesa e deixou-se cair na primeira cadeira que achou.

— Para se ter privacidade, é preciso, antes, ter uma vida — disse ela, tentando ser brincalhona.

— É por causa de David James? — perguntou Donna, com suavidade.

Por um instante, Hannah se sobressaltou, em meio à tristeza.

— De David? De onde você tirou essa ideia? Ele se comportou como um idiota ontem, mas não aconteceu nada além disso. Nada de mais. Só coisas de chefe mesmo.

— Ah, eu tive a impressão de que havia algo entre vocês... — A voz de Donna foi sumindo quando ela viu que Hannah a fitava de queixo caído.

— De onde tirou essa ideia? — repetiu Hannah. — Gosto muito de trabalhar com ele, mas não há nada entre nós. — Ela buscou as palavras com cuidado para explicar seu relacionamento com David, termos que definissem como aquela ligação era platônica. — É um homem simpático, mas para falar a verdade... Além do mais, apaixonado até hoje pela ex-mulher, né?

Donna arqueou a sobrancelha.

— Não sei por que você acha isso. Nunca vi pessoas mais felizes com a separação do que aqueles dois. Alguém muito próximo do casal me contou que a vida deles era um inferno.

— Mas Gillian disse que ele ainda era apaixonado por ela.

— A Gillian quer que ele ainda seja apaixonado pela ex-mulher, porque assim ele não vai querer mais ninguém... como você, por exemplo — explicou Donna, astuta.

Hannah deu uma gargalhada.

— Que coisa mais ridícula!

— Não tem nada de ridículo nisso — protestou Donna. — Não sou a única pessoa que acha que o David é louco por você, e a Gillian não aceitaria isso. Ela te odeia, sabe, e ficaria mortificada se o querido sr. James só tivesse olhos para você.

— Então, ela escapou de uma boa, porque ele não está dando bola para mim — ressaltou Hannah, brincalhona.

— Para falar a verdade, acho que está, sim — disse Donna, em voz baixa.

Hannah não estava conseguindo disfarçar a surpresa.

— Eu... eu... — Começou a gaguejar. — Eu estou apaixonada por outro homem — revelou, por fim. — David não passa de um colega. É meu chefe. Ele até conhece meu namorado e sabe que estou saindo com outra pessoa.

— E esse namorado está roubando suas noites de sono?

Satisfeita por conseguir mudar de assunto, Hannah concordou, abatida.

— Gosto de um pouco de masoquismo na minha vida. Adoro romances sofridos e corações partidos. Bom, pelo menos, não estou a fim do

David. Meu Deus, imagine que situação! Ficar apaixonada pelo chefe seria um verdadeiro pesadelo!

Naquela tarde, ao subir no aparelho de step da academia e digitar o peso e o programa que queria utilizar, Hannah percebeu que a conversa com Donna lhe fizera muito bem. A ginástica a ajudaria ainda mais. Nada desanuviava tanto sua mente quanto o exercício no aparelho de step, malhava até os músculos ficarem doloridos. Havia funcionado com Harry e teria que dar resultado com o infeliz do Felix, aquele desgraçado! Para cima e para baixo, ela malhava, parecendo uma máquina, deixando que a ação intensa e repetitiva expulsasse a fúria de seu corpo. Imaginou o que seria capaz de fazer se encontrasse o babaca do Felix Andretti de novo, enquanto trabalhava cada vez mais a musculatura. Seria um homem de sorte se conseguisse voltar a andar depois que ela acabasse com ele. No entanto, a imagem de David James ressurgia a toda hora em seu subconsciente, incomodando-a. Ele havia comentado com ela, alguns dias antes, que não fora à academia nas últimas semanas por causa do excesso de trabalho.

— Quando tiver a minha idade, vai ter que se esforçar ainda mais — queixara-se ele, dando um tapinha no estômago. "Dá para acreditar que já corri três maratonas?

— Mas você está em ótima forma física — protestara Hannah.

— Que nada, engordei seis quilos desde que participei da última corrida. Tenho que fazer ginástica três vezes por semana. Mas, como estou ocupadíssimo com o trabalho, seria preciso instalar uma esteira no escritório para conseguir me exercitar.

Hannah aumentou a intensidade do aparelho de step. Não acreditava que David estivesse a fim dela; Donna se equivocara. Ainda assim, a expressão de felicidade no rosto dele quando saíra do escritório, no dia anterior, continuava voltando à mente de Hannah. Disse que queria conversar com ela sobre algo na terça-feira, mas qual seria o assunto? Além disso, o chefe havia ficado bem-humorado depois que ela lhe dissera, aos gritos, que todos os homens eram traiçoeiros. Ele sabia que ela se referia a Felix e deve ter imaginado que tudo acabara entre eles. Talvez, então, David quisesse dizer que estava interessado nela. Sentiu uma onda de calor percorrer seu corpo, que não tinha nada a ver com a malhação. Que confusão! Não havia lugar em seu coração para ninguém além do sacana do Felix.

Tirar a sacola de ginástica do carro exigiu esforço, depois de duas horas de exercícios. Os braços e pernas de Hannah mostravam-se pesados e doloridos por causa da malhação. Mas era uma dor prazerosa. Ela estava faminta e imaginou se teria forças para preparar algo para comer ou se apenas colocaria uma refeição pronta à base de curry no micro-ondas e a devoraria com voracidade.

Estava tentando se lembrar do que havia no congelador, quando avistou uma cabeça loura. Lá estava Felix, parado junto ao portão da frente, todo vestido de preto, com a expressão de uma criança com vontade de chorar ao ver o gatinho ser atropelado.

Encostado no muro de tijolos vermelhos, ele olhava fixamente para a rua, como se estivesse esperando Hannah vir de outra direção. Ela podia ver seu perfil esplendoroso em detalhes, já que estava quase de lado. Era bem provável que aquilo tudo fosse planejado, Hannah imaginou, sentindo-se surpresa por conseguir raciocinar. Felix tinha o nariz de um deus grego; mechas de cabelos douradas lhe caíam sobre os olhos, que a miravam a distância. Que pose linda de se ver pela lente de uma câmera, ela pensou, implacável. Bom, se o querido Felix achava que ia se safar fazendo aquela pose, estava redondamente enganado.

Ela escancarou o portão, batendo-o com tanta força que pedaços de tinta azul caíram sobre a hera que crescia entre os paralelepípedos.

— O que é que você quer? — perguntou ela, com frieza, parando a alguns passos dele.

Felix a encarou com os olhos cheios de tristeza. Não disse nada, mas continuou fitando-a em silêncio, transmitindo tanta emoção naquele olhar torturado que Hannah sentiu a frieza se dissipando. Caramba, sentira tanto sua falta! Era como se a dor fosse física. E, então, lá estava ele... esperando por ela, parecendo ter sofrido também.

Percebendo que ela mudara de atitude, ele deu um passo à frente, envolvendo-a nos braços. Com esse primeiro toque, Hannah jogou a sacola de ginástica no chão e agarrou-se a ele, permitindo que beijasse seus cabelos e lhe dissesse murmúrios de amor. O perfume da loção pós-barba encheu as narinas dela com o adorado cheiro forte que aquecia seu coração e a fazia se arrepiar de excitação. Após o terceiro encontro com ele, Hannah havia considerado a possibilidade de comprar um frasco da loção, só para poder sentir o cheiro dele quando não estivesse por perto. Naquele dia, um fisiculturista da academia estivera usando o mesmo perfume, fazendo com que uma lufada torturante que lembrava Felix chegasse até ela. Hannah fraquejara de tanta tristeza e saudade.

E então, lá estava ele, do lado de fora da porta, sentindo saudades dela também. Hannah afastou-se por um momento, para encará-lo, questionadora.

— Não consegui tirar folga, meu amor. O diretor... — Ele parou de falar, seus olhos percorrendo o rosto dela, como para memorizar cada detalhe de uma pintura querida. — Achei que nunca me perdoaria por aquela noite, mas era tão tarde quando saí do trailer dele que quase perdi o autocontrole. Tive medo de que nunca me perdoasse. É tão determinada, corajosa e segura. Mas morri de saudades e tinha que ver você, mesmo que me descartasse depois. — Felix inclinou a cabeça, e Hannah não aguentou mais.

— É claro que eu perdoo você, bobinho — ressaltou Hannah, querendo, ao mesmo tempo, rir e chorar. — Também senti demais sua falta. Fiquei preocupada porque você nem me telefonou. Não consegui falar com você.

— Sinto muito, estava trabalhando até tarde da noite porque o diretor me obrigou a refazer várias cenas. Ele escraviza a gente, eu já falei para você. — Felix sorriu para ela, com todo o esplendor de sua beleza dourada restaurado naquele momento, já que ela o perdoara. — Vamos entrar para que eu possa mostrar a você o quanto senti sua falta.

* * *

Mais tarde, os dois estavam deitados na cama preguiçosamente enquanto Felix se dedicava ao seu vício secreto: fumar. *Até isso ele faz com charme*, pensou ela, encostada em uma pilha de travesseiros, enquanto observava os dedos longilíneos do namorado segurando o cigarro e as espirais de fumaça saindo de sua boca.

— As pessoas estão ficando com ojeriza a cigarros — queixou-se Felix, ao mesmo tempo em que inalava a fumaça profundamente. — Não ouso mais nem dizer que sou fumante. É capaz de um desses malditos diretores de elenco se queixar comigo porque o tabagismo faz mal para a pele e causa rugas ao redor da boca.

— Você não tem ruga nenhuma — protestou Hannah, observando a boca carnuda em questão.

— Ainda bem. Mas quando começarem a aparecer vou fazer uma dermabrasão — disse ele, alisando o rosto.

— Não seja bobo! Os homens ficam muito mais charmosos com algumas ruguinhas — destacou Hannah. — Só as atrizes têm que ser eternamente jovens. Os atores ficam que nem o Clint Eastwood, apesar de você ser muito mais bonito.

Ele a beijou.

— Você sabe massagear meu ego, querida — disse ele, com a voz rouca.

— Conta para mim o que aconteceu lá no set — prosseguiu Hannah, tentando não usar um tom de voz acusatório.

Ela queria uma explicação. Ausentar-se por um dia era completamente diferente de ele deixar de vir a um jantar a dois. Podia ter telefonado. Afinal de contas, Wicklow não era a Mongólia Exterior.

Felix suspirou.

— A visão que tenho do meu personagem é completamente diferente da do diretor. Ele banaliza o papel de Sebastian, acha que não passa de um jovem imaturo, enquanto eu tenho certeza que devo interpretá-lo como alguém complexo que se faz passar por superficial, entende?

Na primeira vez que falara sobre o assunto, Felix havia explicado que, nesse drama sobre a Segunda Guerra Mundial, seu personagem não passava de um jovem oficial extremamente patriota que fora enviado à linha de frente como bucha de canhão. Assim, Hannah não estava entendendo como o papel se tornara tão complexo de repente. Além disso, fora a inocência de Sebastian que levara Felix a aceitar o papel. Era completamente diferente dos tipos descolados e experientes que interpretara antes na televisão. Pelo menos, segundo, o próprio Felix, fora isso que sua agente lhe dissera.

— Sebastian sabe exatamente o que vai acontecer, mas acha que lutar é seu dever, mesmo sabendo que vai ser morto — enfatizou ele, entusiasmado. — Ele não é imprudente, mas compelido pelo dever.

— Você conseguiu se acertar com o diretor?

— Isso não sei dizer ainda. — Felix tirou os lençóis e levantou-se da cama. Apagou o cigarro que fumava, imediatamente acendendo outro. — Não posso interpretar esse personagem como se fosse um tolo, seria horrível para a minha carreira. Imagine só, Felix Andretti fazendo o papel de um tremendo idiota. Seria chamado para interpretar tipos imbecis pelo resto da vida.

Seu rosto estava obscuro. Já era noite, e o sol pálido de outubro desaparecera havia muito, deixando o quarto envolto em sombras.

Hannah observou-o da cama. Não sabia o que dizer. Seria um erro ressaltar que ele lutara por aquele papel. Como ela vinha descobrindo, os atores tinham egos sensíveis. Contudo, se Felix brigasse com o diretor, poderia ser expulso da série. Essas coisas aconteciam, ela sabia. Afinal, ele não era o ator principal, podia ser substituído.

Então, Hannah teve uma ideia.

— E sua agente, por que não pede a opinião dela?

— Teria que usar seu telefone — disse Felix, criterioso. — Meu celulai está quebrado.

— Não sabia que tinha um.

O ator deu de ombros, com a mente a quilômetros de distância.

— É porque está quebrado faz tempo.

Enquanto ele telefonava para a agente Billie, que estava em Londres, Hannah foi até a cozinha para ver o que podia improvisar para o jantar. Meia hora depois, quando ele entrou na cozinha dançando, tinha um omelete espanhol quase pronto dourando na chapa. Estava com uma cara animada e o humor sombrio se dissipara. Felix cingiu a cintura de Hannah, que fritava o omelete. — Você faz milagres, sabia?

Ela sorriu, entusiasmada com seu bom humor. — Não sabia não, por quê?

— Eu telefonei para a Billie e ela concordou comigo. Disse que Sebastian era um personagem mais consciente e sagaz e que não estavam dando o devido crédito para ele. Mas ela acha que devemos deixar o diretor dar seu próprio enfoque e que, mais cedo ou mais tarde, ele vai perceber que está errado, só que temos que seguir o roteiro. O diretor já tinha ligado para ela dizendo que minhas cenas são pura adrenalina e, então, vou dar uma chance para o cara. Acabei de ligar para ele, e ele estava satisfeitíssimo.

— Você telefonou para o diretor no set? — indagou Hannah com inocência, pegando dois pratos no armário. Então, na verdade, eles tinham telefone. Hannah ficou com um nó na garganta. Felix poderia ter ligado para ela, se quisesse. Da mesma forma que poderia ter contado que se encontrara com David James. Ela baixou os olhos. A mão que segurava os pratos tremia. Pare agora, ordenou ela. Não se esqueça dos seus sobrenomes: Hannah — Forte e Independente — Campbell.

— É isso aí, e ele estava feliz da vida. — Felix pareceu não notar a pergunta que ela fizera. — Isso está com um cheiro delicioso. Depois de comer, vamos dar uma passadinha na Lillie's, no centro. Uma turma grande da filmagem está indo para lá hoje à noite. Você topa? Vai ser divertido.

— Claro que sim — disse Hannah, mecanicamente.

Era a primeira vez que ela ia à boate de Grafton Street. Harry gostava mais de frequentar pubs, e as grandes noitadas do casal se limitavam a alguns porres ocasionais no Ryan's, de Parkgate Street, que ficava perto do seu antigo apartamento. Ela gostava muito de dançar e, entusiasmada, colocou seu vestido de tiras de um designer famoso, dando graças a Deus por ter lavado os cabelos mais cedo, na academia. Felix adorou-o e, após dar uma olhada no guarda-roupa antiquado de Hannah, disse-lhe que precisaria comprar outros daquele estilo. No táxi, a caminho do centro, ele ficou tão excitado com o traje que quase pediu para o motorista fazer a volta e levá-los de novo para o apartamento dela.

— Pensei que estivesse louco para comemorar — disse ela, meio envergonhada com o fato de ele a estar tocando enquanto o motorista fingia manter os olhos na estrada.

— Quer dizer então que você é da tribo das farristas? — sussurrou Felix, com os dedos metidos por baixo do vestido de Hannah.

— Não vejo a hora de chegar lá — respondeu Hannah com rigidez, enquanto afastava a mão do namorado, dando um provocante beijo estalado no seu pulso.

Quando ela e Felix saíram do Shelbourne, após tomar alguns drinques, para ir até a Lillie's, Hannah, que acordara às sete da manhã para chegar logo ao escritório, começara a sentir, ao mesmo tempo, o peso de ter levantado cedo e da ginástica puxada que fizera na academia. Eram apenas dez e quarenta e cinco e ela já se sentia cansada. Felix, no entanto, estava mais aceso que as constelações no firmamento — ficava cheio de vida à noite.

— Sou louco por você, querida — murmurou ele, enquanto caminhavam pela Grafton Street e ele estalava os dedos, como se acompanhasse algum ritmo interno. Estava ligado, parecia até que tomara alguma coisa, pensou Hannah, preocupada. Mas isso não tinha acontecido, pois ele ficara o tempo todo com ela.

Havia um aglomerado de pessoas fazendo fila na pequena entrada da boate. Todo mundo queria ser visto no local em que estrelas de rock e modelos se descontraíam. Por um instante, Hannah achou que não conseguiriam entrar, mas esquecera de levar em consideração seu namorado. Apesar de só estar morando em Dublin há seis semanas, os leões de chácara já conheciam Felix e, obviamente, receberam-no de braços abertos. Em poucos minutos, foram levados ao ambiente que a garçonete loura chamou de "a biblioteca", onde um grupo de pessoas havia se instalado em grandes poltronas, com baldes de gelo e copos espalhados nas mesas, à sua frente. Apesar da música e das bebidas, todos mostravam-se deliberadamente entediados.

— Felix, querido! — gritou uma ruiva magrela e voraz, trajando um vestido de couro preto, desenroscando-se do braço de uma poltrona para enroscar-se em Felix.

— Carol! — exclamou ele, dando-lhe um demorado beijo no rosto, enquanto a mão delgada pousava no quadril bem delineado. — Não te falei que vinha também?

— Mas não disse que vinha acompanhado — destacou Dona Vestido de Couro, olhando de soslaio para a concorrente.

Hannah sabia tanto reconhecer uma rival quanto lidar com ela.

Ela deu um sorriso felino com a boca carnuda e, extravagantemente, deixou o casaco deslizar dos ombros até cair na poltrona atrás dela. Com o vestido cor de ametista ajustado nos seios, que já haviam sido devidamente valorizados por um sutiã maravilhoso num decote de tirar o fôlego, ela podia enfrentar todas as ruivinhas magricelas.

— Eu e o Felix andamos sempre juntos — disse ela a Carol.

Felix afastou-se da outra mulher e foi até Hannah.

— Felix, meu caro, você arranjou um mulherão, hein? — comentou, apreciativo, um dos homens ali presentes.

— Sei muito bem disso — disse Felix, com a voz arrastada, enquanto, protetor, envolvia a mulher que lhe pertencia.

O sorriso provocante que Hannah deu para Carol transmitia a mensagem: "não se mete comigo".

A turma pediu mais champanhe, maços de cigarro circularam, mas, pelo visto, ninguém queria dançar. As pessoas estavam mais interessadas em fazer pose no setor exclusivo do clube. Cada vez que alguém que não pertencia ao meio entrava no ambiente, o grupo de amigos mostrava-se mais distante. Hannah teve quase certeza de ter visto, em um canto, dois caras que eram membros de uma famosa banda americana de rap; no entanto, como ninguém ligou para eles, imaginou que se enganara. Somente quando um fã desvairado conseguiu se esgueirar pela segurança da biblioteca e pediu um autógrafo, Hannah soube que estivera certa o tempo todo. Os atores com quem estava recusavam-se a admitir a presença dos outros. Esperando serem eles mesmos reconhecidos, ignoravam solenemente qualquer outra pessoa que tivesse algum sucesso. A primeira coisa que Hannah concluiu ao olhar de perto o mundo do showbiz foi que o que importava para essa gente, além da fama, era manter uma aparência de desprezo total por tudo e por todos. Era uma forma de arte praticada por todos incessantemente. Hannah podia ser muito boa nisso também.

Ela ficou bebendo champanhe com tranquilidade ao lado de Felix, que parecia mais animado que o coelhinho da Duracell. Queria muito perguntar a ele quem eram as pessoas naquele grupo, quem estava interpretando qual papel ou até mesmo se todos eram atores. Imaginou que todos trabalhassem na série televisiva com Felix, mas ninguém falava muito do que interpretava, a não ser Carol, que contou a todos num raio de cinquenta metros que fazia o papel de enfermeira e estudara na RADA, a Royal Academy of Dramatic Art.

— Você trabalha em quê? — perguntou Carol a Hannah, com os olhinhos brilhando, enquanto afundava na poltrona de Felix, que fora ao banheiro.

Hannah mentiu sem titubear.

— Tenho um empreendimento imobiliário.

Carol pareceu desapontada com a informação. *Provavelmente esperava que eu fosse uma cabeça oca*, pensou Hannah, sorrindo para si mesma.

— Como vocês dois se conheceram? — A outra não queria mesmo desistir. Observava sua presa com os olhos semicerrados, parecendo uma gralha prestes a atacar uma minhoca desavisada. Mas Hannah não era uma minhoca. Punha qualquer criatura daquelas no chinelo.

— A Carol me torturou com um interrogatório quando você foi ao banheiro — contou Hannah a Felix, mais tarde.

— O que ela quis saber?

— Estava curiosa para descobrir o que eu faço da vida; só faltou perguntar o número do meu CPF, a conversa não foi interessante.

— E o que foi que você disse? — perguntou o namorado, meio desinteressado, perdendo um pouco do brilho no olhar.

Hannah mordiscou a orelha dele. — Disse que era dona de um empreendimento imobiliário e que conheci você enquanto mostrava a melhor propriedade, um dúplex com vista para o porto, em Dun Laoghaire.

Ele sorriu, satisfeito.

— Essa é a minha menina. Nessa área de trabalho todo mundo mente. Tem tudo a ver com enganação e percepção. Quanto mais pensam que você é rico, mais querem se aproximar. Você impressionou todo mundo. Formamos uma dupla e tanto — disse Felix, antes de dar um beijo escancarado na namorada.

CAPÍTULO 13

Felix estava de folga na segunda-feira e tentou convencer Hannah a fazer algo que ela prometera a si mesma que nunca faria: telefonar para o trabalho e dizer que estava doente.

— A gente podia passar o dia inteiro na cama — observou ele, lambendo a orelha da namorada como se fosse o chocolate de uma amêndoa recheada. — Afinal de contas, vai ser apenas um dia, e eu vou passar o fim de semana todo trabalhando.

Sentindo-se culpada, Hannah telefonou para Gillian, inventou que estava se recuperando de uma virose e voltou para a cama, na qual lhe esperava um embevecido Felix.

Saciada de amor e exausta, após um fim de semana de transa, Hannah entrou no escritório na terça-feira. Chegou meia hora atrasada, o que nunca acontecera, mas não estava nem aí: sentia-se distanciada pelo amor e gloriosamente cansada de tanto fazer sexo. Nem mesmo as olheiras conseguiam esconder sua sensualidade irradiante.

Apesar de praticamente não ter dormido, tinha o rosto cheio de fulgor, e nem mesmo a fatura do seu cartão de crédito poderia ofuscar o sorriso sedutor que trazia na boca carnuda.

— O galo andou passeando pelo terreiro? — perguntou Donna, enquanto Hannah pendurava a bolsa na cadeira e se deixava cair nela, cruzando as longas pernas realçadas por meias superfinas transparentes, e ajeitando a provocante saia preta, que nunca usara no escritório.

— É tão óbvio assim?

Donna deu uma risada afetada e respondeu.

— Mais claro do que se você estivesse com uma placa pendurada no pescoço dizendo "Essa mulher transou de montão". Está na cara que esse homem faz muito bem para a sua forma física. Dá para você engarrafar seja lá o que for que ele está lhe dando? Um estímulo instantâneo faria muito bem para minha pele.

As duas caíram na risada só de pensar nisso.

— Hannah, posso falar com você por um momento? — perguntou David James.

Ela entrou, orgulhosa, no escritório do chefe, sem conseguir disfarçar a gloriosa sensação de estar apaixonada. Sentia-se muito vibrante e cheia de vida. Esse era o efeito que Felix lhe causava: semelhante ao de uma droga afrodisíaca que a deixava mais acesa.

— Você está tão... diferente — comentou David, enquanto Hannah se sentava e, cheia de sensualidade, passava a mão pelos cabelos cacheados de um jeito inusitado.

Hannah sorriu para ele.

— Tive um ótimo fim de semana — ressaltou ela, com animação. — E você?

— Bem, na verdade, foi bom.

Não parecia que ele tivera um final de semana agradável, concluiu Hannah. Aparentava estar pouco à vontade, quase desconfortável, na verdade.

— O que eu queria dizer... — ele começou a falar.

Hannah achou melhor interrompê-lo. Teve certeza de que ele se desculparia por ter feito aquele comentário sobre Felix, e ela estava apaixonada e feliz demais para constranger o chefe. Sentia-se satisfeita e, além disso, águas passadas não moviam o moinho.

— David, sei o que vai dizer — interrompeu ela — e também sinto muito pelo que aconteceu na sexta-feira. Eu estava aborrecida por ter brigado com Felix e não devia ter dito nada daquilo a você. Foi imperdoável. E é muito gentil da sua parte se preocupar comigo — prosseguiu ela, com franqueza. — Mas não tem a menor necessidade, David. Tanto eu quanto Felix somos pessoas adultas e sabemos nos cuidar. Sei muito bem que ele é seu amigo, mas acho melhor não misturar minha vida pessoal com a profissional, certo?

David não conseguia encará-la.

— Quer dizer entao que continuam juntos? — quis saber o chefe, com rispidez, de súbito interessado em abrir seus e-mails no computador.

— Isso mesmo.

Ele suspirou com lentidão, quase condoído.

— Se algum dia precisar de um ombro amigo, pode me procurar — disse ele.

— David, você é um amigão — acrescentou Hannah, carinhosa.

— É isso. Sou um amigão — ressaltou ele, com tristeza.

Ela saiu saltitante do escritório. A vida era bela.

De novembro para dezembro, foi surgindo um padrão no relacionamento de Hannah e Felix. Ele chegava às sextas, geralmente, tarde da noite. Às vezes, vinha direto do set em um táxi, outras, chegava de limusine com um monte de atores meio bêbados, ansiosos para que Hannah os acompanhasse em uma noitada. Ela preferia quando o namorado chegava de táxi. Então Felix era todo dela e, depois de acabar a garrafa que trazia com ele, normalmente de champanhe, que a depender do bolso podia ser de alta qualidade ou não, os dois se recolhiam ao quarto e transavam, ruidosamente. Era quando Hannah se vingava dos vizinhos que viviam com a televisão sempre ligada às alturas. Nas manhãs de sábado, ficavam na cama comendo torrada integral com mel e bebiam o forte café colombiano de que Felix tanto gostava. Durante a tarde, os dois iam juntos para a academia. Ninguém podia dizer que Felix tinha um corpo bonito sem fazer esforço, pensava Hannah, maravilhada ao ver o tempo que ele passava nos aparelhos de musculação, trabalhando cada músculo de um jeito que beirava a obsessão. Nunca conhecera um homem que passasse tantas horas cuidando do corpo, visando a melhorar seu condicionamento a cada dia. Felix tinha mais loções corporais do que a namorada, e usava todas com muito mais assiduidade que ela. Hannah acabou se acostumando com seu narcisismo.

Habituou-se também a ver as meninas da academia tagarelando com Felix sempre que ela se afastava para fazer exercícios no aparelho de step. Bom, na verdade, tentava se habituar. Além dos glúteos, outros músculos de seu corpo se retesavam cada vez que uma ninfeta qualquer mantinha uma conversa empolgada com Felix perto do aparelho de puxada, enquanto ele mostrava os músculos salientes com a camiseta provocante que escolhia de propósito.

Certa vez, Hannah perdeu a paciência e disse ao namorado que não era surpresa alguma ver todo mundo dando em cima dele. Afinal de contas, ele sabia muito bem o furor que os strippers causavam com suas camisetas provocantes, que eram depois rasgadas pelas fãs mais empolgadas, e ainda assim fazia questão de se vestir como eles. Felix dera uma grande gargalhada ao ouvi-la dizer isso.

— Está com ciúmes, gatinha? —, perguntara ele, despreocupado. — Então vai ter que se acostumar. As mulheres vivem paquerando os atores. A fama é algo fascinante, sabe?

Em se tratando de Hannah, porém, a situação mudava de figura, e Felix preferia que ela trabalhasse com roupas mais conservadoras. Apesar de adorar ser paparicado pelo sexo oposto, detestava que o mesmo acontecesse com a namorada. Ele não gostou nem um pouco da vez em que ela chegou à academia com um colant brilhante de lycra e meia roxa fashion e foi cortejada por um fisiculturista entusiasmado, que era, no mínimo, cinco centímetros mais alto que ele. No entanto, não deu o braço a torcer.

— Não gosto que desconhecidos fiquem rondando você —, disse ele, possessivo, acrescentando em seguida que preferia vê-la usando camisetas e shorts na academia, em vez do colant, que era quase uma segunda pele.

Hannah contara essa história rindo para Emma ao telefone, que a achara muito esquisita.

— Não pode haver dois pesos e duas medidas —, comentara a amiga. — Se Felix tem o direito de sair abafando, por que você não pode fazer o mesmo?

Hannah arrependera-se na mesma hora de ter tocado naquele assunto. Tentara explicar a Emma, que ainda não conhecera Felix, que ele a adorava. Era louco por ela e não suportava que nenhum outro homem a admirasse. Emma, contudo, entendera tudo errado e chegara a insinuar que Felix era possessivo.

Ela não entendeu mesmo nada, Hannah pensara, impaciente. Não compreendia que havia uma grande diferença entre paixão verdadeira e possessividade. De qualquer modo, Emma não tinha moral para falar, já que não enfrentaria o pai nem se estivesse correndo perigo de vida.

Naqueles dias de bonança, só havia uma pulga atrás da orelha de Hannah: seu chefe, David James. Por alguma razão que ela desconhecia, o relacionamento descontraído entre os dois se tornara extremamente formal, levando-a a se perguntar o que dera errado.

David continuava sendo educado e simpático. Mas isso era tudo. Os dois não se entregavam mais à sua paixão por biscoito com pedacinhos de chocolate: as reuniões no escritório do chefe passaram a ser breves, estritamente profissionais, e sem o atenuante dos biscoitinhos embebidos no café.

Hannah tentou se convencer de que algo fora do escritório o estava aborrecendo, um assunto que não tinha nada a ver com ela. Contudo, passou a ter uma leve suspeita de que Donna tivera razão ao dizer que o carinho de David por ela ia além do interesse profissional.

Certo dia, Felix foi buscá-la na imobiliária, todo exibido, com um Porsche emprestado, e acabou piorando ainda mais as coisas. Parou logo na entrada e largou o carro mal estacionado na rua, como de costume e, ao entrar no escritório, deu de cara com David, que acompanhava um cliente até a porta.

— Olá, Felix — cumprimentou David com brusquidão, enquanto o cliente ia embora. Todo o refinamento e o charme com que tratara o visitante haviam se dissipado. Ao mesmo tempo, de sua escrivaninha, Hannah acompanhava com nervosismo o desenrolar dos fatos.

— Oi, cara! — exclamou Felix, dando um tapinha nas costas de David, como se não tivesse percebido que fora tratado com frieza. — Vim buscar Hannah.

— Sinto muito, mas vou sair um pouco mais cedo hoje — justificou-se Hannah com o chefe, enquanto se aproximava do namorado. Por que o bendito do Felix tinha que ter chegado antes da hora?

A expressão gélida de David se desfez um pouco e ele conseguiu esboçar um sorriso.

— Tudo bem — disse ele, quase jovial. — Cuide bem da minha melhor funcionária.

— Qual é o problema? — perguntou o namorado, enquanto abria a porta do carro para ela.

— Não é nada de mais. Só um pouco de dor de cabeça — respondeu Hannah, mentindo. Do jeito que Felix era ciumento, era melhor não saber que Hannah suspeitava de que o chefe estava apaixonado por ela. Ou talvez estivesse enganada. David não deu a impressão de estar enciumado ao ver Felix. Hannah balançou a cabeça como se quisesse se livrar daquele pensamento. Estava imaginando coisas.

— Ainda bem que você chegou. — Pela primeira vez, Gillian parecia feliz ao ver Hannah.

— Por quê? O que é que está acontecendo? — Hannah sabia que estava atrasada, mas eram apenas nove e dez. Que desastre poderia ter acontecido no escritório em apenas 25 minutos?

— A filha de Donna teve que ir para o hospital, parece que teve uma crise de asma — respondeu Gillian.

— Coitada da Donna, a filha dela deve estar mal — comentou Hannah, ansiosa. Donna tinha falado várias vezes de Tania, sua filha de sete anos e confidenciara à colega que a menina sofria de graves crises de asma. Contudo, só quando era muito pequena precisara ir ao hospital por causa de uma dessas crises. Donna tinha esperanças de que a filha houvesse superado a fase das crises mais severas. Pelo jeito, isso não acontecera.

— Além disso ela está com duas visitas marcadas para hoje e não tem ninguém para substituí-la — murmurou Gillian, enquanto olhava para a agenda de compromissos, horrorizada, como as pessoas que se apavoram com tudo facilmente.

— Alguém vai ter que ir no lugar dela — disse Hannah com impaciência. — Também não é o fim do mundo, Gillian. Deixe-me dar uma olhada nisso. — Ela examinou a agenda, analisando com rapidez o local em que os outros corretores se encontravam e procurando definir quem poderia atender aos clientes de Donna. Depois de passar três minutos ao telefone com os outros corretores, Hannah conseguiu substitutos para dois dos clientes da colega. Mas ninguém podia atender ao primeiro cliente das nove e quarenta e cinco, em Killiney. Hannah conhecia o imóvel em questão, uma casa um tanto feia, cujos proprietários estavam tentando comprar um imóvel em Drumcondra. O casal estava desesperado para vender a casa porque não tinha meios para fazer um empréstimo e uma venda anterior não dera certo. Se não conseguissem fechar o negócio em 24 horas, eles perderiam a casa de Drumcondra. Hannah simpatizara muito com o casal e esperava que os interessados daquela manhã fizessem uma oferta após ver o imóvel outra vez. Se fosse qualquer outra casa, ela teria cancelado a visita, mas sabia que era importante que os clientes fossem naquele dia. Como não conseguiu falar com David James, não pôde contar com sua orientação.

Ela fechou a agenda de forma brusca.

— Eu mesma vou assumir o compromisso de Donna das nove e quarenta e cinco — informou Hannah a uma incrédula Gillian.

No caminho, enviou uma mensagem ao celular de Donna, perguntando se ela precisava de alguma ajuda com Tania. "Sinto muito pelo que aconteceu, Donna. Ligue para mim se precisar de algo e não se preocupe com o trabalho. Concentre-se na melhora de Tania. Estamos todos pensando em vocês."

Um BMW reluzente, com quatro anos de uso, esperava por ela quando chegou à casa. Ciente de que sua carroça velha não era o carro ideal para uma corretora de imóveis de alto nível, Hannah estacionara um pouco antes, sabendo que, ao menos, tinha uma aparência à altura. O terninho cor de vinho da Wallis, com botas de salto alto, era perfeitamente adequado para aquela mudança repentina de compromisso.

Os clientes aguardavam na porta com impaciência, e a mulher fez questão de olhar para o relógio enquanto Hannah vinha andando, confiante, pela rua.

Loura e bem maquiada, Denise Parker estava vestida informalmente, mas com roupa de grife. Dava para ver que se considerava uma yuppie, e gostava de deixar claro que seu tempo era muito precioso. O marido Colin, um ruivo de terno com ares menos imponentes, mostrava-se igualmente impaciente.

— Estamos com muita pressa, sabia? — comentou Denise, antes mesmo de Hannah cumprimentá-los.

— Imagino que sim — respondeu Hannah, conciliadora. — A srta. Nelson me contou tudo sobre vocês. Sei que são pessoas muito ocupadas.

Ela não entendia por que uma cabeleireira e um vendedor de computadores eram mais ocupados que as outras pessoas, mas percebeu que um pouco de bajulação seria um bálsamo para aquele casal que dava a si mesmo tanta importância.

— É um prazer conhecer os dois — disse ela, trocando apertos de mãos. — Meu nome é Hannah Campbell. Normalmente não acompanho os clientes — prosseguiu ela com seriedade —, mas Donna Nelson não pôde vir e não pensamos em cancelar a visita de vocês, por isso vim pessoalmente. — Na verdade, Hannah não chegara a mentir, apenas insinuara uma importância maior do que a que tinha; queria impressionar bastante os Parker. E conseguiu.

Denise torceu o nariz.

— Muito obrigada — disse ela, graciosa.

Dentro da casa, eles andaram por todos os lados, examinando tudo. Denise chegou até a esfregar o dedo nas paredes, para checar se as cores escurecidas eram sinal de umidade ou sujeira. Colin fez uma careta ao ver a lareira de mármore cheia de lascas, que nem um monte de arranjos de plantas conseguiria disfarçar, e as cortinas cor de areia, que estavam incluídas no preço.

Disposta a esperar o tempo que fosse necessário para que o casal fizesse sua vistoria minuciosa da casa, Hannah sentou-se no sofá e começou a analisar a lista de propriedades que trouxera consigo, como se não tivesse um milhão de coisas para fazer no escritório. O corretor devia deixar claro para o cliente que tinha todo o tempo do mundo só para ele, ao menos era isso o que dizia o capítulo sobre psicologia do manual de corretores de Hannah.

"Faça com que se sintam especiais, como se fosse sua missão encontrar a casa ideal para eles." Hannah tentou não revirar os olhos. Qualquer esforço que fizesse com aquele casal carrancudo teria de ser considerado uma missão. Só se fosse uma Missão Impossível.

Ela lembrou-se de ter conversado com Donna sobre a psicologia de mostrar uma casa.

"Alguns corretores ficam elogiando tudo, dizem aos clientes que a casa é uma maravilha, simplesmente perfeita para eles", explicara Donna. "Mas eu não trabalho assim. Sou muito prática e, se necessário, deixo claro que terão gastos com o imóvel. Os clientes querem logo saber quais reparos terão que ser feitos, principalmente os que envolvam as três coisas mais caras de uma casa, instalação elétrica, janelas e calefação. Para ser sincera, isso funciona muito bem comigo."

Para ser sincera, Hannah pensou, nervosa. Ela podia fazer o mesmo.

Quando os Parker finalmente voltaram à sala, Hannah fez o possível para parecer surpresa, como se eles tivessem sido rápidos demais.

— Tem muito potencial, vocês não acham? — comentou ela, em um tom de voz trivial. — Claro que eu mexeria naquela lareira. Mas imaginem só como ficaria bonita com um revestimento moderno de ardósia negra.

Os Parker olharam para a lareira, admirados, como se estivessem atônitos com o fato de a corretora de imóveis ter mostrado um ponto negativo na casa.

— Bom — acrescentou Hannah, dando de ombros —, algumas pessoas até gostam da lareira como está e não fariam modificações. Mas alguém com noções de design de interiores certamente pensaria numa reforma. Percebi logo que vocês a detestaram. — Ela se permitiu dar um sorriso. — Só que nem todos têm o seu bom gosto.

Denise pareceu satisfeita.

— Você tem razão. Estava acabando de dizer para Colin que a primeira coisa a fazer aqui seria dar um jeito naquela lareira.

Hannah assentiu.

— E também renovar o banheiro da suíte. Azul-marinho é tão ultrapassado, parece coisa dos anos 80 — ressaltou Hannah.

— Minha nossa, com certeza — concordou Denise, prontamente. — Acabamos de falar disso.

Hannah começou a organizar seus documentos.

— Adoraria ver esta casa depois que vocês a reformarem. Tenho certeza que têm ideias maravilhosas, e o espaço interno é muito bom.

— Isso é verdade — concordou Colin, bem menos carrancudo.

— Só vou verificar se as janelas do andar de cima estão fechadas — comentou Hannah, enquanto se afastava para lhes dar um pouco de privacidade. Quando ela desceu as escadas, os dois a esperavam no hall com ares de bons amigos.

— Vamos ficar com a casa — revelou Denise, triunfante. — Já estou imaginando a sala de estar em tons de cinza e verde, e a lareira revestida de ardósia. Ela tem que ser nossa.

— Que ótimo! — mentiu Hannah. Em seguida, ela parabenizou-os e pediu que preenchessem um cheque como sinal.

Dez minutos depois, o BMW saiu rápido da rua silenciosa, e Hannah deu um gritinho, de tão entusiasmada que ficou.

Era boa pra caramba naquele ramo de negócios! Boa demais! Os Parker podiam ser considerados o tipo de pessoas que esperava ser incitada a agir e, beligerante, tendia a aceitar os desafios. Hannah os pegara de surpresa ao ressaltar todos os defeitos da casa, tratando-os como se fossem naturalmente mais inteligentes que outros clientes, não deixando espaço para animosidades. O único aspecto negativo foi que Donna estava passando por uma adversidade e só por isso Hannah pôde ser contemplada com aquela oportunidade maravilhosa. Ela ligou o celular que trouxera do escritório e telefonou para Gillian, ansiosa para saber se Donna dera alguma notícia sobre o estado de saúde da pequena Tania.

— Nada de novo — destacou Gillian, irritada. — O sr. James ligou e pediu que eu lhe dissesse que a ideia de atender você mesma o cliente de Donna foi ótima.

Hannah sorriu ao perceber que Gillian terminou a frase soltando um pequeno suspiro. Provavelmente havia se deleitado ao comentar com o chefe que a gerente tinha saído da linha, esperando que ela tomasse uma bronca. Deve ter ficado frustrada ao ver que o seu tiro saíra pela culatra.

— Obrigada por ter dito a David o que eu estava fazendo, Gillian — disse, com calma. — Foi muito eficiente de sua parte. Estarei chegando logo mais.

Hannah sabia que não precisava de mais do que 15 minutos para voltar ao escritório, mas estava se sentindo tão realizada que se achou merecedora de um descanso. Queria relaxar e curtir aquele momento.

Fez um desvio e parou em uma pequena cafeteria, onde comprou um cappuccino para viagem, e recostou em um poste de amarração do píer para observar o ir e vir do porto movimentado. Ela adorava olhar o mar. A casa de seus pais em Connemara não ficava muito longe da praia, porém não se podia comparar o litoral rochoso que adentrava o agitado oceano Atlântico com o esplendor vitoriano do porto de Dun Laoghaire e sua paz majestosa, onde parecia reinar a ordem. Tinha-se a impressão de que dos hotéis elegantes do local sairiam senhoras com trajes requintados e sombrinhas, para o chá das cinco. Da mesma forma, podia-se supor que os belos iates, ancorados lado a lado ao longo da marina, vinham de outra época, bastando para tanto semicerrar os olhos e ignorar as inovações, como as antenas de rádio, por exemplo.

Os dois braços enormes do píer, que cingiam o porto como um abraço apaixonado, faziam com que o mar parecesse seguro e satisfatoriamente domado. Em sua casa, Hannah sempre tivera a sensação de que prevalecia a natureza selvagem e perigosa. As pequenas embarcações eram amarradas firmemente ao quebra-mar de pedras antigas e, quando as ondas se precipitavam com violência sobre os paredões, rugiam fortemente, levando Hannah a pensar que nunca em sua vida subiria em um barco.

Ali o mar era muito mais tranquilo, concluiu, sorvendo o cappuccino com prazer.

— Hoje tive um dia maravilhoso — contou ela a Felix quando ele lhe telefonou à noite. O namorado ainda não havia levado o celular para consertar, então, quando ligava durante a semana, era um mimo especial. — Donna mal acreditou que eu vendi o imóvel para aquele casal. Ela telefonou para avisar que a Tania vai ter alta amanhã e ficou bem entusiasmada.

— Que maravilha, querida — interrompeu-a Felix. — Mas só tenho um minuto para conversar. Estou ligando do telefone do Leon para avisar que não vou passar aí neste fim de semana, porque vamos transferir o set para Waterford nessas últimas duas semanas, antes de fazermos uma pausa para o Natal. Estamos trabalhando feito loucos.

— Ah. — Hannah não conseguiu disfarçar a decepção: ela planejara um almoço especial com Leonie, Emma e Pete. As amigas estavam loucas para conhecer o atraente Felix, de quem tanto tinham ouvido falar, e Emma vinha prometendo havia meses que levaria Pete com ela.

— Vamos deixar este almoço para outra ocasião — disse ele, impaciente.

Quando o namorado desligou, Hannah olhou para o telefone, desapontada. Estar apaixonada por um ator era como estar envolvida com um homem casado, pensou ela, com certo desespero. Não dava para programar nada.

CAPÍTULO 14

mãe de Emma passou a mão pelo tecido floral, exposto em meio a outros. Era muito bonito, azul-claro com flores amarelas e azuis, bem no estilo vitoriano de Laura Ashley. Emma sabia que a mãe adorava aquele tipo de estampa. Já podia vê-la dando instruções para o cortineiro: "Quero babados, babados e mais babados."

Anne-Marie O'Brien interessou-se por outro tecido, que acariciou em seguida. Também era azul, mas com detalhes creme.

— É lindo — comentou, distraída.

As duas estavam na seção de tecidos de Laura Ashley fazia dez minutos, e esse foi o único comentário da mãe. Era de esperar que ficasse animada e felicíssima com a oportunidade de redecorar o quarto de hóspedes da casa e sair para comprar tecidos para as cortinas. Pete havia até se queixado, comentando que os O'Brien mudavam tudo a cada dois anos. "Sua mãe é fanática por decoração", dizia ele, toda vez que a sogra começava a fazer perguntas do gênero: "De que cor vamos pintar os painéis de madeira?"

Emma não sabia por que os pais ainda não haviam comprado seu próprio removedor de papel de parede. Gastavam tanto com o aluguel daqueles aparelhos que já poderiam ter comprado dois deles. Naquela ocasião, o quarto de hóspedes estava sendo redecorado para receber a prima de Anne-Marie, que estava vindo de Chicago; nem era preciso dizer que o cômodo não se encontrava em condições de acomodar ninguém. Muito menos uma hóspede de Chicago, teria dito a mãe, escandalizada.

Só que Anne-Marie não fizera nenhum comentário nem sugerira qualquer mudança; quem fizera isso fora o marido. Ela, no entanto, adorou a ideia e se engajou imediatamente na tarefa.

— Você vai comprar o tecido para as cortinas comigo, não vai? — pediu ela à filha.

Emma nem sonharia em recusar esse convite. Mais uma manhã de sábado desperdiçada, pensou, com irritação. Ela e Pete haviam planejado sair para fazer as primeiras compras de Natal naquele dia. Faltavam apenas três semanas e meia para a festa, e eles não queriam passar horas tentando encontrar uma vaga nos estacionamentos lotados do centro da cidade, enquanto o país inteiro enlouquecia na última hora e saía em busca de estojos de presentes, gravatas temáticas e outras baboseiras inúteis de Natal.

Se a busca por papéis de parede e tecidos não demorasse muito, ela poderia, ainda naquele dia, dar um pulo no Alias Tom's e ver se havia algo de interessante para Pete, pensou Emma. Talvez um suéter bonito ou uma camisa de marca. Os preços deviam estar nas alturas, mas ele merecia um presente especial. Estava trabalhando muito ultimamente, viajando até de madrugada por causa dos ganhos extras.

Emma nunca chegara a contar a Pete os terríveis comentários do pai sobre o empréstimo do dinheiro da caução que fizera para eles, mas era como se, de alguma forma, o marido intuísse que algo fora dito e, então, estivesse fazendo de tudo para pagar o empréstimo ao sogro. Embora seu companheiro fosse tão bom e carinhoso com ela, Emma vinha se comportando como uma onça brava nas últimas semanas.

— Onde está seu pai? — perguntou a mãe, de repente, interrompendo seus pensamentos.

— Como assim?

— Quero saber onde é que ele está, não o estou vendo em lugar nenhum.

Emma encarou a mãe por algum tempo, sem entender nada. O que ela havia dito...?

Os olhos de Anne-Marie, tão parecidos com os dela, claros e rajados em tom âmbar, mostravam-se sempre alertas e viviam à procura de algo que não aprovassem. Naquele momento, porém, eles estavam com uma cor pálida, e a mãe parecia assustada e perdida. Ela olhava com ansiedade à sua volta, inquieta, piscando sem parar.

— Mas o papai não está aqui — disse Emma, calmamente. Foi quando percebeu, horrorizada, que a boca de Anne-Marie estava tremendo, e a mãe começou a chorar.

— Está sim. Eu vi. Cadê o seu pai? Você está mentindo para mim! — Anne-Marie falava com a voz cada vez mais alta.

Emma se deu conta de que a mãe estava entrando em pânico.

Segurou-a pelo braço, e tentou reconfortá-la, explicando que, àquela hora, Jimmy O'Brien estava trabalhando. Contudo, a mãe desvencilhou-se dela com uma força inesperada e saiu correndo, enquanto gritava "Jimmy, onde está você?", com um frenesi cada vez maior.

Como não tinha escolha, Emma saiu correndo atrás dela, ainda em estado de choque, agarrando-a mais uma vez pelo braço. Estavam perto de um mostruário de almofadas; Anne-Marie pegou uma delas e começou a bater na filha com ela.

— Saia de perto de mim! Saia daqui! Onde é que está o meu marido?

Ela devia estar infartando ou podia estar com um aneurisma, pensou Emma, apavorada, enquanto se esquivava dos golpes. Alguma coisa afetara a mente da mãe. Algo terrível, para ela ficar daquele jeito. Não reconhecia nem a própria filha. Seu rosto estava transfigurado, e ela parecia alucinada. Era apavorante.

— Mãe, está tudo bem. Estou aqui com você. Sou sua filha, Emma. Pare de bater em mim. Eu prometo que vamos encontrar o papai, está bem? — implorava Emma; sentia-se incapaz de controlar o terror que se apoderara dela. O que estaria acontecendo? Por que sua mãe estava agindo daquele jeito? Ela continuava bramindo e seus gritos ultrapassavam o agradável som da música ambiente da loja.

— Tenho que encontrar meu marido. Onde ele está?

Emma continuou segurando a mãe, com medo de que ela fugisse, se a soltasse novamente. Anne-Marie ainda gritava e atacava a filha com a almofada enquanto Emma tentava, sem sucesso, arrancá-la da sua mão. Parecia tão forte. As pessoas começaram a olhar para as duas, e um grupo se juntou, formando um círculo em volta delas. Uma das funcionárias da loja aproximou-se, mostrando-se solidária.

— Está tudo bem? — perguntou.

Repentinamente, Anne-Marie parou de atacar a filha e olhou para a almofada, atônita, como se estranhasse o fato de aquilo ter ido parar em suas mãos.

— Emma? — Ela respirou fundo.

— Estou aqui com você, mãe. — Emma a abraçou carinhosamente e percebeu que o seu corpo estava rígido. Teve medo de apertá-la demais para que não voltasse a ficar agitada. — Está tudo bem. Vamos encontrar o papai. — A jovem pegou a almofada com uma das mãos e jogou-a de volta na prateleira. — Sinto muito — disse à funcionária. — Não sei dizer o que aconteceu... Ela ficou confusa ou algo assim.

A atendente olhou para Anne-Marie, que parecia então, completamente normal e, em seguida, virou-se para Emma, com uma expressão incrédula, como se não tivesse acreditado em uma palavra do que ela dissera. Ninguém teria acreditado nela mesmo, Emma pensou. Aquela senhora com uma aparência perfeitamente normal e sua filha deviam ter brigado. O que mais se poderia pensar?

Anne-Marie deu um tapinha no rosto da filha, sorriu com animação e virou-se para contemplar o que usara como arma alguns minutos antes. Os curiosos começaram a se afastar, e Emma ficou sozinha, com as pernas bambas e o coração batendo disparado, como uma bateria de música tecno.

— Essa é linda — disse a mãe, alegre, enquanto segurava uma almofada forrada com tecido de tapeçaria.

— Vamos embora, mãe. — Temendo que todo o processo se desenrolasse de novo, Emma levou-a para fora da loja e entrou em uma cafeteria. Ainda segurando Anne-Marie pelo braço, comprou no balcão uma rosquinha dinamarquesa para a mãe e dois cafés.

Emma encontrou uma mesa para as duas. Manteve uma conversa amena, falou sobre o Natal e, depois, sobre o tecido para a cortina do quarto, como se fosse uma mãe tentando distrair o filho rebelde. Colocou uma colher de açúcar no café de Anne-Marie e pôs o prato com a rosquinha na frente dela.

A mãe nem mencionou que poderia ter se servido de açúcar sozinha tampouco agradeceu. Simplesmente pegou a xícara e sorveu a bebida, para em seguida comer a rosquinha. Emma, que não conseguia nem engolir o café, ficou observando tudo.

— Podemos ver os papéis de parede agora? — perguntou Anne-Marie, satisfeita, e com uma aparência completamente normal.

— Não sei — respondeu Emma, hesitante. — Estou com uma enxaqueca terrível — mentiu, fazendo de tudo para evitar outra sessão de compras.

— Então vamos para casa? — perguntou Anne-Marie, ansiosa, como se fosse uma criança.

Emma anuiu. Não conseguia nem falar. Ter visto a mãe reduzida a uma pessoa desconhecida foi a experiência mais terrível de sua vida. Enquanto Anne-Marie saboreava o café, a filha analisou uma série de possibilidades que poderia explicar o comportamento bizarro dela na loja. Contudo, sempre acabava voltando dolorosamente à mesma resposta: Alzheimer. Não havia outra explicação. Fazia calor na lanchonete, a temperatura ambiente era quase tropical, contrastando com o vento frio do início de dezembro, do lado de fora. No entanto, Emma sentiu um calafrio percorrer seu corpo. Até seus ossos gelaram, envoltos por uma friagem que nada tinha a ver com o clima do lugar. Sua mãe estava doente, muito doente. O que será que sua família poderia fazer para ajudá-la?

— Oi, Kirsten — disse Emma, aliviada, ao telefone. Era tão bom ouvir a voz da irmã, a voz da normalidade. — Não sei o que fazer. Você não vai acreditar no que aconteceu.

— Dá para falar logo? — Foi a resposta que ouviu. — Estou saindo agora para ir à manicure e ver se dou um jeito nestas unhas. Nós vamos para uma festa hoje à noite e eu quebrei a unha do dedão em uma lata de Coca diet.

Emma revirou os olhos. Não fazia a menor diferença se estivesse acontecendo um desastre em casa, o fato era que Kirsten sempre teria algo mais importante exigindo sua atenção. Se o mundo fosse explodir, Kirsten precisaria antes pintar a raiz dos cabelos.

— Você não vai ter a menor vontade de ir para um baile quando ouvir o que tenho a dizer sobre a mamãe — ressaltou Emma, séria.

— Não seja ridícula — disse Kirsten com rispidez, quando a irmã terminou de contar o que havia ocorrido. — Não tem nada de errado com a mamãe, você está imaginando coisas. Sabe muito bem que ela fica toda chorosa quando o papai não está por perto e que o menor incidente se transforma num verdadeiro desastre. Nada além disso.

— Não é verdade — protestou Emma. — O episódio não se resumiu a isso. Você não viu como ela estava, Kirsten, parecia... desvairada, batendo em mim com uma almofada e gritando o mais alto que podia. Foi horrível. Pensei que tinha enlouquecido. Acho que sei o que ela tem, Alzheimer. Meu Deus, odeio dizer isso!

Houve um silêncio do outro lado da linha.

— Você só pode estar brincando — disse Kirsten, finalmente.

— Seria uma piada muito sem graça. Quem inventaria uma história dessas? — quis saber Emma.

— Mas agora ela está bem, não está? O pior já passou. Então não tem por que se preocupar. Está entrando em pânico à toa.

— Kirsten! — explodiu Emma. — Agora você vai me ouvir. A mamãe não estava nem me reconhecendo. Além disso, você sabe muito bem que ela vem se comportando de um jeito esquisito ultimamente. Está esquecendo o nome das coisas. Na semana passada ela queria me dizer que a máquina de lavar tinha quebrado, mas não encontrou as palavras certas.

Emma lembrou-se da conversa que tivera com ela por telefone. — Aquela coisa quebrou —, queixara-se a mãe. — Mesmo com a água dentro, não quer funcionar. Não vou saber botar isso para funcionar.

— Mas o que foi que quebrou? —, perguntara Emma, com suavidade.

— Aquele troço, o troço... grande —, vociferara a mãe, impaciente. — Lá na cozinha, para roupas, não sei o nome daquilo, mas pare de me aborrecer. Está quebrado mesmo.

Todavia, quando Emma telefonara para a mãe naquela noite, ela aparentara estar ótima, e a máquina de lavar estava trabalhando a todo o vapor na cozinha.

— Fico dizendo para mim mesma que não há nada de errado com ela — comentou Emma com a irmã. — Mas não posso mais continuar agindo assim, porque fui eu que presenciei tudo: ela não está nada bem. A mamãe está com algum problema, algum tipo de demência ou algo na linha de Alzheimer, disso eu tenho certeza. — Emma parou de falar, cansada de tentar convencer a irmã. — Temos que decidir o que vamos fazer em relação a isso. Ainda não falei nada com papai. Apenas deixei a mamãe e vim para casa. Não sabia o que dizer para ele e por isso telefonei para você. Temos que tomar essa decisão juntas.

O suspiro entediado do outro lado da linha deixou claro para Emma que a irmã não tinha a menor intenção de fazer nada do gênero.

— Não temos que tomar decisão nenhuma. Todos nós esquecemos o nome das coisas. Eu mesma me canso de esquecer o nome das pessoas. Tenho certeza de que mamãe está bem. Você não acha que eu perceberia se a minha própria mãe estivesse doente?

— Isso não é uma competição, Kirsten — enfatizou Emma. — Não estamos participando de um concurso para saber quem fez o diagnóstico primeiro, nem para eleger a melhor filha. Precisamos tomar alguma providência. Talvez o papai nem saiba que isso está acontecendo, pode até ter sido a primeira vez, mas nós duas precisamos agir.

— Então você toma uma providência, mas não conte comigo. Está levando isso longe demais. E eu avisei que não podia conversar agora.

Em seguida, Kirsten desligou o telefone.

Emma olhou para o aparelho com espanto. Sabia, havia tempos, que a irmã não gostava de enfrentar situações difíceis. Kirsten só contara aos pais que fora suspensa no último ano da escola por haver fumado, dois dias após o ocorrido, e isso, só depois da chegada da carta oficial da diretoria da escola. Mas, se recusar a aceitar o fato de que havia algo de errado com a mãe delas, quando isso era tão óbvio... não fazia o menor sentido.

CAPÍTULO 15

tosse canina se alastrou, atingindo metade dos cachorros da área. Leonie sentiu que daria um grito caso tivesse que ouvir mais um animal acometido pela doença ou observar o olhar desnorteado no rosto peludo. A maioria das pessoas era consciente o bastante para levar suas mascotes ao veterinário, mas, infelizmente, existiam donos de animais domésticos que encaravam os gastos com a saúde de seus bichinhos um desperdício tão grande quanto queimar notas de cinquenta libras apenas por diversão. Concordavam em pagar as primeiras vacinas contra parvovirose enquanto seus cães eram filhotes, só que, depois, não apareciam mais na porta da clínica. Quatro casos de tosse canina foram diagnosticados naquela manhã, mas, por se tratar de uma doença altamente contagiosa, Angie examinou os animais no saguão. Um cachorro com tosse canina nunca era admitido na clínica.

A última paciente estava muito doente. Leonie não conseguia compreender como o dono deixara a coisa chegar àquele ponto. Era uma tosse tão fácil de se reconhecer, e a cadela tinha acessos tão horríveis que era de partir o coração.

— Ela nunca fica doente — justificou um homem, ao levar sua cadela cocker spaniel, claramente acometida pela tosse. Estava com os olhos lacrimejando como se estivesse gripada e, cada vez que tossia, seu corpo frágil era sacudido por espasmos dolorosos. — O cachorro que tive antes dela nunca ficou doente — reclamou ele, enquanto Angie examinava o animal com a ajuda de Leonie. *O que era um verdadeiro milagre, levando-se em conta a forma como deve ter sido tratado*, pensou Leonie, maldosa. Aquela pobre cadela devia estar doente havia dias e ninguém fora capaz de levá-la à clínica. A questão também não era dinheiro, visto que aquele homem tinha as chaves de um Saab e, sobre a camisa Lacoste, pendurado no ombro, um casaco de pele de carneiro, itens que certamente não se encontram em uma venda de garagem. Leonie estava morrendo de vontade de dizer o que pensava dele; uma enfiada do termômetro retal para bovinos, e ele ficaria sabendo. *Ela nunca fica doente*. Que grandessíssimo...

— Leonie — disse Angie, que percebia na hora quando a colega estava ficando furiosa. — Dá para você segurar a Flossie por um momento, para que eu possa auscultar o coração e os pulmões?

A meiga Flossie abanou a cauda peluda de modo amigável, quando Leonie a segurou com mãos experientes.

— É mesmo um amor — comentou Leonie. — Só precisa esperar um pouquinho, e logo faremos com que você se sinta melhor, está bem?

O dono recuou, encostando-se na parede. Parecia entediado, como se aquela história toda tivesse sido um grande desperdício de seu valioso tempo.

Chegou até a bocejar, olhando para o relógio. Naquele momento, Leonie e Angie trocaram um olhar por cima do dorso marrom e branco de Flossie. As duas colegas semicerraram os olhos.

Assim que terminou o exame, Angie encarou o homem.

— Sinto lhe informar que sua cadela está com tosse canina — disse ela, com frieza. Ele não esboçou reação alguma. — Para falar a verdade, estou surpresa por não tê-la trazido antes. A maioria das pessoas nos procura logo que percebe os primeiros sintomas. Mas a pobre já está doente faz pelo menos duas semanas.

O homem desencostou-se da parede. — Você sabe como são essas coisas, tem o Natal e tudo o mais... — balbuciou ele.

— Estou entendendo. É fácil negligenciar os animais na época do Natal — ressaltou Angie, com firmeza. — Mas se demorasse um pouco mais, o caso dela teria ficado muito grave, sua cachorra está magérrima. Ela tomou algum tipo de vermífugo ultimamente?

O homem enrubesceu.

— Infelizmente nunca nos preocupamos com isso.

Leonie não se conteve.

— Então, não deveria ter um animal doméstico — disse, com aspereza.

Angie lançou-lhe um olhar fulminante. Os funcionários não tinham autorização para fazer esse tipo de comentário. Se repreendessem os donos e eles ficassem furiosos, talvez nunca mais trouxessem seus pobres animaizinhos para a clínica.

O dono de Flossie parecia chocado.

— Na verdade, não nos cabe julgá-lo por ter dado ou não vermífugo à sua cadela — enfatizou Angie com parcimônia, ignorando Leonie, por enquanto. — E somente a título de informação, somos obrigados a comunicar às autoridades quando constatamos que um animal está sendo negligenciado.

Ele empalideceu ao ouvir a palavra "negligenciado".

— Ela é tão meiga e as crianças a adoram — comentou o homem, em voz baixa. — Nunca tive intenção de negligenciá-la.

— Certamente que não. — Angie interrompeu-o sutilmente. — Mas ela vai precisar tomar uma bateria de antibióticos. Além disso, quero vê-la novamente daqui a uma semana, para que seja reavaliada e tome um vermífugo. Está bem assim?

— Claro — respondeu o homem, ansioso, enquanto acariciava Flossie. Leonie ficou feliz ao perceber que a cadela gostava do dono. Ao menos, não estava batendo nela.

Aquele era o último cliente e, quando ele saiu, Leonie começou a arrumar tudo. Angie ocupou-se do preenchimento da ficha médica da cadela, anotando o antibiótico que tomara. Como as duas suspeitavam, Flossie estivera na clínica quatro anos antes, quando era filhote, para tomar as primeiras vacinas; depois, nunca mais voltara.

— Deve ter achado que gastaria demais se a trouxesse mais vezes — comentou Leonie, desgostosa. Como aquele cara dos pubs.

Cansada, Angie concordou com a cabeça. Todos os veterinários e os enfermeiros da clínica haviam ficado horrorizados com a atitude do empresário esnobe, dono de dois pubs no centro da cidade. Ele se recusara a pagar pela operação de catarata de seu cão, alegando que o preço era "uma exorbitância".

A operação não custava pouco, mas todos sabiam que, se ele quisesse, poderia facilmente ter pagado pelo procedimento. No entanto, optara por deixar o adorável pastor alemão esbarrando em tudo, até um dia ser atropelado e morto ao sair cambaleando até a estrada principal. Presença constante nas colunas sociais, aquela criatura ainda tivera a coragem de declarar que estava muito sentido com a perda de seu querido cão e que "adorava os animais e faria tudo por eles".

— Que hipócrita! Se tivesse que consertar os faróis do maldito Rolls-Royce, gastaria mais —, comentara Leonie, furiosa ao saber da história.

Esse empresário passava todos os dias na frente da clínica, no Rolls-Royce azul metálico, mas ao se deparar com ele nenhum dos funcionários o cumprimentava.

Angie chegara a jurar que jogaria cacos de vidro na rua, para furar os pneus do carro dele. Já Leonie, em seus momentos de maior indignação, desejara que o homem fosse vendado, para que soubesse como era difícil viver na escuridão.

— Mas que merda! Pessoas assim deviam comprar peixes de aquário — comentou Leonie naquele momento, enquanto desinfetava a mesa de exame. Não costumava praguejar, a não ser quando estava muito zangada. — Aí bastava jogar algumas migalhas de pão na água uma vez por semana e pronto.

— Mas criar peixes dá muito trabalho.

— Verdade? Eu não me interesso por peixes, a não ser que seja aquele que vem no prato, regado ao molho de vinho branco — comentou Leonie. Ela não conseguia evitar: ficava furiosa com aqueles porcos imundos que fingiam gostar de suas mascotes e não se davam ao trabalho de cuidar delas. Eram piores que porcos, já que esses animais seriam incapazes de tratar outras criaturas tão mal. Quando ela pensava nos bichos adoráveis que chegavam à clínica, famintos, com pernas fraturadas, mancando, quase loucos de tanto se coçar por causa das pulgas e tudo isso por pura negligência, Leonie tinha de se controlar para não insultar os donos, aqueles insensíveis inúteis, que achavam que ter um bicho de estimação era igual a ter um carro, que só precisava de gasolina, água e óleo para funcionar.

— Calma, Leonie — disse Angie. — O dia foi difícil. Vá para casa, tome uma boa taça de vinho e se distraia um pouco. Quando houver uma revolução, colocaremos todos os donos irresponsáveis de animais em um pelotão de fuzilamento e atiraremos neles.

Leonie esboçou um sorriso.

— Só se for eu a puxar o gatilho — enfatizou ela.

As duas colegas fecharam a clínica, e Leonie foi embora dirigindo, meio sem vontade de chegar, em virtude do clima em sua casa, que não era mais aconchegante como antes. As gêmeas andavam brigando muito. Ela deu um suspiro. Apenas um mês antes, nunca pensaria que Abby lhe causaria problemas. Os encrenqueiros habituais eram Danny e Mel, que se digladiavam como dois Médicis, rivais consanguíneos. Tudo era motivo de discussão, desde a última fatia de torrada até o controle remoto da televisão. Abby sempre fora a conciliadora, ajudando os dois irmãos a chegarem a um acordo naquela interminável disputa que travavam. Porém, Abby não estava se dando bem com a irmã gêmea ultimamente e as duas vinham se enfrentando de forma terrível.

No dia anterior, as duas discutiram no banheiro, porque Mel ousara vestir a camiseta com brilho que a irmã comprara exclusivamente para a festa de Natal.

A mãe já se habituara a ouvir Mel berrando feito uma criança de quatro anos, mas ficara chocada ao ver Abby se comportando daquele modo. "Sua piranha, odeio você. Odeio!", bradava ela e, em seguida, batia a porta do quarto. A gritaria continuava, e a menina ainda colocava o som no último volume.

Naquela noite, Leonie sem vontade de presenciar outra cena, estacionou o carro na frente do chalé e foi caminhando devagar até a porta. A pintura estava descascando de novo, lembrou ela, como ocorria todas as noites, quando chegava em casa. Fazia dois anos que pintara a parte externa, e o verde-escuro da porta estava ficando desbotado. No verão não dava para perceber, porque o roseiral tomava conta de tudo, escondendo os pontos desgastados da construção e os locais em que a tinta havia desbotado, e tudo ficava coberto com cachos cor-de-rosa, além de botões incrivelmente perfumados. Mas no auge do inverno o lugar parecia estar em péssimo estado, concluiu Leonie. *A fofa da Flossie não tinha sido a única a ser negligenciada*, pensou, com amargura.

Dentro de casa, a temperatura estava agradabilíssima e reinava a paz total. Ela não ouviu nenhum irmão chamando o outro de "otário" nem Penny correu, frenética, para saudar a dona que chegara, o que significava que alguém tinha sido bondoso e levara a cachorra para passear. *Uma preocupação a menos*, pensou Leonie, sorrindo para si mesma.

— Oi, gente, já cheguei.

O silêncio era total. Um bilhete na cozinha informava que as meninas haviam saído com Penny.

O Danny telefonou, disse que ia chegar mais tarde hoje e pediu para deixar o jantar dele separado, escrevera Mel, com sua letra bonita.

Como se a mãe fosse preparar o jantar e esquecer o filho! Quando foi que deixou de guardar um prato para ele?, Leonie perguntou a si mesma. Danny era um verdadeiro glutão e só fazia comer. Na paz do seu lar, ela decidiu fazer o que Angie sugerira: abriu uma garrafa de vinho de £5.99 da promoção do Superquinn e serviu-se de uma taça.

Prepararia para o jantar um chili que tirara do freezer naquela manhã e, para acompanhá-lo, faria batata assada e salada. Ligou o rádio e acendeu o forno, enquanto saboreava o vinho. Em seguida, começou a lavar as batatas na torneira de água fria e ficou escutando, meio que distraída, as notícias e as informações sobre o trânsito da cidade, desfrutando aquele raro momento de solidão. Quando Penny entrou pela porta dos fundos vinte minutos depois, latindo e feliz por ver sua querida dona em casa, havia uma salada fresca pronta na geladeira e as batatas crepitavam no forno. Além disso, Leonie já pusera a mesa da cozinha para os três.

— Que cheiro bom, mãe! — disseram as gêmeas em uníssono.

Mel entrou apressada, sem ao menos tirar o blusão ou o tênis, e atirou-se na cadeira mais próxima do aquecedor.

Seu rosto oval estava vermelho em virtude da combinação do ar frio e do exercício que fizera, os olhos grandes e escuros brilhavam e os lábios mostravam-se cor de rubi, por causa do vento cortante. Mesmo toda desalinhada, era belíssima.

Abby pendurou seu casaco e a coleira de Penny antes de acomodar-se ao lado da irmã, perto do aquecedor. Ninguém diria que eram gêmeas, pensou a mãe, enquanto observava o rosto redondo e franco de Abby, com o maxilar marcante, tão diferente do alongado de Mel. Abby estava mais magra, percebeu de repente. Não perdera muito peso, mas o rosto afinara. Ficara bem, Leonie concluiu, prazerosa. Talvez a filha não estivesse fadada a ser igual a ela, com a cara de camponesa que maquiagem nenhuma conseguia disfarçar. Nada daria mais gosto a Leonie que ver Abby virar um cisne. Era tão difícil ser o patinho feio, pensou a mãe. Mas talvez não fosse o patinho feio, no fim das contas. Não seria pequena e delicada, com olhos de Bambi; ainda assim, podia tornar-se uma mulher forte, vistosa e expressiva.

— Vocês duas estão em ótima forma hoje — comentou Leonie, sorrindo.

— Mãe, desculpe por ontem à noite — falou Abby, arrependida. — Não sei o que é que deu em mim.

— Foi Steven Connelly! — Mel riu, debochada. — Você queria que ele ficasse caído por você.

Abby puxou os cabelos da irmã para se vingar.

— Sua vaca.

— Ai! — gritou Mel, embora aparentasse estar bem-humorada.

Era um alívio ver que as duas tinham feito as pazes.

Leonie sentou-se à mesa da cozinha e bebeu um pouco mais do vinho. Só Deus sabia em que ano havia sido fabricado, mas era muito saboroso.

— Quem é Steven Connelly? — indagou a mãe, sabendo que não deveria fazer essa pergunta, mas não conseguindo evitar.

— Ninguém importante — respondeu Abby, com afetação. — A Mel acha que eu estou a fim dele. O que importa é que temos ótimas notícias.

— Mas você *está* paquerando o cara — insistiu Mel.

— Não estou nada. Agora me deixa falar. O papai telefonou — prosseguiu Abby.

— Para falar do casamento — disse Mel, pela irmã, com os olhos cor de jabuticaba brilhando de animação. — Ele quer que você vá.

— Fliss e ele querem que você esteja presente no casamento — continuou Abby, dando ênfase ao nome da namorada do pai.

Naquele momento, foi Leonie que teve de dizer a si mesma "ai".

— É muito gentil da parte de seu pai, meninas, mas não acho que seja uma boa ideia — comentou a mãe, tentando parecer o mais indiferente possível.

— Eu não disse para você? — perguntou Mel à irmã gêmea. — Sabia que ia falar isso, mãe.

— Sabia? — Leonie levantou-se e foi até o fogão, tentando disfarçar o sofrimento. — Você adivinha tudo o que vou dizer, não é? E se eu disser que vai ter que passar o aspirador de pó na sala antes do jantar? Por essa você não esperava! — A mãe procurou dar um tom descontraído à conversa, para ver se as meninas mudavam de assunto.

— Eu odeio passar o aspirador na casa, mãe. E, além do mais, é a vez da Abby — resmungou Mel.

— O papai quer que você vá, e a gente também — ressaltou Abby.

Leonie retirou do freezer um pacote de vagem, que não pretendia cozinhar, e colocou-o devagar em uma vasilha refratária.

— "As vias estão engarrafadas em Stillorgan" — noticiava pelo rádio o locutor de voz vibrante — "e, em Cork, a zona de Douglas está congestionada por causa de uma carreta que se desarticulou..."

— Temos certeza que vai adorar, mãe. O papai quer que você ligue para ele. Vai telefonar, não vai? — suplicou Abby.

— Claro que vou ligar para ele, meninas. Só que não acho que ir ao casamento seja uma boa ideia. Além do mais, custaria uma fortuna, e a verdade é que o pai de vocês não quer que eu esteja lá mesmo, quer?

— Quer sim — destacou Mel. — Vai ser divertido, mãe. Ele disse que vai pagar as passagens da gente e a sua também.

Ele deve estar com uma fábrica de dinheiro, pensou Leonie.

— O máximo que posso prometer é que vou telefonar para seu pai. E isso é tudo.

— Por favor — pediu Ray. — Adoraria ter você aqui. Sempre disse que deveríamos nos manter unidos por causa das crianças e provar para elas que as pessoas podem se separar de maneira civilizada.

A cinco mil quilômetros de distância, Leonie fez uma careta. O feitiço se virava contra o feiticeiro. Ela *dissera* aquilo e não apenas pelo bem dos meninos. Não quisera que as crianças se tornassem joguetes, como em certos casos em que os filhos eram usados para se fazer chantagem, em uma luta que só tinha a ver com poder e culpa, e não com responsabilidade dos pais.

Leonie conhecia muitos casos de casais separados que acabaram se tornando uma litania de queixas e reclamações, pois eles se incriminavam uns aos outros e arranjavam mil motivos para os filhos não ficarem com aquela "piranha" ou com aquele "sacana". Ela achava aquela baboseira inútil e imatura.

Leonie havia preferido conversar com Ray sobre o bem-estar de Abby, Mel e Danny e decidir o que era melhor para a família, apesar de estarem se separando. E com eles, sempre fora assim. Essa atitude madura e honesta fora conveniente para Leonie, já que ela instigara a separação e não gostaria de passar o resto da vida vendo Ray destilar o veneno nela e nos filhos simplesmente por ter ficado ressentido. Teria sido devastador para as crianças e muito doloroso para ela. Todavia, não houve veneno algum. Ray cumprira sua palavra, e o divórcio fora realmente civilizado, como ela desejara.

Então, dez anos depois, suas próprias palavras voltavam para assombrá-la.

— Se fosse você casando de novo, eu estaria aí do seu lado, Leonie — enfatizou o ex-marido. E ela tinha consciência de que ele não estava mentindo.

Leonie não sabia dizer se gostaria de tê-lo por perto, se ela casasse de novo. Mas pensou bem e decidiu que sim. Adoraria que Ray fosse dar a sua bênção, sorridente e encorajador. Seria a prova de que ela não tinha acabado com a vida dele. *O que seria uma piada*, pensou ela, com ironia, já que a única vida que desmoronara após várias tentativas de encontrar o verdadeiro amor fora a dela.

Ray sentia-se feliz, e as crianças também. Ela era a única que ansiava encontrar o amor verdadeiro desde que crescera o suficiente para assistir a filmes em preto e branco na televisão, nas tardes de sábado. Infelizmente, estava mais para Stella Dallas, a mãe redentora, que para uma personagem de *Dallas*.

— E Fliss viu com bons olhos você me convidar para o casamento? — perguntou ela.

— Está tão ansiosa quanto eu — comentou Ray, animado. — Ela encara tudo com muita naturalidade, já que seus pais se divorciaram e continuam se encontrando até hoje. Os dois têm um chalé de inverno no Colorado e compartilham as férias com os novos companheiros. Aqui todos são muito civilizados. Fliss quer conhecer você porque ela vai ser madrasta das crianças, por isso gostaria que fosse ao casamento. Será maravilhoso, Leonie, como se estivesse de férias. Temos dois chalés extras reservados, então você e os meninos poderiam ficar num deles. Eu pago as passagens.

— De jeito nenhum — comentou Leonie, sem pensar. — Eu vou pagar minha própria passagem. — Ela falou antes de se conscientizar de suas palavras. Rendera-se sem se dar conta.

— Então você vem! Isso é ótimo! Vou adorar ver você, Leonie. Muito obrigado, que notícia maravilhosa! — disse Ray, entusiasmado.

Ainda falaram sobre os preparativos da viagem, mas, como Ray estava no trabalho, não podiam demorar ao telefone.

— Vou ligar para você durante a semana depois de planejar tudo — disse ele. — Não vejo a hora de encontrar todos vocês.

Como os costumes nos Estados Unidos são diferentes dos da Irlanda, pensou ela, ao desligar o telefone. Os americanos eram bem resolvidos e esclarecidos. As pessoas se separavam e davam continuidade às suas vidas. A ex-mulher se encontrava com a nova esposa do marido, e uma não ameaçava espancar a outra de modo irracional por se odiarem e se ressentirem terrivelmente. Leonie tentou se recordar de algum casamento ao que a ex-mulher tivesse comparecido sem falar daqueles em que a ex aparecia sem ser convidada, para estragar tudo. Não se lembrou de nenhum. Como eram civilizados! Ela até chegou a ouvir falar de pessoas que se recusaram a comparecer ao casamento dos *próprios filhos* porque o ex-companheiro estaria presente. Que coisa mais patética.

Daquela vez, ela teria que ser a pessoa esclarecida e comparecer ao casamento do ex-marido, em janeiro, no Colorado. Que coisa mais moderna! Só que precisaria ir sozinha. Gostaria muito de encontrar alguém para acompanhá-la, que lhe desse boa sorte e lhe dissesse que era uma pessoa maravilhosa. Esse ser encantado também provaria a todos que ela não era uma solteirona esquecida pelo mundo, que rastreara os anúncios pessoais dos jornais à procura de um amor, sem sucesso.

Mel estava toda animada durante o jantar, conversando sobre a roupa que usaria no casamento.

— A Liz acha que eu devo me vestir de forma dramática, de preto — comentou ela, enquanto beliscava um pouco da salada e do chili. — Mas não sei não. Essa cor me deixa tão apagada, talvez o branco seja mais adequado, porque vai estar nevando. Só que é falta de educação usar branco em casamentos, não é mesmo? Vou ter que telefonar para Fliss, para saber o que ela vai vestir. Ou quem sabe um tubinho não resolva o problema? A irmã mais velha da Susie tem um minivestido de seda. Deve ser muito provocante.

— Você não vai usar nada justo demais, de tom branco ou de seda — disse Leonie com firmeza. — Só tem 14 anos, Melanie, não 18. Se eu quisesse que virasse uma Lolita, teria lhe dado esse nome.

Mel resmungou um pouco, mas não pareceu dar atenção ao que ouvira.

— Tenho que estar deslumbrante, mãe. É só isso que quero. A gente não sabe quem pode aparecer por lá. Todas as estrelas de cinema têm casa em Vail.

— Mas o casamento não vai ser em Vail, vai? — indagou a mãe, horrorizada.

— Vai, sim — respondeu a filha, com satisfação.

— Meu Deus, todos nós precisamos estar muito elegantes — comentou Leonie. — Você não acha, Abby? Não podemos deixar a Irlanda por baixo, parecendo um bando de derrotados.

Abby ficara calada o tempo todo durante a conversa sobre trajes de casamento e vestidos tubinho. A pobrezinha devia estar de saco cheio, imaginando que Mel ficaria parecendo uma estrela, enquanto ela ficaria nos bastidores, mais uma vez apagada, ofuscada pela irmã muito mais bonita do que ela.

— Você está sem fome? — perguntou Leonie, ao perceber que Abby estava apenas brincando com a comida. — Ultimamente tem deixado a comida toda no prato.

Abby meneou a cabeça, depressa.

— Eu estou bem, mãe — ressaltou, enquanto enchia o garfo de chili para mostrar que tinha fome. — Estou me sentindo ótima.

Abby fechou a porta do banheiro sem fazer barulho. Nos últimos tempos, ela não demorava muito, mas era bom poder entrar sem alarde, antes que alguém notasse a sua ausência e percebesse que tinha ido ao toalete. Fora meio constrangedor, quando, mais cedo, a mãe lhe perguntara se estava passando bem. Abby tinha certeza de que conseguira esconder que estava de dieta. Nas últimas semanas, dera sua comida sorrateiramente para Penny, que aguardava embaixo da mesa, e escondia porções do almoço e do jantar no guardanapo. Tudo isso para comer menos. Tinha sido muito difícil e acabou não dando certo. Ela ficava sempre faminta e não estava emagrecendo, disso tinha certeza. Como a velha balança do banheiro não funcionava direito, era difícil verificar o peso. Ninguém a usava mais. Sua mãe comia o que queria e não parecia se importar com a forma física; Mel sempre fora magra, mesmo comendo de tudo, e Danny só queria saber se estava ficando mais musculoso, sempre admirando os bíceps no espelho do corredor, quando achava que ninguém estava olhando.

O único jeito de Abby saber se emagrecera era ir até a farmácia Maguire's, para usar a balança que falava o peso da pessoa com uma voz eletrônica. E era muito constrangedor ter que subir naquele troço, com as meninas da escola entrando e saindo para comprar esmalte de unha e corretivo, itens que ela nunca usara.

Seja como for, não estava mais magra, mesmo se esforçando para não comer lasanha com batatas fritas, seu prato favorito. A dieta parecera inútil até ela descobrir a melhor maneira de perder peso. Tinha lido uma reportagem a esse respeito duas semanas antes, em uma das revistas de sua mãe. Podia comer tudo o que quisesse e, ainda assim, emagrecer. Estava ficando com a garganta um pouco inflamada, mas valeria a pena se ficasse magra como a irmã. Na verdade, tudo que desejava era ser tão bonita quanto Mel, nem que fosse apenas para o casamento de seu pai. Depois disso, daria um basta à dieta. Abby prendeu o cabelo com um elástico, para que não caísse no rosto, e inclinou-se na privada.

Só mesmo os olhos suplicantes de Penny para fazer Leonie pegar o casaco e enfrentar o clima terrível de dezembro. Havia chovido três dias sem parar, com rajadas fortes de chuva que desafiavam qualquer capa, cachecol ou chapéu. Não importava o quanto a pessoa se abrigasse, a água se insinuava por alguma brecha, encharcando as roupas e deixando-a molhada e morrendo de frio.

As meninas haviam se aconchegado na sala de estar, com o aquecedor na temperatura máxima. Faziam de conta que estavam revendo o assunto das provas de fim de ano, mas, na verdade, assistiam a um episódio crucial da novela *Home and Away*. Um suculento frango regado a limão e ervas assava no forno para mais tarde. Leonie queria ler o jornal e não fazer mais nada até o jantar de tão exausta que estava após o trabalho árduo na clínica. Mas Penny, que não saía havia três dias, desde que a chuvarada começara, parecia tão desanimada que Leonie acabou cedendo.

— Tenho certeza de que se houvesse uma premiação de Oscar para cães, você seria a vencedora — murmurou ela, quando Penny se jogou ao chão, totalmente subjugada, segurando o focinho entre as patas douradas. — Ninguém conseguiria parecer mais triste e deprimida do que você. Lassie, Skippy e Flipper não teriam a menor chance.

Vestindo um casaco, uma calça impermeável e um gorro de lã rosa sob o capuz, Leonie esperava não se molhar.

Penny começou a pular em volta dos pés da dona, uivando com sua voz canina esganiçada, satisfeita consigo mesma. Tremendo de frio, Leonie caminhou penosamente pela estrada, pensando consigo mesma que devia ser louca por sair de dentro de casa.

Faltavam dez dias para o Natal, e todas as casas ao longo da estrada exibiam velas ou luzinhas natalinas nas janelas. O brilho colorido das luzes nas árvores cintilava através das janelas e varandas envidraçadas, e a atmosfera aconchegante fazia o lado de fora ainda mais frio e úmido. Leonie se encolheu no casaco.

Observar Penny pulando prazerosamente entre as enormes poças d'água não a fez rir como de costume. Só passearia por dez minutos e nada mais. Se demorasse mais do que isso, ficaria ensopada. Ao deixarem a estrada principal, ela soltou a coleira de Penny, seguindo-a lentamente, odiando a sensação dos pingos de chuva batendo em seu rosto como se fossem agulhas perfurando-a com ferocidade. Ela sentia muito frio mesmo.

Penny enfiou o focinho em uma poça, sacudindo-o em seguida e espalhando água pelo rosto satisfeito. Com o casaco de pele impermeável, projetado pela natureza para enfrentar todas as condições meteorológicas, não dava a mínima para a chuva. Só tremia quando tomava um banho de mangueira após um passeio em que ficasse suja demais. Parecia até que a mesma água fria com que brincara momentos antes em uma grande poça de lama tornava-se terrivelmente gelada quando saía de uma mangueira.

— Você tem sorte por eu gostar tanto de você, Penny — resmungou Leonie para a cachorra saltitante. — Se não fosse por isso, nunca traria você para passear numa noite assim.

Caminhava tão distraída, tentando proteger a face dos pingos gelados de chuva, que nem percebeu uma enorme poça de lama bem próximo aos ameaçadores portões pretos. Penny estava fuçando e urinando nas proximidades, e Leonie pisou sem querer em um pedaço de asfalto quebrado; seus pés oscilaram nas botas de borracha e ela caiu pesadamente, mal conseguindo proteger o rosto com as mãos. Ela ficou de joelhos na poça d'água, com os cotovelos feridos por ter se estatelado na estrada.

— Ai! — gritou ela ao se machucar. Lágrimas irromperam de imediato. Penny retornou na hora e começou a latir. Aturdida e chocada com a queda, Leonie ficou temporariamente sem ação. Podia sentir a água infiltrando-se na roupa. Além disso, seus cotovelos e joelhos estavam latejando e, devido ao choque, ficara imobilizada.

— Está tudo bem com você? — perguntou uma voz masculina. Ela virou a cabeça e só então percebeu os faróis de um carro atrás dela. De repente, alguém colocou os braços à sua volta, ajudando Leonie a se levantar. Ela oscilou nas mãos daquela pessoa, sentindo-se frágil e sem equilíbrio. Penny saltitava, ansiosa, pressentindo que havia algo de errado, mas incapaz de ajudar.

— Você não está em condições de ir a lugar algum — falou o homem, com determinação. — Venha comigo e daremos um jeito de secar suas roupas. Daí, vamos ver se precisará de um médico. — Ele apoiou Leonie, acompanhando-a até o jipe com as luzes acesas.

Normalmente, Leonie teria resistido e diria que, na verdade, estava bem e que Penny estava imunda e molhada e não podia entrar no carro. Contudo estava chorando, assustada, e não conseguiu dizer nada. O homem ajudou-a a sentar-se no banco do passageiro como se ela fosse leve feito uma pluma. Em seguida, abriu a porta de trás, para Penny entrar.

Leonie fechou os olhos, cansada e ainda em estado de choque. A dor nos cotovelos piorava. Ela tocou neles com cuidado, certa de que havia rasgado o casaco na queda.

— É melhor não mexer — aconselhou o estranho —, pode doer ainda mais. Quando chegarmos lá em casa vou dar uma olhada. — Ele fez uma pausa. — Talvez seja melhor levar você direto para o médico.

Ela balançou a cabeça.

— Não vai ser necessário. Eu estou bem — murmurou ela, chorosa.

Então, Leonie percebeu que estavam se dirigindo para os portões, junto do local em que caíra. Era a casa dele. Era o mesmo homem grandalhão que ela havia visto com os dois collies exuberantes.

— A culpa é toda minha — disse ele. — Aquele buraco está cada dia maior e eu já devia ter dado um jeito nele.

— Na verdade, a culpa é do conselho da junta administrativa — comentou Leonie, enquanto tentava descobrir se arranhara as pernas.

O jipe chacoalhou ao longo de um caminho tortuoso, parando na frente de uma residência, que Leonie nunca havia visto. Um pequeno bosque mantinha a casa fora do alcance de olhares curiosos, o que era muito bom, concluiu ela, visto que, ao notarem o lugar, as pessoas poderiam entrar para bisbilhotar. Ali havia uma elegante casa de campo, de bom tamanho, com enormes janelas e graciosas colunas em ambos os lados da porta principal. Era uma linda vila, pintada de castanho-claro e cercada de faias, que se aninhavam, protetoras, ao redor.

— É linda — disse Leonie, com a respiração ofegante, sentindo um pouco menos de dor, enquanto olhava para a casa mais bonita que já vira na vida. — Não fazia ideia de que tinha um lugar como esse por aqui.

— Eu decidi comprá-la, entre outras coisas, exatamente por ser isolada — comentou o homem, descendo do carro.

Ele ajudou Leonie a se apoiar na porta do veículo.

— Melhor não entrarmos pela frente, Penny está imunda — ressaltou ela, de repente.

— Não tem importância — disse ele. — Os pisos são todos de madeira, não há tapetes para sujar.

Uma cacofonia de latidos os saudou e dois collies negros e lustrosos pularam alegremente sobre o dono quando ele abriu a porta. Então viram Penny, e os três cães entraram em frenesi e começaram a abanar os rabos; o de Penny, de pelo curto e dourado, nem podia competir com as caudas plumosas dos outros dois.

— Os dois são machos e muito meigos — comentou o homem. — Eles nunca brigam.

— Que maravilha. Posso usar o banheiro? — perguntou ela, sentindo-se enjoada e abatida.

O homem acompanhou-a com rapidez até um pequeno banheiro impecavelmente limpo; assim que Leonie trancou a porta, ela vomitou. Fora o susto e a adrenalina, concluiu, sentada no chão, tremendo, ao lado do vaso sanitário, ainda trajando as roupas molhadas e rasgadas. Ela ficou ali, sentada, até a náusea passar, tentando respirar fundo. Após alguns minutos, sentiu-se bem melhor e pôde apreciar o cômodo, todo em mármore bege de Carrara. Tinha o estilo europeu e era bastante limpo. Até a toalha com debrum caramelo era branca como a neve. Gostaria de ter mais um sanitário no chalé: se alguém caísse em uma poça de lama perto de sua casa, ela teria de correr até o banheiro com um desinfetante e passar uma meia hora limpando o lugar antes de deixar um desconhecido entrar.

— Você está bem? — perguntou o homem do outro lado do banheiro.

— Estou me sentindo melhor agora. — Leonie levantou-se, abrindo a porta. Não havia sinal dele, mas os três cachorros esforçaram-se para entrar de uma só vez no pequeno cômodo, alegres, abanando os rabos, com as línguas estiradas.

— Deixei algumas roupas secas aí do lado de fora — falou ele, em voz alta.

Leonie não conseguia tirar os cachorros do banheiro. Os collies, curiosos, ficavam cheirando e fuçando em todos os lugares, e Penny queria ser mimada e certificar-se de que ainda era a favorita. Cabeças peludas disputavam a atenção dela, acariciando-a com alegria e farejando a pia e a privada, dando encontrões.

Ela brincou um pouco com eles e, depois, juntou a pilha de roupas e tentou expulsar seus admiradores.

— Andem! — disse ela, tentando afastar os cães e bater a porta em três desgostosos focinhos gelados.

O homem havia deixado uma camiseta branca, um enorme casaco cinza de lã, uma calça jeans masculina e meias pretas. Cheia de escrúpulos,

Leonie despiu-se de suas roupas molhadas, sentindo dor ao tirar o casaco, que estava rasgado em uma das mangas. Milagrosamente, não se cortara em nenhum lugar, mesmo com os cotovelos contundidos e um terrível hematoma roxo em uma das canelas, que batera dolorosamente no asfalto.

Tudo doía, mas ela estava tão feliz por não apresentar cortes que nem se importou. No entanto, apesar de não ter quebrado nada, sabia que não seria fácil andar e que sentiria dor por mais alguns dias.

Seja como for, não estava planejando vestir nada muito sedutor no casamento de Ray, ela disse a si mesma, enquanto observava a horrível mancha roxa em um dos cotovelos. Usou a toalha para enxugar os cabelos e tirar a lama do rosto e pescoço. Ao terminar, deixou a toalha e as roupas em uma pilha organizada. Levaria tudo para lavar em casa: não deixaria aquela sujeira ali.

Os cachorros se aconchegaram nela quando abriu a porta novamente e Leonie caminhou pelo hall com piso de parquete, seguida por eles, até chegar à cozinha, descendo meio lance de escada. O ambiente era agradável e aconchegante, com armários, pisos e revestimentos de madeira. Havia um antigo divã castanho-avermelhado em um dos cantos e, ao lado, dois confortáveis cestos para os cães. O homem estava de pé, perto da pia e não se virou quando Leonie se dirigiu a ele.

— Obrigada pelas roupas.

— Como está se sentindo? Acha que vai precisar de um médico? — indagou, ainda sem se virar.

— Acho que não. Estou me sentindo bem, apesar da dor. Só que minha carreira de modelo fotográfico está arruinada, é claro — disse ela, brincalhona. — Até parece que lutei alguns assaltos com o Mike Tyson.

Ele virou-se para ela com um meio sorriso no rosto. Era a primeira vez que Leonie o olhava de verdade. Parecia uns dez anos mais velho que ela, com volumosos cabelos castanho-avermelhados e cacheados, mesclados de fios brancos, e uma barba cerrada na mesma cor. Era um homem enorme, de ombros largos e com quase dois metros de altura. Ainda assim, suas roupas pareciam grandes demais para ele, como se, apesar da robustez, houvesse perdido muito peso. Seu rosto era curiosamente achatado; as sobrancelhas arruivadas contrastavam com olhos sombrios e misteriosos. O sorriso iluminava-lhe a face de um modo surpreendente, tornando-o quase bonito; sem ele, ficava com um ar triste e soturno.

— Se quiser, tenho alguns analgésicos — ofereceu. — Preciso tomá-los por causa do meu rosto.

Leonie olhou bem para ele e pôde ver cicatrizes de um tom escuro e arroxeado em um dos lados de sua face, espalhando-se acima de seu queixo até a maçã do rosto. A barba cerrada, no entanto, conseguia escondê-las parcialmente. Pareciam marcas deixadas por queimadura, ela pensou. O homem manteve os olhos fixos nela, como se esperasse que deixasse de fitá-lo. Todavia, Leonie era muito obstinada. Já vira animais com queimaduras, suas peles transformadas em massas disformes e derretidas enquanto seus olhos agonizantes imploravam por alívio.

Era uma verdadeira tortura olhar para eles. Lidava melhor com pessoas feridas do que com animais.

— Você está se recuperando bem — disse ela, com naturalidade. — Foi uma queimadura?

— Isso mesmo — respondeu ele, surpreso por ela ter tocado no assunto. — Aconteceu faz dois anos.

— Deixe eu me apresentar. Meu nome é Leonie Delaney e o dela, Penny — prosseguiu ela, estendendo a mão.

Penny esticou-se alegremente em um dos cestos dos collies, e abanou o rabo ao ouvir seu nome.

— Bom, acho melhor eu ir andando — disse Leonie. — Minhas duas filhas estão em casa me esperando para o jantar e, mesmo que nem sentissem minha falta se eu desaparecesse, prefiro estar perto delas.

— Preparei uma dose de uísque quente para você — comentou ele. — Achei que ajudaria a acalmá-la. Comigo, funciona. Não sei se deve misturar com analgésicos, mas com certeza isso não vai matá-la.

— Gosto de bebidas e remédios — disse Leonie pouco à vontade, sentando-se no divã, sendo imediatamente cercada de cachorros. — Vou aceitar uma dose da bebida.

Não sabia dizer por que concordara em ficar. Devia estar louca. Aquele cara era com certeza tímido e antissocial. Além disso, era meio brusco e muito impaciente, como se não costumasse receber pessoas em sua casa; ficava nervoso ao ouvir falar de seus ferimentos. Não havia nem dito seu nome...

— Meu nome é Doug Mansell — disse, entregando-lhe um copo envolto em guardanapos — É muito forte e está bastante quente.

— Quer dizer que ficarei tão bêbada que vou cair na mesma poça de lama quando voltar para casa — brincou Leonie, ao pegar o copo.

Ele deu uma gargalhada, como não devia fazer havia tempos.

— Prometo levar você de carro e consertar o buraco depois. Não posso deixar que os vizinhos se matem na frente da minha propriedade.

Doug sentou-se em uma das cadeiras da cozinha, próximo a ela, de modo que não pudesse ver o lado direito do seu rosto, cheio de cicatrizes. Os collies acomodaram-se ao lado dele, esticando as cabeças para serem afagados pelo dono. Quando ele os acariciou, Leonie percebeu que tinha mãos enormes. Os cães vibraram, parados, adorando a atenção que recebiam.

Ela lembrou-se de que, ao vê-lo passeando com seus cachorros, pensara que fosse do tipo grosseiro, que mantinha os animais em um canil qualquer, sem lhes fazer um agrado ou deixá-los entrar em casa. Concluiu, sorrindo, que se enganara redondamente. Era óbvio que podiam entrar e sair quando bem entendessem e, além do mais, os cestos dos dois estavam cheios de bichinhos de pelúcia. Ainda assim, não imaginava Doug chamando seus cachorros com apelidos carinhosos.

— Como se chamam? — indagou ela.

— Jasper — respondeu o homem, indicando o cachorro de pelo negro e sedoso — e Alfie — acrescentou, afagando o animal de patas brancas, com uma mancha alva no peito. — Alfie tem dois anos e é filho de Jasper, que tem oito.

Os dois conversaram sobre cachorros por um tempo e, enquanto isso, Leonie ficou sentada, bebericando seu uísque aquecido.

— O único lado ruim de ter cachorros é precisar levá-los para passear quando está chovendo e fazendo um frio danado — destacou Leonie, acariciando as orelhas sedosas de Penny. Então, acabou de tomar sua bebida.

— Vou trazer outra dose para você — disse Doug.

— Não se preocupe. Você já fez sua boa ação de hoje — ressaltou ela. — Já incomodei demais.

— Não é incômodo nenhum — disse ele, abrupto. — Não costumo receber visitas. Na verdade, sou quase um eremita, mas gostei muito de conversar com você.

— Está bem, então. — Leonie acomodou-se de novo e deixou que Doug pegasse seu copo.

— Acho que vou tomar uma dose com você — prosseguiu ele.

— Você podia vir jantar lá em casa uma hora dessas — disse Leonie, em um impulso. — Minha casa fica mais à frente na estrada. Tenho certeza de que você vai adorar as crianças. Não é bom viver tão isolado.

— Agora é sua vez de praticar uma boa ação, não é? — comentou ele, com amargura.

— Só estou convidando você para jantar. Não trabalho fazendo resgates de emergência. Como minha humilde moradia não vai ser páreo para sua mansão, vou entender se recusar o convite. — Leonie levantou-se para ir embora.

— Sinto muito, não me expressei bem. É só que... perdi as boas maneiras por falta de convivência. Por favor, me perdoe. Fique mais um pouco; gostaria de mostrar a casa para você. Tenho certeza de que vai gostar, mesmo que não seja o palácio que está imaginando.

Leonie encarou Doug com o mesmo olhar provocativo que Danny, Mel e Abby conheciam tão bem.

— Isso é chantagem. Você sabe que toda mulher adora bisbilhotar e está tirando proveito disso, não é?

Ele concordou com a cabeça.

— Muito bem, eu topo.

Levando consigo a segunda dose de uísque aquecido, Leoni acompanhou a procissão de Doug com os cachorros até o andar de baixo. Era uma casa realmente linda, embora, de alguma forma, carecesse de amor. Havia uma atmosfera solitária, tudo era organizado demais nos cômodos graciosos e bem ventilados com grandes janelas, deslumbrantes lareiras de mármore e cornijas em um dourado discreto.

— Passo a maior parte do tempo na cozinha — confessou Doug, enquanto os dois passavam pelos vários cômodos desabitados — ou então no meu ateliê. Sou pintor.

— Sua casa é linda — elogiou Leonie, sincera. Contudo, teria gostado muito mais se o lugar estivesse cheio de vasos transbordando de plantas viçosas e houvesse um pouco de bagunça denotando a presença de gente, como cadernos de jornal espalhados aqui e acolá. Sentia-se como se estivesse visitando um museu: era como uma réplica perfeita de uma vila da época da regência, criada para visitantes pagantes admirarem os grandes divãs brancos e as poltronas forradas com lindos tecidos listrados, nas quais ninguém se sentava. Não havia quadros em lugar algum. Ela concluiu que Doug se tornara tão recluso que não gostava que outras pessoas apreciassem seus trabalhos.

— Então, você mora num dos chalés da estrada principal? — indagou Doug, quando os dois regressaram à cozinha depois de percorrerem o andar térreo.

— Exatamente. Tem mais ou menos um oitavo do tamanho dessa casa e não existe um único centímetro quadrado que não esteja tomado pela bagunça dos meninos, coisas como embalagens vazias de salgadinhos e vídeos que ainda não foram devolvidos à locadora — ressaltou ela. — Acho que você detestaria minha casa, dá para ver que gosta do estilo minimalista.

— Para falar a verdade, não sou fã desse estilo — comentou Doug. — Comprei a propriedade como investimento, não tinha intenção de morar aqui. O acidente... — ele fez uma pausa — fez com que eu mudasse de ideia. O lugar virou uma opção por ser isolado. Não modifiquei nada desde que me mudei. Não me senti inspirado para tornar a casa mais aconchegante.

— Equipar uma casa pode ser muito estressante — comentou Leonie, fazendo de conta que não entendera o que ele dissera. Era problema dele, se na verdade se achava feio demais para ser visto pelos outros e por isso não saía para fazer compras. Ela não ia alimentar esse pensamento.

Doug lançou-lhe um olhar divertido.

— Então quando será esse jantar samaritano? — quis saber. — Já que até agora não conheci nenhum dos vizinhos, posso muito bem começar visitando a sua família.

— Só preciso dar uma olhada na agenda dos meninos. A mãe coroa e chata vive em casa, mas os três estão sempre na rua. Pode deixar que eu aviso você. Agora preciso ir. É claro que as meninas ainda não sentiram minha falta, mas, de qualquer forma, não quero que se preocupem.

— Vou levar você de carro — disse Doug. — Ainda está chovendo e você ficaria encharcada se fosse a pé.

Permaneceram em silêncio enquanto Doug dirigia, até que Leonie lhe indicou em que casa devia parar.

— Tchau — disse ela, abrindo a porta do carro. — O convite do jantar continua de pé. Não vai ser nada de mais, apenas uma reunião à noite, com a família da vizinha.

— Acho que vou aceitar. Detesto quando as pessoas começam a fazer perguntas demais, mas você não agiu assim — ressaltou ele, constrangido.

Leonie deu de ombros.

— Eu também odeio quando fazem isso comigo. As pessoas gostam de enquadrar a gente — comentou ela, com ressentimento. — Querem saber de tudo: se nós somos casados, solteiros, divorciados, se jogamos golfe et cetera e tal. Como sou mãe e divorciada, estou saturada de pessoas abelhudas tentando determinar o lugar que ocupo no sistema ou descobrir se estou namorando ou averiguar por que meu casamento acabou e outras tantas coisas pessoais que não deveriam ser do interesse delas. Como você é um homem atraente, parece ser solteiro e vive isolado num lugar esplendoroso, seria um prato cheio para os fofoqueiros daqui. Não faço parte desse grupo, então, se quiser simplesmente jantar com a minha família e se gostar de comida caseira, será sempre bem-vindo. Além disso, não vou dar em cima de você.

Ele voltou a sorrir.

— Você é de uma franqueza animadora e, ao mesmo tempo, uma péssima mentirosa, Leonie. Não consigo imaginar ninguém mais me passando uma cantada.

— Imagine! Você não é nenhum Quasímodo; e pena não faz parte do vocabulário lá de casa. Estou oferecendo uma refeição, mas não sou assistente social. Se quiser, você pode até aparecer com um buquê de rosas vermelhas e deixar a população local em polvorosa.

Ele ainda estava rindo quando partiu. Era um homem bom, pensou Leonie, enquanto ela e Penny caminhavam até a porta da frente do chalé. Só que havia sido muito machucado, física e emocionalmente. Imaginou o que poderia ter acontecido para deixá-lo tão desconfiado e hostil. Tinha certeza de que não fora apenas o acidente. Deve ter sido uma mulher que não soube conviver com o sobrevivente de um incêndio, que tinha se transformado em uma pessoa temerosa e introspectiva.

Dizendo a si mesma para deixar de analisar as pessoas, Leonie enfiou a chave no buraco da fechadura. Suas roupas estavam secas e não teve vontade de rodear a casa para entrar pelos fundos, passando pelos arbustos de sempre-vivas, gotejantes por causa da chuva.

A televisão estava com o som nas alturas, e o cheiro de frango queimado invadia a casa.

— Onde estão vocês, meninas? — perguntou Leonie suavemente. — Não sentiram um cheiro esquisito? — Meio anestesiada após tomar duas doses de uísque e um anti-inflamatório, não tinha forças para ficar brava.

— Ah, a gente esqueceu — disse Mel, com vergonha, ao inalar o cheiro que vinha da cozinha. — Desculpa. Mãe, *o que é isso* que você está usando? — prosseguiu ela, finalmente percebendo que Leonie vestia roupas masculinas, estranhas e enormes.

— Fui abduzida por alienígenas ao atravessar a estrada e eles me levaram para seu planeta, me usaram para realizar experimentos e depois me mandaram de volta com essas roupas — respondeu a mãe, com um ar inexpressivo.

— Mãe, fala sério, você está bem? — Mel revirou os olhos.

— O que foi que aconteceu? — indagou Abby.

— Caí numa poça de lama lá na estrada — explicou Leonie, contando em seguida o que ocorrera. — Ainda bem que não fui levada por alienígenas, porque, pelo jeito, vocês nem iam notar. Disse que sairia por dez minutos e levei uma hora e 15. Eu poderia até ter sido estuprada e morta, mas minhas filhas estariam preocupadas apenas em mudar de canal para assistir à *Coronation Street*, sem nem se preocupar com o ruído das sirenes dos carros de polícia nas redondezas!

— A gente estava ligada demais na TV — comentou Abby, dando de ombros.

— E agora, vamos comer o quê? — indagou Leonie, em voz alta, enquanto dava uma espiada na geladeira. O frango, completamente esturricado, como se tivesse passado o dia inteiro assando em um forno a lenha, jazia na bancada da cozinha. Até Penny, que costumava se humilhar por causa de qualquer resto de comida, virou a cabeça, com desgosto.

— Estou sem a menor fome — disse Abby, com rapidez.

— Eu também — comentou Mel.

— Então vamos comer sanduíches de queijo quente — decidiu Leonie. — E vocês duas é que vão preparar.

Dois dias depois, ela encontrou Doug, enquanto passava pela frente da casa dele no final da tarde. Caminhava com Penny em meio a outro aguaceiro. Até os arbustos de azevinhos estavam tristemente tombados, com as folhas gotejantes de chuva. Não sobrou um arbusto sequer com frutos: moradores festeiros haviam arrancado todos para usar nas decorações de Natal.

— Só os patos gostam de dias chuvosos como esse — comentou Doug, parando o jipe ao lado de Leonie. — E então, quando será o grande jantar?

— Se quiser, pode ser hoje à noite — respondeu ela, olhando para ele sob a aba do boné de beisebol. — Já abasteci a casa para o Natal, e o congelador está abarrotado de comida. Posso preparar lasanha, cogumelos e frango com macarrão ou chili.

— Claro que prefiro lasanha — disse Doug.

— Espero você, então, às sete — marcou Leonie. Ela continuou seu passeio, sentindo-se, no íntimo, satisfeita. Era muito bom ter um novo amigo. Além do mais, sentia certo *frisson* por Doug ter feito amizade com ela depois de ignorar solenemente as tentativas de aproximação dos outros vizinhos. Ao buscar informações, como quem não queria nada, com a mulher que morava na casa ao lado, Leonie ficara sabendo que, desde que chegara à área, um ano e meio antes, Doug batera a porta várias vezes na cara dos representantes da competição Cidade Mais Bonita, além de ter mandando o pároco "chispar" dali quando ele chegara de bicicleta, com envelopes para as doações da Páscoa.

— É mesmo? —, comentara Leonie, abismada.

— Mas por que está perguntando? —, indagara a vizinha.

— Por nada, só queria saber quem morava naquela casa —, mentira Leonie. — E o que é que ele faz da vida, afinal de contas?

— Acho que é algo relacionado à arte —, respondera a vizinha, com desdém. — Tenho a impressão de que é pintor ou tenta ser. Já que ele é bom com pincéis, não ia arrancar pedaço algum se pintasse aqueles portões. Estão descascando e enferrujando e isso só desvaloriza o bairro.

Enquanto preparava o jantar, esbaforida, Leonie pensou na carreira de Doug. Nunca ouvira falar dele, mas adorava aquarelas representando rosas e cestos de frutos. Abby, que tinha inclinações artísticas, não gostava desse estilo, que considerava cafona.

Ela descongelou uma lasanha grande, fez uma salada verde crocante e viçosa e colocou batatas para cozinhar em fogo baixo. Em seguida, foi arrumar a casa, apressada. Depois de meia hora, percebeu que aquilo era uma perda de tempo. A casa era pequena demais para abrigar quatro pessoas um cachorro, uma gata e um hamster e, ainda assim, permanecer remotamente minimalista. Deixá-la arrumada já seria um milagre. Ao menos isso, tudo estava limpo.

Leonie foi trocar a calça velha e o suéter por algo mais glamouroso e, então, parou para pensar.

O pobre do Doug estava obviamente traumatizado por causa de uma mulher, e talvez saísse correndo se topasse com a amiga toda empetecada, com aroma de Samsara. Leonie prometera que não daria em cima, porque ele não fazia, de jeito nenhum, o seu tipo e, certamente, nem ela o *dele*; Doug poderia ficar desconfiado se a visse toda embonecada.

Então penteou os cabelos, passou um pouco de batom nos lábios e trocou a roupa que estivera usando por uma camisa jeans e uma saia de algodão. Preferiu isso a vestir a blusa de seda roxa e a calça de veludo, conforme planejara antes. Com aquela aparência, pensou ela, olhando-se no espelho, ninguém poderia acusá-la de tentar fisgar Doug. Estava bem natural, quase sem maquiagem. Só passara rímel e delineador nos olhos. Não lembrava nem um pouco Mata Hari, a mulher fatal e exótica que buscava ser quando se maquiava em excesso. Borrifou-se suavemente com o perfume de baunilha da Body Shop, que considerou uma alternativa melhor que o Samsara, e então foi para a cozinha e continuou a preparar o jantar.

Já eram quase sete e meia e nada de Doug chegar. Danny se cansara de ver televisão com as gêmeas, se queixava toda hora de estar faminto e dizia que era ruim para o corpo ficar tanto tempo sem alimento.

— Não faz nem três horas que você comeu uma pizza, seu guloso. Agora vai ter que esperar Doug chegar — disse a mãe, com firmeza.

— Você se lembrou de comprar salgadinhos? — perguntou o menino, enquanto abria e fechava os armários da cozinha à procura de algo comestível.

— Doug chegou — anunciou Mel, acompanhando-o até a cozinha. Ele trazia duas garrafas de vinho. — Posso tomar vinho também, mãe? Já é quase Natal.

— Você comprou cerveja, mãe? — quis saber Danny, após cumprimentar Doug com um aceno. Em seguida, o menino tentou achar Budweiser nos armários de baixo.

— Escondi as guloseimas porque sabia que você ia devorar tudo de uma só vez e não queria fazer compras até depois do Natal. Ah! E, a propósito, tem cerveja sim — disse Leonie, impaciente. Todos os petiscos estavam escondidos no fundo do armário, onde guardava a ração de Penny.

Nunca pensariam em procurar ali. Só assim poderia aparecer do nada e oferecer chocolates Kimberly quando os meninos pensassem que não havia mais nada de gostoso para comer. — Aposto que já se arrependeu de ter vindo — disse ela a Doug.

— De jeito nenhum — comentou ele, sorrindo, enquanto se sentava à mesa e acariciava a satisfeita Penny. — Se me conseguir um abridor, eu sirvo o vinho.

Leonie percebeu que ninguém tinha dado muita atenção a Doug, nem olhado para seu rosto. Provavelmente era aquilo que ele queria.

O jantar foi muito divertido. Mel e Abby ficaram tontas por terem tomado um pouco de vinho e começaram a falar demais e a rir à toa. Danny deixou claro que gostou de ter outro homem sentado à mesa e aproveitou para dizer que normalmente era minoria.

— Até o cachorro é do sexo feminino — resmungou ele.

Todos se fartaram de lasanha, e Doug ainda pediu para repetir.

Só houve um momento constrangedor, quando Mel olhou para Doug, pensativa, e comentou: — Esse machucado no seu rosto incomoda muito?

Leonie ficou com o coração apertado. Doug, porém, não havia se aborrecido por causa daquela pergunta inocente.

— Agora não sinto mais dor — respondeu ele. — A próxima etapa seria uma cirurgia plástica, mas ainda não me decidi por fazê-la.

— Eu ia adorar fazer uma cirurgia plástica nos seios — disse Mel, francamente, com os olhos brilhando.

— Que seios? — indagou Danny. — Em primeiro lugar, tem que ter alguma coisa para operar.

— Cala a boca, idiota — retorquiu a menina. — É por isso mesmo que você nunca vai precisar fazer uma operação no cérebro, já que não tem miolos.

Leonie sentiu-se aliviada ao ver Doug esboçar um sorriso.

Depois do jantar, Abby avisou que não ia estudar, porque só tinha mais uma prova antes do Natal, de educação artística, e não precisava rever nada.

— Vamos alugar um vídeo — sugeriu ela, animada.

Leonie não achou que Doug se entusiasmaria com a ideia e imaginou que fosse se despedir e ir para casa. Em vez disso, ele a surpreendeu ao se oferecer para levar as meninas de carro até a locadora.

— Acho que vou também — disse Danny —, senão vocês duas vão acabar alugando um filme romântico de merda.

— Olha a língua, Danny — disse a mãe.

— Desculpe, uma porcaria dum filme romântico — corrigiu o menino.

Os quatro trouxeram uma comédia, e Leonie soube que Danny e as meninas haviam feito uma trégua, já que nunca se entendiam na hora de escolher vídeos. Enquanto Mel fazia café, Abby abriu um pote de sorvete e todos comeram a sobremesa assistindo ao filme.

Abby e Doug começaram a conversar sobre história da arte em voz baixa, e Leonie fez de conta que não percebeu. Ele só comentaria sobre sua vida pessoal se quisesse, ela não o pressionaria a nada.

A noite foi agradável e relaxante. Quando o filme terminou, já eram quase onze horas.

— Volte mais vezes — disse Danny a Doug, enquanto ele vestia seu casaco.

— Volte mesmo — falaram as gêmeas com entusiasmo.

— Me diverti muito hoje — comentou Doug, quando Leonie o acompanhou até a porta.

— Isso prova que nem todos os vizinhos são uns bisbilhoteiros que passam a vida espiando por trás das cortinas — ressaltou Leonie, com um sorriso. — Depois marcamos outro jantar. A gente se vê. Tchau.

— Ele é um pintor e vai me mostrar seu ateliê — anunciou Abby.

— Verdade? — comentou Leonie, fingindo surpresa, com uma interpretação digna de ganhar o Oscar.

— Achei o Doug um cara legal — salientou Danny enquanto se dirigia à cozinha para se reabastecer. — Você está a fim dele?

Em resposta, Leonie deu um tapinha nas costas do filho.

— Nada disso, seu bobo. Não estou a fim dele. Só percebi que era muito sozinho e decidi convidá-lo para jantar, nada mais. Podemos ter amigos de verdade sem envolvimentos românticos, sabia?

— Foi só uma pergunta.

Seria tudo tão simples se ela se apaixonasse por alguém como Doug, pensou Leonie enquanto ajeitava a louça. Imagine como seria prático namorar alguém que morasse na esquina de casa. Mas, apesar de ele ser um cara decente, não era seu tipo. Ela notou que tinha um temperamento forte, e a convivência com ele devia ser difícil. Além do mais, detestava homens ruivos. Mesmo ele tendo cabelos mais puxados para o tom castanho, como folhas escurecidas de faia. Fora muito agradável naquela noite, porque se sentira bem no ambiente descontraído da casa de Leonie, contudo devia ser um pesadelo conviver com ele no dia a dia: era tenso, nervoso e exigia muita atenção. Não tinha nada a ver com ela. Queria um homem que vivesse com paixão e vigor e que lhe desse um grande abraço pela manhã, e não um rabugento que se isolasse do mundo como um prisioneiro de um conto de fadas, sem querer enfrentar a realidade.

CAPÍTULO 16

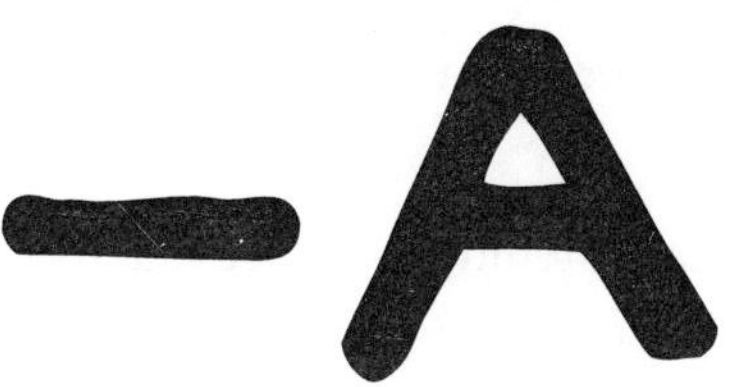

gente merece esse mimo — dissera Hannah, depois de convencer as duas amigas a irem com ela ao cabeleireiro. — Estamos trabalhando demais e precisamos ficar bonitas para o Natal. Você tem aquela festa de arromba — ela lembrou a Emma o grande evento de final de ano de Kirsten, uma preocupação constante em sua mente — e você, o casamento — disse Hannah para Leonie, que também não havia se esquecido do compromisso.

Quanto a mim, pensou Hannah consigo mesma, *vou passar um Natal maravilhoso com o lindo Felix, que logo será um grande astro da BBC.* Claro que ele ainda não havia planejado tudo. Era tão distraído que esqueceria a própria cabeça se não fosse presa no pescoço.

— Já sei do que precisamos — prosseguiu Hannah. — Temos que fazer uma renovação total.

Leonie cortava o cabelo no mesmo pequeno salão havia anos.

— É barato e tem uma atmosfera alegre — admitiu ela, tocando as pontas dos cabelos dourados, ressecados como gravetos, depois de ela passar duas décadas pintando-os em casa, na tentativa de ter a aparência das louras nórdicas estampadas nas caixas de tinta. — Mas seria bom mudar o visual para o casamento — acrescentou. Fazia uma eternidade que usava o mesmo corte: na altura dos ombros e com cachos rebeldes. — Duvido que um cabeleireiro consiga domar isso.

Emma não se animou com a ideia. Acostumara-se a usar os sedosos cabelos escorridos sempre soltos. Ajudava a disfarçar suas orelhas. Além disso, gostava da franja longa caindo nos olhos.

— Eu estou muito satisfeita com meu estilo — comentou ela, na defensiva. — Esse corte disfarça meu nariz. — Isso fora o que o pai lhe dissera quando era pequena. Kirsten, a menina dos olhos do pai, nunca precisara usar franja para disfarçar seu nariz, maior que um Concorde.

— Você fala como se tivesse uma tromba de elefante — ressaltou Hannah, com veemência. — Na verdade, o seu nariz é bonito: distinto e marcante. Por que escondê-lo? Preferiria ter um daqueles arrebitados das menininhas sem sal?

— Preferiria, sim — respondeu Emma, sorrindo. — Vocês não são narigudas como eu.

— Até que não estou muito longe disso — retrucou Hannah, enquanto esfregava com um dedo o nariz levemente pontudo. — Mas uso o meu para farejar maldades no escritório. É especialmente útil quando Gillian tenta me enganar a respeito da quantidade de trabalho que deveria ter completado.

— Já escolheu seu novo corte? — perguntou Leonie.

— Vou fazer um corte repicado — respondeu Hannah. — Tenho usado o cabelo comprido faz anos porque é prático e dá para prender, mas estou pronta para mudar. Quero deixá-lo na altura dos ombros e fazer luzes no tom chocolate.

— Peguei você! Está querendo se preparar para a entrega dos prêmios da BAFTA, a academia britânica de cinema e televisão, não é?

Hannah deu uma risada contagiante.

— Na verdade, para o Oscar!

Leonie esperava que a colorista de um salão estiloso também fosse produzida. Imaginou pessoas com piercings no nariz, roupas ultramodernas e cabelos repicados, desfiados e tratados com todas as marcas de gel para que tivessem um visual moderno de cabelo rebelde. Em vez disso, a colorista era uma mulher grávida de uns 30 anos, com macacão preto, uma camiseta cor-de-rosa e cabelos curtos, escuros e brilhantes. O único piercing que usava era um discreto par de brincos de pérolas. Ela não ficaria nem um pouco deslocada se se sentasse no lugar da professora de matemática em uma reunião de pais e mestres. Chamava-se Nicky e, ao passar os dedos pelas madeixas tingidas de Leonie, comentou:

— Diga o que tem em mente e eu vou dar minha opinião.

Leonie olhou-se no espelho com ar crítico. Temendo deparar-se com sua imagem sob a luz cruel do salão, ela havia se maquiado demais. Era estranho pensar que, ao sair de casa, gostara de seu visual. No entanto, vendo-se ali nos enormes espelhos, mostrava-se excessivamente pintada, quase vulgar. Os cabelos estavam horríveis, concluiu ela, em desespero. Sentiu-se como uma loura oxigenada que passara pelo Bairro das Luzes Vermelhas em Amsterdã, com uma parada estratégica na sex shop do Soho.

— Não sei dizer, Nicky — comentou ela, com tristeza. — Estou me sentindo horrível. Na verdade, faz anos que eu mesma pinto os cabelos. Eles estão com as pontas secas e a cor está muito clara, sei lá... — disse ela, com um suspiro. — Estão péssimos. Talvez eu não tenha mais idade para ser loura.

— Isso é bobagem — comentou Nicky, animada. — Está usando a cor errada; precisa de um tom mais suave para combinar com sua pele. A tonalidade da tez muda com a idade, então é preciso usar cores mais sutis. Você precisa apenas de um pouco de louro-acastanhado para reduzir o louro dourado, além de tons pálidos para complementar. Talvez tenha que repassar sua maquiagem também. O uso excessivo de delineador vai ficar pesado com seu novo visual.

— Você acha mesmo? — Leonie não se convencera. — Sempre me maquiei assim. Meus olhos ficam apagados se não passar um monte de rímel e não delineá-los com lápis preto.

— Engano seu. Tem olhos lindos. Nunca vi ninguém com olhos tão azuis — disse Nicky, com sinceridade. — Enquanto estiver no secador, esperando a tinta pegar, vou chamar uma das meninas do salão de beleza no andar de cima para maquiar seus olhos. Você não vai acreditar quando estiver pronta. Agora me diga se quer tomar um chá ou um cafezinho.

Emma, que fora apenas para cortar o cabelo, havia sido a primeira a ficar pronta.

— O que você achou? — perguntou ela a Leonie, ansiosa, enquanto inclinava a cabeça na frente do espelho para observar o novo corte de ângulos diferentes. As mechas longas que escondiam seus olhos rajados cor de âmbar haviam sido cortadas e, apesar de Emma só ter permitido que o cabeleireiro aparasse cinco centímetros nas camadas mais longas, seu visual mudara completamente. Dava para ver o rosto meigo de Emma de modo apropriado e ela não precisava mais ficar tirando madeixas de cima dos olhos o tempo todo. Aparentava ter mais idade, sem o cabelo de colegial, mas, ainda assim, ninguém lhe daria 31 anos.

— Ficou lindo! — exclamou Leonie, entusiasmada.

Hannah foi a próxima a terminar. Seus cabelos compridos tinham sido cortados na altura dos ombros e estavam com luzes. Mechas em tons de canela e chocolate se misturavam ao castanho-escuro, sua cor natural. Os cabelos brilhantes e soltos tinham movimento e emolduravam seu rosto com elegância. A boca carnuda brilhava com um gloss bronze, e ela parecia uma top model.

— Aí está você — disse Leonie, sentindo-se feia em comparação com as amigas. Naquele momento, seus cabelos estavam enfeitados com dezenas de lâminas de papel-alumínio, que pareciam um capacete medieval enfiado em sua cabeça.

Os novos tons realçaram os olhos amendoados de Hannah, deixando-os ainda mais deslumbrantes, e combinaram com as sardas que se espalhavam por sua face.

— Você acha que está bom? — perguntou ela, apreensiva, enquanto passava a mão pelas mechas brilhantes.

— Ficou fantástico — respondeu Leonie. — E se está preocupada com Felix, saiba que se ele não gostar é porque ficou maluco.

Emma e Hannah combinaram de voltar uma hora depois.

— Se meus cabelos não estiverem cozidos até lá, nunca ficarão prontos — comentou Leonie, com desânimo.

As duas deixaram Leonie, que voltou a ler revistas. Cansada de olhar para pessoas incrivelmente lindas na coluna social da *Tatler*, pegou um exemplar todo desfolhado de *Hello!*. Contudo, todos ali eram deslumbrantes também. Leonie imaginou que deveria haver espaço para uma edição que se intitulasse "a cada semana, gente como a gente". Uma revista que mostrasse pessoas normais, com traseiros grandes e problemas de pele, usando roupas que aparentassem ter sido compradas na liquidação de uma loja de departamentos e experimentadas no escuro.

Começava a se sentir um pouco melhor quando a esteticista chegou. Era uma moça bonita, porém rechonchuda, e vestia uma bata branca apertada demais para ela.

— Ah, que pele bonita é essa! — exclamou ela, com o sotaque cantado de Cork. — E seus olhos são espetaculares. Já sei a cor que vai ficar bem em você.

Foi um choque para Leonie ver sua maquiagem excessiva ser removida. Ela fechou os olhos e disse a si mesma que assim que saísse do salão, poderia correr até o pub mais próximo, ir até o banheiro e pintar bastante os olhos de novo.

Só que não precisaria fazer isso. Ao abrir os olhos, o rosto que a contemplava era o de uma desconhecida. Os pesados traços esfumaçados de lápis preto haviam desaparecido do seu semblante e o delineador de lábios, que vinha usando desde que tinha 20 anos, fora substituído por uma discreta mistura de tons de dourado e caramelo. Seus olhos ficaram mais valorizados, graças à sombra belíssima e a um delicado traço que os aumentava. Seu costumeiro rímel preto e sombrio fora substituído por um tom forte de marrom, e seus lábios ficaram cheios, formando um beicinho, graças ao batom caramelo, sem contorno visível de lápis.

— Nossa! — foi tudo o que ela conseguiu dizer.

— Vai ficar ainda melhor quando retirar as lâminas de papel de alumínio — comentou a esteticista, com sabedoria.

Depois de as lâminas serem retiradas, Leonie achou seus cabelos escuros demais.

— Ainda está molhado — disse Nicky, em tom reconfortante. — Espere até que seque e não se reconhecerá. Vai ficar espetacular.

E Leonie realmente não se reconheceu. Após meia hora de escova, ela constatou que a cor dourada e vulgar não existia mais e, em seu lugar, surgira um penteado novo, ondulado, em tons de mel, dourado-claro e castanho-claro. Ela passou a mão pelos cabelos, maravilhada. Parecia outra versão de si mesma. Só precisaria renovar seu guarda-roupa, comprando algumas peças finas de caxemira, joias discretas e caras e um BMW, e então seria uma dama da sociedade. Ela sorriu para si mesma ante a ideia.

— Não vou ligar se minhas amigas não me reconhecerem, meus próprios filhos vão me estranhar! — exclamou ela, brincalhona.

CAPÍTULO 17

annah deu altas gargalhadas e se divertiu demais na festa de Natal dos funcionários da Dwyer, Dwyer & James no McCormack's. Rolou de tanto rir ao ver o vigário fazer striptease. A performance foi uma surpresa para Gillian, que fazia aniversário um dia depois do Natal e, quando o vigário ficou só de cuecas e procurou alguém para beijar, Hannah deu um largo sorriso e ganhou um grande abraço. Ninguém que olhasse para seu rosto iluminado de alegria poderia imaginar que, por dentro, ela se sentia tão feliz quanto um boi indo para o abatedouro.

— Minha nossa, o que estamos fazendo aqui? — questionou Donna, ansiosa, às dez e meia, sentando-se na banqueta ao lado de Hannah depois de as duas pegarem uma fila de meia hora para ir ao banheiro feminino no pub, lotado de clientes farristas.

— Só podemos estar loucas — concordou Hannah, fazendo de tudo para manter uma expressão animada no rosto enquanto falava. Seria humilhante demais admitir que Felix a tinha decepcionado outra vez. — Ainda preciso fazer um monte de compras de Natal e não estou com a menor vontade de acordar cedo amanhã para encarar as lojas do centro. Sei que deveria estar em casa, na cama, mas estou a fim de me divertir.

— Fazer compras na véspera do Natal é suicídio — comentou Donna —, ainda mais de ressaca. Que bom que já estou com tudo pronto. Pode crer que tudo fica bem mais difícil quando temos filhos com que nos preocupar. Não dá para deixar a compra de presentes para a véspera porque o estoque de pôneis da Barbie, ou seja lá o que eles queiram, pode esgotar. Tania ficaria furiosa se o Papai Noel não aparecesse.

Hannah assentiu. Havia mentido sobre as compras de fim de ano, porque os presentes de todo mundo já estavam guardados. Esperou apenas para escolher o de Felix, porque queria presenteá-lo com algo perfeito. Naquele momento, não tinha mais motivo para ir a qualquer loja. No entanto, seria triste demais falar daquilo.

— E quais são seus planos para o feriado? — indagou Donna, enquanto colocava água tônica em sua vodca. — Estou feliz porque vou passar o Natal em casa. Todo ano vamos para Letterkenny, onde minha mãe mora, só que dessa vez convidei todos para ficar conosco. A casa vai estar cheia, mas será divertido. Tive até pesadelos ao pensar que vou cozinhar para dez pessoas!

Hannah sorriu.

— Não dá para imaginar você tendo pesadelos por algo tão banal — disse ela, brincando. Donna era uma das pessoas mais organizadas que já conhecera e, na certa, já preparara e congelara a ceia; meia hora antes de servir, bastaria descongelar tudo.

— Minha cozinha é tão pequena que fica difícil cozinhar para muita gente — protestou Donna. — E quanto a você? Planejou ficar com o glorioso Felix ou vai para casa no Oeste?

Em um átomo de segundo, Hannah considerou suas possibilidades. *Poderia* passar o Natal em casa, cear sozinha, escolher um programa para ver na televisão e fortalecer o espírito tomando bastante vinho. Sem a presença de Felix, não havia razão para preparar o faisão que comprara, nem para decorar a mesa com as grossas velas de cera de abelha, os galhos de azevinho e os elaborados laços de fita em tons de vermelho e dourado. Para quê, se ninguém notaria seu empenho? Ou poderia fazer algo antes impensável, ir para casa em Connemara com o rabo entre as pernas. A mãe sempre insistia em convidá-la para a ceia, mesmo sabendo que Hannah estivera ausente nos últimos dois anos. No Natal anterior, a filha alegara que teria que trabalhar no hotel. Naquela época, havia perdido Harry e estava envergonhada por isso. Toda a sua família o conhecia e, mesmo sem achá-lo cativante, sua ausência seria notada. A maioria das pessoas que ela conhecia desde pequena já se casara e tinha filhos, então aquela festa resumia-se a um desfile de pessoas na faixa dos trinta, que ficavam o tempo todo se vangloriando das conquistas. A saída da igreja, depois da missa de domingo parecia um concurso de beleza em que desfilavam as esposas e os filhos dos homens orgulhosos da região. Hannah chegara a sonhar com um Natal, no futuro, em que apareceria com o famoso Felix Andretti e daria motivos de sobra para o povo falar. Paciência, aquilo já não importava mais.

No final de novembro, Hannah dissera à mãe que já tinha algo planejado para o feriado, o que era verdade na época. Imaginara um glorioso idílio amoroso com Felix. Fariam longos passeios nas tardes geladas, após terem passado as manhãs sensualmente na cama, morrendo de rir com *Willie Wonka*, e assistindo a sessões repetidas de *Os Pioneiros*. Não veriam ninguém, nem iriam a festas: ficariam o tempo todo um com o outro. Pura felicidade. Felix, no entanto, acabou com os planos maravilhosos da namorada ao dizer que passaria o Natal em Birmingham com a mãe. Não convidou Hannah, não apareceu nem se interessou em saber se ela ficara magoada por ter sido excluída de sua programação natalina.

"Tenho que resolver alguns assuntos de família", dissera educadamente ao telefone, como se isso fosse desculpa para ele deixar de pensar em tudo e em todos. "Ligo para você quando chegar lá."

Mas não ligara. E ela fora deixada para trás para curtir sua tristeza. Decidira, porém, que não se juntaria à tropa das ex-namoradas de Felix, tornando-se mais uma a fazer parte do círculo não tão seleto das pessoas que o odiavam. Já tinham se passado três dias desde o último telefonema e Hannah fechou-se em si mesma, deprimida. Não suportava pensar em Felix e sofria ao se recordar dos momentos maravilhosos que haviam compartilhado. Era tão doloroso quanto ter um dente extraído sem anestesia. Felix era o homem de sua vida. Tinha certeza disso. Mas parecia que ela não era a mulher da vida *dele*.

Ainda mais desalentada do que quando se separou de Harry, começou a funcionar no piloto automático. E tentou parar de se perguntar por que sempre escolhia homens que abusavam dela e depois a descartavam. Havia uma zona proibida, que ela visitaria em outro dia ou século. Hannah não queria sondar seu subconsciente e descobrir o que havia de errado com ela. Preferia ficar completamente bêbada, e a festa do escritório estava lhe dando uma grande oportunidade de encher a cara.

Ela revirou os olhos quando Donna perguntou o que faria no Natal. Os planos de Hannah para aquele ano eram nulos. A não ser que...

— Na verdade, vou para casa no Oeste. O Felix ficou furioso comigo porque queria que fôssemos visitar a mãe dele, mas eu tinha prometido para a *minha* desde o ano passado, que passaria o Natal com ela essa vez...

— Hannah parou de falar e suspirou profundamente tentando dar a impressão de que ser uma filha boa e conscienciosa era difícil, mas que não tinha outra opção. — Vou sentir saudades dele, mas não posso decepcionar a mamãe. Como o meu irmão, a minha cunhada e o filhinho deles vão passar o Natal fora, meus pais estarão sozinhos. De qualquer modo, eu e Felix vamos nos encontrar no Ano Novo — mentiu. E quem podia dizer o que ele faria na virada do ano? Provavelmente bungee-jumping em uma ponte australiana ou algo tão radical quanto. Talvez comemorasse com umas modelos morenas, que haviam se tornado atrizes e almejavam desfilar com atores de verdade. O que importava era que ele não tinha tocado no assunto com ela.

— Você merece ganhar uma medalha! — exclamou Donna. — Se fosse eu, me deixaria seduzir pelo charme de Felix e diria para a pobre da minha mãe que teria que ficar sem mim por mais um ano. Você é uma mulher e tanto, Hannah Campbell.

— Sei que sou uma verdadeira santa — disse Hannah, secando seu copo e odiando a si mesma por mentir para uma pessoa tão adorável quanto Donna. — Vou enfrentar o bar mais uma vez, quer outra bebida?

— Vá em frente — murmurou Donna. — Peça mais uma e depois me convença a ir para casa, por favor!

— Negócio fechado — disse ela, sorridente.

Era estranho pensar que, depois que decidiu passar o Natal em casa, sentia-se quase feliz. Perambulando para lá e para cá na maior tristeza, desde que seu mundo caíra por causa de Felix três dias antes, Hannah não fora capaz de mostrar entusiasmo por nada. Sentia-se como uma ovelha desgarrada, sem pouso fixo. Mas com a perspectiva de ir para casa em Connemara percebeu que fazia parte de algo, novamente. Não era uma mulher solitária que viveria à base de comida congelada, ingerindo porções individuais de creme de arroz e se distraindo com programas de televisão. Ela era Hannah Campbell e, apesar de conviver pouco com a família, tinha raízes. Foi como se um peso houvesse saído de cima dela. Ela se dirigiu então, toda animada, para o bar, insinuando-se pela multidão ansiosa e pedindo os drinques aos gritos, antes que o lugar fechasse.

Dois caras bonitos, com camisetas de um time de rúgbi, sorriram ao ver aquela mulher bonita de olhos brilhantes e sorriso provocante. Hannah vestira uma blusa de seda em tom cinza-chumbo para ir ao pub e deliberadamente a desabotoou para deixar a ponta de seu sutiã de renda preta à mostra. Muito sutil, porém sexy demais, e ela pensou até em fechar de novo o decote.

— Vá em frente, gatona — disse um dos caras do rúgbi, abrindo um espaço mínimo para que Hannah pudesse passar, se esbarrando, por ele e conseguisse chegar perto do bar.

— Obrigada — disse ela respirando fundo e dando uma demonstração da Hannah liberada. Se Felix não a queria mais, podia muito bem paquerar outros homens. Precisava melhorar a autoestima, decidiu ela.

— Posso te pagar um drinque? — indagou ele, esperançoso.

Hannah lançou-lhe um olhar malicioso.

— Por que não?

— Dá para ver que você está se divertindo muito — disse alguém com voz seca. Olhando à sua volta, ela deparou com a figura imponente de David James. Ainda de terno, parecia deslocado em meio às pessoas eufóricas, descontraídas do pub. Tinha o olhar cansado e rugas pronunciadas faziam com que se parecesse com um cão de caça.

— De onde você surgiu? — perguntou ela, um pouco desconcertada por ter sido pega flertando com estranhos quando se supunha que estava loucamente apaixonada por Felix.

— Fiquei trabalhando até tarde e resolvi dar um pulo aqui — respondeu ele, percebendo o rosto corado de Hannah, o batom de tonalidade coral borrado em sua boca carnuda e a blusa de seda com os três botões abertos.

— E então, vai tomar o que, gatona? — indagou o sr. Camiseta de Rúgbi.

— Nada — retrucou David, com frieza. — Ela está comigo.

— Como queira! — exclamou ele, ofendido, para Hannah.

Ela ficou rubra feito uma maçã, envergonhada.

— Achei que talvez precisasse ser resgatada — comentou David.

— Não precisava não — disse ela, enfurecida, enquanto saía da aglomeração perto do bar.

David a seguiu, agarrando-a pelos ombros, fazendo com que se virasse de frente para ele.

— Sinto muito, Hannah — desculpou-se. — Percebi que aquele cara estava dando em cima de você e achei que não ia gostar...

— David, estou farta de pessoas que deduzem o que eu quero ou não — disse ela, cansada. — Agora vou para casa. Tenha um Feliz Natal.

Ela se virou e saiu, parando apenas para pegar o casaco e se despedir da perplexa Donna com um aceno. Enquanto saía do pub, sentiu os olhos de David sobre ela e soube que ele ficara magoado com sua resposta brusca. Contudo, não conseguira se controlar. Havia passado a noite inteira fingindo que estava feliz, com a boca escancarada, sorrindo até os maxilares doerem. Nenhuma mulher conseguiria ficar impassível. Pediria desculpas a David depois do Natal. Desde que Hannah assumira o lugar de Donna, naquela ocasião, ele estava sendo maravilhoso com ela. Chegara a comentar que, em janeiro, lhe daria um treinamento para que se tornasse corretora júnior, o que seria uma oportunidade imperdível. Hannah sabia que devia estar entusiasmada com essa chance, mas sentia-se para baixo e deprimida. Maldito Felix.

Na manhã seguinte, bem cedo, ela passou pelo Rathmines apenas para comprar comida, bebida e alguns presentes da Dunnes, além de um frasco grande de perfume caríssimo para sua mãe, antes de pegar a estrada em direção ao seu destino. Às dez da manhã da véspera de Natal, as estradas já estavam movimentadas, mas na maioria das rotas para fora da cidade ainda não havia engarrafamentos.

Sentindo-se revigorada com as balas de caramelo e as cantigas natalinas que tocavam no rádio, Hannah dirigiu-se ao Oeste, sem se importar com a chuva constante que dificultava tanto a viagem. Distraiu-se ouvindo uma comédia no rádio e, depois, um programa de atualidades, em que os convidados analisavam os acontecimentos políticos do ano. Aquilo era melhor do que ouvir música, concluiu ela. Era muito doloroso ouvir as músicas das paradas de sucesso, que faziam com que se lembrasse de Felix. Sentira-se do mesmo jeito quando se separou de Harry, que adorava óperas e sempre colocava seus discos de Maria Callas para tocar enquanto faziam amor. Mesmo naquele momento, se ouvisse um único trecho de ópera no alto-falante, ficaria com um nó na garganta e teria que mudar de estação imediatamente. Aqueles sons guturais e trágicos inundavam sua mente com pensamentos tristes de perda; a perda de Harry. E a de Felix também. Será que sua vida seria uma eterna sucessão de perdas?

Quatro horas depois, ainda estava chovendo. A paisagem se transformara completamente. As casas ficaram esparsas e distantes umas das outras na tortuosa estrada de Clifden, assim que Hannah passou pelo belo vilarejo, digno de cartão-postal, de Oughterard, com suas casas em tom pastel. A formosura deu lugar à beleza agreste, desolada e inóspita de montanhas cinzentas, que pairavam sobre a neblina a sua direita. As colinas sinuosas tinham paredões de pedras que formavam padrões. Casinhas despontavam aqui e ali no agreste, suas chaminés deixando um rastro de fumaça. Ela podia sentir o cheiro de turfa queimando no ar, algo que sempre seria símbolo de seu lar. Intrépidos carneiros montanheses pastavam junto à estrada, ignorando o tráfego de veículos enquanto mascavam capim metodicamente. À sua esquerda, Hannah podia ver o Atlântico despontando em meio a penínsulas cobertas por milhares de arbustos de tojo. Meu Deus, que lugar bonito! Porém, era isolado demais.

Ela chegou a Maam's Cross e esperou para entrar à direita, no cruzamento, enquanto um trator moderno passava, tranquilo, na sua frente. O motorista acenou para ela, entusiasmado, mas ela não retribuiu o cumprimento porque não o conhecia. Fazia 12 anos que partira dali: seria difícil reconhecer gente que frequentara a escola com ela, já que todos tinham crescido e mudado bastante. Com certeza, *ela* também mudara, e muito.

Quando pequena, mantivera os cabelos longos presos e sempre preferira casacos folgados e calças jeans. Mas, depois, passara a usar os cabelos na altura dos ombros e soltos, com movimento. Deixara de usar peças grandes e sem forma, que escolhia por esconder sua silhueta curvilínea, e optara por trajes mais justos e clássicos.

A coleção de roupas para festas que usava com Felix, e que ele mesmo a ajudara a escolher, era outra história. Nunca pensaria em sair vestida daquele jeito em um lugar como aquele. Sua mãe teria um ataque, isso sem mencionar a reação das outras pessoas. Quinze anos antes, qualquer mulher idiota o bastante para vestir uma minissaia nas proximidades do Macky's Pub seria vaiada e ouviria coisas do tipo "Se manda" ou "Assanhada sem vergonha". Não dava para passar por isso duas vezes. Hannah duvidava de que os jovens dali fossem diferentes, tampouco acreditava que os homens mais velhos houvessem mudado.

Após mais vinte minutos dirigindo em estradas vicinais, ela chegou às duas colunas que demarcavam a entrada da propriedade de sua família. Não se lembrava de ter visto portões ali, apenas colunas com as dobradiças penduradas e escurecidas de ferrugem. O pai passara anos prometendo que fecharia a entrada, mas, como a maioria de suas promessas, essa também nunca foi cumprida. O carro de Hannah chacoalhou ao passar pelo caminho esburacado, e ela temeu pela suspensão.

A casa dos Campbell, assim como a maioria das residências situadas naquela parte linda e remota do mundo, ficava a aproximadamente um quilômetro da estrada. O pequeno Fiesta balançou e se debateu ao longo do caminho, passando pelo pinheiral que o avô de Hannah plantara trinta anos atrás, até que ela fez uma curva e avistou a casa. Não era exatamente imponente. O local, que originariamente fora uma construção com apenas um andar e duas janelas de cada lado da porta da frente, fora ampliado desde que a família Campbell se mudara para lá. O resultado foi que a fachada caiada ficou assimétrica, com um anexo do lado direito, um cômodo extra com telhado plano que abrigava o banheiro e a copa. Um desconhecido poderia se perguntar como haviam conseguido licença para construir um banheiro que desse em uma cozinha, mas, quando o avô de Hannah fez essa ampliação, nem lhe passara pela cabeça pedir permissão para nada.

Além da casa, havia as dependências externas: um chiqueiro, que atualmente vinha sendo usado como depósito multiuso e uma série de pequenas construções rústicas, em que costumavam ficar as galinhas e os gansos. Sua mãe deixara de criar galinhas fazia anos. Cuidar de galinheiros era um verdadeiro pesadelo, e as aves acabavam sendo abatidas pelas raposas. As galinhas foram os animais de estimação de Hannah quando era criança. Sentia-se mais à vontade na companhia das vinte e pouco aves de raça, ouvindo-as cacarejar com suas cabeças de penas vermelhas eternamente em movimento, do que com o resto da família.

Fazia seis meses que estivera ali, e nada parecia ter mudado. O tonel de água continuava descascando do lado de fora da casa, com placas de tinta se desprendendo como se fosse caspa. O pequeno jardim estava árido, como sempre, mas o velho Ford da família não se achava estacionado no local em que seu pai sempre o largava, com uma grande poça junto à porta do passageiro fazendo com que qualquer pessoa que descesse daquele lado ficasse ensopada. Ainda bem. Não fazia questão de encontrar o pai imediatamente. Se o carro não se encontrava ali era porque ele estava enchendo a cara, e não dormindo para se recuperar dos excessos da noite anterior.

Hannah viu que as cortinas da cozinha se abriram enquanto ela estacionava o carro. Mal tinha aberto a porta, e sua mãe já a aguardava na varanda.

— Que surpresa! — exclamou Anna Campbell, com um tênue sorriso em sua face cansada. — Espero que tenha trazido seu saco de dormir. Mary e as crianças também estão aqui. — A filha lhe deu um beijo no rosto. Mary era prima de Hannah, e ela se perguntou por que teria ido passar o Natal ali. Sua mãe parecia exausta. Mas estava acabada havia anos. Mãe e filha tinham o mesmo rosto oval, com olhos em tom de caramelo e cabelos escuros, com cachos rebeldes que se recusavam a serem domados com secadores de cabelo ou spray.

No entanto, o rosto de maçãs pronunciadas de Hannah tinha uma expressão vivaz e sua boca carnuda sempre esboçava um sorriso divertido, enquanto a mãe tinha um ar fatigado e combalido. Sua estrutura óssea era claramente visível sob a pele fina.

Anna Campbell não usava maquiagem, a não ser um pouco de batom quando saía e, sob as sobrancelhas grossas, tinha um olhar rígido. Também estava mais magra, em virtude da vida inteira de trabalho duro para alimentar a família e dos cigarros, sem os quais não conseguia viver. O fato de não haver sequer um grama de gordura localizada no corpo dela não era resultado do plano de exercícios de Jane Fonda. Sua rotina era um hino de louvor, tanto ao trabalho duro quanto à nicotina. Hannah sabia que a mãe ia muitas vezes caminhando ao supermercado McGurk's, que ficava mais acima, no vale, porque o pai saía para beber de carro e acabava dormindo embriagado no banco de trás, em uma estrada qualquer, deixando todos da família a pé e sem saber de seu paradeiro. Porém, eles se acostumaram com isso. Além de tudo, manter a velha casa limpa e arrumada era trabalho para mais de uma pessoa e, ao fazer tudo isso sozinha, anos a fio, Anna acabara prejudicando sua saúde.

Naquele dia, usando uma calça velha de veludo azul-marinho e uma blusa estampada sob um casaco verde-garrafa, tecido à mão, Anna parecia ter mais do que seus 62 anos.

— Me dê suas coisas — disse ela então, esticando-se toda e, sem o menor esforço, tirando a mala da filha de dentro do carro com os braços fortes. — Mary disse que precisava de um lugar para ficar com os filhos por uns dois dias. Não revelou o motivo, mas Jackie foi despedido da fábrica e aposto que está descontando nela, gritando e resmungando o tempo todo. Ela disse que tinha que ir embora, e eu não quis ficar fazendo perguntas.

E ela foi *para lá*? Hannah, incrédula, pensou em perguntar. Passar o Natal em uma velha casa úmida, no ermo, com um bêbado idiota, não podia ser o lugar ideal para uma mulher com duas crianças, mas, de repente, ainda era melhor do que passar o feriado com Jackie, o marido de Mary, que Hannah considerava o elo perdido entre homens e macacos. Ela sabia que Mary Wynne, a sobrinha de sua mãe que vivia em um bonito bangalô, nos arredores de Galway, não teria nenhum outro lugar para ir com os dois filhos pequenos. Seus pais já tinham falecido, e seu irmão morava na Inglaterra.

— Como ela veio para cá? — indagou Hannah, retirando o resto dos pertences de dentro do carro.

— Pegou uma carona. Disse que vai deixar o marido. Já não era sem tempo. O homem não consegue manter um trabalho por mais de seis meses sem ser despedido. Tinha acabado de ser promovido, mas precisava botar tudo a perder! Ele é um *amadán* — disse a mãe, usando a palavra gaélica que significava idiota.

Hannah não fez nenhum comentário. Achava surreal que a mãe fosse muitas vezes o esteio das amigas e dos parentes, dando sábios conselhos quando se deparavam com maridos ruins, quando ela própria era casada com um alcoólatra que não ganhava um centavo de dinheiro honesto fazia anos. O único consolo de Hannah era que, apesar de seu vício, Willie Campbell só agredira a esposa uma vez na vida, em um incidente inesquecível. Pegara uma estrada ruim, explicara ele covardemente em defesa própria, enquanto Anna estava no hospital, engessando o braço. A mãe teria se livrado dele imediatamente se fosse violento, disso a filha sabia. Era uma pena que não ficasse agressivo quando bebia. Pelo menos assim, Anna o teria largado.

Embora Jackie Wynne não fosse violento, Hannah o achava extremamente irritante. O seu fanatismo por futebol era tanto que enlouquecia qualquer um. Se seu time perdesse uma partida, ficava inconsolável. Ela concluíra tempos atrás que, se fosse casada com ele, já o teria abandonado muitos anos antes. Não conseguia lidar com a falta de segurança.

— Mary quer voltar a trabalhar de qualquer jeito. Não sei como vai fazer com as crianças — comentou Anna, lastimosa. — Não comente nada com ela. Fica tão envergonhada por causa de Jackie e, além disso, você sabe que ela sempre admirou você, achando que é bem resolvida. Ficaria arrasada se soubesse que você já tem consciência de que ela largou o marido em pleno Natal. Se lesse uma história dessas no jornal, não acreditaria.

— É claro que não vou comentar nada — disse a filha, pensando consigo mesma que, se Mary soubesse como ela estava levando a própria vida, não precisaria se envergonhar da situação difícil que vinha enfrentando. Eram da mesma idade, apesar de nunca terem sido próximas. Pelo menos, durante o período turbulento em que fora casada, Mary tivera dois filhos que adorava. A única lembrança que Hannah tinha de seus 36 anos de vida era uma sequência de romances malsucedidos e um cinismo crescente. Ah, sim, e um chefe insatisfeito que ela tratara mal na noite anterior. Hannah ainda se sentia culpada por causa do pobre do David.

Só havia uma vantagem no fato de Mary ter ido para a casa de sua mãe: ninguém se interessaria muito por seus planos malogrados de Natal; melhor seria falar do canalha do Jackie e definir o tipo de advogado que Mary precisaria contratar para tirar cada tostão dele.

A cozinha enorme podia ser considerada o coração da casa dos Campbell. Anna adorava padrões florais. Tudo era forrado com uma variedade de estampas de rosas; as paredes apresentavam tons de azul e amarelo, as poltronas, cor-de-rosa e dourado, cheias de almofadas. Havia uma grande quantidade de vasos em todos os lugares, comprovando o jeito que Anna tinha de lidar com as plantas.

Tudo muito bonito para uma casa, que, de fora, aparentava ser tão fria e desconfortável. Fazia muito Hannah tinha se dado conta de que a mãe precisava de seu ninho de flores para conseguir enfrentar a vida, o que era bastante triste.

A casa estava quente, após a brisa atlântica gelada ao lado de fora. Encolhida em uma poltrona, próximo ao aquecedor de tom creme, que esquentava toda a residência, encontrava-se Mary, fingindo ler uma revista. Sua boca estremeceu quando viu Hannah, que foi até ela e abraçou-a.

— Hannah, a sua mãe contou o que aconteceu para você? — perguntou ela, trêmula, os enormes olhos azuis marejados.

— Mais ou menos — mentiu a outra, acomodando-se na beirada de uma cadeira, feliz ao constatar que a tristeza não arruinara a aparência de Mary. Ainda estava muito atraente com o cabelo escuro ondulado e curto, a tez rosada, as maçãs do rosto sardentas e os olhos grandes com cílios longos, cheios de rímel.

Duas garotinhas, que eram a cara da mãe, saíram do quarto de hóspedes e chegaram à sala, vestidas com roupas de adulto que arrastavam no chão atrás delas, conforme andavam. Hannah notou que a mais nova, que devia ter uns quatro anos, colocara sombra roxa e uma camada de batom chamativo por toda a boquinha.

— Olha só para mim, mamãe! — disse a menina, feliz. — Eu vou pra festa. — Rodopiou e quase tropeçou no traje comprido demais.

— Eu também — acrescentou a mais velha, a qual, pelo que Hannah lembrava, tinha quase seis. A garota estava com um antigo chapéu de casamento e funeral, com penas na cor cinza curvadas para baixo, quando deveriam estar eretas, tal como ocorrera quando o item fora comprado, vinte anos atrás.

— Courtney e Krystle, vocês não se lembram da sua tia Hannah? — perguntou Mary.

O que quer que houvesse acontecido em casa não pareceu ter marcado as duas crianças, concluiu Hannah um tempo depois, após elas terem brincado de ficar vestindo roupas durante horas e, em seguida, terem lido historinhas de um enorme livro azul de contos de fadas, por meia hora. Elas adoravam Hannah e chegaram a brigar para ver quem se sentaria em seu colo na frente da lareira, enquanto ela contava as aventuras de Cinderela, que se casara com o príncipe, mas conseguira um ótimo emprego, para manter a independência. A tia quis se certificar de que as fábulas tivessem um toque moderno e realista.

— Você leva jeito com as crianças — disse Mary, com carinho. Parecia bem mais animada após tomar uma caneca de chá e comer um pedaço do bolo de frutas de Anna.

Hannah sorriu.

— Nunca tinham me dito isso.

Às sete da noite, as duas meninas já haviam pegado no sono, na cama de Anna, e Hannah se sentia exausta. A viagem de Dublin até ali e as brincadeiras com as crianças cheias de energia a esgotaram. Mary, no entanto, não aparentava estar nem um pouco cansada. Nem abalada, por sinal.

— Vamos dar um pulo no pub para tomar um drinque? — perguntara ela.

— E as meninas? — quis saber Hannah, surpresa.

— Eu tomo conta delas — disse Anna. — Nunca na vida pisei naquele pub e não é agora que vou fazer isso. Montarei a cama de armar no quarto de hóspedes, para as garotas. A gente pode tirá-las de minha cama mais tarde. Eu ainda não enchi o colchão de ar do seu quarto, Hannah, mas vou fazer isso agora. Vão lá vocês e se divirtam por uma horinha.

Hannah deu de ombros. Era óbvio que Mary queria lhe contar todos os detalhes sórdidos de sua separação de Jackie. Mas Hannah estava cansada demais para ir de carro e, além disso, com as restrições da lei seca, não poderia tomar nem mesmo um drinque, se fosse dirigindo.

— Vamos caminhando — sugeriu. — Fica a menos de dois quilômetros, e já parou de chover.

Pegou um par de botas velhas, de salto baixo, de sua mãe e, levando a capa de chuva, como precaução, as duas saíram.

— Acho que o pub vai estar cheio — comentou Mary, com a voz bastante animada para quem, teoricamente, estava arrasada. Ela colocara outra camada de rímel e seus lábios brilhavam com o batom cor-de-rosa.

— Sempre fica, na véspera de Natal — disse Hannah, sorrindo. — Parece até que ninguém vai poder beber mais durante o feriado, pela forma como todo mundo gosta de fazer farra hoje.

Os frequentadores do pub as receberam com entusiasmo, o que foi ótimo, já que, assim, as duas conseguiram se sentar no salão lotado. No entanto, elas recusaram as ofertas de bebidas, pedindo as que queriam. Mary resolveu ir ao banheiro antes que os copos de Guinness chegassem.

Hannah raramente tomava cerveja preta, mas, por estar em casa, sentiu saudades do sabor amargo.

— Não demoro nada — disse Mary, empolgada, misturando-se à multidão.

Um burburinho alegre teve início no canto, perto da lareira. Várias pessoas empurravam para a frente um homem mais velho, estimulando-o a pegar a rabeca encostada na parede e tocar.

— Não me lembro de nenhum acorde — brincou o velho, com simpatia, enquanto pegava a rabeca e tocava com maestria uma melodia animada, de ritmo acelerado. Gargalhadas espalharam-se pelo ambiente, e alguns dos clientes mais ousados começaram a dançar uma giga no meio do pub, por incrível que parecesse sem esbarrar uns nos outros, embora estivessem bem ébrios.

Hannah recostou-se na cadeira e bateu o pé, acompanhando o ritmo e aguardando o retorno de Mary. Ficou surpresa quando viu a prima sair do lado esquerdo do bar, onde estava o telefone, e não do banheiro. A face rosada de Mary brilhava quando ela se dirigiu ao ponto em que se encontrava Hannah.

— Por que você não usou o telefone em casa? — quis saber Hannah, intrigada.

Mary ficou rubra.

— Eu não queria usar o telefone da tia Anna — explicou, envergonhada.

— E por que não? Você não vai voltar para o Jackie, vai?

Ela balançou a cabeça, com sensação de culpa.

— Você jura que não conta para ninguém?

— Não vou dizer nada.

— Não foi o Jackie que me fez ir embora. Eu estou apaixonada por alguém, e ele descobriu.

— *O quê?*

— Você jurou que não ia contar para ninguém.

— E não vou mesmo. Agora desembucha.

Hannah reparou que os olhos da prima reluziam como velas em uma noite escura, enquanto ela lhe contava a história do professor de educação física bonitão, que conhecera um dia na reunião dos pais da escola.

— O Jackie sempre deixava essas reuniões por minha conta — queixou-se Mary. — Nunca ia para nenhuma delas. Se a Krystle fosse menino, ele frequentaria a escola o tempo todo, tentando fazer o filho entrar no time de futebol antes de completar sete anos, só que o Jackie não se interessa pelas meninas. Já o Louis — ela pronunciou o nome com reverência — é diferente. A esposa dele é meio estranha. Por isso, ele foi para a reunião sem ela. A mulher trabalha o tempo todo, e ele tem que ficar com as filhinhas quando ela está de serviço. A mais velha dele está um ano à frente de Krystle na escola. Foi assim que tudo começou.

— Há quanto tempo vocês estão se vendo? — perguntou Hannah.

— Seis meses. Ele vai deixar a mulher para ficar comigo, mas o Jackie descobriu tudo ontem e fez o maior escarcéu.

— Eu imagino. Mas por que você não contou para a minha mamãe o que aconteceu? Não acho uma boa ela não fazer ideia do que está ocorrendo. Sabe, o Jackie pode aparecer, botar a boca no trombone, e mamãe vai ficar furiosa quando descobrir que você mentiu para ela.

— Não menti.

— Está bom. Não disse toda a verdade.

Mary franziu o cenho.

— Eu não pude contar a ela porque você é a filha perfeita. Anna *sempre* fala de você, diz que está indo muito bem. Agora, você está com um namorado famoso, e eu não pude contar para ela que estou tendo um caso com esse cara e que o meu marido descobriu. Como poderia?

— Se ela descobrir, você vai desejar ter contado a verdade. — Hannah ficou impressionada. Imagine sua mãe dizer para todo mundo que ela era a filha perfeita. Havia chegado à conclusão de que sua progenitora não se interessava por sua vida. Tinha sido assim quando crescera. Naquela época, a mãe concentrara-se em Stuart, seu irmão mais velho. Quando ele tirava uma nota razoável em uma prova, Anna fazia questão de assar um bolo para comemorar o feito do menino; quando anunciou que se casaria com a namorada, Pam, após tê-la engravidado, era possível imaginar que havia recebido o prêmio Nobel de biologia e não que tivesse ferrado com a vida de alguém, exercendo a função mais básica do organismo humano. Anna quase enlouqueceu tentando encontrar o traje perfeito para o casamento e tricotou tantas roupinhas de bebê que daria para vestir quadrigêmeos. E, de repente, vinha Mary lhe dizer que Anna falava dela com reverência. Era difícil acreditar nisso.

— Aposto que vai me aconselhar a desistir dele e voltar para o Jackie, como uma esposa bem-comportada — acrescentou Mary bruscamente.

Hannah deu uma risada. — Ficou maluca? — questionou ela. — Não cabe a mim lhe dar conselhos, Mary e, além disso, não sou o tipo de mulher que acredita que a resposta para todos os problemas seja um marido. É uma mulher adulta e deve apenas pensar em você e nas meninas. Só aconselho que não confie demais em homem algum. E isso é tudo.

— Pensei que estivesse apaixonada — ressaltou a prima. — Mas não parece ser o caso.

Tomando um grande gole de cerveja preta, Hannah pensou na resposta que daria. Não queria tratar de assuntos particulares e, se falasse que todos os homens eram mentirosos e trapaceiros, Mary poderia imaginar que a vida de Hannah Campbell não era um mar de rosas.

— Gosto muito de todos eles, são ótimos, só que no momento, não estou a fim de ninguém em especial. — O nariz dela poderia crescer, de repente, como o de Pinóquio. — Tenho saído com um cara, mas não é nada importante.

— O amor verdadeiro é maravilhoso — comentou Mary, com os olhos cintilando. — Você era apaixonada pelo Harry, não era? O que aconteceu de errado?

— Eu confiei nele — disse Hannah, bruscamente. — Não cometa o mesmo erro, Mary. Antes de mais nada, pense em si mesma e nas meninas.

* * *

O dia de Natal amanheceu fresco e sem chuva, com o sol lançando uma luz suave na frente da casa. Seu pai nem dera sinal de vida, e Hannah não quis saber por onde andava. Podia até imaginar. Devia estar se recuperando da bebedeira de um galão de cerveja preta no fundo do carro, ainda meio grogue. Às dez e meia, as meninas já haviam se cansado dos presentes de Natal, e a tropa toda entrou no carro de Hannah para assistir à missa matinal. Como ela não ia a uma fazia séculos, levantou-se na hora errada e sentou-se quando deveria ajoelhar-se, atraindo o olhar reprovador da pequena Krystle, de apenas seis anos.

— Você está fazendo tudo errado — disse a menina, enfática, com a devoção de uma criança no catecismo.

— Sinto muito — comentou Hannah com docilidade, enquanto segurava a mãozinha de Courtney e tentava não rir da cara séria da outra menina. Courtney simpatizara com Hannah e fizera questão de se sentar ao lado dela, segurando a boneca-bebê que chorava com a outra mão rechonchuda. De vez em quando, entregava a boneca à nova amiga e, apoiando-se nela, sentava-se, satisfeita, chupando o dedinho. *Era agradável ficar ali sentada, juntinho de Courtney e observar as pessoas*, pensou Hannah.

Sentiu-se um pouco culpada por ter passado tanto tempo sem ir à missa. Nunca dera muita importância para a religião em sua vida e, no entanto, ali, naquele momento, com Anna, Mary, as crianças ao seu lado e a gente trabalhadora com que crescera, todos unidos em adoração a Deus, sentiu que algo faltava em sua existência. Como Leonie dizia, Hannah era uma católica submersa, que só emergia quando tinha algum problema, aí sim, lembrava-se de Deus. *Seria bom frequentar a igreja mais vezes*, ela concluiu.

O velho veículo Ford estava estacionado na frente da casa quando elas voltaram. Ele chegara.

— Não implique com seu pai, Hannah — preveniu sua mãe em voz baixa, para que Mary não ouvisse. — Não quero saber de brigas. Hoje é o dia de Jesus, então vamos fazer de conta que somos uma família normal.

Em outros tempos, Hannah teria reclamado com a mãe pelo simples fato de ela ousar lhe pedir aquilo. "Ele não toma jeito porque ninguém nunca reclama dele", teria dito, enfurecida. "Se não ficasse impune depois de gastar cada centavo que ganha com bebidas, todos nós estaríamos muito mais felizes."

Aquela, no entanto, era a Hannah do passado. A atual não estava a fim de brigar, queria paz e harmonia entre os homens de boa vontade e, se isso significasse ter que sorrir friamente para o pai, ela o faria.

Ao entrarem em casa correndo, as crianças se assustaram com a imagem de Willie Campbell jogado na poltrona perto da lareira. A gordura contrastava com a magreza da esposa. Era uma figura quase cômica, com sua jaqueta puída de tweed e uma camisa que provavelmente era branca quando a vestira, mas que ficara cheia de manchas de cerveja. Ainda tinha vasta cabeleira, mas os cabelos escuros estavam ficando cinzentos, da mesma cor dos olhos que perscrutavam os visitantes. Trazia a culpa e o remorso estampados na cara.

— Bem-vinda, Mary — disse ele, embolando um pouco as palavras. — E você, pequena Hannah, pode dar um beijo no velho pai?

Hannah olhou para a criatura sem solução à sua frente e se perguntou por que o transformara em um ogro em sua memória. Conscientizou-se de que ele não era mau, apenas fraco. Fraco e beberrão. Ela não poderia culpá-lo por fazê-la desconfiar de todos os homens. Muito menos por sempre escolher aqueles que a fariam sofrer, exatamente como ele fizera, ao longo de sua vida.

— Olá, papai — disse ela, sem nem tentar abraçá-lo. — Faz tempo que a gente não se vê. Feliz Natal.

— Feliz Natal, tio Willie — desejou Mary, puxando as duas meninas para perto do tio. Ela o abraçou, mas as crianças não demonstraram entusiasmo em fazer o mesmo.

— Venham comigo, meninas. Vamos subir para o quarto e tirar esses casacos — falou Anna com firmeza, pegando-as pelas mãos e levando-as embora. — Willie — disse ela ao marido. — Vá se lavar e trocar de roupa. É Natal e você vai ficar mais apresentável com uma camisa limpa. Se quiser descansar um pouco, chamamos você na hora do jantar.

Nada havia mudado, pensou Hannah. Sua mãe tocava a vida, como sempre, permitindo que o pai se saísse das trapalhadas com suas mensagens codificadas, dizendo-lhe que poderia dormir para curar a ressaca, que depois seria bem-vindo à mesa quando estivesse limpo e sóbrio. Era sua maneira de encarar a situação: não vejo, não falo, não ouço. Quando era adolescente, Hannah ficara enfurecida ao perceber que a mãe aceitava cegamente o alcoolismo do pai. *Pare de relevar os erros dele. Vá embora ou peça para ele ir!* Ela queria gritar, frustrada. Todavia, a mãe não tomava uma atitude. O casamento era tudo que tinha, e fora criada para aceitar o que a vida lhe oferecesse.

Talvez por ter passado tanto tempo fora de casa e mudado muito, Hannah não sentisse mais a necessidade de brigar com eles.

— Vou fazer uma xícara de chá e levo para você na cama, pai. — Foi tudo o que disse, então. O pai olhou para ela, agradecido.

— Obrigado, querida.

Quando Willie foi devagar para o quarto que compartilhava com a esposa, Hannah suspirou, aliviada. A sensação que teve foi de que havia feito algum tipo de teste, elaborado por si mesma, e não pela família. Aceitar-se significava aceitar seus pais como eles eram. E ela conseguira fazer isso... ou quase.

Eles jantaram às cinco horas e se divertiram muito graças às duas meninas. Fazer com que Courtney comesse qualquer coisa verde era uma verdadeira missão da qual Hannah se encarregara.

— Não quero! — disse a menina, petulante, jogando o talher do Ursinho Puff do outro lado da mesa, quando lhe ofereceram uma garfada de brócolis.

— Eu também não — declarou Krystle.

— Estou surpreso com vocês, meninas — comentou Willie. — Sabem que o Papai Noel está vendo tudo e ainda assim não querem comer. — Ele falou pouco durante a refeição. Comeu com voracidade e apenas comentou que tudo estava uma delícia.

— A gente já recebeu os presentes — disse Krystle, presunçosa.

— Mas ele pode tomar de volta, não pode, Mary? — indagou Willie, arqueando as sobrancelhas.

Depois desse comentário, os brócolis foram consumidos depressa pelas crianças. Hannah foi quem mais se surpreendeu ao perceber que o pai se preocupara em conversar com as meninas. *Nunca fora muito jeitoso com os pequenos ou fora?* Ela tentou se recordar e teve uma vaga lembrança do tempo em que era criança e adorava sentar-se em seu colo para ouvir as histórias que contava. Ele tinha uma poltrona grande, cor de ferrugem, e a filha costumava enrodilhar-se nela, sentindo sua falta. Hannah ficou com os olhos cheios d'água e, para disfarçar, fingiu estar espirrando.

— Será que está ficando gripada? — perguntou sua mãe.

— Não estou não, mãe.

Não havia qualquer bebida alcoólica em sua casa e, apesar de Hannah não ter visto o pai bebendo nada naquela noite, parecia imerso em uma estranha embriaguez. Devia ter escondido alguma garrafa. No dia seguinte, ele saiu na hora do almoço e não voltou. As três mulheres passaram um dia maravilhoso, brincaram com as crianças e conversaram, caminharam até a montanha e, ao regressarem para casa, à tardinha, prepararam chá fumegante e descansaram os corpos doloridos em frente à lareira.

Naquela noite, Hannah acordou às duas e meia da madrugada com o barulho de alguém chegando pela porta da frente. Ela estremeceu, sentindo-se novamente como uma criança ao ouvir o barulho da chave do pai girando na fechadura. O humor dele era imprevisível, e não dava para saber se estaria risonho e brincalhão ou se, sombrio e taciturno, sairia culpando a todos por não ter futuro e estar desempregado.

"E quanto a nós? Somos o seu futuro, mas você não toma conta da gente nem da mamãe." Hannah tinha vontade de dizer a ele. "Pare de sentir pena de si mesmo e tome uma atitude." Ela odiava o modo como ele desperdiçava a vida, entregando-se ao álcool.

Temendo que o pai fizesse barulho e acordasse as crianças, ela se levantou silenciosamente e foi até a cozinha. Deparou-se com ele sentado no chão, calado, tentando tirar as meias e os sapatos.

— Hannah, faz uma xícara de chá pra mim? Estou precisando, para evitar a ressaca de amanhã.

Enquanto se esforçava para desamarrar os sapatos, ali, sentado, parecia ridículo e ao mesmo tempo inofensivo, com o rosto sorridente e as pernas escancaradas, como se fosse uma criança divertindo-se com seus brinquedos. *Não era uma figura nada inspiradora,* pensou a filha, cansada, ao colocar mais um pouco de turfa seca no fogo e ligar a chaleira elétrica. Contudo, era seu pai, não a própria encarnação do demônio.

— Senta na cadeira e eu desamarro seus sapatos — comandou ela. — E vê se fica quieto.

— Está bom, Hannah — disse o pai, obediente. — Você sempre foi parecida com sua mãe, uma grande mulher que se encarrega de tudo.

No dia seguinte, ela colocou a bagagem no porta-malas do Fiesta, sentindo-se diferente da mulher nervosa e intolerante que chegara ali três dias antes. Era esse o efeito que a realidade da vida do Oeste da Irlanda exercia sobre ela. Fazia com que seu mundo saísse dos eixos, e com isso ela dava outra dimensão a seus problemas.

Sua mãe ficou ao lado do carro em meio à neblina da manhã, com os braços carregados de pacotes de formatos estranhos e potes embrulhados em papel de jornal.

— Tem quatro potes de geleia de ruibarbo e alguns ovos de quintal dos Doyles, que moram ali no outro lado da estrada. Coloquei também pão integral e um pouco do bacon do jantar de ontem para você levar, porque ninguém ia comer aquilo tudo e acabaria indo para o lixo. Mary já está indo embora amanhã.

— Para onde ela vai? — perguntou Hannah, enquanto acomodava os embrulhos cuidadosamente na mala do carro.

— Tenho certeza que vai se encontrar com o homem por quem está apaixonada.

Hannah retesou-se, chocada.

— Então Mary contou para você. Pensei que ficaria furiosa com ela.

Anna deu de ombros.

— Não vejo razão para isso. Tem coisas que não tem remédio. Já ouviu essa?

— Sempre me surpreende, mãe — comentou Hannah, por fim. — Toda vez que acho que sei como vai reagir, você vem com algo diferente.

— Quando isso aconteceu?

— Quando você disse a Mary, por exemplo, que eu era muito bem resolvida e que se orgulhava de mim... — A sua voz desvaneceu e ela se arrependeu de ter tocado naquele assunto. Durante todo o feriado, ela quis falar com a mãe sobre o que Mary lhe dissera, mas, então, ao mencionar o fato, sentiu que não era o momento certo.

— Por acaso alguma vez você achou que eu não tinha orgulho de você? — perguntou Anna com rispidez. — Logo você, que saiu desse lugar e lutou para ter uma vida diferente? Eu mesma não teria adorado fazer isso se pudesse? Claro que me orgulho, só que você nunca se deu conta disso.

— Mas você sempre foi tão dura comigo. Além disso, Stuart era o seu menino de ouro — protestou Hannah.

— Os rapazes sempre serão meninos de ouro — retrucou a mãe com rudeza. — Eles têm todas as vantagens, são homens e vão conseguir tudo o que quiserem na vida. Mas, quando uma mulher consegue o que quer, todo mundo a vê como se fosse uma encalhada, que não arranjou um homem. Stuart nunca precisou da minha ajuda, mas você sim. Não queria que se tornasse uma molengona. Tratei você com dureza para que se tornasse firme e não se sujeitasse a passar pelo que eu passei — explicou Anna.

— Ah...

Ficaram ali alguns instantes. Anna nunca fora uma mulher carinhosa, não fazia parte de sua natureza sair por aí abraçando as pessoas. Naquele dia, Hannah decidiu ignorar aquela característica, abraçou a mãe rígida e aconchegou-se nela. Então, Anna Campbell relaxou e ficou ali junto à filha por alguns instantes, antes de se afastar.

— É melhor você ir agora, Hannah — disse, com rudeza. — Deus e o mundo vão pegar a estrada para casa hoje, então deve partir cedo.

— Já estou indo — disse Hannah sorrindo. — Telefone para mim, está bem?

— Você nunca fica em casa — ressaltou a mãe. — Está sempre na rua, se divertindo Essa é a minha menina.

Embora a viagem de volta não fosse mais curta, o tempo passou voando. Enquanto dirigia, Hannah sentiu o coração leve, como se ouvisse música. Os dilemas e as atribulações da semana anterior haviam desaparecido. Era como se tivesse renascido. Sentia-se revitalizada. E se Felix não conseguia manter um relacionamento sério, problema dele. Não precisava daquele homem. Era forte e inteligente, e descendia de uma longa linhagem de mulheres igualmente fortes. Que importância um ator playboy poderia ter para uma mulher como ela? Impulsionada pelo desejo de se reerguer, começou a planejar sua nova fase de vida e carreira.

Já era tempo de criar raízes e comprar sua própria casa. Se não tivesse gastado todo o seu dinheiro comprando vestidos para sair à noite e impressionar Felix, já teria quase todo o dinheiro da caução. Na verdade, não levaria muito tempo para repor sua reserva financeira. Se para isso precisasse apenas trabalhar duro e fazer hora extra, daria conta do recado. Construiria uma carreira, conquistaria sua independência e teria seu lugar ao sol. Felix podia se danar.

CAPÍTULO 18

Emma não saberia dizer como Kirsten conseguiu escapar de passar a ceia de Natal com seus pais. Também não fazia diferença saber as palavras que usara para convencer Jimmy O'Brien de que sua querida filha mais nova estava adoentada e não poderia levantar da cama, por causa de um simples peru recheado e um pouco de convivência familiar.

"Pobrezinha da minha filha. Está exausta", comentara ele ao desligar o telefone e voltar para a cozinha, onde Emma estava regando o peru pela décima vez naquele dia, com os cabelos encharcados de suor. "Tenho a impressão de que ela está..." Jimmy piscara para a mulher: "Grávida, sabe? Não quer falar a respeito, mas tenho certeza de que é isso. Ela comentou que estava com náuseas." Ele ficou todo cheio de si, como se fosse um sapo-boi orgulhoso.

Emma bateu a porta do forno com raiva. Se havia algo de que tinha certeza, era que Kirsten não estava grávida. Sua irmã não tinha nem um pingo de instinto maternal. Na verdade, podia estar com uma grande ressaca. Todos os anos ela se reunia, na véspera do Natal, com um grupo de antigas amigas para farrear e tomar champanhe no Horseshoe Bar. E depois a comemoração continuava na casa de uma delas até altas horas ou pelo menos até o Papai Noel estar em casa deitado em sua cama, depois de entregar todas as encomendas. Uma pobre vítima era escolhida para rebocar as farristas embriagadas de Shelbourne até suas casas. Geralmente, Patrick era o premiado.

Emma seria capaz de apostar o lindo colete lilás de lã, que ganhara aquela manhã de Pete, que a irmã estava gemendo na cama, naquele exato momento, tomando um antiácido efervescente e prometendo a si mesma que nunca mais tomaria um drinque. Que idiota. Kirsten sabia muito bem que Emma odiava o ritual natalino da casa dos O'Brien.

Todos os anos, a família se reunia na casa de Anne-Marie e Jimmy para a ceia de Natal, juntamente com a Maravilhosa Tia Petra e Eugene, o irmão solteiro de Jimmy. Nas melhores ocasiões, fora uma verdadeira tortura e Emma tinha certeza de que esse ano seria ainda pior. Sua mãe vinha apresentando um comportamento normal nos últimos tempos e, felizmente, o incidente ocorrido na seção de tecidos da loja de Laura Ashley não se repetira. Contudo, Emma sabia que era apenas uma questão de tempo até que algo semelhante acontecesse de novo. Certamente não fora apenas uma eventualidade, e isso era o mais triste. O Natal, com sua agitação e seu rebuliço típicos parecia favorecer uma nova crise como aquela.

Com seu jeito usual de ser, como uma avestruz que enfiava a cabeça em um buraco, Kirsten recusara-se a tratar do assunto. No entanto, tinha plena consciência de que Emma estava muito nervosa em virtude daquela reunião familiar. Fora muita maldade dela tirar o corpo fora naquela altura do campeonato. Além do mais, ela não tivera nenhum trabalho, já que Emma fora ao supermercado com a mãe três dias antes e comprara todos os alimentos típicos para a ceia. A mãe delas sempre encomendava o peru de Natal com um mês de antecedência, com todos os acompanhamentos, incluindo presunto defumado e uma variedade de linguiças. Mas naquele ano não tinha organizado nada, e Emma teve de tomar todas as providências. Ela concluiu que seu pai não perceberia que o bolo de Natal não fora feito em casa se o regasse com mais um pouco de conhaque. Kirsten poderia ter ajudado se estivesse ali, nem que fosse apenas para deixar o pai de bom humor, o que era algo raro de se ver.

— Vou telefonar para Patrick para saber como ela está. Você sabe que Kirsten é completamente hipocondríaca. Não deve ser nada além de um resfriado.

— Não vai fazer isso de jeito nenhum — grunhiu o pai. — Sua pobre irmã está acamada e você ainda diz que ela não tem nada de mais. E tudo isso só porque não quer ajudar sua mãe com a ceia. Isso é pura preguiça. Na minha época, nós nos dávamos por satisfeitos se tivéssemos algo para comer na ceia. Imagine se íamos reclamar de ter que cozinhar.

Emma chegou a abrir a boca para protestar e dizer que, na verdade, era *ela* que estava preparando a comida sozinha, visto que a mãe estava tentando abrir uma lata havia horas, sem sucesso. No entanto, ao desviar os olhos do pai, deparou com Anne-Marie completamente perdida. Em uma das mãos, segurava a lata de ervilhas do tipo coração-de-manteiga, que o tio Eugene comia aos montes, e, na outra, trazia o batedor de ovos. O abridor de latas estava abandonado na bancada e a pobre tentava abrir a lata com o batedor. Ah, meu Deus!

— Deixa para lá, pai — murmurou Emma. — Não vou mais ligar para o Patrick. Você tem razão. — Era melhor apaziguar as coisas. Mais tarde, ela telefonaria para ele em segredo.

O pai saiu depressa da cozinha e Emma retirou gentilmente o batedor de ovos e a lata das mãos de Anne-Marie.

— Mãe, até agora foi você quem fez tudo, por que não vai se sentar com tia Petra para conversar? Pode deixar que eu levo um pouco de xerez para vocês tomarem. Aproveitem para ver o programa das músicas natalinas na TV.

Emma não sabia se o xerez era indicado para sua mãe, mas se a relaxasse e aliviasse a expressão triste que trazia no rosto, já seria bastante bom. Além do mais, uma bebida forte serviria para suavizar a cáustica Petra.

As duas ficaram sentadas na frente da televisão, com copos enormes de xerez, vendo alegremente a apresentação de uma adorável soprano mirim cantando "Cristo nasceu em Belém" na RTE1. Emma, então, foi até a cozinha, checou o ponto de cozimento dos pratos e, em seguida, ligou para Pete, que estava ceando na casa da família dele. O casal havia combinado que fariam um revezamento para passar o Natal, um ano sim, um ano não, com cada família, mas Emma não suportava mais ficar na zona de guerra dos O'Brien.

Por isso, tinham decidido um ano antes que quebrariam o ciclo natalino e cada um ficaria com sua própria família, ignorando as lamúrias de ambos os lados. O arranjo teria funcionado muito bem, porque os pais de Pete compreendiam perfeitamente o desejo do filho de romper com a tradição. Mas, obviamente, Jimmy O'Brien não ficara nada satisfeito.

— Pete tem que vir ficar aqui com a gente, para vocês ficarem juntos — ordenou ele.

— A questão não é essa. — Emma havia tentado explicar inutilmente. Então, para não complicar mais as coisas, os dois chegaram a uma solução conciliatória.

Pete não chegara a lhe pedir que parasse de deixar o pai mandar nela. Ficara tranquilo e despedira-se dela com um abraço apertado naquela manhã, ao deixá-la na casa dos pais. *No próximo Natal vai ser diferente*, prometera ela a si mesma com fervor.

— Oi, Pete — disse ela ao telefone, desejando tê-lo junto a si para abraçá-lo.

— Tudo bem, querida? Eu queria tanto que você estivesse aqui. Estou com saudades.

— Nem me fale — murmurou ela, queixosa. — Não vejo a hora de estar com você. Tem certeza que sua mãe não vai ficar zangada se eu der só uma passadinha aí mais tarde?

— De jeito nenhum, ela está louca para vê-la e até já me disse qual é o seu presente de Natal. Você vai adorar.

Emma não conseguiu evitar que seus olhos ficassem cheios de lágrimas. Queria tanto estar com Pete naquele momento, rindo com os demais Sheridan na cozinha, batendo papo, atrapalhando a sra. Sheridan em meio aos preparativos da ceia. Eles costumavam fazer a ceia em torno de cinco e meia, após passarem a tarde jogando palavras cruzadas ou decifrando charadas. Os Sheridan não costumavam tomar bebidas alcoólicas, mas isso não afetava nem um pouco a comemoração. A família era pequena e unida, e todos se davam tão bem que ninguém sentia necessidade de ficar entorpecido. Eles tampouco precisavam ligar a televisão para se distrair. Por outro lado, o Natal na família de Emma só tinha um ponto alto, após a ceia, quando todos iam assistir a algum filme famoso na telinha e, após algumas taças de vinho e sem ensejo para discussões, todos ficavam na santa paz. Jimmy adorava ver filmes na televisão e, enquanto estava entretido com isso, ficava bem menos intolerante.

Não fora a troco de nada que a filha lhe comprara quatro clássicos do cinema como presente de Natal. Se não estivesse passando nada de bom na TV depois do almoço, ela recorreria ao *Doutor Jivago*, que durava mais de três horas e Jimmy adorava. Emma já ansiava por essas três horas de sossego, mas antes teria de sobreviver à ceia.

Depois de ter se despedido, lamuriosa, de Pete, Emma ligou para a casa da irmã e quem atendeu foi o Patrick.

— Você está com uma voz horrível — comentou Emma.

— Eu estou muito aborrecido mesmo. A madame está na cama com a maior ressaca e não tem nada para comer no Natal — disse o cunhado, desanimado. — Vou ter que me virar com quatro salsichas, uma pizza e batatas assadas. Ela não consegue comer nada e me disse que, cada vez que abre os olhos, sua cabeça começa a girar.

— Se eu estivesse com ela, aí é que a cabeça dela ia girar de verdade — disse Emma, zangada. — Estou com vontade de enforcá-la. Arranjou uma desculpa e não veio para a ceia aqui. Isso aqui até parece saído das páginas de *Chateau Despair*. Se o peru já não estivesse morto, se mataria.

— Dias alegres, como sempre? — indagou Patrick.

— Isso mesmo. Estou com medo de que mamãe tenha outra recaída, e não sei se vou dar conta do recado sozinha. Por isso queria Kirsten aqui comigo.

— Como assim "recaída"? — perguntou Patrick, parecendo confuso.

— Você não soube que ela teve um chilique na loja da Laura Ashley?

— Eu não quero que pense que sou um idiota, mas não tenho a menor ideia do que você está falando.

— Quer dizer que Kirsten não contou nada a você? — Emma ficou completamente chocada. Não acreditava que sua irmã não comentara o problema da mãe com o marido. Ela era difícil de entender. — Não posso falar agora. Mas pergunte a Kirsten o que aconteceu no começo desse mês quando levei mamãe para fazer compras. Estou preocupada com ela, muito preocupada...

A ceia foi um verdadeiro inferno. A tia-avó Petra não gostou de nada, o peru estava duro, a couve-de-bruxelas, intragável, e o molho, mais encaroçado do que colchão velho. Jimmy concordou com ela, dizendo que era tudo culpa de Emma. Anne-Marie apenas beliscou a comida e parecia mais interessada em usar o garfo para brincar com a couve que estava no prato do que realmente comê-la. Só tio Eugene havia comido sem reclamar, desfrutando de tudo com o prazer de um homem solteiro, que quase nunca se alimentava de comida caseira.

— Você é uma senhora cozinheira Emma — ressaltou ele, gratificado, ao enfiar mais uma garfada de ervilhas coração-de-manteiga na boca.

Ao menos sabia preparar as ervilhas, pensou Emma, rangendo os dentes. Ela levou os pratos para a cozinha e não pôde deixar de notar que, mesmo tendo reclamado tanto do peru, a tia havia comido bastante.

Sozinha, colocou os pratos na máquina de lavar, fez o chá, preparou o creme para acompanhar o bolo e levou o prato seguinte para a sala de jantar, ainda a tempo de ouvir seu pai falando de Kirsten como quem falava da volta do Messias.

— É uma garota espetacular — comentou ele, afetuoso. — Fez o curso de culinária em Ballymaloe com Darina Allen e, gente, vocês precisam só ver como cozinha bem. Podem crer que é uma especialista no assunto. Você se lembra do nome daquele prato que Kirsten fez da última vez que estivemos na casa dela? — perguntou ele à esposa.

Anne-Marie, apática, deu de ombros.

É surpreendente que ele ainda se lembre de algo que aconteceu tanto tempo atrás, resmungou Emma para si mesma, enquanto colocava as xícaras de chá sobre a mesa ruidosamente. Oferecer almoços para a família não era o ponto forte de Kirsten. O pobre do Patrick não corria o menor risco de engordar se isso dependesse dos dotes culinários da esposa.

Graças ao curso de dois dias que fizera na afamada escola de Ballymaloe House, que, por sinal, ela só frequentara porque fora organizado por uma de suas companheiras dos almoços beneficentes, ela conseguira improvisar uma salada de pimentões assados, além de um boeuf en croute orgânico e uma gostosa sobremesa de iogurte batido congelado. Contudo, não adiantava lhe pedir para assar um frango nem fazer um omelete, tampouco cozinhar qualquer verdura que já não viesse lavada e selecionada do supermercado, acompanhada das instruções de como preparar e usar no micro-ondas.

— Era algo que tinha a ver com peixe, não era? — perguntou a mãe, com uma expressão confusa no rosto. — Não, não era peixe e sim aquela outra coisa, você sabe do que eu estou falando! — Ela olhou, frustrada, para Emma. — Você *sabe* do que estou falando, Emma. Não consigo me lembrar...

— Era carne de boi. Vocês iam adorar — comentou Jimmy, cheio de ternura. — Que pena que ela não pôde vir hoje!

Emma não dava ouvidos à conversa. A expressão confusa no rosto de sua mãe a estava deixando arrasada. Ela sabia muito bem que a mãe se lembrava de cada coisa que a adorada filha Kirsten fizera na vida, mas era como se não encontrasse palavras para dizê-lo, como se o nome das coisas houvesse se perdido dentro de sua cabeça. Tentou transmitir coragem, sorrindo para a mãe, mas Anne-Marie olhava inexpressiva para seu prato, em silêncio e confusa.

— O jantar de Emma estava espetacular — enfatizou tio Eugene, lealmente.

— Bom, é isso aí — disse Jimmy. Contudo, ao notar que a filha usava um avental sobre o casaco lilás novo e tinha um ar de cansada, ele pareceu ceder um pouco. — Ela é uma boa garota, não é mesmo, Emma? Só espero que o creme da sobremesa seja realmente caseiro e não esteja todo encaroçado. Você sabe que só gosto do creme feito com a receita original.

— Eu sei, pai — retrucou Emma, automaticamente. Enquanto foi à cozinha, ela tentou entender o que vinha acontecendo com a mãe. Sabia qual era o problema, o que devia ser, mas odiava ter que encará-lo. Como Anne-Marie iria enfrentar a perda de memória? Como qualquer pessoa enfrentaria isso?

— O bolo já está pronto? — bramiu o pai. — Nossas barrigas estão roncando mais que trovões — acrescentou, rindo da própria piada.

Emma mexeu o creme com raiva. Seu único triunfo era saber que não tinha sido feito em casa nem preparado com leite fervendo. Era instantâneo e bastava adicionar água.

Sinto muito por você, pai. Ela colocara um monte de xerez na tigela dele na hora de preparar o pudim. Não queria que ninguém percebesse que era uma sobremesa instantânea da M & S e não a receita secreta de Anne-Marie. Deu uma tigela para cada um e todos comeram com avidez.

— Uma delícia — comentou Jimmy, enquanto comia com gulodice. — Não existe nada melhor do que seu pudim, Anne-Marie. Reconheceria essa receita em qualquer lugar.

O xerez surtira o efeito desejado. Emma fez com que todos fossem para a sala de estar para assistir a *Doutor Jivago*. — Vou ficar com vocês daqui a pouco — disse ela, com a voz arrastada, sem a menor intenção de juntar-se a eles. Arrumaria a cozinha, lavaria os potes e as panelas e iria para o jardim de inverno, para descansar. Seus parentes podiam até cair duros na frente da telinha sem ela.

No entanto, apesar dos planos... Jimmy encontrou-a sentada sozinha no jardim de inverno e enxotou-a de volta ao grupo, como um touro que leva a vaca solitária de volta ao rebanho. Gostava muito de ver *Doutor Jivago*, mas não quando já estava se sentindo emocionada e deprimida. O triste "Tema de Lara" ecoou tragicamente em sua lembrança. Apenas a consciência de que teria que voltar dirigindo impedia que Emma enchesse a cara de xerez também. Ela já não estava mais aguentando ver o filme, quando foi salva pelo toque inesperado da campainha.

— Pode deixar que eu atendo. — Ela deu um salto e correu para abrir a porta. Para sua surpresa eram Patrick e Kirsten, que estava abatida, com um tom doentio.

— Não podíamos deixar que enfrentasse o dia todo sozinha — disse Patrick, taciturno.

— Podíamos sim — resmungou Kirsten, passando pela irmã e apressando-se até a cozinha para beber um copo d'água e aplacar a terrível sede causada pela ressaca.

— Eu fiz com que ela me contasse o que tinha acontecido com sua mãe — sussurrou ele para Emma. — Deve ter sido horrível.

— Só você e Pete levam isso a sério — comentou Emma, aliviada por ver Patrick ali. Era um homem muito hábil. Seu pai não o intimidava, mas

Kirsten o fazia com frequência. Contudo, era muito bom poder contar com o cunhado.

— Cadê o Pete?

Emma olhou para ele, entediada.

— Eu deveria ter passado esse Natal na casa dos pais dele, mas o papai insistiu que viéssemos para cá. Nessas circunstâncias, optamos por passar o Natal separados, cada um com sua família. Vou passar na casa deles mais tarde.

— Por que não vai agora? — indagou Patrick gentilmente. — Vamos ficar aqui essa noite. E se seu pai começar a fazer exigências, a Kirsten vai ter que se virar sozinha!

— Você não pode ir embora agora — disse Kirsten, enfurecida. Ela havia voltado da cozinha e ouvira o final da conversa. — Não vou passar o resto da noite sentada com a maldita tia-avó Petra... Olá, tia Petra! Como vai? Adorei sua roupa — remediou ela, para, em seguida, perder a cor, ao ver que Petra e seu pai se encontravam próximos à porta da sala de estar.

— Kirsten querida! Feliz Natal! — exclamou Jimmy O'Brien.

Seguiu-se uma profusão de beijos e abraços. Até Anne-Marie aparentou sair de seu estado de transe para saudar os recém-chegados.

— Os seus presentes estão todos debaixo da árvore — disse Anne-Marie, alegre, à filha. — E não me esqueci de você, Patrick.

Emma observava tudo e perguntava a si mesma se sua mãe realmente tinha algum problema ou se aquilo acontecia apenas em sua imaginação. Mais cedo, Anne-Marie ficara sentada em silêncio, sem participar da conversa, apenas assentindo com a cabeça e respondendo que sim quando o marido lhe perguntava algo. Porém, naquele momento passara a ser a vedete da festa, estava feliz e sorridente. Será que gostava tanto de ficar com a filha mais nova que só voltava à realidade quando ela estava por perto? Estaria Emma inventando uma doença terrível somente porque não conseguia lidar com o fato de que sua irmã era a filha preferida de seus pais?

Cansada e confusa, Emma pegou a bolsa e o casaco.

— Vou para a casa dos pais de Pete — disse, em voz baixa, a Patrick.

Ele abraçou-a com carinho antes que ela saísse de fininho, sem ninguém notar. Certamente seus pais se zangariam por Emma não ter paparicado todo mundo com beijos e abraços antes de ir embora, mas ela não se sentia em condições de fazê-lo naquele dia. Desempenhara o papel da filha exemplar o tempo todo. Chegara a hora de ficar com seu marido.

— É para mim? — perguntou um pouco mais tarde, após ter sido recebida de braços abertos pela família de Pete, quando todos passaram a trocar os presentes e tomaram mais um bule de chá. *Será que a doença da mãe era fruto de sua imaginação? Ela parecera estar bem, mais cedo, naquele dia, e depois que Kirsten chegou, ficou completamente normal. Deus do céu, vai ver que era ela que estava ficando ruim da cabeça.*

Pete aconchegou-se a ela no banco da cozinha da casa.

— Pare de bobagem, querida. Você é a pessoa mais lúcida da família. Além do mais, comentou que sua mãe estava tentando abrir uma lata com o batedor de ovos. Esse comportamento não é exatamente normal, é? O fato é que ela adora Kirsten. Seria capaz de comer o pão que o diabo amassou para não decepcioná-la. Acho que Anne-Marie está se esforçando muito para agir normalmente perto de Kirsten, mas, quando está com você, fica à vontade para mostrar como se sente de verdade.

Emma não concordou com o marido.

— Não dá para se escolher uma hora específica para desconectar, dá? — Ela esfregou os olhos, cansada. — Gostaria de saber mais sobre doenças como Alzheimer. A gente podia comprar um livro sobre o assunto. Deve haver alguma coisa a respeito, talvez um manual com instruções explicando como agir quando se conhece alguém que sofra desse mal. Ou você acha que devemos procurar um médico?

— Procurar um médico para quê? — indagou a sra. Sheridan ao sair da cozinha para perguntar se os dois queriam jogar palavras cruzadas.

— Nada não — respondeu Emma com um sorriso animado. Já bastava o problema de sua mãe ter estragado a comemoração em sua casa; ela não queria que aquela sombra se estendesse a outros lugares.

* * *

Patrick e Kirsten passaram na casa de Emma no dia seguinte, levando uma garrafa de champanhe e uma enorme caixa de chocolates caseiros.

— Queremos fazer as pazes — disse Kirsten, com um sorriso cativante, enquanto entrava na cozinha deixando os homens para trás. — Vamos abrir o champanhe e comer os chocolates.

Naquele dia, só havia uma coisa verde em Kirsten, o par de brincos de esmeraldas, um dos presentes de Patrick.

— Combinam perfeitamente com o meu anel de noivado — comentou ela, inclinando a cabeça para que Emma pudesse admirar os brincos.

— São lindos — disse Emma, sinceramente, ao pegar as taças de vinho, sabendo que ela e Pete nunca sentiram necessidade de comprar as de champanhe. — O seu casaco também foi presente de Natal?

— Que nada, tenho esse faz um tempão — enfatizou Kirsten, passando a mão casualmente pelo casaco de couro preto, que Emma nunca a vira usar. — Também ganhei uma semana de estada numa fazenda-spa, se é que dá para chamar isso de presente.

— Você é mimada demais e sabe disso — disse Emma, ralhando com a irmã. — Patrick é mesmo um anjo.

— Não que eu seja gananciosa. A questão é que não preciso ir a um spa, pois não estou estressada nem quero perder peso.

— Então pode dar para mim — sugeriu Emma. — Estou mais do que esgotada.

— Eu sei, sinto muito. O Patrick quase me matou quando soube da mamãe. Mas, sabe de uma coisa, Emma? A gente não tem certeza de nada e, para ser sincera, acho que você está exagerando um pouco...

Emma arrancou a garrafa da mão da irmã.

— Não me venha com essa de que estou exagerando! Se quiser tomar um drinque leve as taças para a sala de estar.

Pete, Patrick e Emma chegaram à conclusão de que realmente havia algo de errado com Anne-Marie O'Brien.

— Minha avó ficou assim antes de falecer — contou Patrick. — Naquela época, chamavam isso de senilidade. Hoje em dia tem um monte de nome, demência senil, Alzheimer... Vi um programa na TV sobre o assunto, e o problema é sério, isso eu garanto.

Por um instante, todos ficaram em silêncio, até mesmo Kirsten, que estivera bebericando seu champanhe, totalmente despreocupada.

— O que podemos fazer? — perguntou Emma, por fim. — Se estivermos errados, o papai e a mamãe nunca vão nos perdoar. E se estivermos certos e não fizermos nada... Mamãe pode até se machucar ou bater o carro ou sabe-se lá o quê. Nunca me perdoaria se ela sofresse um acidente por eu ter ficado com medo de conversar com o papai sobre o problema dela.

Os três chegaram a um consenso de que Kirsten seria a pessoa ideal para abordar o assunto com o pai.

— Diga apenas que está preocupada com a mamãe e que gostaria de levá-la ao médico para fazer uns exames. Quem sabe até existe um tratamento ou alguma cirurgia e estamos aqui nos debatendo à toa — ressaltou Emma, pensando em todas as possibilidades.

O plano não daria certo por um único motivo: Kirsten se recusou a falar com o pai.

— De jeito nenhum! — protestou ela. — Acho que vocês estão ficando malucos. Não tem nada de errado com a mamãe, e eu não vou dizer nada para o papai.

— Kirsten! — exclamou Patrick, bravo.

— Mas você mesmo disse que não tinha nada de errado com ela ontem, não disse, Patrick? — enfatizou Kirsten. — Falou que ela passou a noite se comportando normalmente.

— Mas falei também que não era a melhor pessoa para avaliar o problema e que, se Emma achava que havia algo de errado, então devia haver mesmo. Se vai repetir o meu comentário, não transmita apenas metade do que eu disse.

Ele ficou furioso, e Emma se perguntou o que estaria ocorrendo de verdade entre os dois. Normalmente, Patrick não questionaria nada, deixando

Kirsten fazer e dizer o que bem entendesse. Mas, com certeza, algo havia mudado.

— Não estou nem aí para o que vocês pensam — disse Kirsten com teimosia. — Não vou comentar nada com o papai. Sempre que estou com a mamãe, ela age normalmente, e isso, para mim, é o bastante. Se você acha que ela está ficando maluca, Emma, então fale *você* com papai. Vamos embora, Patrick, temos que ir para uma festa.

Naquela noite, mais tarde, Emma e Pete ficaram abraçados perto da lareira, conversando, e voltaram a tocar no assunto.

— Você acha que eu sou a pessoa certa para conversar com o papai?

— Não faço ideia, querida. A única coisa que sei é que seu pai vai trucidar quem lhe der essa má notícia. Sabe muito bem que ele culparia você pela doença de sua mãe e nunca mais a perdoaria.

Emma assentiu com a cabeça.

— Você tem toda razão. Só queria que alguém mais visse a mamãe agindo de foram estranha. Se Kirsten tivesse visto...

— Esqueça a Kirsten — disse Pete, interrompendo-a. — Sei que ela é sua irmã e tudo o mais, só que é uma pessoa incrivelmente difícil. Só quer viver em um mar de rosas e não quer pensar em nada que a afaste do seu devaneio. Não sei o que seria dela sem o Patrick.

Emma lembrou-se de como Patrick ficara zangado com sua irmã mais cedo. Devia estar furioso também na véspera, para tê-la arrancado da cama, levando-a até a casa dos O'Brien. Começou a achar que a maré estava mudando.

Talvez Patrick houvesse se cansado dos chiliques de Kirsten e, se isso acontecesse, o circo ia pegar fogo na casa deles.

Tenho que parar de pensar em Kirsten, disse Emma com raiva, para si mesma. Sua irmã não desperdiçaria um minuto sequer de seu tempo se preocupando com os outros. Emma desejava ser daquele jeito.

Não aguentava mais se preocupar com a família: eles que se ocupassem de seus problemas. Queria dedicar seu tempo a Pete. Ela aproximou os pés descalços do fogo em brasa e bocejou languidamente, aconchegando-se ainda mais ao marido.

— O que você acha de irmos para a cama mais cedo? — sussurrou ela.

O marido respondeu mordiscando a orelha dela e desabotoando sua blusa. — Ou então a gente fica na frente da lareira e nem se preocupa em ir para a cama.

— Que ideia brilhante! — ressaltou a esposa. Fazer amor junto ao fogo era muito erótico. Ela se lembrou de quando ainda eram noivos e nunca arranjavam um jeito de ficar sozinhos. Naquela época, costumavam esperar até que os Sheridan fossem dormir e, então, os dois se enroscavam perto da enorme lareira, cada vez mais apaixonados, mas com medo de dar vazão aos seus sentimentos. Tinham medo de que alguém descesse a escada para beber água e os flagrasse em uma posição comprometedora. Nunca fizeram isso na casa de Emma: ela ficaria o tempo todo tensa, achando que o pai apareceria na porta da sala de estar com uma espingarda e uma Bíblia na mão. Todavia, as sessões na casa de Pete haviam sido tórridas.

O momento era propício para reacender as paixões, pensou Emma, enquanto Pete desabotoava gentilmente sua blusa. Houve um tempo em que sua única preocupação em relação à maternidade era engravidar antes do casamento. Essa seria sua resolução de Ano-Novo: não iria mais se atormentar, pensando em ter um filho. Nunca engravidaria se ficasse obcecada com a ideia. A partir de então, aquela obsessão ficaria no passado. Ela e Pete desfrutariam de tudo que sua união propiciasse. Se isso significava que não teriam filhos, paciência.

CAPÍTULO 19

Passaram-se dez dias desde o Natal, e Leonie já havia se acostumado com o novo corte. Imagine só se poderia bancar outra sessão daquelas, pensou ela, enquanto passava a mão pelo cabelo cortado em camadas, que caíra tão bem nela. Cortar e fazer mechas no cabelo custava uma verdadeira fortuna. Ainda assim, era muito bom ter as madeixas cor de mel com luzes em tom de louro-acastanhado. Parecia quase natural. As meninas ficaram impressionadas.

— Está simplesmente lindo, mãe — comentara Mel, encantada.

Leonie comprara algumas roupas novas, para combinar com o novo visual. Hannah a ajudara a escolher o que levar, principalmente as roupas para a viagem.

— Não precisa usar nada elegante demais para viajar — aconselhara ela. — Você tem que causar boa impressão em Fliss e Ray, e não nas pessoas no caminho. Se quiser, aproveite para se trocar quando chegar em Denver, mas use algo confortável e folgado para a travessia do Atlântico.

Hannah era muito perspicaz. Leonie, mais do que tudo, queria estar bonita e elegante quando se encontrasse com Ray e sua noiva, e ela pressentira isso. *Tudo por uma questão de orgulho*, pensou ela, enquanto a aeromoça apresentava os procedimentos de segurança e as gêmeas, satisfeitas, sentavam-se, abraçadas.

As duas irmãs estavam tão entusiasmadas com a viagem que contagiavam todos à sua volta. Leonie acomodou-se, contente e satisfeita por ter trazido um romance policial enorme na bolsa para ler durante o voo, além de ter conseguido que o médico lhe receitasse quatro comprimidos de calmante para amenizar seu medo de voar. Até aquele momento, eles estavam surtindo efeito.

Danny deu um jeito de se acomodar em um assento, situado uma fileira à frente do resto da família, ao lado de uma jovem bonita, de jeans desbotado. Só para que ele não passasse dos limites, Mel e Abby começaram a falar da sua namorada e comentaram que ela estava morrendo de saudades e que ele prometera ser fiel.

Toda hora ele se virava e lançava olhares fulminantes para as duas, fazendo com que caíssem na risada. Elas ficavam alguns minutos em silêncio, para, em seguida, reiniciar a conversa sobre a adorável namorada fictícia do irmão. Leonie achou graça, mas pediu para as filhas falarem mais baixo. Que dupla elas formavam!

Esperava que as filhas se acalmassem quando chegassem ao Colorado, ou teria que ficar de olho nelas. Se continuassem hiperativas, comportando-se como se cada uma tivesse tomado 15 latas de Coca-Cola, Leonie não via como poderia relaxar. *Nesse caso, então, o pai e a madrasta cuidariam delas por algum tempo,* concluiu ela, enquanto abria a bolsa para pegar o romance de P. D. James.

Precisava relaxar. Se ficasse nervosa demais, poderia também recorrer à essência floral de resgate que Emma lhe dera. Ela lembrou que a amiga usara esse fármaco no Egito e gostava muito dele. Só para garantir, Leonie tomou algumas gotas do produto, contraindo o rosto ao sentir um leve gosto de álcool.

Já no toalete do aeroporto de Denver, Leonie evitou tomar um pouco mais do floral. Já havia ingerido tanto que, se repetisse a dose, Ray e Fliss poderiam achar que estava bêbada. O voo para Atlanta fora um pesadelo. Apesar de Danny ter explicado pacientemente que não havia perigo algum com a turbulência, que o avião estava apenas passando por uma determinada corrente de ar ou algo parecido, Leonie continuou se controlando para não gritar de pavor cada vez que o aparelho oscilava. Era como estar dentro da barriga de uma baleia que houvesse sido treinada para se apresentar em um aquário público, no qual daria pulos e cambalhotas para a plateia. A propósito, as baleias faziam aquele tipo de malabarismo ou eram somente os golfinhos e tubarões? Leonie não sabia dizer. A única coisa que tinha certeza era de que iria ter um troço se tivesse que enfrentar mais turbulência. Odiava viajar de avião. Por que diabos se deixara convencer a fazer aquela viagem? Era inacreditável, mas as gêmeas, além de boa parte dos passageiros, tinham dormido durante a tempestade. Depois de jantarem e assistir a um filme com Bruce Willis, todos começaram a cochilar e acabaram dormindo a maior parte da noite. Leonie sentara-se rígida na poltrona, sem conseguir ler, dormir nem prestar atenção à comédia água com açúcar, que escutava no fone de ouvido do avião. As três garrafinhas de vinho que bebera não ajudaram em nada. Muito pelo contrário, fizeram com que ela ficasse ainda mais paranoica, achando que o avião ia despencar do céu, como uma pedra.

Meia hora antes de chegarem a Atlanta, a turbulência cessou e todos acordaram.

— Estamos quase chegando? — perguntou Mel, espreguiçando-se, sonolenta.

Tiveram de aguardar uma hora e quarenta e cinco minutos em Atlanta, antes de embarcar para Denver, e Leonie passou a maior parte do tempo tentando se convencer de que as viagens aéreas eram as mais seguras do mundo e que seria uma loucura cogitar alugar um carro para ir até o Colorado.

— Vê se relaxa, mãe — disse Danny, nem um pouco impressionado com a intranquilidade da mãe.

Graças ao frenesi constante de Mel em comprar roupas novas, eles quase perderam o avião. Ela desaparecera cinco minutos antes da hora do embarque, e Leonie tivera que procurar por ela de loja em loja. Acabou encontrando-a em uma de luxo, experimentando óculos escuros de marcas famosas, mais caros do que todas as roupas da bagagem de Leonie.

— Que óculos lindos, mãe! E estão muito mais baratos que na Irlanda. Dá para você me emprestar o dinheiro para comprá-los, por favooor? Depois o papai devolve o dinheiro para você.

— Nada disso — retrucou Leonie, enfurecida. — Todo mundo está no avião. Estão anunciando nossos nomes, vamos logo!

No final das contas, foi uma mulher cansada que chegou a Denver com os filhos. As crianças estavam ótimas; Leonie, porém, sentia ter sido esfolada viva e, ao olhar-se no implacável espelho do toalete do setor de retirada de bagagens, descobriu que estava com uma cara péssima.

O que fora mesmo que Hannah lhe sugerira? *Use um batom de cor viva, vista o seu casaco vermelho e você ficará com uma aparência animada, mesmo que esteja exausta.* Quando a amiga dissera isso, a ideia lhe parecera maravilhosa, mas, nas circunstâncias em que se encontrava, Leonie achou que o batom e o casaco vermelho ressaltariam ainda mais seus olhos cansados e vermelhos. Mas sabe-se lá se combinar a cor dos olhos com a do casaco não acabaria dando um efeito harmonioso.

Fliss e Ray estavam esperando por eles. No início, Leonie havia dito que ela e os meninos chegariam a Vail por conta própria.

"Não deve ser muito complicado", dissera ela, com arrogância, para Ray. "Vamos pegar um ônibus. Pode deixar que daremos um jeito."

Mas, naquele momento, sentia-se feliz por eles terem ido buscá-los. Estava cansada demais para lidar com mais uma etapa da viagem, decidir que ônibus pegar e guardar as bagagens.

A única desvantagem de ser tão bem recebida pelo feliz casal prestes a se unir em matrimônio era que seria vista no estado em que se encontrava. Ela pegou o batom e passou-o na boca antes de vestir, hesitante, o casaco vermelho. *Pelo menos, ficaria com uma aparência um pouco melhor*, concluiu ela.

Danny foi bastante cavalheiro e pegou toda a bagagem da família.

— O que é que você botou aí dentro, Mel, um cadáver? — resmungou ele, ao colocar a última mala em cima do carrinho sobrecarregado.

— Não queremos ser confundidas com mochileiras, você entende? — retrucou Mel, com arrogância. — Trouxe apenas o necessário.

— Pode crer, deve ser um monte de tralha para pôr a sua maquiagem — retorquiu o menino.

Sendo assim, a família estava batendo boca, como sempre, ao emergir no iluminado saguão do aeroporto, depois de passarem pela alfândega.

— Olha o papai. Ele está ali! — anunciou Mel, entusiasmada. Ela saiu correndo em meio à multidão, com Abby, e Danny as seguiu, empurrando o carrinho apressadamente. Leonie, relutante, acompanhou-os.

Ela foi andando mais devagar. Seria melhor que todos se cumprimentassem antes dela. Precisaria de alguns minutos para se preparar. Um grupo de pessoas amontoou-se na sua frente, separando Leonie momentaneamente dos outros. Ela esperou com paciência até que todos passassem. Fazia dois anos que não via Ray e, naquele momento, sentia certa angústia porque iria encontrá-lo. Um homem enorme que estava à sua frente se movimentou e, quando abriu-se espaço na multidão, ela avistou as crianças junto ao pai e à noiva. A felicidade que todos demonstravam ao se reencontrarem deixou Leonie sem fôlego. Ray estava radiante, como ela nunca havia visto: ganhara mais corpo, não estava tão magro quanto costumava ser. O cabelo escuro estava ficando grisalho, mas a pele bronzeada lhe dava uma ótima aparência, assim como a mulher esbelta e vibrante que se encontrava ao seu lado. Fliss era ainda mais bonita em carne e osso do que parecia nas fotos das férias de verão dos meninos. Trajando jeans e uma jaqueta de camurça creme, ela estava levemente bronzeada e, ao sorrir, mostrava dentes brancos, que contrastavam com sua pele luminosa. O cabelo curto e escuro, que lembrava o de um menino nas fotos, crescera, porém continuava chique e casual. Leonie concluiu que aquela era a palavra que definia Fliss: chique. Observando todos de longe, sem ser notada, Leonie sentiu-se uma intrusa, como se fosse o espectro da festa.

Ray e Fliss podiam perfeitamente ser os pais das crianças, em vez de Leonie e Ray. Todos estavam sorrindo e distribuindo abraços. Ray dizia:

— Você cresceu ainda mais, Danny, tenho certeza que sim!

Mel chegava até a ser parecida com Fliss. Era esbelta como ela e tinha a mesma beleza descontraída. Fliss pousou as mãos na cintura de Abby, e Leonie ficou arrasada ao ver que a filha estava sorrindo, radiante. O ciúme tomou conta do coração de Leonie, como se fosse uma grande jiboia esmagando um pequeno animal. Os filhos eram dela, mas sorriam para aquela outra mulher, cheios de afeição. E Leonie percebeu no olhar de cada um o quanto eles a admiravam.

— Leonie, que bom ver você! — Ray atravessou a multidão que se formara à frente dela e abraçou-a carinhosamente. — Está ótima. É tão bom rever você. Venha conhecer Fliss.

Ele devia estar precisando de um oculista, pensou Leonie com melancolia, enquanto o ex-marido a levava para perto de Fliss. *Você está ótima* uma ova!

Fliss não deu um abraço de urso em Leonie. Em vez disso, abriu um sorriso sincero, estendeu a mão para ela e disse:

— É um prazer conhecê-la finalmente, Leonie. Estou muito feliz por você ter vindo.

Leonie retribuiu o sorriso, falou que era um prazer conhecê-la também e elogiou Denver, mas daria qualquer coisa por uma xícara de chá ou para descansar os pés. Como estava exausta!

Ouvindo a si mesma falar, ficou horrorizada ao perceber que parecia uma personagem típica de uma peça de segunda do teatro irlandês, o estereótipo da mulher gorducha usando um lenço de cabelo verde-esmeralda e um suéter de tricô artesanal, dizendo: "Valha-me Deus, a América é mesmo um lugar formoso e, puxa vida, não seria bom botar água no fogo e cozinhar umas batatas?" O que estava *acontecendo* com ela? Onde fora parar a mulher sofisticada que planejara ser? Por que havia sido substituída automaticamente por uma paródia da mulher irlandesa?

— Leonie, você deve estar exausta. Coitada, sinto muito — disse Fliss imediatamente. — Vamos logo, meninos. Temos que deixar a mãe de vocês descansar. Danny, porque você não vai até a máquina de café logo ali? Leve essa moeda de um dólar e compre uma bebida quente para sua mãe. — Ela entregou o dinheiro ao menino e ele a obedeceu diligentemente.

Leonie ficou observando seu filho. Normalmente seria muito difícil fazer Danny ajudar sem que antes ele reclamasse por dez minutos. Como Fliss conseguira estimulá-lo, se ela, que era mãe dele, não conseguira?

— Ray, querido, como a caminhonete ficou longe, melhor você trazê-la aqui. Leonie e eu ficaremos esperando com a bagagem, assim ela não precisará andar até o estacionamento — sugeriu Fliss.

Ele apressou-se em cumprir o pedido da noiva, e Leonie ficou de pé, ao lado dela, na entrada do estacionamento, com um copo de plástico na mão, tomando um chá que não tinha gosto de nada. As meninas ficaram tagarelando com Fliss, enquanto Danny perambulava ao redor só fazendo comentários quando via um carro bonito passar.

— Olha só, um Pontiac Firebird! — exclamou ele ao ver um veículo esportivo vermelho.

Ray chegou com a camionete; eles socaram a bagagem no porta-malas e entraram no carro.

— Você está bem acomodada aí atrás, Leonie? — indagou Fliss do banco da frente, ao lado de Ray.

— Estou bem, sim — respondeu Leonie. *Pare de bancar a provinciana!*, disse ela, enfurecida, a si mesma. — Ótima — prosseguiu ela, determinada a tirar o ranço da voz. — Está frio, hein? — Enquanto isso, Ray mexia no aquecedor. — A sensação térmica deve ser mínima. Acho que nenhum de nós esperava encontrar temperaturas tão baixas. Nas férias, eu sempre acabo indo para lugares de clima quente. — Que droga. Aquilo dera a entender que era uma mulher fútil, que costumava tomar sol até torrar numa praia qualquer em Costa Del Seja lá o que Fosse e sempre passava as férias nos mesmos lugares. — Na verdade, estou encantada com a beleza do Colorado.

— Estamos muito contentes por ter vindo — enfatizou Ray. — Não vejo a hora de você conhecer Vail. É de tirar o fôlego e é ideal para as crianças esquiarem.

Todos mudaram de assunto e passaram a falar de esqui; como Leonie não tinha a menor intenção de praticá-lo, recostou-se no banco e ficou observando as luzes de Denver. Até o retraído Danny estava ansioso para esquiar pela primeira vez e, enquanto os outros tagarelavam, Leonie perscrutava a noite escura. Ela leu em um guia de viagens da biblioteca que havia um museu de História Natural espetacular em Denver, com um planetário, além de muitas livrarias e pontos turísticos, como a casa em estilo vitoriano de Molly Brown, a Insubmergível.

Se o frenesi do casamento a afetasse muito, pegaria um ônibus e voltaria à cidade, para fazer sua própria programação, decidiu ela. Vail ficava a uns 160 quilômetros de distância, e havia transporte de ida e volta diariamente.

Após os vários voos traumáticos, Leonie acabou caindo no sono durante o trajeto.

— Mãe, a gente já chegou — disse uma voz. Mel já estava dizendo "mãe" com sotaque americano, percebeu Leonie, sonolenta.

Ela desceu da camionete e percebeu que chegara a um pequeno hotel, rodeado por vários chalés de madeira. O local parecia ter saído das páginas de *Heidi*. As janelas tinham adoráveis postigos entalhados, jardineiras cobertas de pequenas coníferas e alpendres lindamente esculpidos com arabescos de madeira, que faziam com que os chalés parecessem tiroleses. Não que ela tivesse ido ao Tirol, mas Leonie costumava pesquisar as programações de férias no seu tempo de estudante e sabia muito bem que Vail era uma cópia fiel daquela região da Áustria. Cada detalhe daria um lindo cartão-postal, incluindo as placas de madeira que ficavam penduradas, informando o nome de cada chalé. Somente uma profusão de veículos caríssimos e reluzentes, estacionados de qualquer jeito em uma das laterais do hotel, denotava que aquele lugar era, na verdade, a rica cidade de Vail e não a terra natal de Heidi no século XIX.

— É adorável, não é mesmo? — disse Fliss com um suspiro. — O hotel tem sala de jantar, bar, sauna e banheira de hidromassagem, tudo que você imaginar de melhor, mas cada chalé é completo. A grande vantagem desse complexo hoteleiro é que fica a apenas três quilômetros do vilarejo de Vail propriamente dito, e eles transportam o hóspede até a cidade na hora que ele quiser, sendo que pelo atalho de trás fica a menos de dois quilômetros. A propósito, o Ray já a registrou, então você não precisa se preocupar com isso. Tenho certeza de que não vê a hora de cair na cama.

— Isso é verdade. Acho que poderia passar uma semana inteira dormindo.

— Imagine só, ficar dormindo! — exclamou Mel. — Como você consegue pensar em dormir, mãe? Por mim, saía por aí explorando tudo agora mesmo.

— Pensei que hoje fosse dormir cedo, mocinha — comentou Fliss, enquanto afagava carinhosamente o cabelo sedoso da menina.

Leonie sentiu outra pontada de ciúme. Ela surpreendeu-se ao notar o quanto lhe doía ver as duas juntas. Era ridículo ficar assim só porque seus filhos estavam se divertindo com outra pessoa. Mas como ela seria, de verdade?

— Não sei como lhe agradecer, Fliss — disse ela, exagerando na simpatia, para compensar seus pensamentos maldosos. — Que lugar lindo! É realmente perfeito para o casamento. Qual é o nosso chalé?

A palavra chalé desmerecia um pouco o lugar, pensou ela, enquanto Ray acompanhava todos até onde ficariam. Leonie pensara que ia encontrar um ambiente prático, espartano e despretensioso, como o das cabanas das estações de esqui que se viam nos folhetos das agências de turismo: só havia espaço para os equipamentos, além de uma cozinha básica, equipada para preparar as fartas refeições dos esportistas. Aquela era obviamente uma versão mais luxuosa.

A sala de estar era ampla, e a decoração, toda feita em um tom de ferrugem. O espaço parecia um santuário da arte indígena americana, com tapeçarias penduradas na parede, uma escultura de um bisão em madeira, além de duas aquarelas enormes representando pinturas rupestres.

— Essas pinturas foram feitas pelos Anasazi de Mesa Verde, ameríndios que viveram mais de dois mil anos atrás — explicou Ray. — A mãe da Fliss quer formar um grupo para visitar Mesa Redonda uma hora dessas. Ela contou que o clima lá é severo no inverno, mas que a viagem vale a pena.

— Deve ser o máximo! — exclamou Abby, que adorava história.

— Eu sabia que você ia ficar interessada, meu bem — disse o pai, com carinho. — Acho que já é hora de ir. Eu ligo amanhã cedo para saber o que vocês vão querer fazer.

Danny atirou-se em um sofá enorme próximo à lareira e ficou admirando o ambiente a sua volta, enquanto as meninas correram para inspecionar os quartos.

— Esse é muito espaçoso mãe, você devia ficar aqui — comentou Abby.

— Mas nós somos duas e esse é o quarto maior. Além do mais, tem um banheiro próprio — disse Mel, queixosa. Ela não era tão generosa quanto a irmã e já estava se imaginando na suíte.

Leonie se aproximou para avaliar pessoalmente.

— Esse outro quarto é mais bonito — comentou Abby, ao espiar o aposento. — Tem duas camas de solteiro, uma lareira e portas que dão para o pátio.

— Eu também quero ver — gritou Mel.

Leonie percorreu os cômodos e viu que a cozinha era muito bem equipada, dando para a sala de jantar. Havia três quartos e um banheiro espaçoso, com uma banheira tão grande que três pessoas poderiam tomar banho de uma só vez.

Danny ficaria com o terceiro quarto.

A mãe pegou sua bagagem, arrastou-a até o quarto com duas camas, todo decorado em um lindo tom verde-escuro e muito confortável. Deixou então que os meninos decidissem onde ficariam.

Após nove horas de sono, Leonie sentiu-se bem recuperada e levantou-se para tomar o café da manhã. As meninas já haviam saído, porém Danny ainda estava deitado. *Certas pessoas nunca mudam,* pensou ela, carinhosa, ao espiar da porta do quarto a enorme figura envolta em um edredom listrado.

Alguém tinha sido gentil o bastante para deixar café, leite, açúcar e pão, além de outros itens necessários na cozinha, então a própria Leonie resolveu fazer o café, entusiasmada por ter aprendido a usar a complicada cafeteira com facilidade. Após preparar torradas com margarina light e geleia de uva, ela foi para a sala de estar e olhou pela janela para ver o lugar em que estavam ficando.

Achou a paisagem tão magnífica que parou de mastigar a torrada ao se deparar com as imponentes montanhas nevadas ao redor do lugar. Eram tão majestosas que faziam com que as de seu país parecessem colinas. Os raios de sol se refletiam na neve e iluminavam gloriosamente o vale inteiro. A luminosidade do Colorado era lendária, dizia o guia turístico de Leonie. O guia estava certo. Tudo ali podia ser considerado fantástico.

Leonie ficou tão entusiasmada que sentiu um *frisson*. Teve certeza de que teriam férias maravilhosas naquele local espetacular.

Ray telefonou para informar que as meninas estavam com ele e que ia levar todos para almoçar em Vail, a fim de lhes mostrar a cidade.

— É tudo muito bonito, Leonie. Você vai adorar. Tem várias opções para quem não quer esquiar, como fazer compras, andar de trenó ou sair para comer. A lista é interminável. Amanhã, vou levar as crianças para patinar no gelo em Beaver Creek. Você poderia vir também. Aliás, Fliss programou um jantar com os pais dela hoje à noite e gostaríamos que estivesse presente. É claro que, fora isso e o casamento, você tem toda a liberdade de fazer o que quiser.

— Você está aqui em qual chalé? — indagou Leonie.

— Estamos hospedados na casa dos pais de Fliss, a menos de um quilômetro daqui. É onde vai ser o casamento — explicou Ray.

Então deve ser uma cerimônia para poucos convidados, pensou ela. O que era interessante, pois pensara que seria uma festa de arromba.

— Quantas pessoas foram convidadas? — perguntou.

— Aproximadamente duzentas.

— Minha nossa, então deve ser um chalé gigantesco! — disse Leonie, ofegante.

Houve um silêncio constrangedor.

— Foi o que eu pensei, no início — prosseguiu Ray, finalmente. — Todos eles insistem em chamar o lugar de chalé, mas, na verdade, é uma casa de dois andares e uma infinidade de cômodos. O mesmo acontece em Hamptons, onde costumam chamar aquelas mansões de casas de veraneio.

— Então acho melhor eu não falar do meu *chalé* — disse ela, sorrindo. — Senão vão pensar que sou podre de rica.

Vail era um lugar encantador, admitiu Leonie, depois de se cansar de ir de loja em loja com as meninas para admirar as roupas de estilistas famosos e tudo o que se podia imaginar que alguém precisasse para esquiar de um jeito fashion.

As gêmeas adoraram as pitorescas construções em estilo bávaro, e Mel sentia-se no sétimo céu cada vez que entrava em uma butique para ver roupas.

Mas nada ali era barato. Os pais de Fliss deviam ser riquíssimos, se tinham uma propriedade na região.

— Vocês chegaram a conhecer os pais de Fliss nas férias de verão? — indagou ela às meninas.

Abby negou com a cabeça; Mel estava babando por um microvestido de contas, exposto em uma das vitrines que não tinha trajes de esqui.

— Está fazendo frio — comentou Leonie, tremendo. Começou a nevar e Abby explicou que aqueles flocos fofos de neve eram ideais para se esquiar.

— Vamos sentar um pouco para descansar. Essa botas estão me matando — implorou ela.

Enquanto tomavam canecas de chocolate quente com canela, Mel ficou contemplando os transeuntes que passavam, e Abby se entreteve, lendo o guia turístico de Vail que o pai havia lhe dado. Ela ficou fascinada pela seção que falava de esqui. Ray levaria todos para a estação no dia seguinte, e ela não via a hora de ir. Leonie tomou um pouco do chocolate e torceu para que o jantar simples daquela noite não acabasse sendo um evento altamente sofisticado. As pessoas de Vail se vestiam com extrema elegância e só usavam roupas caras. Nunca vira tantos casacos de pele em sua vida. A campanha contra o uso deles obviamente não chegara àquela parte do mundo.

Elas viram duas mulheres que desfilavam do outro lado da rua, superbem maquiadas, usando casacos de pele de marta compridos até os tornozelos, além de botas para a neve e óculos escuros esportivos. Mel tinha certeza de que eram estrelas do cinema e ergueu o rosto para parecer mais bonita. Leonie chegou a ver roupas para esquiar com golas de pele. Ela não se sentia à vontade naquele meio. Será que ter ido havia sido um erro terrível de sua parte?

* * *

Naquela noite, Ray não foi buscá-los na camionete, mas sim um homem baixinho, que a chamou respeitosamente de sra. Delaney.

— Sou o motorista dos Berkeley — explicou ele, quando Mel perguntou, inocente, quem ele era.

— Ah, que ótimo! — disse Leonie com um sorriso, mas estremecendo por dentro. Naquele momento, teve certeza de que o jantar seria muito formal.

Qualquer família que tivesse um motorista particular fazia parte de uma confraria diferente da dos Delaney de Greystones. Obviamente não serviriam lasanha com batatas cozidas na cozinha. O seu velho e confiável terninho de veludo cor de cobre não faria sucesso no ambiente milionário dos Berkeley, mesmo que estivesse usando as melhores joias egípcias e houvesse colocado pouca maquiagem. Talvez até a empregada estivesse vestindo Gucci. Leonie engoliu em seco, pôs o sobretudo de lã e entrou no carro, sentando-se no banco de trás da camionete.

O chalé dos Berkeley daria um excelente hotel, concluiu ela, quando o motorista parou na entrada para carros, onde dois Mercedes já estavam estacionados. Mel impressionou-se com o tamanho da casa.

— Uau! É espetacular — disse ela, admirada.

— É mesmo — concordou Danny. — Eles devem ser podres de ricos!

— Fala baixo, Danny — disse a mãe, enfurecida. — Não estamos aqui para avaliar o patrimônio deles. E faça o favor de não virar o prato para ver o nome do fabricante.

Todos caíram na risada.

Fliss e Ray estavam esperando por eles na porta, e Leonie ficou mais uma vez surpresa ao constatar que os dois realmente formavam um casal. Ray observava cada movimento da noiva, os olhos dele acompanhando todo gesto e sorriso, como se não conseguisse deixar de olhar para aquela criatura encantadora. E Fliss estava realmente linda.

Ela não se vestira com pompa. Na verdade, a calça social na cor cinza e o suéter prateado com decote em V eram extremamente simples, embora elegantes, de acabamento impecável. *O suéter devia ser de caxemira*, pensou Leonie. E com certeza muito caro. Era aquela combinação da beleza natural e despretensiosa de Fliss com as roupas clássicas que fazia com que ela chamasse a atenção. Quase não usava maquiagem, a não ser brilho para os lábios e rímel, como Mel dissera da primeira vez. Ainda assim, parecia maravilhosa, e Leonie se sentia, em comparação, como se fizesse parte da caravana dos palhaços do circo.

Daquela vez, Fliss a abraçou.

— Estou feliz por ter vindo, é tão importante para o Ray — disse ela, confidente, enquanto Ray levava os outros até um espaçoso salão de festas. — Não sei se seria capaz de ir ao casamento do meu ex-marido, levando em conta que sou muito possessiva. Mas é tão bom ver como você e Ray se dão bem. É ótimo para as crianças e, além do mais, eu queria muito que você me conhecesse e soubesse que, comigo, seus filhos sempre estarão felizes e em segurança.

Aquela fora a conversa mais longa que ela tivera com Leonie, que não sabia muito bem como reagir ao monólogo. Leonie sentiu que seria um erro contar para Fliss que vê-la com as crianças a magoava muito, então sorriu e limitou-se a dizer: — Gostei muito de ter vindo, Fliss. É bom saber que Ray está feliz.

O que não deixava de ser verdade. Não que Leonie desejasse que ele fosse *in*feliz, mas era duro ver que o ex-marido ia se casar com alguém que adorava, enquanto ela permanecia totalmente só. Se ele estivesse um pouquinho menos feliz, talvez ela encarasse com mais facilidade aquela história de casamento. Era muito difícil lidar de tão perto com a suprema felicidade.

Contudo, Leonie não deixaria isso transparecer. Então, afagou o braço de Fliss e disse que as pessoas eram muito educadas na Irlanda e que segundos casamentos haviam se tornado comuns.

A noite transcorreu civilizadamente o tempo todo. Os pais de Fliss estavam presentes com seus novos companheiros e, quando Leonie foi apresentada a eles, não conseguiu imaginar como o sr. Berkeley e a mulher do primeiro casamento se haviam unido; nunca tinha visto duas pessoas tão diferentes.

Lydia, a mãe de Fliss, era uma mulher de cabelos escuros e rosto esticado, com voz distinta. Parecia alguém que nunca movera uma palha e sempre tivera algum subordinado para fazer tudo.

Charlie, o pai de Fliss, era um homem grandalhão e louro, com o rosto castigado pelo tempo, mãos enormes e um senso de humor maravilhoso. Passava a maior parte do tempo em seu rancho de gado no Texas, e Leonie não conseguia imaginar a imaculada Lydia em um lugar assim. A atual esposa dele, Andrea, era uma mulher simples, com uma cabeleira prateada e o tipo físico de Bo Derek. Adorava o campo, e Leonie se entendeu com ela imediatamente. Wilson, o padrasto de Fliss, era advogado, e ficara óbvio que ele e Ray se davam muito bem.

Andrea, Charlie e Wilson, extremamente simpáticos, deram tudo de si para que ela, Danny, Mel e Abby se sentissem em casa. Eram pessoas inteligentes e acolhedoras e fizeram com que Leonie relaxasse. Houve fartura de comidas e bebidas, e os anfitriões se esforçaram para incluí-los na conversa. Apenas Lydia mantinha-se a distância. Era constrangedor, mas toda vez que Leonie batia os olhos nela, a mulher a estava observando. *Na certa está se perguntando o que o futuro genro viu em mim um dia,* pensou com tristeza. Não conseguiu simpatizar com a ex-sra. Berkeley, mesmo quando Lydia insistiu que Leonie se sentasse ao lado dela, para que pudessem conversar.

Leonie suspeitou que a curiosidade dela era saber quanto Ray lhe pagava de pensão alimentícia, certificando-se, assim, de que sua querida Fliss tivesse seu quinhão. Não que a filha, ao que tudo indicava, precisasse de dinheiro. Levando em conta a riqueza dos pais e seu salário, ela certamente devia ter uma excelente condição financeira.

Enquanto o primeiro prato era servido, Lydia questionou-a sem a menor sutileza. No entanto, com o divertido Charlie sentado à sua direita, Leonie conseguiu desfrutar da refeição.

Charlie passou a contar histórias sobre o rancho e a descrever a vida em Panhandle.

— Você deveria nos visitar — sugeriu ele. — Tenho certeza que ia adorar, já que não gosta de esquiar. Faz um calor danado no Texas, vai por mim!

Quando Charlie descobriu que ela era uma enfermeira veterinária, tornaram-se bons amigos. Ele já se aventurara em todo tipo de exploração agropecuária, desde laticínio até a criação de cavalos. Atualmente, limitava-se a manter um pequeno rebanho de gado e alguns cavalos. Andrea deu uma risada e comentou que o que o marido chamava de um pequeno rebanho equivalia na verdade a seis mil cabeças de gado.

— Na verdade, trabalho numa clínica pequena — explicou Leonie, quando Charlie começou a descrever as técnicas modernas de criação e de transplante embrionário. — Faz tempo que não vejo uma vaca, lidamos mais com cachorros, gatos e hamsters, sem falar do bizarro camaleão. Ah, um dos clientes tem uma criação de papagaio-cinzento do Congo e nós cuidamos deles também. São lindos e carinhosos. Não tem nada mais meigo do que um papagaio se aconchegando em você e roçando delicadamente em seu cabelo.

Até mesmo a frívola Lydia relaxou após algumas taças de vinho e começou a falar despreocupadamente com Leonie sobre o casamento.

Durante 15 minutos, ela escutou pacientemente enquanto Lydia dava detalhes dos arranjos da cerimônia e comentava como era difícil conseguir fornecedores que preparassem bem uma lagosta ao termidor. Mencionou ainda que Fliss sempre sonhara em se casar com um vestido de noiva de Calvin Klein.

Leonie teve a impressão de que, se tivesse de dizer mais uma vez: "É mesmo?", ficaria engasgada. Para variar um pouco, resolveu perguntar sobre o vestido.

— Então, Fliss vai se casar de Calvin Klein? Como é o modelo?

Lydia ficou chocada. Parecia até que Leonie lhe havia sugerido fazer um bacanal com os empregados, no terraço coberto de neve.

— Não posso falar disso na frente de Ray — sussurrou ela. — Dá azar! Venha que vou mostrá-lo para você, está bom?

Sem dar tempo para Leonie dizer que, na verdade, conseguiria sobreviver sem ver o vestido com o qual a noiva de seu ex-marido ia se casar, Lydia anunciou que o café seria servido na biblioteca.

Também havia uma *biblioteca*? Leonie deu um suspiro. E aquela era apenas a casa de férias. Só Deus sabia o tipo de mausoléu em que Fliss passara a infância. Não restava a menor dúvida de que tinha as dimensões de um palácio. Tampouco era de admirar que fosse tão magra: todo aquele vaivém de um cômodo para outro deixaria qualquer um em forma.

— Fliss, eu vou mostrar o seu vestido para Leonie — sussurrou Lydia.

— É uma ótima ideia! — exclamou ela.

Todas as mulheres que estavam no jantar saíram para ver a roupa, e os homens ficaram tomando café. Mel e Abby, que tomaram uma taça de vinho durante o jantar, vinham dando risadinhas e deram as mãos a Fliss com cumplicidade, enquanto caminhavam por um longo corredor, até o quarto em que o modelo estava exposto em um manequim de costureira. Todas aprovaram em silêncio ao verem o vestido.

Era um design característico da Calvin Klein: de seda nacarada, com a bainha em corte enviesado e o decote levemente drapejado. Leonie podia ver claramente que Fliss, muito sofisticada, poderia concorrer com qualquer top model.

— Uau! — exclamou Mel com o encantamento de uma estilista. — É lindo.

— Deslumbrante! — comentou Abby.

— Vocês gostaram mesmo, meninas? — perguntou Fliss, ansiosa, como se a opinião delas fosse de extrema importância.

— Claro que sim — disseram as duas em coro enquanto a abraçavam.

Leonie ficou com um nó na garganta ao presenciar aquela cena emocionante. Fliss enxugou as lágrimas, comovida, e as gêmeas a beijaram, dizendo que ficaria encantadora com o vestido.

Andrea sorriu para Leonie, com simpatia.

— Tenho certeza que é muito difícil para você ver seu ex-marido se casando de novo — sussurrou ela, afagando Leonie.

— De maneira nenhuma — protestou ela, com sinceridade. O que a estava matando era ver Mel e Abby simplesmente encantadas com a futura madrasta. Aquilo, sim, machucava; não imaginar Ray e Fliss percorrendo a nave da igreja como se estivessem fazendo um comercial sobre o amor depois dos quarenta.

— É lindo — disse Lydia, orgulhosa, olhando para o traje e em seguida para a filha.

— Lindo mesmo — ecoou Leonie, dando um sorriso tão forçado que achou que ia borrar toda a maquiagem.

Todos estavam sendo tão gentis e simpáticos com ela, mas, ainda assim, sentia-se como uma sombra na festa. Como evitar que as crianças quisessem fazer parte daquela família privilegiada quando a alternativa seria a vida tediosa que levavam em Wicklow?

— Olha só! Não está lindo? — comentou a menina que se sentara ao lado de Leonie em uma pequena cadeira dourada na sala dos Berkeley, que fora transformada em uma capela para celebrar as núpcias de Fliss e Ray. Orquídeas pálidas pendiam de uma miríade de vasos, ornamentados com delicadas fitas cor de açafrão, no ambiente cuja temperatura era quase tropical, formando um arranjo lindo e elegante.

— É verdade, está belíssimo — respondeu Leonie, diligente. Seu traseiro doía. Encontrava-se sentada fazia meia hora em uma cadeira que não fora feita para pessoas com suspeita de sofrer de artrite. Desde que ela e as crianças haviam chegado trinta minutos atrás, as pessoas não paravam de falar "Não é lindo?". Tudo estava bonito, desde os homens em traje a rigor até os ramalhetes de orquídeas debruçados por todo canto. O quarteto de cordas tocava esplendorosamente, o brinde de champanhe rosé antes da cerimônia fora emocionante, e Mona, a irmã de Fliss, estava um charme apesar do traje mínimo, que continha no máximo um metro de couro creme; ela não quis saber de usar uma roupa de dama de honra cheia de fru-fru. Leonie não aguentava mais tanta beleza.

— Mãe — disse Mel, ofegante, ao voltar para seu lugar —, ela chegou e está...

— Não precisa me dizer... — disse Leonie por entre os dentes — linda.

Mel mostrava-se deslumbrada. A mãe a conhecia o suficiente para sabê-lo. Nos três últimos dias, a menina só falara da casa dos Berkeley, de todas as belezas que vira ali e de como devia ser bom ter aquele estilo de vida. Ray havia levado os filhos para esquiar, passear de trenó, patinar no gelo e jantar em uma churrascaria espetacular. Leonie ficou imaginando se Mel poderia voltar a se adaptar ao dia a dia do pequeno chalé de Greystones. A casa precisava de pintura, os azulejos do banheiro estavam se soltando aos poucos da parede, a biblioteca se resumia às estantes de livros da sala de estar e eles só usavam guardanapos de pano quando Claire ia visitar a filha e os levava, porque detestava os de papel.

— Mel, não se esqueça de que tudo isso é muito bonito, mas a nossa realidade é outra. — Leonie não se conteve. — Os pais de Fliss são muito ricos, eu e o seu pai, não. Então, não podemos bancar essa vida.

— Eu não sou nenhuma idiota, mãe — disse a menina com sarcasmo. — Vou aproveitar enquanto estiver aqui. Será que não posso nem me divertir sem você querer estragar tudo?

E foi por isso que os olhos de Leonie marejaram quando Fliss passou lenta e graciosamente por ela, em direção a Ray. Mesmo em meio às lágrimas, ela viu que Fliss estava deslumbrante no Calvin Klein: uma mulher magra com um vestido de tom creme e um pequeno buquê de orquídeas combinando com a roupa.

Andrea encontrava-se do outro lado do corredor e lançou-lhe um olhar compadecido. Leonie teve vontade de gritar que estava pouco se lixando para a mulher com quem seu ex ia se casar e que não suportava mais ser afrontada pela opulência dos Berkeley, a qual vinha sendo jogada na cara dela.

Após a cerimônia, Mel saiu de fininho, deixando a mãe, Abby e Danny em seus respectivos lugares, sem saber o que aconteceria a seguir. Não precisaram esperar muito tempo. Os duzentos convidados foram conduzidos à sala de jantar. As portas duplas que davam para o jardim de inverno haviam sido removidas, e o espaço ficara maior do que um salão de bailes. O jardim de inverno ficava de frente para as montanhas cobertas de neve e, assim, a vista era deslumbrante. A mesa enorme fora guarnecida com um bufê extravagante e, no centro, havia uma escultura de gelo com dois cisnes, ladeada por uma grande terrina de ostras.

Havia salmão, lagosta, um prato que parecia lombo de boi, e mais presunto de Parma do que se encontraria em toda a Itália, sem falar nas saladas mais variadas e os mais raros tipos de alface. Garçons trajando smokings andavam silenciosamente para lá e para cá, trazendo champanhe, água mineral e pratos de bordas douradas para a mesa. Não demorou para a festa começar de verdade, com muitas risadas e piadas, e até um momento de loucura, quando um octogenário assanhadinho levou Mona para dançar e todos os convidados ficaram batendo palmas.

Lydia não resistiu e se aproximou de Leonie para gabar-se de tudo.

— Essa escultura de gelo veio de avião de Los Angeles — comentou ela, presunçosa. — Mas foi preciso para manter as ostras resfriadas.

Leonie teve que se controlar para não dizer que não precisavam trazer uma escultura de gelo, bastava deixar as ostras junto de Lydia e elas ficariam convenientemente frias.

Em vez disso, ela assentiu e acrescentou que sempre ficava nervosa quando servia aqueles frutos do mar, porque tinha medo de estarem com salmonela. Valeu a pena ver a cara espantada de Lydia ao correr para a cozinha para atazanar os pobres fornecedores e certificar-se de que ninguém morreria envenenado.

— Está demais né, mãe? — indagou Danny ao chegar com um prato abarrotado de comida. Trazia também um copo de cerveja. — O papai pegou para mim — prosseguiu ele, tomando um gole da bebida. — Ele sabe que não gosto de vinho. Você está se sentindo bem, mãe? — perguntou o menino. — Está muito calada. Mel andou aprontando de novo?

Leonie percebeu que ia chorar novamente. Sentiu-se ridícula, parecia até que estava sofrendo de incontinência ocular. Era raro ver Danny tão sensível. Normalmente só Abby sabia como ela se sentia. No entanto, nos últimos dias, ela ficara grudada em Fliss o tempo todo, tagarelando como sempre e sorrindo. Dava até a impressão de que ficava mais feliz com a madrasta do que com a mãe.

— Não se preocupe, estou bem — disse a mãe, depressa. — Apenas fico comparando nossa casa com este lugar. Acho que nunca mais vou conseguir comer nos nossos pratos da liquidação de cinquenta centavos de libras, depois de ter usado um desses dourados.

— Isso é puro exibicionismo, mãe — comentou ele, desinteressadamente. — A festa foi ideia da mãe de Fliss, que gosta de aparecer e não passa de uma metida. Todos os outros são gente boa. Foi ela que quis fazer uma festa de arromba. Papai me contou que ele e Fliss queriam fazer uma festa para poucos convidados, e ela ficou pedindo para fazer esse show.

Leonie sentiu, de súbito, um pouco de pena de Lydia. Era óbvio que havia planejado uma cerimônia tão pomposa para poder fugir do tédio que sua vida devia ser.

Ao anoitecer, Leonie estava entediada. Já conversara com uma infinidade de casais simpáticos, além de ter comido demais, mas nem mesmo a comida fabulosa e o champanhe refinado conseguiam amenizar a dor que ela sentia ao ver Mel e Abby saracoteando, tão felizes, com a nova madrasta. E nada compensava o fato de ela se sentir tão isolada, por ser a única mulher desacompanhada da festa.

Toda vez que ela olhava na direção delas, Fliss estava rindo afetadamente com as gêmeas. Os recém-casados circulavam com graça, seguidos por sua família previamente formada. E era Abby, antes tão apegada à mãe, que parecia mais feliz ao lado de Fliss. Sorria com entusiasmo para a madrasta, que afagava o braço da menina e ajeitava o cabelo dela com os gestos carinhosos de quem fizera aquilo muitas vezes. Mel apoiara-se no braço do pai, visivelmente feliz por fazer parte daquele grupo de pessoas bonitas e alegres. Estava tão bonita, com as maçãs do rosto coradas e os cabelos escuros e sedosos soltos, emoldurando o rosto em forma de coração. Fliss emprestara às meninas suas maquiagens caras, e as duas fizeram a festa ao se embelezarem de manhã, no banheiro. Observando todos juntos, Leonie sentiu uma onda de medo passando por ela.

Era evidente que Fliss adorava as gêmeas e seria uma mãe fabulosa para seus filhos. Mas e se ela ficasse tão próxima de Mel e Abby que acabasse tomando-as para si? E se as meninas decidissem preferir o maravilhoso estilo de vida dos norte-americanos à vida simples que levavam na Irlanda? O que Leonie ia fazer, então?

A festa de réveillon de Kirsten e Patrick estava transcorrendo às mil maravilhas. Até a mal-humorada tia-avó Petra, se tivesse sido convidada, teria de admitir que eles sabiam como dar uma festa de arromba. Todavia, como Kirsten odiava Petra, nenhum convite fora enviado para ela.

— Não vou convidar aquela velha insuportável para a nossa festa — dissera à Emma, com veemência. — Ela que fique em casa, preparando uma poção com rabo de lagartixa e asa de morcego no caldeirão. É uma bruxa mesmo.

Bem que Emma gostaria de ser tão decisiva quanto a irmã, na hora de excluir Petra de sua lista de convidados.

Ao menos 150 pessoas apinhavam-se na casa ampla e moderna de Castleknock, enchendo a cara da comida oriental que Kirsten insistira em oferecer. O vinho era servido com fartura e, se algum corretor amigo de Patrick começava a fazer uma zona em algum canto da casa, isso só servia para animar ainda mais o clima festivo. Um CD com música kitsch de Natal tocava às alturas.

Kirsten desfilava pela casa com seu vestido de crochê da Karen Millen, movimentando-se rapidamente entre o jardim de inverno, a sala de jantar e a cozinha, enquanto batia papo com os convidados, entornando um copo de vodca após o outro. Ela havia deixado Emma em um canto da sala, na companhia de Anne-Marie e Jimmy, que encaravam os pratos de *dim sum* que lhes ofereceram sem um pingo de apetite. Pete tinha ido buscar mais vinho para ele e Jimmy e, em sua ausência, o grupo se calara. O silêncio deles contrastava com a algazarra à sua volta. Os amigos de Kirsten e Patrick estavam contando histórias de terror de Natal e queixando-se só de pensar que voltariam a trabalhar após o feriado prolongado.

Emma, que não vinha bebendo porque havia sido escolhida como motorista, comeu um rolinho primavera crocante. Em seguida, deu uma olhada no relógio e viu que já eram quase seis horas. Ela e Pete tinham decidido inventar outra festa aquela noite, para que pudessem voltar para casa mais cedo.

— Você sabe muito bem que Kirsten vai empurrar seus pais para a gente —, comentara Pete. — Precisamos ter um plano de emergência, para o caso de decidirmos tirar o corpo fora.

O verdadeiro plano deles era passar uma noite tranquila em casa. Mas, de repente, Emma ouviu o barulho de alguma coisa pingando e olhou para a mãe, que estava sentada entre ela e o pai. Anne-Marie tinha parado de mexer a comida do prato com o garfo; a taça havia tombado de sua mão e o vinho tinto se derramava pelo chão enquanto lágrimas escorriam, sem que se desse conta, por seu rosto. Emma observou enquanto o vinho pingava lentamente, chocada demais para fazer algo naquele momento.

— Mãe! — exclamou, perplexa.

Quando ela a encarou com os olhos vermelhos, Emma se assustou com o que viu: Anne-Marie parecia completamente apavorada.

— Estou com medo, com muito medo — disse, soluçando. — Não sei o que está acontecendo comigo. Não sei de mais nada.

A mão dela estremeceu, e o vinho começou a cair em seu colo, molhando a saia florida de seda, formando uma mancha vermelha que ficava cada vez maior. *Parecia sangue*, pensou Emma horrorizada.

— Calma — disse ela, com angústia, enquanto tentava tirar a taça que derramava da mão de Anne-Marie, mas ela a apertava com força e mais um pouco de vinho caiu na filha e no tapete, antes que Emma conseguisse arrancá-lo de sua mão. A jovem agachou-se junto à cadeira da mãe e abraçou-a.

— Está tudo certo, mãe — disse, com suavidade. — Eu estou aqui e o papai também.

— Mas não é sempre que você está por perto, e eu fico ouvindo aquelas vozes e esqueço de tudo — gemeu a mãe.

Emma continuava abraçando-a, mas ela não parava de chorar. E por que Jimmy não tomava uma atitude?

— Pai, olha só como a mamãe está. Faça alguma coisa para ajudá-la. — A filha não sabia o que fazer, muito menos o pai. Ele ficara paralisado ao ver a esposa chorando.

— Me ajudem, me ajudem! — gritou Anne-Marie de repente, com a voz alta ecoando pela sala.

Emma viu que Pete estava de queixo caído, ao chegar da cozinha com o vinho. Dava a impressão de que se aproximava deles devagar, quase parando.

Tudo parecia estar acontecendo em câmera lenta, pensou Emma. Ela percebeu que Jimmy, chocado, arqueava as sobrancelhas com lentidão e notou que as pessoas, boquiabertas, viravam-se devagar na direção deles.

— Não fique triste, mãe — disse a filha com meiguice. — Prometo que vamos ajudá-la.

— Não vão nada! Não vão! Todos vocês estão contra mim — bradou Anne-Marie, levantando-se abruptamente. — Não! — exclamou ela, colérica, com um vozeirão que todos na casa podiam ouvir, mesmo com os sinos da música natalina do disco de Kirsten tocando ao fundo. — Não! Não! Não! — Ela passou a gritar mais, ficou agitada e começou a jogar no chão os pratos e os copos da mesa. A louça se espatifou toda no chão. — Como pode dizer uma coisa dessas? O que está tentando fazer comigo? — bramiu ela. — Você não sabe de nada, está me ouvindo? Ainda não entendeu que não vou para aquele lugar?

Pete largou o copo de vinho e juntou-se a Emma para tentar acalmar Anne-Marie.

— Tudo bem, mãe, estamos aqui com você, ninguém vai levar você para lugar nenhum.

— Vai, sim — queixou-se a mãe, ainda tentando jogar os pratos da mesa. — Todos vocês estão em conluio!

— Está tudo bem, Anne-Marie — disse Pete, com brandura. — Tudo bem. A gente vai tomar conta de você.

A voz calma do genro pareceu surtir efeito, e ela sentou-se vagarosamente na cadeira. Pete e Emma agacharam-se ao lado dela.

— Mãe, sou eu, Emma. — Tentou falar com a voz firme, o que foi muito difícil, já que ela tremia dos pés à cabeça. — Pai, me ajude aqui, por favor.

Ao ouvir a voz de Emma, Jimmy pareceu sair do transe em que se encontrava. — Claro — disse ele, com a voz entrecortada.

Ele tirou Pete do caminho e agarrou a esposa.

— Anne-Marie, querida, estou aqui com você. Não precisa ter medo de nada. Tudo vai ficar bem.

Ela desabou sobre o corpo robusto do marido, e seu cabelo em tom louro-claro soltou-se do prendedor, assanhando-se todo.

— Vamos levá-la para casa— ordenou Jimmy, apoiando a esposa com carinho.

Kirsten fez questão de ficar com os convidados. Patrick, contudo, foi para a casa de Jimmy e Anne-Marie com seu BMW, seguido de perto por Pete e a assustada Emma.

— Temos que chamar um médico — disse Emma, ainda tremendo.

— Concordo plenamente — falou Pete.

Jimmy O'Brien, no entanto, não queria dar o braço a torcer.

— Não precisamos chamar médico nenhum. Ela está muito bem. Um pouco estressada, nada além disso — resmungou ele.

Emma estava ajudando a mãe a trocar de roupa no andar de cima, e estremeceu ao ouvir a voz furiosa do pai.

Pete e Patrick se entreolharam.

— Sinto muito, Jimmy — disse Pete com firmeza —, dessa vez sua opinião não vai contar. Anne-Marie não está apenas estressada. Não está nada bem, e algo de muito sério pode acontecer com ela. Eu vou chamar um médico agora mesmo. Nunca vou me perdoar se, por uma displicência, o pior vier a ocorrer.

Emma aproximou-se do quarto dos pais, para tentar descobrir o que fariam. O pai falou, mas sua voz soou estranha. Era como se estivesse fraco e cansado. Não parecia aquele homem agressivo e impetuoso com o qual estava acostumada.

— E se o médico quiser interná-la, o que vamos fazer?

— Sinto muito, querida — disse Anne-Marie, sorrindo para a filha, enquanto tentava, sem sucesso, abotoar o vestido limpo que pusera. — Eu fiquei muito brava, não é? Lamento, não queria que isso acontecesse. Não sei o que deu em mim.

— Não tem problema, mãe — disse Emma, gentilmente, ajudando-a com a roupa. A mãe, que em outros tempos teria protestado se alguém tentasse ajudá-la, sentiu-se aliviada ao ver que a filha abotoava o vestido. — Me diga uma coisa. Você disse que está esquecendo as coisas, mãe. O que anda esquecendo?

Anne-Marie piscou os olhos.

— Eu me esqueço onde coloquei as coisas e depois não as encontro mais. E não consigo mais ler. Acho que vou precisar trocar de óculos, eles estão muito fracos. As letras parecem pequenas demais e ficam embaralhadas. Tentei usar a lupa de seu pai, mas não ajudou muito. Você me leva para comprar óculos novos, Emma?

A filha mordeu os lábios e tentou evitar que as lágrimas escorressem de seus olhos.

— Claro que sim, mãe. Mas antes vamos pedir para o médico examinar você.

* * *

O médico da família, um senhor com boas maneiras e mãos gentis, examinou Anne-Marie dos pés à cabeça, mas não descobriu nada de errado. Ela conversou com ele da forma como sempre fazia e pediu desculpas por o terem chamado no réveillon; disse ainda que os genros haviam feito um estardalhaço por nada.

— Você está cem por cento, querida — disse ele, ao sair do quarto.

— Pelo que vocês estão me dizendo, ela está muito deprimida — comentou ele, respeitoso, com Pete, Emma, Patrick e Jimmy, que estavam no andar de baixo. — Isso poderia fazer com que ela se apavorasse e começasse a gritar. Mas pode ser também algum tipo de mal súbito. Precisamos fazer alguns exames para saber qual é o problema.

— Nada de exames — disse Jimmy, bravo. — Ela está sob muita pressão e isso é tudo.

— Isso não é tudo não — enfatizou Emma, ignorando o olhar feroz do pai. — Ela está dizendo coisas estranhas, vem se comportando de modo esquisito e perde tudo, o tempo todo. Um dia desses, tentou abrir uma lata com o batedor de ovos. São pequenos detalhes, doutor, mas sei que tem algo errado com mamãe. Ela estava me dizendo que não consegue mais ler e acha que é por causa dos óculos. Não são os óculos. Ela está com algum problema.

— É a primeira vez que se comporta desse jeito? Ela vinha agindo normalmente até agora? — perguntou o clínico.

— Não é a primeira vez. Ela ficou muito alterada alguns meses atrás, quando fomos fazer compras — disse Emma em voz baixa. — Estávamos numa loja de tecidos. Ela começou a gritar comigo, sem me reconhecer. Eu não consegui acalmá-la, e ela começou a chamar o papai, que não estava com a gente.

— Você nunca me contou isso — acusou Jimmy, recriminando Emma.

— Mas agora estou contando — retrucou a filha, irritada.

— Minha esposa está estressada e um pouco deprimida — insistiu Jimmy. — Só precisa de alguns comprimidos. Como na época em que

Kirsten teve mononucleose. O problema foi resolvido. Ela não precisa de nada além disso.

— Venha com ela ao meu consultório na semana que vem e conversaremos sobre isso — sugeriu o médico. — Se estiver deprimida, vamos ajudá-la, mas não descobriremos o que aconteceu hoje se ela não fizer os exames.

— Anne-Marie estava nervosa, doutor, não teve nada de mais — ressaltou Jimmy. — Ela não está bem agora? Se fosse algo tão sério, ela não teria conversado com você como se nada houvesse acontecido.

— É verdade. Além disso, é muito jovem. Você me disse que ela tem apenas 60 anos. Bom, Jimmy, não sei o que poderia haver de errado com ela se levarmos em conta sua idade. Mas lhe prometo que vou ficar de olho.

— Ele é muito turrão — disse Pete, enfurecido enquanto Jimmy acompanhava o médico até a porta. — Sua mãe pode estar com um tumor no cérebro e, mesmo assim, ele não vai dar o braço a torcer. Ela tem que ir a um especialista.

— Ela vai ficar bem — disse Jimmy, ao bater a porta da frente.

Emma pediu que Pete e Patrick fossem para casa. Não tinha a menor vontade de passar mais tempo com o pai, mas quis ficar por causa da mãe. Pelo visto, Jimmy não sabia como lidar com Anne-Marie.

Os três se sentaram na frente da televisão por um momento, até que Anne-Marie comentou que estava cansada e queria se deitar. Eram apenas oito e meia.

A mãe não se queixou quando Emma a acompanhou até o andar de cima e ajudou-a a trocar de roupa. Em vez disso, pareceu feliz por ela estar ali. Quando já se achava debaixo das cobertas, Emma se sentou ao seu lado e acariciou seus longos cabelos.

— Sinto muito ter se aborrecido tanto mais cedo — disse a filha, com ternura.

— Você estava me dizendo que eu teria de ir para aquele lugar horrível de novo — comentou Anne-Marie, sonolenta, enquanto segurava com força a mão de Emma.

— Foi sem querer — ressaltou a filha, achando que seria melhor fingir que sabia do que a mãe falava.

— Converse comigo, Emma. Gosto de ouvir sua voz — murmurou ela.

Emma iniciou um monólogo sobre o que faria no dia seguinte e comentou que voltaria para vê-la à noite. Sua voz pareceu acalmá-la, e ela caiu no sono ainda segurando sua mão.

Emma lembrou-se de quando era criança e concluiu que os papéis haviam se invertido. Sempre que tinha um pesadelo, sua mãe corria até seu quarto assim que ouvia os seus gritos, sentava-se a seu lado e acariciava sua testa febril, enquanto dizia que todos os diabretes haviam ido embora. Ela lembrou-se da camisola de algodão macio que a mãe usava e do perfume de lírios do campo de seu creme para as mãos.

Naquele momento, no entanto, *ela* assumira o papel da mãe, reconfortando a filha, e não o contrário. Como era estranho ter que exercer o papel maternal com alguém, depois de passar tanto tempo sonhando em ter um filho. Só que seu bebê era uma mulher de 60 anos, que voltara à infância. Mas por que aquilo estava acontecendo com ela? Será que pioraria no futuro?

Queria ter um abajur para deixar na mesinha de cabeceira, com uma luz fraca que reconfortasse sua mãe se ela acordasse repentinamente, sem saber onde estava.

Emma lembrou-se da pequena luminária com o desenho de uma lagarta, que a mãe comprara quando Kirsten ainda era pequena: emitia uma suave luz verde que espantava os sonhos ruins. Talvez por isso a irmã nunca tivesse pesadelos. Ela contava com a dona Lagarta para mantê-la sã e salva durante a noite.

A mãe respirava tranquilamente naquele momento. Emma levantou-se da cama e arrumou o quarto, em silêncio. Aproveitou para dobrar as roupas e ajeitar os produtos de beleza espalhados na penteadeira, que em outras circunstâncias estaria impecável. Aquilo era a maior prova de que havia algo errado com Anne-Marie: sempre fora muito organizada e nunca deixara a mobília fora do lugar ou empoeirada. Havia compressas de algodão jogadas aqui e ali, além de talco derramado por toda parte, que ela se esquecera de limpar. Emma disse a si mesma que arrumaria tudo em breve.

A bolsa da mãe estava jogada de qualquer jeito embaixo do banco da penteadeira, com o fecho dourado aberto, deixando o conteúdo à mostra. Emma sentou-se ali e olhou dentro da bolsa. Em vez dos acessórios que costumava levar, como óculos, batom, pó compacto, carteira e lenço de tecido, a mãe colocara um monte de pedacinhos de papel amassados. Ela pegou alguns e esticou-os. O primeiro dizia "Saquinhos de chá na lata azul", o segundo "Copos na penteadeira, não esquecer!". Em outro, havia o número de telefone da casa de Emma, com dígitos errados e rabiscados em dois lugares. Era como se a mãe tivesse tentado escrevê-los e só houvesse acertado na terceira tentativa.

Ela desamassou com lentidão cada pedaço de papel, lendo os recados tristes que Anne-Marie escrevera para si mesma. Lembretes de onde estaria o leite e do dia em que o limpador de vidros viria. O mais pungente de todos era o que trazia cuidadosamente escritos o nome e o endereço de sua mãe. Como se fosse possível ela se perder e não lembrar quem era nem onde morava.

Emma pegou um lenço de papel na penteadeira para enxugar as lágrimas.

No fundo da bolsa, havia botões, um monte deles. Ela contou quinze, de todas as cores e tamanhos, desde os pequenos de madrepérola até os grandes em tom de azul-marinho, que pareciam ter sido arrancados do enorme sobretudo de Jimmy. *Pobrezinha*, pensou Emma, com cansaço. Estava colecionando botões. Talvez pensasse que eram moedas.

— Ela dormiu? — indagou o pai da porta do quarto.

Emma assentiu com a cabeça. Não conseguiria falar com o pai naquele momento. Ele a deixava muito irritada. Naquela noite, como era de costume, Jimmy intimidara todos com uma opinião diferente da dela, insistindo ter razão. Anne-Marie estava gravemente doente, mas, como sempre, o pai se recusara a aceitar outro ponto de vista que não fosse o dele.

Então, deixaria que enfrentasse a realidade sozinho. Emma não ficaria ali para ajudá-lo a negar a doença da esposa. Ela pegou suas coisas e saiu. Iria andando para casa, que não ficava longe.

O toque do telefone acordou Emma e Pete às seis e meia na manhã seguinte. Ela estava tonta de sono ao alcançar o aparelho na mesinha de cabeceira.

— Alô — murmurou ela. Viu quando Pete cobriu a cabeça com a coberta para abafar o barulho.

— Emma, é seu pai — disse uma voz do outro lado da linha. — Você pode vir até aqui? Não estou conseguindo lidar com sua mãe.

CAPÍTULO 20

ada dava mais prazer do que a satisfação de trabalho cumprido, pensou Hannah, orgulhosa, ao ligar para o escritório a fim de comunicar que finalmente vendera a casa de Weldon Drive, 26. Nada mesmo. Nem a primeira taça de vinho após uma semana árdua de trabalho, nem o orgasmo depois de uma transa arrebatadora. Ela deixou escapar um sorriso, *não que ela tivesse feito amor desse jeito recentemente. Não nas últimas semanas, nem nos últimos trinta e dois dias, para ser exata.*

O celibato tinha suas vantagens, admitiu ela, para si mesma. Não precisava se preocupar com calcinhas cavadas entrando nas fendas do seu corpo, só para demonstrar que estava sempre pronta para o sexo, nem com sua virilha cabeluda, parecendo as madeixas cacheadas de um hippie, em vez de estar lisa e depilada. Nenhuma mulher se preocupava com esses detalhes quando estava solteira, por que ela o faria?

Hannah descobriu que podia até descobrir quais mulheres da academia estavam desesperadamente apaixonadas, simplesmente olhando para suas virilhas. As que haviam depilado os pelos pubianos com desenho moicano estavam no auge da paixão. Faziam esfoliação, extração de pelos e manicure feito umas loucas, esperando que os amados as vissem como exemplos de feminilidade. Já as mais peludas que Demis Roussos ou estavam sozinhas ou se relacionavam com alguém havia muitos anos e tinham tanta intimidade com os companheiros que ficavam na privada enquanto os maridos tomavam banho. Essas não se preocupavam com depilação.

Ainda assim era horrível quando a mulher perdia a vaidade, concluiu Hannah. Nada justificava o desmazelo. Pensando assim, ela marcara um horário no salão de beleza para aquele dia mais tarde. O fato de Felix não estar mais atrás dela como um coelho no cio não era motivo para deixar cair o seu padrão.

Ela bateu e trancou a porta da frente da casa de número 26 e ficou admirando o jardim coberto de crócus de todas as cores. Os vermelhos caíam em cachos ao lado dos amarelos, com alguns poucos de cor bege debruçando-se com flores em forma de sino sobre moitas de alfena, como se estivessem sobrepujados pela beleza vistosa desses arbustos. A mulher que vendera aquele imóvel certamente adorava plantas. Se houvesse cuidado tão bem do interior da casa quanto do jardim, não teriam sido necessários quatro meses para vendê-la.

Estivera no mercado desde novembro e já era quase fevereiro. Assim, a chefia da imobiliária começara a se perguntar se algum dia teria retorno por anunciar aquela casa com preço de ocasião. E, quando os clientes visitavam o imóvel, não adiantava encher o forno com um monte de grãos de café e pães de forma, nem abarrotar o hall de entrada com lírios perfumados, pois a casa só tinha cheiro de gato arruaceiro e roupa suja.

Hannah fora incumbida de vender essa residência, que fazia parte de seu portfólio, juntamente com outras quatro. David atribuía pelo menos 15 imóveis para cada corretor sênior, vários dos quais seriam leiloados, no entanto, como ela era uma corretora júnior, tinha apenas cinco para vender sem intermediários.

Ela estava adorando sua nova função. Gostava da liberdade de poder ir de carro de uma propriedade a outra, programar visitas e encontrar-se com possíveis compradores. Normalmente, David a teria deixado no atendimento aos clientes pelo menos durante um ano, antes de permitir que trabalhasse com os imóveis como corretora júnior. Mas depositava muita fé nela.

Hannah estava fazendo um curso para se tornar leiloeira. Tinha aulas no turno da noite, uma vez por semana e em alguns fins de semana; prometera a si mesma que passaria nos exames em tempo recorde. Donna estava sendo muito prestativa, instruindo-a sobre aquela nova função e dando-lhe dicas de como agir, por exemplo, com um proponente solitário que a deixasse nervosa. “Fique junto da porta”, prevenira a amiga. “Sei que deveria prestar atenção no lugar, certificando-se de que nada seja roubado, mas você vale mais do que qualquer quinquilharia que possam levar.”

Teria de estudar técnicas de negociação, aspectos legais da função e aprenderia também a lidar com clientes difíceis. “A maioria das pessoas fica extremamente agradecida quando vendemos seu imóvel”, explicou Donna. “Isso é o que torna esse trabalho tão gratificante. Mas existem clientes que dão muito trabalho também, e é preciso saber como lidar com eles."

Donna sorrira. Tinha histórias hilárias para contar, após tantos anos no ramo, como aquela do homem que estava bêbado e dera em cima dela enquanto ela subia as escadas para mostrar-lhe o apartamento. E ainda houvera uma vez em que, sem querer, deixaram um cachorro molhado entrar no imóvel, na ausência do proprietário. "Tive que dar um pacote inteiro de biscoito para tirar o cachorro lá de dentro e levá-lo para o jardim!", relatara Donna, rindo. "A visita estava programada para começar às duas e meia e aquele animal molhado enorme não parava de correr pela casa feito um louco, além de ter subido nas camas e bagunçado tudo."

Certa vez, ao entrar em uma casa, ela se deparara com um casal fazendo sexo na mesa da sala de jantar. "A mulher era uma das proprietárias", recordara-se Donna. "Mas o homem não era seu marido. Precisei me controlar para não cair na risada. Os dois ficaram superconstrangidos."

Hannah já tinha as próprias histórias para contar. Houve aquela vez em que ficara desesperada por ter perdido um chaveiro com todas as chaves do imóvel. Procurara em todos os lugares, sem sucesso.

David sorrira quando ela lhe narrara o sucedido, cabisbaixa, achando que ele ficaria furioso.

— Não se pode dar o título de corretor de imóveis para uma pessoa que ainda não tenha perdido ao menos um molho de chaves —, dissera ele, com gentileza. — Diga aos clientes que nós pagaremos pela troca das fechaduras.

Seu telefone celular tocou, quebrando o silêncio matinal da tranquila rua suburbana.

— Hannah, tem uma mensagem urgente para você — disse Sasha, a gerente do escritório, que fora contratada quando Hannah passou a trabalhar em tempo integral como corretora de imóveis. — A sra. Taylor, do imóvel de Blackfriars Lodge, em Glenageary acabou de telefonar, apavorada. A filha está com sarampo e ela não pode sair da casa com ela para a visita. Ela quer saber se dá para mostrarmos a casa sem entrar no quarto. Sei que isso é uma maluquice — acrescentou Sasha. — Mas ela pediu que eu perguntasse a você.

— Será que ela não imaginou que os clientes correriam o risco de contrair a doença, se aceitássemos a sua proposta? Além do mais, eles vão querer explorar cada centímetro do lugar, incluindo a despensa embaixo da escada. — Hannah deu uma risada. — Não se preocupe, vou telefonar para ela.

Depois de conseguir acalmar a sra. Taylor e prometer que remarcaria tudo para a semana seguinte, ela telefonou para Leonie para confirmar se almoçariam juntas. Hannah tinha uma visita marcada para aquela tarde em Enniskerry, no condado de Wicklow, então combinara de encontrar Leonie no meio do trajeto para comerem um sanduíche juntas.

— Você vai poder me encontrar? — perguntou Hannah, após esperar na linha por cinco minutos, ouvindo, como música de fundo, um coral de latidos caninos, em vez da tradicional "Greensleeves".

— Vou, sim — respondeu Leonie, soluçando.

— O que aconteceu? — indagou a amiga, alarmada. — Foi a Abby, de novo?

— É que um porquinho-da-índia acabou de me morder e está doendo à beça.

Hannah deu uma gargalhada do outro lado da linha.

— Foi só isso que aconteceu?

— Você não sabe o que é levar uma mordida de um bichinho desses, querida — retrucou Leonie. — Os dentes deles lembram cinzéis. E agora ele está berrando mais do que um tenor italiano. Parece até que foi *ele* que levou uma mordida! Coisa mais fofa, uma ova! Você não vai acreditar, mas o nome dele é Pêssego. As pessoas dão cada nome para os animais! Do jeito que ele grita, deviam chamá-lo de Pavarotti! Ou então de Dente Afiado.

— Mas vai dar para você comer um sanduíche comigo daqui a meia hora? Tem certeza de que já se recuperou do encontro com o Pêssego? — indagou Hannah.

— Só se puder comer uma fatia de cheesecake também — negociou Leonie. — Tenho algo para comemorar.

— Vai comemorar o quê?

— Antes de mais nada, você vai ter que comprar um cheesecake para mim.

— Desembucha logo, sra. Delaney — ordenou Hannah, enquanto largava a bandeja em cima de uma mesa do canto do pub. — Você está comemorando o quê? Se tiver a ver com algum homem, não me conte. Uma pobre mulher solitária como eu não se interessa pela vida sexual de ninguém.

Leonie deu uma risada. — É que tudo aconteceu depressa demais, até mesmo para mim — comentou ela, brincalhona. — Principalmente porque ainda não me encontrei com ele.

— Então *tem* a ver com um cara — disse Hannah, triunfante. — Bem que eu sabia, sua libertina! Tinha que haver um homem na história para você estar tão entusiasmada.

— Só que posso ficar bem desanimada no encontro e aí tudo vai por água abaixo — ressaltou Leonie. — Ele é um dos caras que respondeu ao meu anúncio. Acabei criando coragem e liguei para ele. Parece uma pessoa maravilhosa, simpática, inteligente e... — Ela fez uma careta. — Daí me dá um frio na barriga só de pensar no desastre que foi o meu encontro com Bob. Ele também me pareceu maravilhoso quando falei com ele ao telefone, então esse homem também pode ser horrível.

— Pare de dizer bobagens. Ele deve ser ótimo. — Hannah deu uma mordida no sanduíche de atum.

— Na minha cabeça estou imaginando um Adônis louro, com 1,83 metro, dono de um corpo lindo de morrer e mãos mágicas — disse Leonie, sonhadora. Então, engoliu em seco e encarou a realidade. Ela acabara de fazer uma descrição quase perfeita de Felix. Pobre Hannah! Leonie havia finalmente visto o ex-namorado da amiga em uma comédia romântica no Canal ITV, e ele era lindo. Lindo de morrer. — Sinto muito — murmurou ela.

— E por que você está se desculpando? — Hannah não parecia nem um pouco perturbada e continuou comendo o sanduíche. — Minha próxima visita é daqui a meia hora, portanto tenho que engolir a comida inteira — desculpou-se ela. — Mas fale mais sobre o tal cara.

— O nome dele é Hugh.

— Gostei — comentou Hannah. — Vai dar para você cantar aquela música da Whitney Houston, com um toque diferente: "I will always love Hugh"?

— Ainda bem que você ganha a vida como corretora de imóveis, e não como comediante — disse Leonie. — Mas me deixa retomar a conversa. — Ela olhou para a amiga, com seriedade. — Hugh trabalha em um banco como consultor de investimentos e também é separado.

— Que bom!

— Ele é mais velho do que eu e adora cachorros. Tem três cães, um spaniel, um terrier e um mestiço. Eles se chamam Ludlum, Harris e Wilbur, em homenagem aos escritores. Ele gosta de livros de suspense e de aventuras.

— E você descobriu tudo isso numa conversa telefônica? Ele deve ser muito falador.

— E é mesmo — ressaltou Leonie, satisfeita. — Imagine se eu me casasse com ele e tivesse que relatar, na cerimônia, como nos conhecemos. Diria que me apaixonei por ele quando contou que tinha resgatado o Wilbur da morte certa. Alguém tentara afogá-lo e ele era apenas um filhotinho. — A expressão suave e sonhadora no rosto de Leonie era a de quem se encontrava na terra da fantasia. E ela estava mesmo lá.

Leonie começou a descrever o casamento no qual quatro cachorros, usando seus trajes mais elegantes, seriam os padrinhos; na verdade, Penny, a madrinha, e Wilbur, Harris e Ludlum, os padrinhos. Em vez de oferecerem doces caramelados, colocariam sobre a mesa sachês de sua ração favorita, amarrados com lacinhos.

Naquele momento, foi Hannah que ficou séria.

— Leonie, você não deve confundir pessoas que amam os animais com aquelas por quem você pode se apaixonar. São duas coisas completamente diferentes. Além disso, se eu fosse você, não mencionaria a palavra casamento. Tenho a impressão de que os homens não simpatizam tanto com a ideia quanto as mulheres.

Leonie acabou de comer o sanduíche e passou a degustar o cheesecake cheio de creme.

— Você tem razão. Acho que fiquei meio obcecada por casamentos depois que Ray e Fliss se casaram. Não consigo evitar. Aquele vestido de Calvin Klein me persegue até hoje. Toda vez que passo na frente da butique de noivas da Madame Lucia, dou uma espiada na vitrine para ver se tem algum modelo elegante, que combine comigo e que eu possa reservar. Isso é uma loucura. Outro dia, Mel me flagrou enquanto eu olhava a vitrine, e eu tive que fingir que estava ajeitando o meu chapéu no reflexo do vidro.

— E quando vocês vão se encontrar?

— Sábado à noite.

— Isso é ótimo, porque aí você vai ter a certeza de que ele é mesmo separado e que não está fingindo, só para conquistar outras mulheres — disse Hannah, sem pensar.

Leonie pareceu chocada.

— É que tem pessoas que colocam anúncios em busca de aventura, mesmo sendo comprometidas — justificou Hannah, arrependida de ter tocado naquele assunto. — Mas marcar um encontro na sexta ou no sábado é um bom sinal.

— Já não sei se alguma coisa nessa história é um bom sinal — enfatizou Leonie, ainda espantada.

— Sinto muito, Leonie. É que ando tão revoltada com os homens ultimamente que estou ficando amarga. Era melhor eu ficar em casa e escrever um manifesto feminista e dar um fim a essa história. Acho que o Hugh deve ser um cara muito simpático e você está de parabéns por ter ligado para ele. Aproveite para perguntar se ele tem irmãos — brincou ela. — Estou só brincando, não vá fazer isso! Não estou nem um pouco interessada em ter um marido. Os homens só trazem problemas.

— Então você ainda não teve notícias do Felix? — perguntou Leonie delicadamente.

A amiga balançou a cabeça.

— Nem uma palavra. A única coisa que sobrou dele foi uma camiseta linda da Paul Smith, que estava no fundo do cesto de roupa suja e eu só encontrei faz alguns dias. Eu fiz picadinho dela e agora estou usando os retalhos para limpar o banheiro. De qualquer modo, já dei a volta por cima. Felix só serviu para provar que eu não devo me deixar envolver pelos homens. É muito problemático. Eu poderia ser ultramoderna e me tornar amante de alguém. Eu li um artigo no *Daily Mail* no qual uma mulher contava que se sentia satisfeita com o trabalho e só precisava transar uma vez por semana. Ela deixava a mulher do amante lavar as meias sujas dele.

— Você odiaria isso, Hannah. Nunca vi, você é oito ou oitenta — argumentou a amiga.

— É mesmo, tem razão. Então prefiro me desapegar de tudo. Não quero mais saber de homens.

Naquela tarde, Hannah estava sentada à sua escrivaninha, quando o telefone tocou. Ela atendeu, despreocupada, enquanto revisava alguns documentos, e gelou. Reconheceria aquela voz até debaixo d'água. Ele falava com um tom baixo e suave, como se algo o tivesse divertido e ele estivesse achando graça enquanto conversava.

— Hannah, é tão bom falar com você!

Ela bateu o telefone com tanta força que Sasha, Steve e Donna olharam para ela espantados de suas escrivaninhas.

— O telefone ficou mudo e fez um barulho horrível — mentiu ela. Não ia contar para ninguém que o maldito do Harry Spender ligara, do nada, após ter ficado 18 meses na América do Sul, um ano e meio subindo e descendo a porcaria do Amazonas e se divertindo à beça, enquanto ela tentava reconstruir sua vida. *Que cara de pau! Como ousava?* O documento que estava na tela do computador desapareceu, dando lugar ao descanso de tela. Cada funcionário do escritório tinha o seu. O de Hannah era um gatinho brincando com um novelo de lã. Normalmente, ela se distrairia com o bichano pulando sobre o novelo para, em seguida, vê-lo rolando para longe. Ela apertou uma tecla e o bichinho sumiu. O telefone tocou mais uma vez. Sem deixar transparecer que ficara com um nó na garganta ao ouvir o sonido, Hannah atendeu ao telefone, segurando o receptor entre o pescoço e o queixo, como sempre fazia.

— Alô, Hannah Campbell, pois não? — disse ela pela segunda vez em sessenta segundos, com um tom de voz extremamente profissional.

Era ele de novo.

— Por favor, não desligue, Hannah — implorou ele, parecendo menos divertido daquela vez.

Não estou nem aí para você, pensou ela, vitoriosa, ao colocar o telefone no gancho, mais uma vez, sem pronunciar uma palavra.

— Acho que tem algo de errado com a minha linha — disse ela aos colegas, que estavam com os olhos arregalados.

Quando o telefone tocou pela terceira vez, era um dos clientes para quem ela mostrara a casa em Enniskerry, naquela tarde, mais cedo.

Satisfeita por não ser Harry de novo, Hannah deu um suspiro de alívio. Graças a Deus tinha captado a mensagem. Não telefonaria mais. Ela se perguntou, por um momento, onde ele teria conseguido o telefone de seu trabalho, mas lembrou que as pessoas eram muito fofoqueiras e que alguém que fazia parte do antigo grupo de amizades dos dois e ex-amigos dela devia saber onde estava trabalhando e passara essa informação para Harry. Dublin era uma cidade tão provinciana que, se alguém desse um espirro, isso ainda seria comentado um mês depois.

Ela permaneceu no escritório até as seis, tentando colocar o trabalho em dia. O mercado se expandira muito e David James anunciara, com orgulho, que o número de imóveis negociados havia aumentado em trezentos por cento. Embora fosse uma notícia maravilhosa, significava que 24 horas por dia não seriam suficientes. Hannah bebeu o café que Sasha levara para ela e concentrou-se no trabalho. Mas pensamentos irritantes sobre

Harry continuaram voltando à sua mente. Ficara arrasada quando ele partira. Estavam juntos fazia dez anos e nunca havia passado pela cabeça dela que ele a largaria um dia. No entanto, ele a deixou para tentar se encontrar, porque, ao que parecia "estava se sentindo preso". Na época, foi como se o mundo houvesse desmoronado sobre ela, mas o tempo se encarregou de curar as feridas. Homens como Jeff e Felix ajudaram muito, só que ela não esperava se apaixonar por Felix. Achou que nunca mais ficaria a fim de alguém. Devia ter aprendido com Harry. Mas aquela lição ela certamente aprendera com o outro.

Ela continuou pensando em Harry enquanto trabalhava; lembrou-se de como ele gostava de ficar para lá e para cá de roupão, algo que a irritava demais. Era um desleixado. Se não precisasse se levantar e ir ao trabalho, o desmazelado passava o dia seminu e telefonava para Hannah, pedindo para ela trazer leite, cigarros e pão quando voltasse para casa. *E ela obedecia*, lembrou envergonhada. Havia sido muito mais idiota do que Harry, por permitir que ele se desse bem na história. Se pudesse, nunca lavaria uma xícara nem limparia um cinzeiro, e Hannah tampouco se queixava disso. Era mesmo uma otária.

Ah, ainda havia o livro. A grande obra de arte de Harry. Ele vinha falando disso fazia anos. Dizia que poderia largar o trabalho diurno quando a obra ficasse pronta e que receberia prêmios literários por toda parte. Era pior quando bebia e começava a dizer que ficaria famoso um dia e seria milionário. "É isso aí, escreva o que estou dizendo. Serei podre de rico e famoso." Meio minuto depois, pedia uma nota de dez libras emprestada a Hannah, para poder comprar batata frita e cigarro no posto 24 horas.

Donna ainda estava em sua escrivaninha na hora em que Hannah finalmente desligou seu computador e organizou suas pastas.

— O que você acha da gente tomar um drinque? — perguntou ela, com uma súbita vontade de falar com alguém sobre os telefonemas de Harry. Gostava de conversar com Donna. Ela nunca julgava ninguém, não tirava conclusões precipitadas, nem comentava nada do que ouvia com os outros.

— Seria ótimo — confessou Donna —, mas combinei de buscar Tania na casa de uma amiga daqui a uma hora e ainda tenho que revisar uns documentos antes de sair. Sinto muito.

— Tudo bem, fica para a próxima. Vejo você amanhã. Tenho que acordar cedo, de qualquer jeito. Não sei o que me deu na cabeça para pensar em ir a um pub — disse ela, sorrindo. — Até logo.

Quando Hannah saiu do escritório, a noite estava fresca, e ela não percebeu que havia um carro estacionado do outro lado da rua. Não poderia imaginar que aquele veículo era de Harry, pois tempos atrás, ele dirigia um Fiat todo estourado que, de tão velho, já estava quase virando uma peça de museu. Aquele automóvel, porém, era um respeitável sedã, sem um ponto sequer de ferrugem. Como Hannah não havia nem prestado atenção nele, ficou surpresa ao ver a porta se abrir e Harry descer do carro, chamando-a pelo nome.

Ela encarou-o e imaginou se não seria uma miragem; logo depois teve certeza de que era ele em carne e osso. Ela olhou para o ex-namorado por alguns instantes, que pareceram intermináveis, incapaz de falar. Em seguida, voltou a raciocinar.

— O que deu em você para vir até aqui? — perguntou ela.

— Vim para ver você, Hannah. Precisamos conversar — respondeu Harry, como se o fato de ele procurar a mulher que abandonara um ano e meio antes para fazer uma viagem e se encontrar fosse a coisa mais natural do mundo.

— Que ótimo, então já viu! Agora suma da minha frente! — bradou ela, dirigindo-se ao seu carro.

— Não faça isso, Hannah. Não dá para você ignorar os dez anos que passamos juntos.

Ela lançou-lhe um olhar penetrante.

— *Eu* deveria estar dizendo isso, não você, Harry. Se não me engano, foi *você* que me abandonou. Agora pode fazer o mesmo. Suma da minha vida e nunca mais apareça de novo ou prestarei queixa por você estar me perseguindo. Está me entendendo?

Quando se aproximou do carro, parecia um vulcão em ebulição. Destravou a porta, abriu-a com força e jogou seus documentos sobre o banco. Harry a seguiu, parando logo atrás. Ela sabia que o ex-namorado estava de pé e com os braços largados, sua postura típica ao ficar sem ação. Hannah ignorou-o completamente e ficou surpresa consigo mesma por sentir tanta raiva. Era como se ele e Felix tivessem se transformado em um único homem, merecedor de toda a fúria que se desencadeara nela.

— Hannah — disse ele, hesitante —, pare um minuto e converse comigo. Só lhe peço isso. Por favor, me perdoe.

Aquilo para ela foi demais. Ele nunca havia se desculpado por tê-la abandonado. Nunca se sentira envergonhado por ter lhe dito que precisava se afastar ou ficaria estagnado. Nunca pedira perdão, nem mesmo depois de tê-la deixado sentada, na beira da cama, sem forças e chocada com seu comunicado. Até mesmo a carta bizarra que ele mandara para ela da América do Sul no ano anterior era sem conteúdo e relatava apenas o que andava fazendo, sem mencionar o relacionamento deles, nem tentar se desculpar por tê-lo destruído.

Hannah colocou a bolsa no banco do passageiro, antes de encará-lo.

— Então só agora você sente muito? — perguntou ela, calmamente. — Não acha que é um pouco tarde? Pensei que ia se desculpar quando me largou como se eu não fosse nada, e não dois anos depois, talvez precisando de... — Ela inclinou a cabeça e semicerrou os olhos, sondando-o. — Me deixe pensar. Talvez precisando de um lugar para morar ou de um empréstimo. Se está de volta, é porque está querendo alguma coisa, Harry.

Ele pareceu magoado.

— Você deve ter uma péssima impressão de mim para achar que eu só voltaria por causa de dinheiro ou algo do gênero.

— E você não me deu nenhum motivo para pensar assim, não é verdade? — perguntou ela, com sarcasmo.

Ele baixou os olhos.

— Você pode não acreditar em mim, Hannah, mas eu realmente sinto muito. Sei que você não vai me perdoar, mas queria conversar com você para explicar tudo.

O cansaço tomou conta dela. Não tinha mais energia para brigar com ele. Deixaria que ele tentasse explicar o inexplicável.

Tinha consciência de que nada do que ele dissesse justificaria o seu comportamento. Ela havia se recuperado. Era uma mulher que sofrera demais, mas, ao se reerguer, tornara-se mais forte do que nunca. Ou pelo menos, era isso que esperava. No entanto, se o ex-namorado queria falar com ela, que assim fosse. — Encontro você no McCormack's em meia hora. — disse ela, com rispidez. — Então poderemos conversar. Mas por 15 minutos apenas. Depois vou embora.

Sem esperar para ouvir a resposta de Harry, ela entrou no carro, bateu a porta e saiu dirigindo como se fosse um piloto de Fórmula Um com todos os outros ao seu encalço.

Não tinha nada para fazer naquela meia hora, no entanto, precisava de um tempo para se recompor do baque que sentira ao revê-lo. Meteu o pé no acelerador, foi para o pub e, depois de estacionar, ficou no carro e escancarou o jornal no volante, à sua frente. Estava cansada demais para ler e, não importava quantas vezes tentasse se concentrar em determinado parágrafo, acabava divagando e enxergando, na verdade, o rosto de Harry. Quando ele finalmente aparecesse, saberia o que dizer. Ia desabafar a raiva contida por tanto tempo e faria picadinho dele. Mas ali, naquele momento, depois de pensar em todas as possibilidades, Hannah não sabia mais o que iria falar. Todas aquelas palavras ofensivas a haviam abandonado. Era uma pena que não tivesse gravado os discursos que fizera para si mesma, tarde da noite e bêbada, em que dizia a Harry, com detalhes, o que ele deveria fazer. Quando bebia muito vinho branco, falava com eloquência, apesar dos lamentos; aquelas falas seriam muito úteis naquele momento. Ela poderia simplesmente apertar o botão "play" do gravador e deixar que o ex-amante escutasse um relato emocionante de como ela se sentira e de como ela o considerava um sacana de marca maior. Ao imaginar Harry escutando um dos discursos que ela fizera enquanto estava embriagada, Hannah rira pela primeira vez em horas. Teve de admitir que o ex estava com ótima aparência. Ainda tinha o mesmo jeito charmoso de garotão, mas o corpo se tornara mais robusto e o aparecimento de delicadas rugas nos olhos lhe caiu bem, assim como a pele bronzeada. Quando tomava sol, logo pegava uma cor bonita e ficava moreno, enquanto Hannah ficava apenas sardenta.

Harry estava muito apresentável, não parecia mais ser aquele desmazelado que gostava de usar calças folgadas e casacos tão velhos e gastos, que nem mesmo um brechó que só vendesse para angariar fundos para obras de caridade teria coragem de expor. Em vez disso, ele trajava calça de sarja e um suéter creme de algodão, que pareciam novinhos em folha. Estava quase elegante e muito diferente do Harry que ela conhecia.

Bom, se ele estava mudado, ela também estava. Hannah trajava um tailleur impecável da Jesiré, com a saia na altura do joelho, que mostrava suas pernas bem torneadas, cobertas por meias pretas finíssimas. Sob a jaqueta, usava apenas um sutiã e o salto alto era um modelo matador de Carl Scarpa. O cabelo, que antes ela costumava usar preso em um coque, era agora uma cabeleira brilhante e cheia de movimento na altura do ombro. Além disso, ela havia finalmente trocado os óculos de vovozinha por lentes de contato e, para completar, tornara sua boca ainda mais sexy com gloss de morango.

Os homens ficavam loucos com aquele visual de sexualidade contida. Seria ótimo se Harry também sofresse um pouco, concluiu Hannah, ao pegar o gloss de morango, para realçar ainda mais sua boca.

Quando ele chegou, ela desceu de seu carro, entrou rápido no pub e escolheu uma mesa de canto. Fingiu não perceber que ele se aproximava, imersa em seu jornal, até que ele dissesse seu nome.

— Ah, oi — comentou ela, atônita, como se tivesse esquecido completamente que iria encontrá-lo. — Vou tomar uma soda com limão e gelo, Harry.

Ele retornou com as bebidas e sentou-se, cansado, como se estivesse carregando o peso do mundo nas costas. — Obrigada — disse Hannah, alegremente. Concluiu que não tinha condições emocionais para iniciar uma discussão acalorada, com direito a gritos e acusações que seriam ouvidos do outro lado do bar. Preferiu agir como se fosse a amiga de um rapaz mais novo e problemático, que precisasse de conselhos. Diria algo do gênero

"O que andou aprontando, vacilão?", e, em seguida, cheia de astúcia, arrematarria: "Também, não estou nem aí."

— Você está linda, Hannah — comentou ele, com sinceridade.

Ela precisou se controlar para não perder a classe e dizer, aos gritos, que a melhor coisa para se manter em forma era terminar um relacionamento, pois só com muito stepping na academia dava para se expulsar o ex-parceiro do pensamento.

— Obrigada — disse ela tranquilamente. — Harry, não tenho a noite toda. Você pode ir direto ao assunto?

— Você está namorando alguém? — perguntou ele, como quem não quer nada.

Ela piscou os olhos antes de lhe responder, com firmeza.

— Isso não é da sua conta, está me entendendo?

— Tudo bem, tudo bem, só achei...

— Você não tem que achar nada. O que está fazendo aqui? Pensei que não tínhamos mais nada a dizer um ao outro.

— Mas eu tenho. Quero que me perdoe, Hannah. Não consigo deixar de pensar em você e nos momentos maravilhosos que passamos juntos. Eu tenho a sensação — ele pareceu hesitar — de que ainda não terminou. Não devíamos ter nos separado, sabe?

— Não sei não.

— Mas deveria, foi você mesma que disse que éramos feitos um para o outro.

— Se pensar bem, Harry, vai lembrar que *eu* disse isso enquanto você estava pegando os seus CDs, que teve medo de deixar no apartamento. *Eu* lhe disse que nos dávamos maravilhosamente bem, e *você* continuou procurando por seus valiosos objetos pessoais, achando que eu poderia destruí-los, enfurecida, quando você anunciasse que ia sair de casa e me abandonar. Mas as coisas mudaram desde então. — Harry fez menção de dizer algo, mas Hannah prosseguiu. — Você passou um ano e meio vivendo de aventuras e podia, de quando em vez, se lembrar da *mulher que deixou para trás*, porque foi você que me deixou — disse ela, com ironia. —

Foi você que "terminou a relação", como diriam os americanos. Tomou a decisão de partir e foi isso que fez. Eu, por outro lado, fiquei arrasada, completamente arrasada. Com o tempo, consegui superar a dor, e você também, e conquistei o direito de tomar minhas próprias decisões. Então, por que achou que eu o receberia de braços abertos? Eu era tão idiota que você pensou que ficaria emocionadíssima quando voltasse?

— Nada disso — comentou ele, segurando as mãos de Hannah. — Você é a pessoa mais inteligente que conheço.

Hannah retirou suas mãos das dele, com rudeza.

— Não toque em mim.

O casal sentado na mesa ao lado da deles virou-se para olhar. Hannah lançou-lhes um apologético sorriso amarelo. Ela controlou-se para não dar um tapa na cara do estúpido do Harry.

— Não me diga que veio até aqui para tentar me convencer a ficar com você de novo? — inquiriu ela, com grosseria.

— Não é isso. Bom, na verdade é, sim. Eu queria que nos tornássemos amigos — respondeu ele, pouco convincente.

— Já tenho amigos demais — informou Hannah. — Não preciso de mais nenhum.

Ela estava prestes a jogar o intocado copo de soda com limão na cara de Harry quando teve um pressentimento e olhou para o lado, a tempo de ver Felix se aproximando da mesa.

Deve haver algum tipo de alucinógeno no aparelho de ar-condicionado, pensou Hannah. Tudo ficou em câmera lenta enquanto ela observava Felix se aproximando. Os acontecimentos daquele dia não faziam o menor sentido. Encontrar um ex-namorado era muita falta de sorte, mas dois já era demais...

— Olá, Hannah — resmungou Felix, olhando para Harry com antipatia. — Imaginei que tinha vindo aqui para tomar um drinque depois do trabalho porque liguei para sua casa e você não estava lá.

— Oi, Felix — disse ela, calmamente, como se não tivesse passado o mês inteiro sofrendo feito uma condenada por causa dele, perguntando-se onde ele havia se metido e se deveria comprar um livro de autoajuda para mulheres que só se apaixonam por canalhas.

Ela espiou à sua volta para ver se não havia algum apresentador de programa de pegadinhas saindo do nada para lhe contar que ela fora a estrela principal do último show. As coincidências haviam extrapolado todos os limites, aquilo não era normal.

— Espero não estar interrompendo nada — disse Felix, sentando-se à frente de Hannah, deixando claro que estava pouco se lixando se estivesse. *Na verdade, parecia muito satisfeito em fazê-lo, levando-se em conta o sorriso debochado que dirigiu a Harry*, concluiu Hannah.

— O que traz você aqui? — perguntou Hannah. — Não sabia que tinha voltado para a Irlanda.

— Não vai me apresentar para o seu amigo? — indagou Felix, ignorando a pergunta dela e enfatizando bastante a palavra "amigo".

Hannah rangeu os dentes.

— Harry Spender, esse é Felix Andretti — disse ela.

— Como vocês se conheceram? — inquiriu Harry, sem fazer rodeios, olhando para Felix como se fosse o pai de Hannah e Felix, um namoradinho indesejável que aparecera do nada.

— Eu fiquei com ele por um tempo, Harry, mas não durou muito — explicou ela, com delicadeza.

— Ah, então tudo bem — comentou Harry, satisfeito. Ele procurou as mãos dela mais uma vez.

Ao se afastar para longe dele, a coxa de Hannah roçou na perna musculosa de Felix. Ele encarou-a com os olhos faiscando, como costumava fazer. Se olhos faiscantes pudessem ser comercializados, Felix estaria bilionário.

— Faz quanto tempo que vocês terminaram? — indagou Harry, ressentido.

— Mas nós não terminamos nada — respondeu Felix, enfurecido.

Hannah arqueou as sobrancelhas. Era de admirar aquela abundância desconcertante. Num momento, estava completamente só, noutro, tinha dois homens dispostos a brigar por ela, como dois cavalheiros medievais em um torneio de justa, disputando a mão da bela dama da corte. Bom, tinha um comunicado a fazer a ambos. Antes de mais nada, a mão da dama tinha que ter sido oferecida, para que se contasse qualquer ponto no torneio. E ela não estava nem um pouco a fim. Havia terminado com os dois cavalheiros e queria que se danassem.

— Chega de conversa furada, rapazes. Eu tenho um encontro e preciso ir embora. Foi bom ter visto você, Harry, e você também, Felix. — Ela sorriu, vibrante, para os dois, e se levantou.

Os dois pareceram decepcionados. Mas se via na cara bonita de Felix que ele também ficara irritado.

— Você não pode ir embora assim — disse Felix, jogando o cabelo dourado para trás, um gesto típico dele.

O diabinho que atiçava Hannah tomou fôlego e fomentou ainda mais seu ódio. Ela sentiu suas entranhas em fogo e sua ira transformou-se em uma fúria incontrolável.

Ela ficara com raiva ao ver Harry. Mas aquilo não foi nada perto do que sentira ao ver Felix reaparecer do nada. Havia passado um mês sem dar notícias. Ao menos Harry a havia abandonado de fato. Felix simplesmente desaparecera e, quando ela telefonara para seu celular, aos prantos, a mensagem que recebeu foi a de que aquele número não existia mais. E ali estava ele, mais uma vez, se comportando como se nada tivesse acontecido, apesar de seu sumiço misterioso.

— Você vai se encontrar com quem? — perguntou Felix, impetuoso, como se desaprovasse a ideia.

O Etna entrou em erupção.

Hannah virou-se para ele. Se os olhos eram os espelhos da alma, então ela esperava que Felix visse as chamas.

— Eu não lhe devo satisfação alguma, Felix — respondeu ela, ofegante. — Não se esqueça disso. Estou indo embora, adeus!

Saiu furiosa, desafiando qualquer um dos dois a segui-la. Se fizessem isso, ela os *mataria* com as próprias mãos. Era melhor que não acontecesse.

A raiva que Hannah sentia passou assim que ela chegou em casa; enquanto enfiava a chave na fechadura, começou a sorrir por causa de toda aquela maluquice. Concluiu que seus namorados eram verdadeiros ioiôs. Eles sempre regressavam, apesar de se esforçarem para ficar longe dela.

Em menos de uma hora o ioiô de Felix voltou novamente. Tocou a campainha sem parar por dez minutos e, quando Hannah apareceu na janela e falou para ele sumir dali, ele começou a tocar a campainha dos vizinhos. Finalmente ela desceu as escadas, batendo os pés, e deixou que ele entrasse.

— O que está fazendo aqui, Felix? — perguntou ela, enquanto os dois subiam para o apartamento. Ela sentiu um prazer irracional por não ter tirado a roupa do trabalho e por saber que Felix estava observando o balanço de seus quadris e vendo lances de suas pernas enquanto subia atrás dela.

— Vim para ver você, Hannah. Precisamos conversar.

Seria aquilo um déjà vu ou algo parecido?, pensou ela, impiedosa, lembrando-se de que Harry usara as mesmas palavras, apenas algumas horas antes.

— Hoje é o Dia Internacional do Ex-Namorado? — inquiriu ela. — Saiu alguma coisa a respeito no jornal? Não, nem me fale. Você esteve enfiado numa máquina do tempo por quatro semanas e acabou de voltar para esse século. Acertei?

— Eu fui um idiota, Hannah — murmurou ele. Enquanto Harry usou raciocínio lógico para explicar seu desaparecimento, Felix se valeu de justificativas bem mais carnais. Ele passou os braços pela cintura dela e deu-lhe um beijo abrasador. Hannah sentiu seu estômago se contraindo, tomada por um desejo intenso e selvagem. Felix beijava muitíssimo bem. Se quisesse abandonar o mundo da dramaturgia, podia ganhar uma fortuna como gigolô.

Por um momento, ela se deixou envolver por seu beijo, apoiando o corpo no dele, sentindo o quadril masculino pressionar o seu, eroticamente.

Foi maravilhoso, incrível, supersexy. Depois de um mês sem ele, Hannah sentiu-se como um viajante do deserto do Saara diante de um riacho gelado e agitado. As mãos percorreram com avidez as costas dele; uma puxou a cabeça em direção à sua, a outra, o corpo para mais perto. E, então, ela parou. O que estava fazendo? Se queria sexo barato e sem laços, bastava ir para a night e pegar o cara que escondera a aliança de casamento no bolso de trás. Por que sucumbir a Felix, quando tudo o que fazia era dar-lhe uma falsa sensação de segurança? Então, ele a faria comer na palma da mão dele de novo e, depois, quando bem entendesse, daria um chute em seu traseiro. Daria o fora nela. Como Harry fizera.

Ela os imaginara trocando ideias assim que saíssem do pub. Mas que idiota, que mulher fácil.

É só lançar meus olhinhos suplicantes e ela faz o que eu quero, diria Harry, com presunção.

Não, não, diria Felix, com um sorrisinho afetado, *ela adora transar. Basta dar uns beijinhos e uma boa trepada e ela se joga nos meus braços.*

Ela o empurrou com força.

— Hannah? — indagou ele, surpreso.

— Felix, você me deixou sem dar a menor satisfação. Não posso perdoar isso. Já acabou — disse, ofegante, sentindo um misto de desejo e mau humor.

— Eu sei, mas é porque eu sou um cara fraco, Hannah. E medroso. Fiquei com vergonha de ligar para você depois do Natal, eu sabia que ficaria tão brava comigo e não consegui... Você é tão forte, é meu porto seguro. Preciso de você.

— Mas quanta baboseira! — exclamou, sem saber ao certo com quem estava mais furiosa: com ele, por entrar em sua vida sem aviso prévio, ou consigo mesma, por se deixar cair na armadilha e nos braços dele. — Você sabia que eu ficaria furiosa e que tinha todo o direito de me sentir assim. Mas perdoaria você, pois estava apaixonada. Uma ou duas semanas, tudo bem, eu deixaria tudo de lado. Mas um mês é demais, Felix. E, ainda por cima, no Natal. Momento de festejar, caramba! Sinto muito. Pode se mandar. Você estava a fim de conversar, e foi o que a gente fez. Já conseguiu o que queria quando veio para cá.

— Eu vim por sua causa. Você é meu porto seguro, Hannah — repetiu. Parecia tão piegas, como uma frase saída de um filme de TV de quinta categoria.

— Quer dizer então que o dramaturgo Tom Stoppard não está escrevendo suas falas? — perguntou ela, ferinamente. — Você precisa de algo mais espirituoso, Felix.

— Não conheço ninguém tão engraçada quanto você, Hannah.

— Nem mesmo todas as peruas com quem vem transando desde que me deixou? Eu vi a reportagem na *Hello!* sobre você e a "adorável companheira", na estreia daquele filme de terror. Ela se comportou feito namorada, pela forma como se pendurava em você. Ou isso ou era uma aspirante a atriz treinando para o papel de sua parceira. Ou talvez fosse a filha de alguém importante, que você namorou de favor, apesar de não ser lá um suplício sair com uma gata com um vestido Gucci com fenda até a cintura. Era uma moça ajudando a sua carreira, Felix?

A foto tinha deixado Hannah fula da vida, a imagem do meio sorriso de Felix abraçando uma loura gostosona com um traje de seda minúsculo, com estampa tropical, a típica beleza de 21 aninhos. Ele foi descrito como o ator bem-apessoado que havia feito sucesso no programa humorístico *Bystanders*. Ela, como uma desconhecida; mas, na verdade, os dois formavam um *par* fabuloso de louros, criaturas glamorosas do outro mundo. Hannah se sentira como um ruminante do brejo, em comparação.

Embora não fosse do tipo que criticava a própria aparência, sentiu-se feia ao ler o artigo na *Hello!*. *Não era à toa que a tinha deixado, se podia ter uma mulher como aquela*, pensara ela, arrasada.

— Não posso imaginar que tenha sentido muita saudade de mim naquela noite, né, Felix?

Ele inclinou a cabeça com tristeza.

— Eu sei. Não mereço você, Hannah. Mas, por favor, não me mande embora. — Deixou-se cair no sofá e pôs as mãos no rosto. — Preciso demais de você. Não pode me dizer que não sentiu minha falta também. — Dirigiu-lhe um olhar suplicante.

Caramba, como ele é charmoso, pensou ela, insensatamente. Quase impossível de resistir. No entanto, Hannah precisava ser forte.

— Senti sua falta sim — começou a dizer, devagar. — E você nem faz ideia de quanto. Motivo pelo qual não quero ter mais nada com você, Felix. Não sou masoquista. Por favor, vá embora.

Ele levantou com a graciosidade de sempre o corpo longilíneo e deu-lhe outra olhada comovente com os olhos expressivos. Estava indo embora.

— Quero explicar algo antes de ir. Você não entende; eu não queria me apaixonar por você. Ter alguém que arrebatou meu coração não fazia parte do meu plano de carreira. Não queria estar louco por alguém, estava a fim de flertar e me divertir, daí conheci você e tudo ficou fora de controle. Eu me apaixonei por você, Hannah. — Sua face mostrava-se estranhamente triste enquanto ele falava, as rugas em torno dos olhos mais visíveis do que de costume. *De fato* aparentava estar cansado e angustiado; não estava atuando. — Sei que não pega muito bem eu admitir que tentei lutar contra o que senti por você, Hannah. Queria que você fosse como todas as outras, que a gente ficasse junto por um mês e então se cansasse um do outro. Mas não foi assim. Quer queira, quer não, amo você. Não tenho orgulho da forma como me comportei, mas é a pura verdade. Queria que você entendesse; sinto muito se a magoei.

Hannah não disse nada, já que não podia confiar em seus próprios comentários. Esperava poder manter o semblante frio durante o resto do tempo em que ele estivesse ali. E Felix não disse mais nada ao sair, fechando a porta sem fazer barulho. Observá-lo se retirar sem o chamar de volta foi um dos momentos mais difíceis já enfrentados por Hannah.

Queria fazê-lo desesperadamente, mas não podia e não agiria assim. Ficou parada, sem se mexer, até ouvir a porta da frente bater de forma ruidosa. Em seguida, caiu no pranto.

As lágrimas rolaram por sua face, enquanto chorava com pesar. Ela vinha ocultando a verdade de si própria. Não tinha esquecido Felix, nem um pouco. Continuava louca e terrivelmente apaixonada por ele. Sentia sua falta, queria abraçá-lo e beijá-lo e permitir que fizesse amor com ela. E a sensação de tê-lo perto de si havia pouco fora tão deslumbrante... Era uma agonia pensar que ele saíra de sua vida, que nunca mais o abraçaria de novo, que não o tocaria, nem sentiria sua respiração cálida na pele. Era como se ele tivesse morrido para ela. Imaginava uma vida em que, embora Felix existisse, ela não tinha como vê-lo nem conversar com ele, tampouco ouvir sua voz rouca de paixão e tocar com suavidade sua face. Convulsões de puro tormento percorreram o corpo de Hannah enquanto ela chorava de forma incontrolável, sozinha no apartamento, sem ninguém para amá-la nem cuidar dela, nem naquele dia, nem nunca. Ela chorou pelo que pareceram horas, pois as lágrimas simplesmente não paravam de escorrer. Hannah caía no pranto ao pensar nos momentos maravilhosos que passaram juntos, ciente de que Felix teria ficado com ela, se ela tivesse permitido. Não se importava mais com o que ele fizera, nem com a quantidade de mulheres que tinha, desde que pudesse ficar com o amado de vez em quando. Por causa do orgulho, Hannah o mandara embora e, agora, estava pagando por isso. Ficaria sozinha, sozinha para sempre.

Por fim, ela se obrigou a parar de se lastimar. Mecanicamente, foi ao banheiro enxugar o rosto e quase não reconheceu a estranha que a fitava no espelho: uma mulher de olhos encovados, com rastros de rímel escorrendo de forma sombria pela face. Aparentava ter cem anos, não 37. Não era de estranhar que Felix quisesse namorar uma loura novinha e despreocupada. Preferia uma mulher imatura e bonita a uma bruxa neurótica com bagagem emocional suficiente para encher um aeroporto. Hannah tirou a maquiagem com certa indiferença e, em seguida, lavou o rosto com uma toalhinha, esfregando-o como se quisesse se punir. Então, tirou a roupa de trabalho e pôs o traje mais confortável que encontrou: jeans surrado e macio, tão lavado e desbotado que o azul se tornara o mais claro possível e um suéter cinza, enorme e desleixado, bem velho. Ela estivera preparando o jantar quando ele chegara: macarrão com atum, alho e cebola. O aroma do alho que picara espalhava-se no ar de forma tentadora, mas ela perdera o apetite. Nunca mais queria ver comida de novo.

Jogou o alho no lixo e colocou a tábua de plástico na pia. Refeições individuais, esta seria a sua vida dali para frente. Nunca mais cozinharia algo saboroso para dois de novo. Não que fosse uma cozinheira de mão cheia, porém Felix sempre gostara muito do que fazia.

— Adoro o que você faz com macarrão e lata de molho pronto — brincava ele, quando ela preparava uma comida com o auxílio de um abridor de latas.

Tudo me faz lembrar do Felix, pensou Hannah, suspirando. Por que se apaixonara por ele? Por que não conseguira resistir? Não era como se não soubesse dos problemas associados aos homens, mas ela mesma não escutara seus próprios conselhos. Ficara caidinha por ele. Só lhe restava a sensação, naquele momento, de que boa parte de sua vida acabara para sempre. Tudo o que tanto valorizara parecia curiosamente sem sentido — seu trabalho, seu apartamento, sua independência. Pareciam insignificantes, em comparação com o amor. Ou com a falta dele. Amar alguém não deveria ser importante, esse era seu mantra. Hannah tinha certeza de que o amor verdadeiro não passava de uma grande bobagem. A única pessoa que realmente a ama é você mesma. Não se pode confiar em mais ninguém. Gente como a Leonie, que tanto ansiava por amor, era louca.

Leonie. A imagem da amiga rindo, com os amáveis olhos azuis, veio-lhe à mente, de súbito. Isso mesmo, Hannah visitaria Leonie. Ela já não conseguia suportar a ideia de passar o resto da noite sozinha, no apartamento. Seu coração doía, e não lhe ocorria ninguém melhor para consolá-la. Leonie entendia de dor, tristeza e amor. Hannah olhou para o relógio: eram apenas dez para as nove. Que estranho sua vida receber um golpe tão mortal e arrasador, e só duas horas haviam passado!

A solidariedade de Leonie ao telefone foi como um bálsamo para o coração ferido de Hannah.

— Venha passar a noite aqui — convidou Leonie. — Pode ir direto para o trabalho amanhã e, assim, tomar umas taças de vinho comigo. Já jantou? — quis saber, prática como sempre.

— Não consegui comer.

— Mas agora vai conseguir — disse a outra, com firmeza. — Tenho algo ideal para você: sopa de frutos do mar. Preparei mais cedo e sobrou um monte.

Hannah não conseguia nem pensar na possibilidade de comer nada. Mas, como beber era outra história, ela parou em uma loja de bebidas no caminho e comprou, sem querer saber, três garrafas de vinho. Porém, quando chegou à casa de Leonie, o aroma de sopa quente fez seu estômago roncar de fome.

— Eu imaginei que não aguentaria nem uma colher, mas o cheiro está delicioso — comentou, dando uma olhada na panela em que a sopa borbulhava convidativamente. A simpática cadela de pelos dourados de Leonie apoiou-se nas pernas de Hannah, em busca de um afago nas orelhas. — Você é uma boa menina, não é? — disse para Penny, depois de agachar-se no piso para abraçá-la direito. A cachorra ficou feliz com aquela nova fonte de adoração.

Mel, Abby e Danny foram cumprimentar Hannah na cozinha, mas, depois de alguns minutos, Leonie expulsou-os.

— Antes estavam reclamando que eu queria ver *O guarda-costas* e vocês odiavam esse filme — explicou ela. — Agora que têm a TV só para vocês, resolvem ficar na cozinha. Podem dar o fora.

— Vocês não vão beber todo esse vinho, vão? — perguntou Danny, meio escandalizado ante a ideia de a mãe e Hannah tomarem as três garrafas. Ele e os amigos nem pensariam duas vezes antes de consumir tudo aquilo, mas a *mãe*! O rapaz tinha certeza de que ouvira que as mulheres não deviam beber tanto quanto os homens.

— Sim, vamos — respondeu Leonie, com um sorriso malicioso, fechando a porta da cozinha com firmeza depois que ele passou.

Ao se ver sozinha com Hannah, deu-lhe um abraço apertado.

— Não chore — pediu. — Espere só até tomar a sopa e, daí, abriremos o vinho e você vai poder chorar até não poder mais. Mas precisa forrar o estômago.

Hannah assentiu, chorosa. Era ótimo ser mimada daquele jeito. Sentou-se à mesa enquanto Leonie servia um prato caprichado de sopa quente. Passou manteiga em um pãozinho e mergulhou-o no líquido. Penny acomodou-se ao seu lado, olhando com tristeza para ela, como se dissesse que nunca tinha recebido uma porção sequer na vida e adoraria uma migalhazinha que fosse.

— Estava maravilhosa! — elogiou Hannah, ao colocar a colher no prato, por fim, depois de tomar tudo. — Quem me dera cozinhar desse jeito! Felix dizia brincando que eu devia abrir minha própria escola de culinária: A Chef do Abridor de Latas!

Sua boca tremulou. Felix de novo. Assolava seus pensamentos. Ela começou a chorar baixinho. Leonie tirou o prato, pegou uma caixa de lenços de papel e abriu a primeira garrafa de vinho.

— Pode desembuchar — pediu Leonie, com suavidade, servindo taças para ambas.

Já na metade da segunda garrafa, Leonie comentava que se arrependeria na manhã seguinte e Hannah se sentia bem melhor. A comida deliciosa, o vinho bom e o consolo da amiga a haviam ajudado tremendamente. Bem como a presença da golden retriever, que, pelo visto, compreendia que Hannah estava de coração partido e se mantivera acomodada lealmente perto da mesa durante toda a noite, lambendo de vez em quando ambas as mulheres.

Quando Hannah se cansou de falar de Felix, Leonie passou a discorrer sobre o casamento de Ray e o quanto se sentira insegura ao ver as gêmeas com a nova madrasta.

— Você precisava ter visto a mulher — disse Leonie, deixando escapar um suspiro. — Fliss é incrível, um verdadeiro pesadelo. Inteligente, bonita, magra, encantadora. Isso é o que mata, sabe? Ela ser muito legal. Se fosse uma desgraçada manipuladora, seria bem mais fácil odiá-la, só que é amável, simpática, do bem. As gêmeas a adoram, e Danny faria qualquer coisa por ela.

Hannah serviu mais vinho à amiga.

— Eu não devia tomar mais — comentou Leonie, tomando um bom gole. — Fliss e Ray ligaram três vezes da lua de mel. Eu sei que o Ray adora os filhos, mas com certeza ele *não* teria dado tantos telefonemas. Foi obra da Fliss. Ela me disse ao telefone que era muito importante que as crianças não achassem que está tomando o pai delas. Quer que elas façam mais parte da vida dele do que nunca. — Arrasada, tomou outro gole caprichado de vinho. — Como se pode odiar alguém assim? *E*, para completar, Fliss manda o tempo todo presentes incríveis para eles. Jaquetas jeans da Donna Karan para as meninas, porque elas gostaram da dela, e uma nova parafernália de MP3 para Danny. Ah, sim, e um monte de perfume e baboseiras, como esmalte de unha cintilante — acrescentou, com tristeza.

— Tudo muito legal — comentou Hannah, meio ébria —, mas você é a mãe deles, Leonie. Não devia se sentir tão ameaçada por ela. Eles não vão se esquecer disso por causa de uma jaqueta jeans de marca, vão?

A amiga deu uma risada debochada.

— São aborrescentes! Dariam o fora com Jack, o Estripador, se ele aparecesse com a roupa da moda certa!

— Bom, mas eles não a veem muito, certo?

— Esse é o problema — começou a dizer Leonie, esvaziando a taça e estendendo-a para que Hannah servisse mais —, ela quer que eles visitem Boston a maior quantidade de vezes possível. Estou sendo egoísta ao não querer que façam isso?

— Não seja tão dura consigo mesma. É uma situação difícil. Você por acaso está com frio? Estou tão cansada — comentou Hannah após apenas uma taça da terceira garrafa, que insistira em abrir. Já era meia-noite e meia e ela estava sem energia, exausta, tal como se sentia após uma aula puxada na academia. — Acho que vou me deitar. Se me mostrar onde estão os lençóis, Leonie, vou forrar o sofá.

— Não vai não. A minha cama é de casal e você pode dormir lá. Segundo os amigos do Danny, dormir naquele sofá é como dormir numa cama de pregos; eu não deixaria você passar por isso. Minha cama é ótima, desde que você não se importe...

— Não seja boba — disse Hannah, os olhos marejando outra vez ante a bondade de Leonie. — Você me deu comida, cuidou de mim e agora está me deixando dormir na sua cama.

— Só se não se importar com uma agregada na cama de madrugada — disse Leonie, tentando fazer a amiga rir. — Penny dorme na própria caminha parte da noite, daí começa a se sentir sozinha por volta das quatro da manhã, que é quando pula em cima de mim. Se você for boazinha, ela vai lamber e tirar toda a sua maquiagem quando acordar.

Ambas riram, e a cachorra se uniu a elas, latindo, satisfeita.

— Vamos lá — chamou Leonie, abrindo a porta da cozinha e levando Hannah até seu quarto. — Você se ajeita enquanto eu levo Penny até o jardim para cuidar das necessidades dela.

— Vocês finalmente saíram da cozinha? — perguntou Danny, do vão da porta entreaberta do quarto dele. — Estou faminto e não queria interromper a sessão birita.

— Acho que ele está com uma solitária — comentou Leonie para Hannah. — É a única explicação que tenho pela forma como devora tudo e continua magricelo.

— Bom, mãe, se você tiver uma solitária — disse Danny, rindo, instantes depois, quando ela voltou para a cozinha e o encontrou fazendo um sanduíche de presunto —, ela está alta, com tanto vinho que vocês tomaram. Três garrafas, sua bebum!

Leonie riu e lhe deu uma palmada brincalhona no bumbum.

— Sou eu que mando aqui, meu querido. E vou tirar seus privilégios de geladeira se continuar a criticar a sua mãe, estamos entendidos?

— Sim, mãe maravilhosa, que não enche a cara — sussurrou o filho, com a boca cheia. — Seu desejo é uma ordem.

* * *

A cabeça de Hannah latejava quando ela acordou, ciente, por instinto, de que se encontrava em um lugar estranho. A cama estava diferente e, além disso, ela não tinha lençóis rosa-escuro. E, então, algo de tom rosado surgiu: uma longa língua começou a lamber seu rosto.

— Penny — disse Hannah com carinho, lembrando-se de onde estava e do motivo de sua ressaca. — Sua fofa. Que ótima forma de acordar, com alguém beijando a gente!

A cachorra jogou-se ao lado de Hannah e aguardou as carícias. Ela afagou a cadela mecanicamente, a dor atrás de seus olhos dizendo-lhe que acordar com as lambidas de um animal era o mais perto que chegaria de qualquer afeição pelas manhãs, pelo resto da vida. Engoliu em seco, decidida a não chorar de novo. Penny contorceu-se e soltou uns grunhidos, o que a amiga de Leonie interpretou corretamente como "Faça mais carinho, na minha barriga". Talvez Hannah devesse comprar uma cadela. Ela adoraria ter uma, mas seria difícil cuidar direito da coitada, considerando o quanto ficava enfurnada na imobiliária. Não se pode deixar um animal sozinho o dia inteiro. Ou quem sabe, se adquirisse dois cachorros, um faria companhia ao outro.

— Talvez eu roube você, Penny, e a leve para casa comigo — disse, sentando-se e brincando com ela.

A cadela correspondeu, grunhindo e contorcendo-se ainda mais, em busca de novos afagos.

— Ela é muito assanhada, mesmo — comentou Leonie, chegando com o café da manhã. — Basta um carinho na barriga e Penny se entrega a qualquer um. Trouxe torrada, suco e café. Por incrível que pareça, Danny está fazendo sanduíches de bacon, mas achei que você não ia querer algo dessa natureza.

— Com certeza. — O estômago de Hannah revirou diante da ideia de bacon torrado e gorduroso. Mas torrada e café cairiam bem. — Você está me enchendo de mimos, não sei como agradecer.

— Ah, não me venha com essa. Espere só até receber a conta. Saia da cama, Penny. Ela vai derrubar o seu café se resolver se mexer. — Assim que a cachorra saiu contrariada da cama, Leonie pôs a bandeja no colo de Hannah. — São sete e meia, então não resta muito tempo, se você quiser chegar às oito e quarenta e cinco no trabalho. Vou tomar uma ducha rápida para me aprontar. Essa ressaca é culpa sua, Campbell, sua mimada. Agora vou ter que usar a base de cimento líquido para esconder os estragos da noite passada.

A amiga sorriu e tomou, agradecida, o suco de laranja.

Já às oito e quarenta e cinco estacionava o carro próximo à imobiliária, sentindo-se bem melhor do que devia. A gentileza de Leonie, sem falar no pandemônio matinal na casa Delaney enquanto três aborrescentes disputavam o banheiro, animaram bastante Hannah. Ao ouvir Mel e Danny se provocando, como dois comediantes, ela teve de rir. Coisas da vida pós-Felix, prova de que a vida continuava, apesar de tudo.

Ela respirou fundo algumas vezes, tentando se encher de energia apaziguadora, como a professora de aeróbica e ioga de sua academia tinha ensinado. Então, entrou na imobiliária, decidida a enfrentar aquele dia da melhor forma possível.

Não foi nada fácil. Gillian estava ressentida com Carrie, a recepcionista, algo relacionado à hierarquia social, com certeza.

— Sinceramente, eu não me importaria, só que é a segunda vez esta semana que ela diz para alguém que não estou à minha mesa, quando eu tinha apenas dado um pulo no banheiro — queixou-se Gillian para Hannah assim que ela chegou, decidida a contar sua versão da história para o maior número possível de pessoas, caso houvesse alguma repercussão.

— O que você disse para Carrie? — quis saber Hannah, fatigada, ciente de que, na verdade, deveria deixar claro para Gillian que já não fazia parte do seu trabalho intervir em briguinhas de funcionários. Isso agora ficava a cargo de Sasha, que felizmente, era a gerente do escritório. Só que Hannah não estava disposta a comprar briga com Gillian.

— Eu disse que ela devia prestar atenção no trabalho, pois não ficaria aqui muito tempo se não soubesse a diferença entre alguém estar no banheiro e não à mesa — contou Gillian, enfurecida.

Hannah tentou compreender a frase atordoante.

— Bom, mas você não estava à mesa, estava? — disse, desistindo da ideia de manter a neutralidade. Gillian era *tão* irritante! — Então a Carrie teve razão ao dizer que você não estava. Melhor que falar que você tinha ido ao banheiro, né?

A outra ficou enfurecida.

— Eu já devia saber que você ficaria do lado *dela*. É o fim da picada! Você implicou comigo desde que chegou. Conheço bem o seu tipo, Hannah Campbell. Não passa de uma irlandesazinha caipira e convencida do quinto dos infernos, e sei quais são suas intenções, embora os outros não saibam!

Erro grave, pensou Hannah, com frieza. Gillian escolhera o dia, dentre um milhão, em que não era bom discutir com ela. Vagarosa e silenciosamente, como uma leoa selecionando sua vítima, Hannah aproximou-se da colega até ficar a apenas meio metro dela. Os demais funcionários da imobiliária, que haviam escutado o acesso de raiva de Gillian, prenderam a respiração.

— É por causa desse tipo de comportamento antiprofissional que você nunca é promovida, Gillian — disse, certificando-se de falar alto o bastante para todos ouvirem. — Você realmente não consegue ver que não se tornou gerente por sua culpa, já que é preguiçosa e descuidada, e sempre quer fazer o mínimo possível, provocando a maior confusão. Se dedicasse ao trabalho metade do tempo que passa fazendo picuinha com os outros funcionários, talvez valesse algo para esta empresa. Mas você não vê isso, Gillian. Vive superconsciente dos defeitos dos outros, mas cega para os seus. Se não está à mesa na hora em que o telefone toca, Carrie tem toda razão de dizer que você não se encontra ali. Não é nada pessoal, ela só está fazendo o trabalho dela. E, como eu frisei isso para você, resolveu me atacar na frente de todo mundo. Uma burrice, ainda mais se quiser manter o emprego.

Gillian empalideceu.

— Vou mandar um memorando para o sr. James sobre isso, embora com certeza ele já tenha escutado quase tudo. — Hannah fez um gesto em direção à recepção, em que David achava-se parado, ouvindo, segurando a pasta e o jornal, com uma expressão hostil.

Gillian ficou ainda mais pálida sob a base alaranjada. Não o ouvira entrar.

— E, mais um detalhe, tenho muito orgulho de vir do interior; se sou uma "caipira" por causa disso, tudo bem. Pelo menos não tento disfarçar minhas origens usando um sotaque falso. — Ela agira como profissional até aquele momento, porém, cansada, brava e deprimida, não resistira a um último golpe baixo em Gillian, que, quando queria impressionar alguém, esforçava-se ao máximo para ocultar o sotaque de Dublin com uma pronúncia refinada.

— Hannah, poderia fazer a gentileza de vir comigo até minha sala? — pediu David James, ao passar por elas. — Precisamos ter uma conversa a respeito dos funcionários.

Gillian agarrou a cadeira atrás de si, debilmente. Hannah entrou na sala de David e o burburinho do ambiente sem divisórias voltou ao normal.

— Qual foi o motivo da discussão, Hannah? — quis saber, acomodando-se à mesa e interfonando para que Sasha lhe levasse café. — Não, melhor dois cafezinhos; acho que você precisa de um, Hannah.

Ela se sentou diante da mesa dele, feliz por ter o tipo de relação com o chefe que lhe permitia ser totalmente honesta.

— Gillian não gosta de mim. Agora estava furiosa com a Carrie e queria que as pessoas ficassem do lado dela; então começou a me contar a história assim que entrei aqui. Quando eu disse que a Carrie não tinha feito nada errado, ela surtou e começou a me ofender.

— Eu ouvi — disse ele, secamente. — Entendo o problema, Hannah. A questão é que imagino a cena do ponto de vista de um cliente na imobiliária. Gillian é uma mulher preguiçosa e idiota, e errou ao dizer aquelas palavras, mas você não devia ter deixado a situação chegar a uma competição de insultos na recepção. Não é nada profissional nem típico de você — acrescentou, olhando-a inquisitivamente.

Sasha chegou, nervosa, com duas xícaras de café. Quando ela se retirou, Hannah sorveu o dela e torceu para que a cafeína começasse a fazer efeito logo.

— Não é nenhuma desculpa, David, mas tive um problema pessoal ontem, e lamento ter que admitir que afetou o meu comportamento hoje. Não é nenhuma desculpa, sei disso — repetiu. — Não é o estilo de gestão adequado repreender duramente alguém como Gillian na frente de todo mundo.

— Devo mandá-la embora? — perguntou ele. — Ela com certeza merece. Seu trabalho é medíocre na melhor das hipóteses e, além de tudo, age como se fosse dona do lugar.

— Não. Eu não poderia ficar com esse peso na consciência. Gillian teria um bom desempenho se parasse de se julgar injustiçada e se dedicasse ao trabalho. O problema dela é achar que todos estão conspirando o tempo todo contra ela, tentando enfraquecê-la. Se ela se desse conta de que ninguém está fazendo isso, se sairia bem. Mas não enxerga os próprios defeitos. Tenho a impressão de que acha que estaria dirigindo a Microsoft, se as pessoas não arruinassem suas oportunidades o tempo todo.

— Então, Gillian vai ter uma segunda chance, graças a você. Não que ela acreditaria nisso, se eu contasse. Estou contando com você para que não haja mais nenhum barraco na recepção; se por acaso houver, se ela sair da linha de novo, quero saber. Não estamos administrando uma instituição beneficente. Agora que Dwyer se aposentou, ela está trabalhando para mim e, se não conseguir dar conta do recado nem colaborar com os demais funcionários, vai para o olho da rua. Entendeu?

— Entendi.

— Vou pedir que Sasha a mande entrar agora e, caso você tenha algum problema e eu possa ajudar, Hannah, minha porta estará sempre aberta.

— Obrigada. — Ela se levantou para sair.

— Eu sei que meu velho amigo, o sr. Andretti, voltou — acrescentou David, cauteloso, perscrutando seu rosto. — A gente se conhece há anos e gosto dele, mas, como disse antes, o cara é meio mulherengo.

Hannah fez uma careta, esforçando-se para não cair no pranto, mas sentindo os olhos ficarem marejados.

— Acho que já descobri isso — disse ela, com a voz embargada.

— Tome cuidado. Não quero que ele atrapalhe a corretora júnior mais talentosa do pedaço.

— Não importa mais, David — ressaltou Hannah desanimada, a depressão impedindo-a de se importar com o que dizia. — Acabou tudo entre nós.

— Ah. — Hannah se perguntou se fora fruto de sua imaginação ou se os olhos de David tinham mesmo brilhado por alguns instantes. — Vou dizer uma coisa, que tal se eu levá-la para almoçar, para afogar as mágoas?

Ela estava prestes a recusar o convite, quando mudou de ideia. Por que não? Afinal de contas, sabe-se lá quando outro homem atraente, mesmo que fosse seu chefe e o estivesse fazendo por compaixão, ia convidá-la para almoçar!

— Por que não? — disse, esforçando-se para sorrir.

Do lado de fora, o olhar de Gillian lançou-lhe farpas quando as duas se cruzaram no corredor de acesso à sala de David. Hannah ignorou-a e foi até sua mesa.

Seja o que for que David disse a Gillian durante os vinte minutos em que ela permaneceu em sua sala, deve ter sido devastador. Ela saiu desanimada, corada e calada. Hannah olhou-a de soslaio e percebeu que não dava mesmo a mínima para Gillian e suas neuroses. Já tinha problemas suficientes.

Não obstante, a colega aproximou-se.

— O sr. James disse que eu deveria pedir desculpas para você por causa do que eu falei — disse Gillian, de um jeito afetado. — Eu errei e não vai acontecer de novo, prometo.

Parecia uma garotinha de dez anos recitando um poema que decorara.

— Aceito seu pedido de desculpas. Vou acreditar na sua palavra de que esse tipo de situação não vai se repetir. Essa imobiliária é pequena demais para rixas.

Com a missão cumprida, Gillian voltou, pisando duro, à sua mesa. Hannah suspirou. Acabara de ganhar uma inimiga implacável.

* * *

Hannah já quase se esquecera do almoço com o chefe quando David postou-se à sua frente, ao meio-dia e quarenta e cinco, tamborilando sobre a mesa. Ele passara um pouco de perfume, notou Hannah, com um sorriso, sentindo a fragrância suave, que evocava noites picantes e almiscaradas.

— Você recebeu uma proposta melhor para o almoço? — quis saber o chefe, os olhos reluzentes.

Hannah deu uma risada.

— Não. Espere só um segundinho.

Eles caminharam até um pequeno pub na esquina e pediram sanduíches, sopa e uma taça de vinho para cada um. David pôs-se a devorar rapidamente seu sanduíche de frango, consumindo metade antes que Hannah tivesse dado uma mordida no seu.

— Estou faminto — explicou ele, desculpando-se. — Acordei cedo para correr no campus da universidade de Dublin e não tive tempo de tomar café.

Hannah empurrou metade de seu sanduíche na direção dele.

— Coma isso — ofereceu. — Não estou com fome.

— Espero que não seja o Felix que está fazendo com que perca o apetite — disse ele com suavidade, encarando-a.

Ela desviou o olhar primeiro.

— Sinto muito, não quis me intrometer — acrescentou David, com amabilidade. Uma de suas mãos grandes moveu-se devagar sobre a mesa e pousou na dela, segurando-a de um jeito reconfortante. Era bom ser tocada. Hannah sentia falta disso, embora Felix, apesar de ser tão sensual, não fosse carinhoso. Ele era meigo ao fazer amor, mas não costumava dar beijinhos nem fazer carícias suaves e ternas ao passar por ela. Hannah apreciou a mão grande e cálida de David sobre a sua. Só que ele não a deixou ali por muito tempo. Pigarreando, tirou-a e tomou um gole de vinho. — Às vezes meto meu pé 44 onde não sou chamado. Não quis afligir você, Hannah. É a última coisa que eu faria.

Ela se obrigou a sorrir.

— Você calça 44? Onde é que compra seus sapatos?

David riu, uma risada rouca e profunda que fez várias pessoas se virarem para eles. Uma cliente sentada ali perto deu um gritinho de alegria e se levantou, rumando depressa até a mesa dos dois.

— David James — murmurou, a satisfação evidente no rostinho bonito.

A mulher devia ter a idade de Hannah, mas os cabelos eram curtos e modernos, e a roupa, bem mais moderna que qualquer uma já usada pela funcionária de David. Jeans de lycra de cós baixo, uma camiseta reluzente pueril e uma jaqueta da French Connection, sob medida, aderia ao corpinho esguio.

— Roberta — disse David, levantando-se, cortês, para trocar um aperto de mãos com ela. A mulher não era chegada a esse cumprimento: atirou-se nele, abraçando-o. Hannah observou a cena com interesse.

— Achei que era você! Que bom que está aqui! É um cara terrível, David James! Mandei convite para a nossa festa de Natal e você não apareceu. Todas as minhas amigas solteiras lamentaram, porque eu disse que tinha encontrado um homem lindo para elas; daí, você não deu as caras, seu malvado.

A mulher flertava com ele, e Hannah ficou surpresa. Nunca vira David sob esse prisma. Não que não o tivesse achado atraente. Ele era. Algumas mulheres adoravam sujeitos grandalhões e fortes, com face e olhos enrugados. E seu chefe tinha uma presença marcante.

Era o tipo de homem que fazia as pessoas, de garçons a diretores executivos, obedecerem aos seus caprichos. Calmo e tranquilo, tratava a todos da mesma forma. Dono da situação, metódico e perspicaz, via tudo e não se esquecia de nada.

No entanto, como uma possibilidade romântica — jamais! Roberta, porém, não concordava com isso. Inclusive enrolava, naquele momento, uma mecha de cabelo negro e escuro no dedo. Hannah começou a se irritar.

— Estamos pensando em vender tudo de novo — comentou Roberta, com seriedade. — Talvez você pudesse ir fazer uma avaliação para mim...

Se for como você, querida, é barato, pensou Hannah, de cara amarrada. Sinceramente, aquilo é que era se atirar num homem. E, se *ela* estivesse envolvida com David e aquela infeliz aparecesse, ignorando-a e flertando com ele como uma ninfomaníaca louca por sexo? Ela se manteve sentada de modo recatado, comendo o sanduíche e fingindo ignorar a mulher.

Quando David por fim conseguiu tirar do braço as garras manicuradas no estilo francesinha de Roberta, sentou-se cansado e revirou os olhos para Hannah.

— Ela é meio intensa — sussurrou ele.

— Não faz o seu tipo, hein? — perguntou Hannah despreocupadamente, surpresa ao descobrir que se importava.

— De forma alguma. Vendi uma casa para ela há um ano e ela tem me perseguido desde então. Achei que, se eu não aparecesse na reunião de Natal, ela cairia na real.

— Quer dizer que não está a fim de conhecer todas as amigas solteironas e gatas dela? — quis saber Hannah, com malícia.

Com a cabeça ainda inclinada em direção ao sanduíche, David ergueu os olhos e fitou-a, as sobrancelhas escuras ressaltando o vislumbre irônico.

— Não estou interessado nelas — respondeu, salientando bastante o termo "nelas". Os dois se entreolharam, os olhos cor de mel fixos nos cinza penetrantes, que Hannah nunca vira mais cálidos antes.

Um raio de luz perpassou por Hannah. David a desejava. Era tão óbvio! Por isso não estava interessado em nenhuma das outras mulheres irritantes que Roberta lhe apresentaria. Para ocultar sua surpresa e seu constrangimento, Hannah tomou depressa uma colher de sopa. Para piorar a situação, a sopa desceu pelo caminho errado e ela engasgou.

Assim que começou a tossir e expirar ruidosamente, David jogou o sanduíche no prato e começou a bater em suas costas.

— Você está bem? — perguntou, ansioso.

— Estou — conseguiu responder Hannah, tossindo no guardanapo.

Seus olhos encheram-se de lágrimas, então ela os enxugou e desejou ter algo para dizer, algo que aliviasse a situação. Não precisou. Como se estivesse ciente de que a surpreendera com a frase reveladora, David voltou a sentar-se e a comer o sanduíche.

— A casa da Roberta era linda. Uma residência georgiana genuína. Eles tinham investido muito dinheiro nela — comentou ele, tão tranquilamente como se viessem tratando de negócios, em vez de romance, minutos antes.

Hannah vinha se tornando especialista em evitar assuntos constrangedores. Tivera bastante experiência toda vez que alguém lhe perguntara como Harry — e depois Felix — estava.

— É mesmo? — disse animada, como se estivesse fascinada pelo tipo de construção majestosa em que a enjoativa Roberta vivia. — Por quanto a vendeu?

Os dois falaram de negócios por mais quinze minutos, antes de Hannah mencionar que deveria voltar logo ao trabalho.

— Eu também — disse David.

Assim que chegaram à imobiliária, ele tocou no braço dela por alguns instantes.

— Vamos almoçar de forma apropriada em breve, com tudo o que temos direito, e não apenas um sanduíche rápido.

— Está bem — concordou Hannah. Na certa se sentiria mais normal dali a uma semana mais ou menos, capaz de fazer uma refeição com um homem que a desejava. Naquele momento, simplesmente queria chorar pelo sujeito que obviamente *não* a desejava.

Foi uma Hannah exausta que voltou dirigindo para casa naquela noite, esgotada pelo misto de ressaca prolongada, trabalho em excesso e Gillian sentada por perto de cara amarrada. Ela tentara não pensar em Felix o dia todo, mas fora difícil. Naquela tarde, enquanto se encontrava na cozinha de pinho de uma casinha em Dalkey e um casal discorria sobre o jardim ornamental com pedras e o terraço de madeira de lei da residência, seus pensamentos se voltaram para o ex. Dava para imaginar os dois vivendo juntos naquela casa, percebeu com tristeza, observando a cozinha bonita. Dois quartos com uma sala em outro plano, o qual incluía um mezanino com uma sala de jantar pequena: perfeita para ela e Felix.

Elegante e graciosa, ótima para receber os amigos dele e dar jantares incríveis, em que os convidados, de seus mundos diferentes, socializariam. Ela adorou a lareira de verdade no quarto. Como seria bom acendê-la e aconchegar-se na cama nas noites frias, observando as chamas crepitarem até suas próprias chamas se acenderem...

Hannah estacionou o carro diante do apartamento, satisfeita por encontrar, finalmente, uma vaga que não ficasse a quatro quarteirões dali. Estava bem frio até para janeiro, e ela fechou mais o sobretudo de lã vermelho enquanto caminhava até o portão. E parou. Parecia que alguém levara uma floricultura inteira para o jardim. Ela se viu diante de pelo menos quinze buquês: lírios brancos grandes em meio a folhagens, inúmeros ramalhetes de rosas vermelhas, com as de tom rosa, lilás e amarelo espalhadas aqui e ali. No centro dos estefanotes e das flores, encontrava-se Felix, comprimido na soleira da entrada e aparentando estar congelando com apenas a jaqueta de couro e o jeans.

— Eu não quis ir até a imobiliária, então esperei aqui — explicou ele, com os dentes tilintando.

— Pobrezinho — disse Hannah instintivamente, indo depressa até ele. — Deve estar congelando. Foi você que trouxe todas essas flores?

Ele assentiu.

— Queria mostrar o quanto amo você, e sei que adora flores. Como fiquei sem saber qual escolher, peguei todas.

— Faz quanto tempo que está aqui?

— Só uma meia hora. Eu sabia que você voltaria para casa logo. Posso entrar?

Enquanto ele permanecia sentado com uma xícara de café com uísque e se aquecia, Hannah levou as flores até o apartamento, corando de vergonha quando os vizinhos, que moravam embaixo dela, chegaram e ficaram observando, atônitos, a miríade de cores no jardim geralmente sombrio.

— Não seria mais simples plantar flores de verdade do que trazer um monte de buquês para cá? — perguntou o sujeito, brincalhão.

Depois que todos os buquês — vinte, no total — foram colocados no apartamento, a maioria na banheira, já que Hannah obviamente não tinha vasos suficientes para eles, ela se sentou ao lado de Felix, no sofá.

— Não esperava ver você de novo — disse ela, com suavidade. Era difícil ficar brava com alguém que acabara de lhe dar vinte buquês, sobretudo se passara o dia inteiro pensando nela, morrendo de saudade.

— Eu queria bolar uma forma de fazer você ver que eu estava sendo sincero, Hannah — ressaltou Felix, pegando sua mão e encarando-a com olhos expressivos. — Senti tanto a sua falta... Preciso de você, tem que entender isso.

Hannah engoliu em seco. Sabia que devia dizer algo na linha de: "flores não podem substituir a confiança numa relação", mas as palavras congelaram em sua boca. Não conseguiu evitar, estava sob o domínio de Felix, não lhe poderia recusar nada.

— Eu sei — disse, mordiscando os lábios. — Eu também senti muito a sua falta, Felix. Mas não posso deixar que me magoe de novo.

Ele assentiu e beijou-a. Foi como voltar para casa depois de ter passado anos fora: agradável, carinhoso, gentil. Os lábios dele mostraram-se macios junto aos seus. Foi um beijo suave e amoroso, bem diferente dos ardentes dos quais costumavam desfrutar. Quando ele, por fim, ergueu a cabeça, Hannah manteve os olhos fechados, sentindo uma paz percorrer seu corpo.

Então, ela sentiu algo gelado nos dedos. Quando abriu os olhos, viu que Felix colocava uma aliança no anular de sua mão esquerda. Um anel de ouro moderno magnífico, com um brilhante cabuchão, encontrava-se, imponente, na metade de seu dedo. Hannah ficou pasma.

— Quer se casar comigo, Hannah? — perguntou Felix, passando a aliança pelo nó de seu dedo delgado, até acomodá-la no lugar certo. — Diga que sim.

De tudo o que Hannah esperara, certamente uma aliança não estava na lista. Ela a fitou, perplexa. Nunca tivera nada parecido: um brilhante enorme nunca estivera em sua lista de compras imprescindíveis.

— É linda — comentou. E era mesmo. Ficou perfeita em sua mão delicada.

— E então? — pressionou ele.

A face de Hannah iluminou-se, os olhos cor de mel reluzindo como se os deuses tivessem acabado de jogar poeira estelar neles.

— Quero!

Daquela vez, o beijo foi do tipo ardente, com Hannah se afastando apenas para dizer a Felix o que faria se ele a deixasse de novo.

— Nunca mais vou passar por isso, nunca. Entendeu bem? — ressaltou.

— Não vai, querida — disse ele, abrindo os botões da camisa de trabalho dela, os lábios deslizando sensualmente por seu pescoço, rumo à pele macia e aveludada entre os seios de Hannah.

— Estou falando sério, Felix. Se você fugir de mim de novo, tudo estará terminado entre nós. Acabado. Não importa o quanto o amo, não vou deixar que me destrua.

— Nunca, querida — salientou ele, sério. — Nunca. Juro, juro do fundo do coração, que nunca mais vou magoá-la de novo. Eu amo você demais. Me deixa mostrar o quanto.

Horas depois, sexualmente saciados e bem alimentados, graças a um pedido do restaurante indiano, Hannah encontrava-se entrelaçada com Felix, na cama, apreciando a sensação do corpo dele ao lado do seu. No dia anterior, o apartamento parecera sombrio e solitário, só com ela ali. Naquele momento, era um lar animado, aconchegante e caloroso. Ela aproximou-se mais dele, ouvindo sua respiração lenta e tranquila. Imagine só: ela, noiva de Felix.

Mal podia esperar para contar às amigas. Leonie e Emma ficariam felizes, Hannah tinha certeza. Claro que ainda havia muito por decidir: para início de conversa, onde morariam. Ela sabia que boa parte do trabalho de

Felix era no Reino Unido, mas, com mais seriados televisivos e filmes sendo feitos na Irlanda, havia a possibilidade de os dois viverem ali. Ele podia fazer viagens frequentes quando tivesse que trabalhar em outro lugar e, seja como fosse, a Irlanda era tamanho ímã para músicos e atores internacionais, que Felix se sentiria em casa. Ia adorar.

Hannah sentiu um pouco de remorso por causa de David James. O chefe era um cara legal — pensando bem, bastante sexy. Seria fácil se apaixonar por ele: uma mescla maravilhosa de segurança e garra. Um homem que vencera pelos próprios esforços. E que certamente gostava dela. Mas não se comparava a Felix, um ator bonito e atraente. *Ninguém se comparava a Felix*, pensou Hannah, sorrindo. E ele era todinho dela.

As flores foram incríveis, ponderou, sonhadora, conseguindo se esquecer do quanto teria gostado de um único buquê quando fez 37 anos, na semana anterior. *Só que Felix não sabia disso*, disse a si mesma, perdoando-o. No ano que vem, seria diferente. Vinte buquês no seu aniversário, Hannah tinha certeza.

Leonie desligou o telefone. Hannah não respondera e já era a quinta vez que tentava, desde as sete horas. Só esperava que a amiga estivesse bem. Ficara tão arrasada na noite anterior, o mundo despedaçado pelo amor. Ou pela falta dele. Hannah costumava ser a otimista do grupo, que brincava com Emma quando ela se queixava dos estados de ânimo do pai e animava Leonie ao lhe dizer que o homem perfeito estava à espera e que bastava encontrá-lo e fisgá-lo. Então foi um choque ver Hannah totalmente consumida pela tristeza, escrava do amor tal como as demais, pensou Leonie, desanimada. Ela se perguntou se os homens sentiam as mesmas dores de paixão. Provavelmente não. Eles não desperdiçariam uma parte valiosa de seu tempo ponderando se eram espécimes irreparáveis, por não terem a parceira certa, nem se preocupando com o tamanho dos pés, que podia causar aversão nos possíveis pretendentes. Essa questão vinha afetando bastante Leonie nos últimos tempos, já que ela fora ao shopping comprar sapatos de "sair" e acabara descobrindo que não havia nenhuma mule fashion no tamanho 40.

Ela nunca se incomodara com o tamanho dos pés antes: era alta, imponente e ponto final. Uma mulher grandona, pura e simplesmente. O que significava pés grandes. A questão é que ela nunca tivera problemas para comprar sapatos até aquele momento, porque sempre escolhera os práticos, de salto baixo, pois não queria ficar ainda mais alta.

O contato com a multidão glamorosa em Vail mudara isso. Altas, baixas, gorduchas ou com corpinhos de quem passa fome, elas iam no maior glamour em todas as situações sociais. Então, Leonie chegara à conclusão de que não precisava esconder seu tamanho em veludos amplos e botinhas de salto baixo. De jeito nenhum. Andaria superelegante dali em diante, com os cabelos pintados por um cabeleireiro de verdade, e não por ela mesma, com suas luvas para proteger as mãos da tinta e com os sapatos no estilo dos da fada madrinha da Cinderela. Só que não havia sapatinhos de princesa em tamanhos acima de 38. Ela estava louca por aqueles de salto alto e fino, que davam a impressão de que a pessoa torceria o pé ao usá-los; costumava chamá-los de saltos agulha libidinosos. Mas, acima do tamanho 38, os sapatos delicados e altos desapareciam do mapa, restando sapatinhos de vovó.

— A madame gostaria de ver esses no seu número? — perguntou o vendedor na última sapataria, segurando um par de sandálias acolchoadas, com as quais, em princípio, podia-se escalar os Himalaias.

Não, a menos que a madame compre umas calçolas térmicas, meias-calças reforçadas cor da pele, avental florido e andador, teve vontade de retrucar Leonie. Tinha apenas 43 anos, não 83!

Ela saiu da loja com um escarpim parecido com todos os outros do seu guarda-roupa: o pretinho básico, que provavelmente não estimularia homem algum. Além de tudo, o sapato estava um pouquinho apertado, mas ela planejava afrouxá-lo com sua fiel forma de calçados.

Suspirando, Leonie tentou ligar de novo para Hannah. Ela não atendeu.

— Mãe, você ainda vai usar o telefone? Eu preciso falar com a Susie — gritou Mel.

— Pode ligar — respondeu Leonie.

Sentindo-se arrasada por causa de Hannah, foi até a cozinha e começou a preparar o jantar. Estava cortando porções de frango, quando Danny chegou da escola técnica, claramente aborrecido com algo. Leonie descobriu isso porque, de modo geral, havia ao menos dez minutos de paz antes de ele e Mel começarem a discutir à tardinha: naquela noite, ele mal tinha entrado quando já se ouviam resmungos da sala.

— Você não pode usar o telefone *e* ver TV ao mesmo tempo — gritou Danny. — Quero ver *Jornada nas Estrelas*, não uma novela chata.

— Dá o fora, seu pentelho! — exclamou Mel.

— Dá o fora você! — vociferou o irmão.

Eis a vantagem de pagar uma fortuna pela educação privada, pensou Leonie, com tristeza, enquanto o bate-boca continuava. Da cozinha, gritou que, se eles não parassem de brigar, iam ter de fazer o próprio jantar.

Instantes depois, Danny irrompeu na cozinha, depois de perder a briga pelo controle remoto. Mel podia ser bem durona, quando necessário.

— O que houve? — quis saber Leonie.

— Nada não — disse ele, abrindo um armário e examinando o conteúdo com agressividade. Ao encontrar um pacote de batata frita, fechou a porta com força, deixou-se cair em uma cadeira, ali mesmo, e começou a comer, mal-humorado.

Leonie sabia que era melhor não dizer nada. Até mesmo quando era pequeno e perambulava pela casa com seus carrinhos, Danny ficava mais feliz sozinho, e dava a impressão de não precisar de ninguém, exceto do cachorro da família, na época um vira-lata velhinho, vítima de incontinência urinária, chamado Otto. Quando ele crescera, aquela solidão se transformara em necessidade premente de privacidade. Certa vez, aos 10 anos, ele ficara dias sem falar com a mãe, porque ela limpara seu guarda-roupa. As experiências ensinaram a Leonie que dar tempo a Danny era a melhor forma de lidar com o filho. Depois, se ele realmente quisesse discutir o assunto, conversaria com ela.

Leonie dourou os pedaços de frango na assadeira, fatiou cogumelos e pegou um punhado de cebolinha da jardineira da janela, mexendo a comida de vez em quando. O aroma de frango frito espalhou-se no ambiente, e Penny desistiu de implorar por batatas fritas ao lado de Danny e posicionou-se esperançosa perto dos pés de Leonie, aguardando em vão que um pedaço de frango perdido caísse da panela, indo direto para a sua boca salivante. A assadeira, por fim, foi colocada no forno. Leonie media o arroz que punha em seu eletrodoméstico mais valioso, a panela elétrica, quando Danny resolveu desabafar.

— Lembra aquela prova que fiz no mês passado?

— A-hã — respondeu a mãe, distraída. Fingir que não estava prestando muita atenção era a melhor estratégia, aprendera também. Se ela demonstrasse interesse de imediato e o enchesse de perguntas, o filho mudaria de ideia e não diria nada.

— Bom, fui muito mal, e o meu professor disse que, se eu não passar em todas as outras no resto do semestre, vou repetir de ano.

Leonie sentiu o estômago embrulhar. Repetir de ano! *Ah, meu Deus, não deixe que isso aconteça.* Ela conhecia várias famílias que não sabiam o que fazer com os alunos do terceiro período, que abandonavam os estudos quando a situação se complicava demais. *Por favor, por favor, não deixe que isso aconteça com o Danny.*

— Nossa, parece bem rigoroso mesmo — comentou ela, o mais tranquilamente possível. — Acha que ele está falando sério ou só está tentando assustar você?

Danny pensou por alguns instantes.

— Acho que está falando sério. Ninguém mais na minha sala se deu mal.

Leonie sentiu-se ainda mais triste.

— Por que você se deu tão mal? — quis saber, esforçando-se para que a pergunta parecesse inocente e não o exame profundo de uma pessoa chocada.

— Caiu fermentação, um troço que eu odeio. Acho que detesto toda a porra do curso. — Pela primeira vez, Leonie não o repreendeu por usar palavrão. Havia hora e lugar para tudo. — Nessa parte usamos matemática direto, e odeio isso. Sou bom nas áreas que não precisam de cálculos o tempo todo. Na fermentação, vemos como os tanques funcionam e a quantidade de misturas e ar — sussurrou, mais para si mesmo que para a mãe.

Leonie não fez qualquer comentário a respeito de como, no nível pessoal, Danny gostava de fermentação. O acesso a vários vinhos caseiros era a única razão que lhe ocorria para o filho se afiliar ao Clube de Microbiologia da faculdade. Ele trouxera para casa uma garrafa de vinho do clube, certa noite. Mais forte que removedor de tinta, tinha mais ou menos o mesmo sabor, mas Danny o adorou.

— Sabe, talvez nanomedicina seja melhor para mim... — dizia o filho

— Olhe só, Danny — interrompeu a mãe —, se você está odiando o curso agora, provavelmente é porque não está dando certo. Por que você não mete a cara e estuda pra caramba durante o próximo mês; quem sabe até pedindo aulas extras? Se você não se sair bem, podemos ver quais opções restam, então. Talvez você pudesse repetir de ano, para poder escolher outra área, como nanomedicina. Você gostou de virologia, não gostou? — Leonie sabia que dava a impressão de estar bem mais calma do que de fato estava, mas sugerir a Danny que eles podiam lidar com aquela situação com calma era crucial.

Ela deu uns tapinhas encorajadores no ombro dele.

— Não fique para baixo por causa disso, Danny. Não há nada tão terrível que não possamos enfrentar de forma objetiva, sem entrar em pânico. Você já é adulto, e sabe que terá que lidar com o que quer que a vida apresente para você. Se isso significar estudar mais, então tenho certeza de que vai fazer isso. Você é inteligente demais para deixar que uma parte do curso faça suas chances caírem por água abaixo. — Ela sorriu e acariciou seus cabelos, como costumava fazer quando ele era pequeno. — Aposto como esse professor não faz ideia do que terá de enfrentar com os Delaney Combatentes! Ele vai ficar chocado quando você tiver os melhores resultados do ano nas provas.

Danny deu um largo sorriso e não brigou com ela por rebelar seus cabelos.

— É mesmo, mãe, eu adoraria ver a cara dele se isso acontecesse. O Tim costuma anotar tudo. Vou ligar para ele e ver se posso tirar xerox de suas anotações no fim de semana. Eu estava querendo ir com a galera até Galway amanhã cedo, mas é melhor desistir agora. Merda!

Deixando o pacote de batata frita vazio na mesa, junto com os farelos do lanche, Danny foi pegar o telefone. Leonie só esperou que Mel já tivesse terminado a conversa, porque outra discussão poderia arruinar o frágil cessar-fogo. Arrasada, ela deixou-se cair na cadeira que o filho desocupara e apoiou a cabeça nas mãos. Era nesses momentos que sentia falta de ter Ray ou outra pessoa por perto: quando as crises surgiam e ela se sentia totalmente sozinha.

Aquela era a dificuldade da maternidade solitária: não a preocupação com os cuidados dispensados aos filhos por profissionais, nem a dificuldade de encontrar tempo para fazer compras, tampouco como dar um jeito de despir um santo para vestir outro, mas o trauma agonizante de uma crise sem ter ninguém mais a quem recorrer.

Leonie sempre agiu por instinto no que dizia respeito à criação dos filhos. Naquele caso, achou que teria sido contraproducente deixar Danny fazer o que quisesse. Ele vinha ansiando desabafar com ela, porém receara que a mãe ficasse furiosa ao descobrir que talvez repetisse o ano. Então, Leonie decidiu agir com calma e tratá-lo como adulto, que precisava assumir as próprias responsabilidades, na esperança de que ele de fato agisse assim.

Mas talvez devesse ter gritado com ele como a esposa de um pescador, exigido saber o que vinha fazendo para se dar mal na parte mais importante do ano e dito que ficaria sem mesada até que as notas melhorassem.

Leonie esfregou as têmporas, sentindo o início de uma leve enxaqueca. Um ruído no corredor levou-a a se levantar de supetão. Não queria arruinar o efeito do "vamos agir com a maior calma" permitindo que

Danny a visse abatida, à mesa da cozinha. Então, estava dando uma olhada inutilmente para a assadeira no forno, quando Abby entrou na cozinha, com o livro de gramática de francês.

— O que é que tem para o jantar? — perguntou a menina, sentando-se e cruzando as pernas.

— Coq au vin adaptado; ou seja, feito sem o sem *vin*. — Leonie raramente cozinhava com bebida alcoólica. Quando comprava uma garrafa de vinho, preferia guardá-la para as noites em que precisava de umas taças revigorantes.

— Eca! — exclamou Abby. — Eu tenho que comer esse troço? Prefiro batata assada.

— Tem, tem que comer sim e, além do mais, vamos comer arroz hoje, não tem opção de batata assada.

— Mãe! Ninguém devia ter que comer o que não quer. Carne é fruto de assassinato! — acrescentou, como se a ideia lhe houvesse ocorrido tardiamente.

— A carne se tornou fruto de assassinato há pouco tempo na sua cabecinha — comentou Leonie, chegando à conclusão de que aquela noite estava se transformando na que precisaria de taças de vinho revigorante. — Você comeu linguiça na terça.

A filha torceu o nariz.

— Não posso comer um hambúrguer vegetariano?

— Querida, já fiz o jantar. Se queria hambúrguer vegetariano, devia ter me dito antes que eu começasse a cozinhar. E, de qualquer forma, não posso passar a noite inteira preparando refeições diferentes para todo mundo. Isso aqui não é o McDonald's.

Abby não disse mais nada, porém saiu batendo os pés, chateada. Leonie fechou os olhos e contou até dez. Essa sua filha vinha se tornando cada vez mais difícil no que dizia respeito à comida, nos últimos tempos. Tomava uma tonelada de água, supostamente para melhorar a pele, e era tão fresca com o que comia que parecia até que Leonie administrava um spa. Ultimamente, a filha queria frutas e cereais no café da manhã, recusando os sanduíches de bacon de Danny, embora antes os adorasse. A mãe vinha gastando uma fortuna no supermercado com frutas exóticas, já que Abby dissera que adoraria salada de manga e carambola pela manhã. Então, a filha chegara à conclusão de que não gostava de manga e a fruta ficara apodrecendo na geladeira, até a mãe jogá-la fora.

Leonie recordou-se do tempo saudoso em que todos comiam tudo o que ela colocava na frente deles. Abby, em especial, sempre tivera um ótimo apetite, talvez até bom demais, porque gostava muito de sobremesas e de qualquer coisa com cobertura de chocolate. A mãe a observara engordar e receara que algum garoto cruel ridicularizaria a filha por causa do seu corpo, e ela se sentiria gorda para sempre.

Se *ela* houvesse dito para Abby cortar as sobremesas, a filha teria tido a impressão de que até a mãe achava que estava grande demais. Então, Leonie se contivera e tentara servir comidas saudáveis, esperando que Abby perdesse a gordurinha infantil em breve. Porém, pelo visto, a filha começara a fazer a conexão entre sobremesa e corpo cheinho. Ao menos a nova dieta, mais saudável, estava exercendo um bom efeito em sua compleição. Durante anos, Abby sempre fora mais gordinha que a delicada Mel, mas, àquela altura, a diferença diminuía. Ela ainda não chegara às pernas e aos braços finos da irmã, nem à cintura fininha, mas estava bem mais magra do que antes.

Leonie esperava que Abby não estivesse sendo cuidadosa demais com o que comia. Ambas as meninas continuavam em fase de crescimento e precisavam de muita proteína, além de vitaminas e minerais. Resolveu que abordaria esse assunto quando se sentassem para comer.

No jantar, Leonie sucumbira ao apelo de uma taça de vinho. Mel estava de novo ao telefone, dando gritinhos animados com Susie sobre "uma parada incrível que aconteceu...".

— Seja que acontecimento incrível tenha sido esse, dá para você conversar sobre ele mais tarde? — perguntou a mãe, metendo a cabeça na sala, onde Mel encontrava-se acomodada no braço da poltrona, de olho também na novela. — E será que a Susie podia ligar para *você* da próxima vez? A última conta de telefone veio do tamanho do déficit deste país!

Mel revirou os olhos.

Houve mais reviração de olhos quando Abby entrou na cozinha com os ombros caídos e viu a mesa servida.

— Já falei, mãe, eu não vou comer isso daí não — enfatizou a filha, com voz estridente, apontando para a assadeira com o coq au vin borbulhante.

— Vou comer a sua parte, então — comentou Danny, enchendo o prato.

— Não vai não — disse Leonie, pacientemente. — Você tem que comer um pouco, Abigail. E não vai sair daqui até fazer isso. Amanhã vou preparar hambúrgueres vegetarianos, mas, hoje, o que tem é isso aí.

Ela não se deu conta do olhar de pânico que perpassou o semblante de Abby antes de ela se sentar e colocar uma porção de frango minúscula no prato, com uma colher um pouco mais cheia de arroz.

— Isso não é suficiente — ressaltou a mãe, voltando para a mesa com uma panela refratária quente de ervilha e brócolis.

— Tem uma tonelada — disse Abby, colocando uma porção enorme de legumes no prato. Em seguida, tomou um copo grande de água, antes de enchê-lo de novo.

O jantar transcorreu em silêncio. Danny simplesmente devorou sua comida em dez minutos, ao passo que Mel ficou beliscando a dela, lendo a revista que colocara no colo, às escondidas. Leonie odiava quando liam à mesa na hora da refeição.

Abby comeu devagar, reorganizando a comida no prato o tempo todo, até Leonie mandá-la comer tudo.

— Sei que você está tentando fazer uma alimentação saudável, Abby, mas ainda está crescendo e seu corpo precisa de nutrientes. Não quero ver você de dieta — avisou. — Está jovem demais para fazer isso. Uma coisa é comer bem, outra, deixar de comer. Se eu comprar um multivitamínico para vocês, vão tomar?

— Hum — resmungou Mel, concentrada na revista.

— Acho que sim — respondeu Abby, com uma vozinha fina.

Ela continuou a brincar com a comida. Leonie sabia que não deveria dizer mais nada, mas não se conteve.

— Abigail, para de brincar com o jantar e come! — exigiu, com mais aspereza do que desejava.

— Para de me dizer o que fazer! — gritou Abby. — Eu não sou mais criança! Para de me tratar como se eu fosse! A Fliss e o papai não fazem isso!

Todos olharam para ela, surpresos. Abby nunca ficava furiosa, jamais. Mas, naquele momento, parecia estar.

— Eu odeio essa porra dessa comida e odeio você por me fazer comer. Quando vai perceber que eu não sou como você? Que sou diferente, uma pessoa diferente. Não uma maldita criança!

Leonie fitou, chocada, a filha adorada. Não só por ela usar palavrões, mas pela forma como agia.

— Abby, pare com isso — pediu, debilmente.

Mas nada a faria parar àquela altura.

— É o meu corpo e eu faço com ele o que bem entender! — prosseguiu a filha, furiosa. — Você não sabe como é, mãe. Ninguém sabe.

Arrastou a cadeira para trás com violência e foi correndo até o quarto.

— Hormônios — comentou Danny, sabiamente.

— Tenho que ligar para a Louise por causa do dever de casa — disse Mel, antes de sair correndo.

Era a vez das duas de lavar os pratos, mas Leonie já estava traumatizada demais para dizer algo.

O que estava acontecendo com todos eles?

Frango ao forno era horrível, ainda mais do jeito que a mamãe fez, com azeite de oliva et cetera e tal. Com certeza deixava quem comia uma verdadeira baleia. E o arroz também não devia fazer bem. Enquanto se apoiava na porta do banheiro, respirando fundo para se acalmar, antes de começar, Abby chegou à conclusão de que teria de ir dar uma olhada no seu livro de calorias. Ela não quis gritar com Leonie, mas se sentiu tão tensa, que simplesmente aconteceu. Era importante que a mãe não se desse conta do que estava acontecendo.

Hambúrguer vegetariano era seu alimento favorito agora. Cada um tinha apenas um pouco mais de duzentas calorias e dava a impressão de ser uma refeição caprichada para os observadores, ainda mais se fosse consumido com batata assada, sem manteiga, claro. Manteiga fazia mal pra caramba. E era preciso tomar muita água durante a refeição. Abby tinha dito para todo mundo que tomava muita água, porque fazia bem para a pele. Mel até havia começado a fazer o mesmo, tentando beber ainda mais que os necessários oito copos por dia. A questão é que a irmã não fazia ideia do verdadeiro motivo que levava Abby a tomar muita água junto com a comida: facilitava o vômito.

Isso era bom na escola, porque tinha menos tempo para passar no banheiro depois do almoço, então beber um monte de água significava que Abby podia simplesmente subir correndo para os banheiros das séries mais adiantadas, esperar alguém dar descarga e vomitar com rapidez e eficiência. Sempre guardava a maçã para comê-la depois; de outro modo, a barriga roncava muito, a tarde inteira. Isso acontecera certa vez na aula de História. Por sorte a professora, a srta. Parker, falava tão alto que a exposição monótona sobre Lênin abafou os roncos intestinais de Abby. No entanto, a certa altura, Mel tinha olhado para ela de um jeito estranho.

Precisaria ter mais cuidado, pois a irmã poderia se dar conta do que vinha fazendo. Esse era o problema de ter uma gêmea: elas notavam detalhes que os outros não percebiam. A mãe, por exemplo, nunca notava quando lhe dava o cereal para a Penny de manhã, e também não parecia perceber que Abby nunca comia os biscoitos de chocolate que ela levava à noite, quando estavam vendo TV. A filha os escondia na manga e, mais tarde, os colocava no armário; certa vez, porém, ela escondera uns debaixo da cama e comera oito de uma vez. Vomitá-los depois havia sido horrível; a garganta tinha doído pra caramba, e a menina teve certeza de que não conseguira se livrar de todos.

Mas Mel era esperta à beça. Apesar de sempre parecer mais interessada em si mesma que em qualquer outra pessoa, poderia notar o que Abby vinha aprontando. De qualquer forma, não era da conta de Mel o que a irmã fazia. Tinha muita sorte de ser naturalmente magra, como a Fliss. Não precisava vomitar quatro vezes por dia para perder peso. Então era melhor que ficasse de bico calado se notasse algo. Esse era o segredo de Abby.

Quanto à mãe, pediria desculpas depois. Detestava ser grosseria com ela, mas tinha que fazer aquilo, simplesmente *tinha*.

Quando terminou, sentou-se no chão do banheiro, abalada pelo esforço de vomitar, o estômago doendo e a garganta ardendo. Sentia-se péssima. Lágrimas quentes rolaram por seu rosto e, ao enxugá-las, agitara a pulseira de jade. Fliss tinha mandado para ela, como um presente de sua lua de mel na China. Abby a adorara. Era tão linda! Fliss era um amor e sabia exatamente do que ela gostava, sem nem precisar perguntar. Ela entenderia tudo aquilo, pensou Abby, sombriamente, mesmo que a mãe não compreendesse.

CAPÍTULO 21

s seis horas do sábado seguinte, Leonie se perguntou por que não havia ligado as trompas anos antes. Ter filhos era um pesadelo. Bom, ao menos os dela eram. Lembrou-se dos dias felizes de outrora, quando os meninos concentravam as energias em atividades como rabiscar as paredes, comer barro no quintal ou usar os bloquinhos de madeira com as letras do alfabeto para bater na cabeça das crianças menores. E ela que achara que *aqueles* eram dias difíceis! Como uma pessoa podia se enganar tanto? Criancinhas eram uma alegria quando comparadas a adolescentes. Na época em que Abby era meiga e amável, ainda havia momentos de tranquilidade no conturbado lar dos Delaney. No entanto, depois que a menina tornou-se neurastênica e obcecada por comida saudável, o ambiente da casa ficara infernal. Abby tinha tido um chilique dias atrás, e fizera as pazes com a mãe em seguida, mas Leonie ainda tinha a sensação de que estava pisando em ovos quando lidava com ela.

Naquele dia, tudo transcorria razoavelmente bem: Leonie levantara-se cedo da cama, pensando no primeiro encontro que teria mais tarde com Hugh, o consultor financeiro, tomara um café da manhã tranquilo com Penny e, em seguida, saíra com ela para fazer um passeio de cinco quilômetros em meio ao fustigante vento de janeiro. Sentiu-se feliz por não ter ficado encharcada com a chuva, que começou a cair assim que chegaram em casa. Ao meio-dia e meia, foi até o mercado e, no caminho, aproveitou para comprar um par de brincos de cristal cor-de-rosa em uma butique, para usar à noite. Escolheu uma revista cheia de curiosidades e colocou-a no carrinho do supermercado, junto com um pacote de achocolatado de baixa caloria de sua preferência, tomando a decisão de relaxar e dedicar a tarde a si mesma. Sábado era o dia em que as crianças tinham que ajudar nas tarefas domésticas, o que significava que discutiriam por pelo menos dez minutos para saber quem cuidaria da cozinha, quem lavaria o banheiro e quem limparia a casa e passaria o aspirador de pó. A mãe não se importava com as discussões. Desistira havia muito de se meter na disputa, dizendo, aos gritos, que já teria limpado a casa inteira no tempo que perdiam batendo boca para saber quem faria o quê. Se se metesse muito, acabaria sobrando para ela. Desse modo, concluiu que era melhor deixá-los discutindo.

No entanto, ao chegar em casa, Leonie percebeu que o aspirador de pó não saíra do lugar em que se encontrava desde a última vez em que o usara.

O tapete do hall continuava coberto por uma camada de pelos dourados de Penny e a cozinha não fora varrida. E isso não era tudo; havia restos do café da manhã dos adolescentes por todo lado e uma caixa vazia de leite jazia na bancada ao lado da lixeira. Quem bebera o resto fora incapaz de se deslocar 45 centímetros para jogar a caixa no lixo. Ela ficou furiosa e largou os pacotes de compras no chão, para procurar os responsáveis por tamanha bagunça. Para fazer isso, tinha que passar pelo banheiro. A porta estava aberta, e ela viu uma pilha de toalhas molhadas no chão. A pasta de dente, espremida até a metade, fora largada na bancada e havia tanta água na saboneteira que o sabonete se diluía, formando uma papa gosmenta.

Que criaturas preguiçosas, pensou Leonie, furiosa. Se esperavam que ela arrumaria aquela zona sozinha, estavam redondamente enganados. Não daria mole para eles daquela vez.

— Melanie, Abigail e Daniel! — gritou Leonie. — Quero saber por que essa casa está parecendo um chiqueiro. Era a vez de vocês fazerem a faxina. Em vinte minutinhos vocês organizariam tudo, não é pedir demais.

Ela invadiu o quarto das gêmeas, mas não havia ninguém ali. E, ao irromper na toca de Danny sem avisar, após bater à porta bruscamente e entrar sem esperar por uma resposta, Leonie deparou-se com ele passando gel no cabelo molhado.

— Por um acaso hoje é dia de pagamento dos escravos? — questionou a mãe.

Danny olhou para ela, perplexo.

— Desde que você e suas irmãs insistem em me tratar como uma escrava, acho que tenho o direito de receber uma mixaria qualquer — disse Leonie, com os olhos fixos no menino.

Ele pareceu ficar meio envergonhado.

A mãe prosseguiu.

— Passo a semana toda trabalhando duro *e* ainda cozinho, faço a limpeza e a arrumação da casa. O único dia em que peço a ajuda de vocês é no sábado. E o que os meus filhos fazem por mim? Absolutamente nada!

— Relaxa, mãe. Eu ia começar agora — enfatizou Danny.

— Onde estão as suas irmãs? — questionou ela.

— Estou aqui, mãe — respondeu Mel docilmente, enquanto aparecia com seu roupão e com o que parecia ser o restinho da máscara facial de abacate de Leonie espalhado no rosto.

— Você passou minha máscara facial? — perguntou a mãe.

— Bom, para falar a verdade, passei, sim. É que vou sair daqui a meia hora e minha pele está um horror...

— Vai sair daqui a meia hora? E quando você ia ajudar na faxina? — indagou Leonie, com frieza.

— É que eu pensei que você não fosse se importar...

— "Pensei que você não fosse se importar." Importar por quê? Deixa a idiota da mãe fazer tudo sozinha, é só para isso que ela serve mesmo, não foi o que passou pela sua cabeça? — perguntou a mãe, zangada.

— De jeito nenhum — disseram Danny e Mel em uníssono.

— Cadê a Abby? — indagou Leonie repentinamente.

— Ela foi correr.

— Como assim, foi correr? Está caindo o maior toró. Por que ela saiu nesse mau tempo?

— Sei lá! Mãe, me desculpe, vou fazer a minha parte da faxina agora — acrescentou Mel, com uma doçura incomum. — Vou passar o aspirador de pó na casa e limpar os móveis e você, Danny, vai limpar o banheiro. Foi você que o bagunçou — comentou a menina. Ela parou de falar quando a mãe lançou-lhe um olhar penetrante.

— Não estou a fim de levar essa conversa de novo — disse Leonie, ainda zangada. — Querem ser tratados como adultos, mas se comportam como crianças. Lembrem que não sou sua empregada não!

— Você vai guardar as compras, Danny — ordenou a mãe. Ela levou Penny, que detestava o aspirador de pó, para dentro do quarto com ela e bateu a porta.

Ao sair mais tarde, viu que Abby havia voltado e fazia a faxina da cozinha com a maior naturalidade. Apesar de a raiva de Leonie ter passado, ela ainda tinha que dizer umas verdades para Abby. A menina tinha que entender que todos precisavam dividir as tarefas domésticas para que tudo funcionasse bem em casa.

— Funcionar bem? — gritou a menina. — Se você considera isso bom, eu prefiro ir embora daqui. Tenho certeza de que papai e Fliss vão gostar se eu for morar com eles! Odeio você. — E depois de dizer isso, Abby entrou no quarto e bateu a porta. Chocada demais para seguir a filha, Leonie ficou paralisada como uma estátua por alguns minutos e, em seguida, decidiu fazer a única coisa que lhe passara pela agitada cabeça: pegou o carro e foi até a casa de sua mãe.

Claire estava na garagem treinando tacadas de golfe quando ela chegou. Começara a praticar o esporte fazia menos de um mês e ela e a amiga Millie iam ao campo de práticas pelo menos duas vezes por semana.

— Você precisa aprender a jogar golfe — aconselhou a mãe, colocando o taco de ferro de volta na bolsa, enquanto entrava na casa com a filha.

— Já tenho coisas demais com que me preocupar. Se tentar aprender algo novo, não vou a lugar nenhum — disse Leonie, chorosa.

— Isso não é verdade — comentou Claire, com rispidez. Seus olhos perscrutadores examinaram o rosto enrubescido da filha, detectando sinais de lágrimas contidas. — O que foi que Mel fez dessa vez?

— O pior de tudo é que não foi Mel, e sim Abby.

Após ter contado toda a história, Leonie sentiu-se um pouco melhor. Tash, uma das lindas gatas siamesas de Claire, dignara-se a sentar no colo dela e Leonie sempre se consolava quando tinha um animal por perto para abraçar. Clover, sua própria gata, não era do tipo carinhoso, então, quando precisava de consolo, tinha que se contentar com os afagos de Penny. A gata Tash a recompensara com alguns ronronados e, em seguida, arqueara o pescoço gracioso em sua direção.

— A Abby parece muito com você quando era mais nova — comentou Claire, pensativa.

— Eu nunca fui assim! — protestou Leonie.

— Foi, sim — enfatizou a mãe. — Você tinha 16 anos e, naquela época, meteu na cabeça que era feia e grandalhona. Foi uma fase difícil, e eu não sabia muito bem o que fazer. Na falta de mais alguém, você botava a culpa em mim.

— Mas Abby é muito mais bonita do que eu naquele tempo e, além disso, sempre foi uma menina meiga — disse Leonie, com desânimo. Era outra história. Ela fazia de tudo para a filha se sentir tranquila e segura. Não que Claire tivesse deixado de fazer o mesmo com ela, mas era diferente. Ou não?

Claire pegou uma lata de comida para gatos na geladeira, e Tash saltou do colo de Leonie, fincando as garras na saia dela ao sair. Os outros dois gatos apareceram misteriosamente e todos tentaram demonstrar pouco interesse na comida, embora se entreolhassem com cautela, como se quisessem se certificar de que um não ganharia uma porção maior que o outro.

— Ela está cada dia mais bonita, mas lembre-se de que você não tinha uma linda irmã gêmea competindo com você o tempo todo — ressaltou Claire.

— Tive que competir com você — disse Leonie, fazendo uma careta, enquanto observava a silhueta delicada e elegante da mãe, magérrima, trajando uma calça azul-escura, camisa marinheiro e uma vistosa echarpe vermelha em volta do pescoço. Claire apreciava o estilo gaulês e conseguia dar um visual chique às roupas mais básicas. — Você era muito mais bonita do que eu quando eu era adolescente. Lembra aquele biquíni de crochê listrado horroroso que insisti em comprar para usar nas férias na Espanha?

A mãe deu uma risada.

— Acabou ficando para mim.

— E você ficou linda nele — disse Leonie. — Dava para eu fazer o papel daquela cantora gorda, a Two Ton Tessie, e você, o de Ursula Andress. — Ela observou os gatos rondando seus respectivos jantares, com os rabos empinados enquanto avaliavam a comida, como se fossem críticos de restaurantes mal-humorados, tentando saber com o olfato se o molho pesto era caseiro ou não. — A vida era mais fácil naquele tempo, não era?

— A vida sempre parece mais fácil quando vista em retrospectiva — respondeu Claire. — O que mais aconteceu? Você não viria até aqui num sábado à tarde só por isso.

Leonie balançou a cabeça. — Não tem nada de errado, se eu não levar em conta que Danny pode repetir de ano, que Mel só se interessa pela escola por causa do trajeto, quando pega o ônibus e fica paquerando os rapazes, e que Abby deixou de ser tranquila e boazinha e virou uma prima-dona, que só fala na madrasta. Não aguento mais ter que lidar com tudo isso sozinha — desabafou, carente.

A mãe torceu o nariz, e a filha resmungou consigo mesma, sabendo o que aquilo significava.

— Se você não tivesse se separado de Ray, não estaria sozinha, nem seus filhos teriam uma madrasta fazendo o papel de fada madrinha — ressaltou Claire.

— Mãe, não precisa fazer sermão.

— Não vou fazer sermão. Mas se veio até aqui para pedir conselho, tem que esperar recebê-lo. Realmente é difícil para você criar os meninos sozinha, mas a opção foi sua, Leonie. Decidiu que queria encontrar o amor verdadeiro e que Ray não estava à sua altura. Agora vai ter que conviver com isso — declarou Claire, com pesar. — É tudo que tenho a dizer. Fim do sermão. E então, o que vai fazer essa noite? Eu vou ao cinema com Millie. Ainda não decidimos que tipo de filme queremos ver, tem um de suspense e também um drama que se passa em um tribunal, e acho que tem um com Sean Connery. Não quer vir com a gente? Ia lhe fazer bem deixar a prole de lado, para variar um pouco. Por um acaso essas crianças estão tão acostumadas a encontrar a comida pronta e a casa arrumada, que vão morrer se você não estiver lá para preparar um prato *à Cordon Bleu*?

— Bom, é que... na verdade, já tenho algo programado para hoje à noite — gaguejou ela.

— Vai sair com as meninas? — perguntou a mãe, distraidamente. Então ela percebeu que Leonie mordiscava o lábio, nervosa, e arriscou-se a fazer um comentário. — Você tem um encontro com um homem! É isso, não é? Você é uma mulher esperta, Leonie. Já estava mais do que na hora de arranjar um cara. Quem é ele e onde o conheceu?

Aquilo era a Inquisição Espanhola ou uma palestra sobre como viver, constatou Leonie.

— Ele é amigo de Hannah — mentiu.

— É mesmo? Dá para falar mais sobre ele ou isso pode estragar tudo?

— Não, tudo bem. O nome dele é Hugh Goddard, trabalha num banco como consultor financeiro, é separado e adora cachorros.

— O currículo dele parece maravilhoso, mas quero saber como ele é, qual é seu tipo físico — indagou a mãe.

Leonie fez uma pausa. Era difícil admitir que só sabia que ele era sensível. Afinal de contas, havia resgatado um pobre cachorrinho no Grand Canal. Afora isso, nunca o vira e não conhecia seu temperamento. *Estável, ex-torcedor fanático de rúgbi, mexe com dinheiro, maduro, mas com Bom Senso de Humor. Parceira em potencial deve ser louca por bichos* dava algumas dicas interessantes, em se tratando de um anúncio pessoal, mas não revelava nada de íntimo às eventuais interessadas. Ela resolveu partir para uma abordagem impaciente da situação. — Francamente, mãe, é um cara como qualquer outro. A gente se conheceu na casa de Hannah, e ele foi muito simpático, então, concordei em sair para tomar um drinque. Isso é tudo.

— Calma, não precisa fazer uma tempestade num copo d'água — retrucou Claire. — Só estava perguntando. Quando vou conhecê-lo?

— Se ele realmente for o amor da minha vida e a gente decidir se mudar para as Bahamas, deixando as crianças para você tomar conta, aí sim, vou apresentá-lo para você. É o mínimo que posso fazer. E agora tenho que sair voando daqui.

* * *

Como Hugh sugerira que se encontrassem em um pub em Dublin, Leonie decidiu que deixaria o carro em casa e pegaria um trem da DART. Ela saiu de casa mancando com seu escarpim novo meio apertado, após ter explicado bem aos filhos como requentar a lasanha. Além disso, deixou claro que não queria chegar em casa e ficar sabendo que Danny saíra e deixara as meninas sozinhas.

— E você vai para onde nessa estica toda? — indagou Danny, notando que a mãe trajava sua melhor saia plissada de veludo, sua blusa de seda vermelha com os três botões de cima abertos e seu colar egípcio com um escaravelho.

— Vou dar uma volta com as meninas. — Ela preferiu contar uma mentirinha e, enquanto isso, pegou seu casaco preto de camurça, que só usava em ocasiões especiais. Abby passara o dia de mau humor, e a mãe achou melhor não contar que tinha um encontro com um homem para evitar outra discussão. Quem sabe o tipo de reação extrema que esse comentário poderia causar? No estado emocional em que Abby se encontrava, poderia ir correndo para o aeroporto e pegar o primeiro avião para Boston, fazendo apenas uma pausa antes para telefonar para a Delegacia de Proteção à Infância e à Juventude e denunciar a mãe por crueldade.

Leonie só saiu na hora em que o ônibus rumo ao centro passaria, e logo estava dentro do veículo, a caminho da estação de trem. No entanto, depois de saltar, teve que ir mancando até a área de embarque de Greystones, e cada passada fora uma tortura. Ela chegou a pensar em jogar os sapatos novos na lata do lixo e ir para a cidade descalça, apenas de meia-calça. As pessoas iam notar, mas ficariam muito mais espantadas se vissem aquela mulher grandalhona claudicando e dando gritinhos de dor cada vez que desse um passo. Sentou-se do lado direito do vagão de passageiros, de modo a poder avistar o mar de sua janela. Tirou os sapatos e concluiu que o dialeto da classe baixa londrina tinha a palavra certa para definir seus pés. Algo como "pé de bolo" se encaixava perfeitamente em seu caso, em todos os aspectos. Leonie apoiou os pés de bolo na poltrona vazia à sua frente, esperando que o cobrador não aparecesse para lembrá-la de que "os assentos não eram para os pés". Se ele fizesse isso, receberia uma sapatada na fuça.

Apesar dos pés doloridos, ela se divertiu muito durante a viagem de trem. Aproveitou para admirar os jardins e as casas iluminadas de sua poltrona privilegiada no vagão, e viu um monte de gente passeando com seus cães eufóricos na praia de Sandymount. Por essa razão gostava tanto de viajar de trem: podia entrever a vida dos outros. Era bom poder bisbilhotar as janelas sem cortina das diversas cozinhas, em que se via pessoas perto da pia com uma caçarola na mão ou andando para lá e para cá, tomando chá, sem ligar para o fato de que os passageiros do trem podiam observá-las.

A única ressalva era que, nesse tipo de entretenimento, o trem andava rápido demais e ela não podia fazer uma análise mais detida do que estava vendo.

Ao chegar à estação de Tara Street, Leonie percebeu que cometera um grande erro ao tirar o escarpim. Meter os pés inchados nos calçados era como tentar enfiar um roedor anestesiado numa gaiola pequena demais. Caminhou penosamente, sentindo os pés cada vez mais inchados, até chegar com dificuldade ao hotel em Temple Bar onde marcara o encontro com Hugh.

Chegou dez minutos atrasada, e a sensação que teve foi de que precisaria fazer uma amputação de emergência nos pés. Para completar, sentiu o corretivo que passara escorrendo por seu rosto; começara a suar por causa do casaco pesado que trajava e do esforço de andar com os pés doloridos. Seu romantismo desapareceu completamente. Ele bem que poderia lhe dar um cano e, assim, ela voltaria para casa. Ia passar um filme com Richard Gere na televisão e, se os meninos estivessem de mau humor, se enfiariam cada um em seu quarto, deixando-a com o controle remoto.

Bastou ela pisar no hotel para identificar Hugh imediatamente. Seria difícil não fazê-lo. Era a única pessoa no recinto, além dela, com mais de

25 anos. Estava de pé, encostado em uma pilastra, com um copo de cerveja na mão. O homem de estatura média e ombros largos parecia pouco à vontade. Tinha um pescoço grosso como os esportistas; os cabelos curtos e cheios, de tom castanho, começavam a ficar brancos perto das têmporas. Leonie notou que se tratava de um homem bem-apessoado, o que foi uma agradável surpresa; seu bronzeado era o de alguém que fazia atividades ao ar livre e seu rosto tinha traços fortes, com um maxilar marcante. Trajava uma camisa esportiva, aberta no pescoço, com uma jaqueta de tweed, e parecia tão deslocado naquele ambiente juvenil quanto uma duquesa viúva numa rave. Ficou claro que o Busker's era o lugar da moda para a juventude dourada da cidade, porque havia uma multidão de rapazes e moças enturmados, usando trajes festivos.

O aroma agradável de sprays de cabelo competia com as fragrâncias estimulantes de loções pós-barba e perfumes. O ambiente certamente corresponderia à ideia de inferninho para alguém que sofresse de asma. Meninas arrojadas, usando roupas minúsculas de lycra, davam gargalhadas enquanto bebiam cerveja e paqueravam caras recém-barbeados, que tentavam parecer descontraídos, fumando exageradamente.

Leonie não conseguiu evitar uma risada ao perceber que fora uma péssima ideia marcar um encontro naquele lugar. Quando os olhos do homem encontraram os dela na multidão de lindos jovens na faixa dos 20 anos, ele sorriu. O homem serpentou até a porta com uma expressão apologética no rosto. Ao se aproximar, ela percebeu que seus olhos eram bonitos e se apertavam quando sorria, e viu que ele tinha uma cicatriz no queixo imponente.

— Você é a Leonie? — perguntou ele, com a voz mais alta do que a música que tocava, para que ela pudesse ouvi-lo. — Essa é a minha recompensa por tentar dar uma de moderninho e sugerir que nos encontrássemos no Temple Bar.

— Se isso serve de consolo, estou tão desatualizada quanto você. Caso contrário, saberia que este local não tinha nada a ver conosco — comentou ela, com os olhos brilhando. — Será que existe um lugar por aqui para idosos, onde não precisemos nos comunicar através de sinais? A bateria do meu aparelho de surdez está acabando.

O homem concordou, deixou de lado o copo meio cheio e saiu dali com ela.

Leonie imaginou que, do lado de fora, sem a música, a facilidade de comunicação que existira entre os dois desapareceria. Não foi o que aconteceu. Na verdade, ela gostara daquele sujeito; era uma loucura chegar a essa conclusão após ficar tão pouco tempo com ele, mas simpatizara com ele.

Os dois caminharam vagarosamente por Temple Bar e deram gargalhadas ao notarem como pessoas maduras e inteligentes pareciam abobalhadas ao marcar encontros por meio de anúncios em jornais.

— Na primeira vez que aconteceu comigo, convidei a pretendente para jantar num restaurante superchique para impressioná-la; ela me disse que odiava lugares pretensiosos como aquele e, depois que serviram o primeiro prato, foi embora — recordou-se Hugh. — Dessa vez, quis dar uma de moderno e sugeri que fôssemos ao Busker's.

Leonie não ficou irritada quando ele mencionou outros encontros nem imaginou que o sujeito fosse um marcador de encontros em série. Tinha certeza de que não era esse o caso. Sentia-se à vontade com ele e tinha a sensação de que o conhecia fazia anos.

— Meu grande pecado no encontro de hoje foi calçar sapatos novos para impressioná-lo — comentou ela, enquanto pisava com dificuldade nas pedras arredondadas que pavimentavam a margem esquerda do rio, em Temple Bar, e que eram consideradas parte do charme do bairro. — E é por isso que meus pés estão pesando. Esse calçamento é infernal.

— Mas você devia ter dito logo — disse Hugh segurando-a pelo braço. — Vou ajudá-la a chegar até a calçada e, em seguida, vamos procurar um barzinho agradável, onde você poderá tirar os sapatos e ninguém prestará atenção.

— Na verdade, estou precisando deitar em algum lugar — salientou ela brincando, para logo depois enrubescer, com vergonha do que dissera.

Hugh não ligou para o comentário dela.

— Isso é moderno demais para mim — enfatizou Hugh alegremente. — Fazer sexo nos dez primeiros minutos do encontro confunde a cabeça, você não acha?

Leonie deu uma risada.

— Claro que acho. Mas um drinque cairia bem.

— E o que acha de comermos alguma coisa? — indagou ele. — Estou morrendo de fome. Não quis convidá-la para jantar porque se nos detestássemos, poderíamos nos livrar um do outro mais rapidamente.

— Eu pensei *exatamente* a mesma coisa — comentou Leonie. — Cheguei a inventar uma festa fictícia, e eu teria que chegar lá até as dez. Usaria essa desculpa se achasse você uma desgraça, mas, para ser sincera, estou faminta.

— Combinado, então vamos jantar. Apoie-se em mim. E se você decidir de uma hora para outra que tem que sair as às nove e meia, vou entender.

Conseguir encontrar uma mesa livre para duas pessoas em um sábado à noite, sem ter feito uma reserva antes, seria como encontrar o Santo Graal. Contudo, os dois realizaram essa façanha sem muito esforço. O casal se acomodou a uma mesa minúscula de um restaurante chinês, o único em que havia um lugar desocupado, e Leonie tirou os sapatos, soltando um suspiro de alívio.

— Nem adianta tentar simular a cena do orgasmo fingido de *Harry e Sally* de estômago vazio — avisou Hugh. — Senão podem nos expulsar por estarmos fazendo carícias sob a toalha de papel da mesa. Talvez até chamem a polícia e, então, a coisa vai pegar. Sou um homem de respeito.

Leonie deu uma gargalhada. Ele era muito divertido e a revigorava. Já Bob, com quem tivera outros dois encontros platônicos, vivia enfezado, e isso, em um dia bom.

— Restaurantes com comida étnica são perfeitos para duas pessoas descobrirem se podem se aturar ou não — comentou Hugh, enquanto colocava os óculos em forma de meia-lua para examinar o menu. — Se seu acompanhante cair na risada quando você pedir uma porção de "aloz flito", então saberá se encontrou sua alma gêmea.

— Se você é chegado a aloz flito, estou fora — disse Leonie. — Aliás, gostei dos seus óculos. Posso até imaginar você sentado em uma escrivaninha e observando alguém por cima deles e dando um sermão.

Hugh arqueou as sobrancelhas escuras, com um ar inquisidor.

— Acho que você leu o anúncio pessoal errado — enfatizou ele. — Eu sou um consultor de investimentos, e não o sr. Sádico, que colocou um anúncio na página seguinte, declarando ser especialista em punições.

Leonie deu um sorriso.

— Então quer dizer que, na verdade, não é o sr. Sádico?

Ele ficou pensativo.

— Contanto que essa informação não vaze, saiba que estou disposto a considerar essa possibilidade, só porque é para você e, além disso, não vou cobrar nada.

Que maravilha. Ele a estava *paquerando.* Ah, como era bom dar risada e fazer insinuações maliciosas.

O garçom apareceu para atender ao pedido dos dois. Quando chegou a hora de Hugh pedir o arroz frito com carne, Leonie teve que se controlar para não cair na gargalhada. Ela *não podia* rir naquela hora. Cometeria uma grande gafe com o simpático garçom, que concluiria que estavam rindo de seu sotaque, quando a história era outra.

Hugh olhou para Leonie com seriedade.

— Comporte-se, por favor — disse ele, fingido. — Ela fica frenética depois de alguns tragos — explicou ele para o garçom.

Leonie riu para valer.

— Como você consegue fazer com que eu não pare de rir, quando estou a seu lado? — indagou ela, depois que o rapaz se afastou, sem se importar com as pessoas estranhas que comiam no local.

— Será que é por causa da minha careca? — perguntou ele, inclinando o pescoço para que ela pudesse ver a calvície em sua cabeça.

— Acho que fiquei aliviada ao constatar que era uma pessoa normal — declarou Leonie. — Você tem uns parafusos soltos, mas eu também tenho. Sinto como se o conhecesse há muito tempo.

Ele assentiu com a cabeça.

— Concordo plenamente. Eu nunca brinco com desconhecidos. O fato é que sou tímido e quando não conheço a pessoa direito, procuro disfarçar sendo bastante formal. Isso funciona muito bem no meu ambiente de trabalho, sabe? Não dá para aconselhar uma pessoa a investir seu dinheiro e contar piadinhas ao mesmo tempo. Mas me sinto muito à vontade do seu lado.

— Eu também. Quer dizer que aquele encontro com a pretendente desconhecida no restaurante chique não foi um grande sucesso? — indagou ela, ardilosa.

Hugh tirou uma mecha de cabelos do rosto com uma das mãos, parecendo aflito.

— Não mesmo. Até parecia uma entrevista de emprego. Fiz uma descrição do que eu fazia, como e onde e contei-lhe quais eram meus passatempos favoritos. Tudo isso antes de pedirmos a bebida. O tempo foi escasso, senão eu teria discorrido sobre minhas pretensões profissionais e lhe diria onde esperaria estar dali a cinco anos. Foi horrível. Depois daquele fiasco, não sei como ainda insisti em tentar de novo, foi um verdadeiro milagre.

— Como ela era? Por que você decidiu responder ao anúncio dela? — inquiriu Leonie. — E a propósito, por que respondeu *ao meu*?

— Ela comentou que lidava com dinheiro e achei que seria interessante conhecer alguém do mesmo campo de trabalho — explicou ele. — Eu me enganei redondamente e vou passar o resto da minha vida profissional torcendo para não ser transferido para a filial em que ela trabalha. Aquela mulher é muito complicada. Ela se levantou sem mais nem menos e declarou que não tínhamos nada a ver um com o outro e que não iria ficar ali perdendo tempo.

— Nossa, vai ver que ela era a srta. Sádica — comentou Leonie, maldosa.

— Não seria nenhuma surpresa. Acho que acabei sendo o bobalhão que serviu de alvo para a srta. Sádica. Não tem nada pior do que ficar sozinho, plantado num lugar, depois que seu acompanhante decidiu se mandar de uma hora para outra. Imagino que os outros devem ter pensado que eu era casado e tinha acabado de lhe contar que estava tendo um caso ou algo parecido.

Ele pareceu desamparado ao relembrar a cena do restaurante, e Leonie teve que morder os lábios para não dar uma risada.

— Isso aconteceu em novembro e nos últimos meses não tenho feito outra coisa a não ser ficar em casa lambendo as feridas — disse Hugh.

O garçom trouxe o vinho e os pratos que os dois haviam escolhido, e eles começaram a comer com apetite.

— Nem adianta tentar mudar de assunto — enfatizou Leonie, após saciar parcialmente sua fome com o satay de frango. — Vamos, lá, desembuche de uma vez. Por que você respondeu ao meu anúncio?

— Você me pareceu simpática e chamou minha atenção quando comentou que gostava de animais. Eu também adoro bichos e pronto. Além disso, sou louco por louras esculturais e meus amigos me disseram que eu estava ficando muito pretensioso; eu precisava marcar mais um encontro às escuras com uma desconhecida para tomar outro fora e cair na real. É brincadeira — acrescentou ele. — Só a primeira parte do que eu disse é verdade.

— Se pensa que vai se livrar de pagar metade da conta me fazendo elogios afetados, está muito enganado — preveniu Leonie.

— Me declaro inocente, senhorita — disse Hugh com sinceridade.

Ele encarou Leonie. — Você tem os olhos mais bonitos que já vi, incrivelmente azuis — disse ele com ternura. — Além disso, estou me divertindo à beça com você. De verdade.

Leonie sentiu um calafrio na barriga. Ou então *algo* na parte inferior do seu corpo estremeceu. Talvez não tenha sido sua barriga, mas algum recanto de sua libido, há muito tempo enferrujado e esquecido, como um móvel coberto por um lençol desde o tempo de Adão e Eva. Definitivamente, aquilo fora um tremor. Ela respirou profundamente. — Por sinal, a festa das dez horas foi cancelada — comentou ela.

— Que ótimo. Então, às nove e quarenta e cinco, quando meu amigo me ligar dizendo que esqueceu a chave dentro do apartamento, que não pode entrar e precisa da única chave extra que está comigo, vou dizer que está tudo bem e que, na verdade, você é maravilhosa.

A comida chinesa parecia mais saborosa do que nunca. Os dois deram risadas e conversaram enquanto comiam uma quantidade excessiva de pato de Pequim e Chop Suey de carne, até que Leonie comentou que teria que desabotoar a saia ou explodiria. Era a primeira vez que ela se via fazendo um comentário desse tipo na frente de um homem, mas se sentia tão à vontade com Hugh que aquilo lhe pareceu natural. Obviamente, a segunda garrafa do vinho de mesa também ajudou.

— Na verdade, não costumo beber demais — disse ela, enquanto inclinava a taça para servir mais uma dose. — Gosto muito de vinho, mas fico logo tonta.

— Espero que você não destrua meu plano maquiavélico — disse Hugh, com a cara lisa. — Há uma van nos esperando nos fundos do restaurante, vou levá-la para minha casa e fazer um monte de perversidades com você.

— Ainda não estou *tão* bêbada assim — retrucou Leonie, balançando o dedo negativamente. — Minha pior bebedeira foi na faculdade, numa festa dos estudantes de medicina — prosseguiu ela, estremecendo com o pensamento. — Eles prepararam um ponche fortíssimo com uísque clandestino e outra birita qualquer que só Deus sabe. Depois do quarto copo eu já estava de pileque e então comecei a conversar com um cara que era ginecologista. — Ela deu uma risadinha. — Claro que eu *tinha* que lhe fazer a pergunta fatal.

Hugh pareceu não entender.

Leonie inclinou-se para frente e explicou: — Você sabe, como eles conseguem passar o dia examinando as partes das mulheres e depois ainda chegar em casa e transar com as esposas ou namoradas.

Hugh arregalou os olhos.

— E o que foi que ele respondeu?

— Sei lá, eu estava bêbada demais! Nossa, como fiquei envergonhada no dia seguinte! Todo mundo vinha falar comigo sobre o que eu tinha feito e cada coisa era pior do que a outra. Fiquei completamente sem graça. E imagine que só comecei a beber porque queria me entrosar com o pessoal e achei que uma bebidinha ajudaria.

— Coitada de você — comentou Hugh, acariciando suavemente a mão dela. — Mas saiba que, mesmo tendo vergonha de admitir, eu ainda apronto dessas aos 47 anos. Na noite do meu encontro fatídico com a srta. Sádica, eu bebi a garrafa inteira do vinho que tínhamos acabado de abrir e, para completar, tomei três doses de conhaque. Pelo menos você era apenas uma criança quando trocou os pés pelas mãos.

Foi a vez de Leonie acariciar a mão dele.

— O que foi perfeitamente compreensível, Hugh — disse ela, em protesto. — Em seu lugar eu teria ficado arrasada e bebido logo duas garrafas. Ou então ia fingir que ia ao banheiro, pularia a janela e ficaria tão envergonhada que nunca mais pisaria ali.

Ele anuiu.

— Nem quando a gente é adulto e tem filhos, deixa de sofrer das mesmas angústias da adolescência.

— Você tem filhos? — perguntou Leonie, encantada. — E você nem me contou. — Aquilo era muito bom. Um homem separado com filhos era perfeito porque aí entenderia como os meninos eram importantes para ela.

— A Jane está com 21 anos e o Stephen com 18. O menino vive com a mãe, mas minha filha mora sozinha num apartamento perto daqui. Eles são maravilhosos — disse ele, com carinho. — Não sei o que seria de mim sem os dois.

— Fale mais sobre a sua vida — pediu Leonie.

Para prolongar a conversa, decidiram pedir dois cafés, visto que não queriam exagerar demais na bebida. — Quero ver se amanhã dá para eu acordar e ainda aproveitar uma parte do dia, em vez de curtir uma ressaca terrível — comentou ele.

Hugh não contou por que ele e a esposa haviam se separado três anos antes, e Leonie não quis entrar em um campo tão pessoal. Se ele quisesse, falaria a respeito. No entanto, ele adorava falar dos filhos e seus olhos brilhavam, quando contava histórias dos dois.

Comentou que Jane era linda.

— Não sei de quem ela herdou tanta beleza, mas é sensacional. — Ela era secretária de uma companhia de seguros e muito inteligente, além de ser uma verdadeira artista. — Vivo insistindo para que mostre seus quadros em galerias de arte, mas ela se recusa a fazê-lo.

O Stephen, por outro lado, revelou-se mais rebelde. Estava juntando dinheiro e pretendia interromper seu curso de administração por um ano para dar a volta ao mundo. — Toda vez que ele menciona o Extremo Oriente, minha ex-esposa, Rosemary, tem um ataque.

— O que é muito natural — enfatizou Leonie, apoiando Rosemary. Se seu filho Danny anunciasse que ia viajar para o Extremo Oriente, *ela teria* um troço. Apenas uma semana antes, lera um artigo sobre jovens ocidentais vulneráveis sendo ludibriados no sombrio mundo das drogas da Tailândia, onde as gangues de traficantes "roubavam" todos os seus pertences. Em seguida, esses bandidos os aliciavam, emprestando-lhes dinheiro e dando-lhes uma bagagem nova com milhões de dólares de heroína escondida num fundo falso.

Ela contou a Hugh que o último artigo que lera narrava a história de jovens empresários que nunca tinham se envolvido com drogas na vida e que estavam mofando nas cadeias, graças aos policiais corruptos, que plantavam drogas em suas malas e exigiam dinheiro, em troca de proteção.

— Isso é um disparate — disse ele. — A imprensa adora exagerar e fazer sensacionalismo. A garotada tem que ser independente e sair viajando por aí. Tem que aproveitar a vida. Só me arrependo de não ter tido a oportunidade de fazer o mesmo. Nesse aspecto, Stephen conta com todo o meu apoio, inclusive já falei que, na hora em que ele decidir dar um pinote, é só me dizer, que pago sua passagem de avião e ainda lhe dou mil libras.

Leonie ficou atordoada. Se Danny quisesse passar um ano viajando, ele que se virasse para pagar a própria passagem. De que adiantava tirar um ano para ampliar a mente e amadurecer se, para isso, fosse necessário receber uma mesada dos pais? Danny não iria se tornar independente se ela ficasse enviando dinheiro para ele.

— Não seria muito melhor se Stephen ganhasse seu próprio sustento? — indagou ela.

— Eu tenho o dinheiro e isso é o mínimo que posso fazer por ele — retrucou Hugh, com uma expressão tensa. — Faço qualquer coisa pelos meus filhos. Além do mais, ajudei Jane a comprar o carrinho dela, um Mini, então, o Stephen tem direito a ganhar alguma coisa para compensar.

— Ah — comentou ela, sorrindo. Ele era o tipo do pai indulgente ao extremo, que tentava compensar suas culpas com o dinheiro. Leonie seria capaz de apostar um mês de seu salário que Hugh tinha abandonado Rosemary e, por isso, tentava como um louco ser perdoado pelos filhos, mostrando-se permissivo demais.

— Eles ficaram muito abatidos quando você saiu de casa? — quis saber ela.

— Quem saiu de casa foi a Rosemary, não eu — respondeu ele, surpreso. — Ela me abandonou por outro homem, mas o relacionamento deles não deu certo. Então, decidimos que ela deveria voltar para nossa casa, e eu me mudei. Fazia mais sentido, já que os meninos ainda moravam com a gente.

— Sinto muito, não quis ser intrometida — disse Leonie, rapidamente. Era nisso que dava tentar ser psicanalista amadora, dra. Freud.

— Tudo bem. É bom deixar tudo às claras para que a gente possa se entender. Me conte sobre sua família.

Já passava da meia-noite quando saíram do restaurante, após fazerem alguns rodeios sobre quem pagaria a conta. Hugh queria pagar tudo sozinho, mas Leonie não aceitou; agradeceu e pagou a parte dela. Os dois caminharam em silêncio até uma fila de táxi. O encontro deles havia sido maravilhoso, e Leonie queria vê-lo de novo, no entanto, ela não sabia como dizer isso a Hugh; não queria parecer atrevida. *E se lhe dissesse que gostaria de encontrá-lo novamente e ele não demonstrasse nenhum interesse em vê-la? Então seria melhor abrir um buraco no chão e enfiar a cabeça*, pensou ela.

Entraram na fila e, em poucos minutos estavam na frente, o que provavelmente significava que a noite não fora muito movimentada na cidade. Ela viu um táxi se aproximando. Hugh morava em Templeogue, que ficava na direção oposta à casa de Leonie, então não dava para eles dividirem o transporte. Chegara a hora de dizer adeus. O carro parou e Hugh abriu a porta para ela.

Leonie ficou totalmente desapontada. Ele não ia convidá-la para sair de novo. Logo depois, ela sentiu os lábios dele tocando seu rosto com delicadeza.

— O que você vai fazer no sábado que vem, à noite? — perguntou ele.

Ela ficou radiante.

— Eu ia pintar as unhas dos pés, se não surgisse nada de mais interessante para fazer.

— Então, já surgiu — ressaltou ele, entregando-lhe um cartão de visitas. — Vamos sair para jantar na mesma hora, na semana que vem. Vou fazer reserva em algum restaurante exótico e você pode ligar para o meu celular.

O táxi levou quase uma hora para levá-la em casa. Normalmente Leonie ficaria tensa como um elástico retesado, olhando para o taxímetro, enquanto a tarifa subia com a velocidade de uma máquina caça-níqueis de Las Vegas. Todavia, naquela noite, era como se ela estivesse sendo levada por uma brisa cálida, como se fosse um iate velejando pelo Caribe. Estava imune às preocupações do dia a dia, inclusive às tarifas altíssimas dos táxis.

Ela sussurrou o nome dele para si mesma algumas vezes; Hugh Goddard, Hugh Goddard. Era um homem bom e tinha um nome bonito. Para falar a verdade, Leonie se imaginou discutindo com ele como criar os filhos, mas isso não interferiria na vida deles. Não tinha a menor intenção de procriar de novo; logo, seus pontos de vista opostos sobre o assunto não influenciariam em nada. O que *realmente* importava era como se sentia quando estava com ele. Hugh era divertido e atraente e, na companhia dele, Leonie também se sentia assim. Em outras palavras, formavam um par perfeito.

— Para falar a verdade, ainda não temos uma data marcada, mas pretendemos definir isso o mais rápido possível — disse Hannah, enquanto estendia a mão para que Emma e Leonie admirassem a pedra. — Felix não sabe se vai ter tempo livre nos próximos meses, porque ele fez audições para participar de dois seriados, e o resultado demora a chegar. Isso quer dizer que não vamos nos atrever a reservar o espaço para a recepção — lastimou-se Hannah.

As três amigas haviam se reunido rapidamente para falar sobre os homens, a vida e o universo, e estavam na cozinha de Hannah, tomando café.

— Nossa, e eu que achei que o Felix não ia mais desgrudar de você, agora que concordou em se casar com ele. Esperava que nos contasse que iria com ele até as Seycheles, para se casar na praia pela manhã.

— Bem que eu gostaria — admitiu Hannah. — Para ser honesta, não sou muito fã daqueles grandes casamentos que reúnem a família, e a ideia de encontrar setenta parentes idosos numa festa não me atrai nem um pouco. Isso sem levar em conta o que meu pai poderia aprontar se ficasse bêbado. — Ela corrigiu a si mesma. — *Quando* ficasse bêbado. Depois a gente vai decidir sobre o casamento. Casar na praia seria demais... — acrescentou.

Leonie estava no mundo da fantasia. — Seria tão romântico, Hannah — murmurou ela, absorta, enquanto pensava em Hugh. — Com os pés descalços na areia e os coqueiros ao redor, e o som da água lambendo a praia.

Emma não parecia tão feliz com a novidade, pensou Hannah. Que nada, devia estar imaginando coisas, Emma era uma das pessoas mais meigas que conhecia e certamente ficaria entusiasmada ao vê-la feliz.

— Tem certeza de que está fazendo a coisa certa? — indagou Emma, de súbito.

Tanto Leonie quanto Hannah ficaram pasmas.

— Você não acha que está sendo um pouco precipitada? — prosseguiu Emma. — Sei que você ama o Felix, mas não seria melhor vocês viverem juntos por um ano para depois tomarem essa decisão? Só para ter mesmo certeza — acrescentou ela.

— Eu tenho certeza — disse Hannah, com rispidez. — Nós fomos feitos um para o outro e eu sou louca por ele...

Emma interrompeu a amiga.

— Não fique zangada, Hannah. Não foi isso que eu disse. Sei que *você* o ama, mas o casamento é um grande passo. Tem que tomar essa decisão com segurança. Felix já se mandou uma vez, antes do Natal e não disse aonde ia. Você precisa se certificar de que ele não é o tipo de cara que faz isso regularmente.

Hannah ficou tensa.

— Eu agradeço muito, mas não preciso que ninguém me lembre desse fato — disse ela com frieza. — É uma história complicada, só que ele me explicou tudo. Além do mais, não convidei você para vir aqui me questionar, Emma.

A outra mulher enrubesceu. Fora longe demais; ofendera Hannah e aquilo era a última coisa que queria que acontecesse.

— Por favor, não fique brava. Só queria dizer que tenho medo de que você tome uma decisão precipitada e se machuque depois. Não tenho a menor intenção de ser uma desmancha-prazeres. Sei que ele é maravilhoso e que lhe pediu perdão. Me perdoe também, só estava sendo cautelosa. É assim que sou — ela sorriu com timidez —, cautelosa até demais.

Emma estava sendo sincera, mas Hannah ficou ofendida porque a amiga deixara subentendido que Felix não a amava de verdade e que a relação deles era unilateral. Na verdade, a própria Hannah ainda estava magoada por ele ter aprontado com ela no Natal e se aborreceu por Emma ter trazido o assunto à tona, como se tivesse pena dela. Como a amiga ousava fazer isso?

— Sei que você *pensa* que está me ajudando, Emma, mas não está, não — disse Hannah, com a voz firme. — Vou me casar com Felix e esperava que você ficasse feliz por mim.

— É claro que estou — protestou Emma.

— Meninas, não vamos brigar — implorou Leonie. — Com vocês duas pulando uma no pescoço da outra, até parece que estou em casa, assistindo a uma briga entre a Mel e o Danny.

Hannah se permitiu dar um breve sorriso.

— Você tem razão — concordou. — Vamos falar de outro assunto que não seja casamento, está bom?

As três tomaram mais café e tentaram conversar com naturalidade, mas o clima tenso persistiu, como o cheiro da nicotina que fica no ambiente mesmo depois de o cigarro ter sido apagado. Finalmente, Emma não suportou mais.

— Tenho que ir — murmurou ela. — Telefono para vocês durante a semana. — E, então, foi embora.

Hannah e Leonie continuaram tomando seus cafés em silêncio; Hannah fixou o olhar na lareira, com mau humor.

— Ela só está tentando ser uma boa amiga, nada mais do que isso — comentou Leonie, sempre pacificadora. — Emma se preocupa com você e está sendo cautelosa. Todas nós sabemos que Felix adora você. — O que não era exatamente verdade, considerando que nem Emma nem Leonie conheciam o sr. Maravilha. Contudo, tinham ouvido a versão de Hannah dos acontecimentos: ele era perfeito e a adorava.

— É, eu sei — lamentou-se Hannah. — Acho que exagerei um pouco. Vamos deixar isso para trás, está bem?

No entanto, mesmo tentando, não conseguia esquecer o que Emma lhe dissera.

Era como um mau agouro, como se o tempo de repente escurecesse em um lindo dia de sol. Depois que Leonie foi embora, Hannah ficou zanzando pelo apartamento, fazendo arrumações aqui e ali e colocando as almofadas em seus lugares. As palavras de Emma martelavam no fundo da sua mente. Estaria realmente segura dos sentimentos de Felix? Ele partira de repente, sem se preocupar com ela. Será que isso voltaria a acontecer?

— Acho uma loucura Hannah querer se casar com Felix — disse Emma a Pete naquela noite, enquanto os dois lavavam a louça.

— Por que está dizendo isso, Emma? — indagou Pete.

— Não sei explicar, tem algo de estranho com aquele cara. O nome dele, para começar. Felix Andretti! Vamos e convenhamos, ele nasceu nos arredores de Birmingham. O nome é exótico demais para alguém de Brum.

— Talvez tenha parentes que não sejam do Reino Unido — disse Pete com brandura.

— E eu sou holandesa — retrucou a esposa. — Ele se mandou, passou um mês sem dar a menor satisfação a Hannah e, de repente, reaparece do nada e espera que ela o receba de braços abertos. É um sacana, isso sim. Além disso, vi uma foto dele na *Hello!* com outra mulher. Eu não contei para Hannah, não tive coragem. — Emma estreitou os olhos. — Sabe-se lá o que ele aprontou nesse mês que andou sumido? Acho que, para Felix, fidelidade só tem a ver com a qualidade dos aparelhos de som.

Pete deu uma risada. — Você fica terrível quando se zanga, sabia disso?

— Na verdade, não quis fazer o papel de amiga inútil, ficando calada, Pete. — Emma enxaguou a última caçarola e começou a esfregar a pia com um pano. — Não consigo confiar nele e tentei dizer isso a Hannah. Mas ela ficou tão zangada que eu amarelei no último segundo e recuei.

— Se você tem tanta convicção em relação a isso, deve tentar falar com ela mais uma vez. Telefone e diga o quanto gosta dela. Deixe claro que não quer vê-la sofrendo e pergunte se realmente ela tem certeza que está fazendo a coisa certa — sugeriu Pete.

— É, isso seria ótimo — disse Emma. — O fato é que ela já está furiosa comigo por trazer esse assunto à tona. Talvez nunca mais fale comigo se eu for repetir a cena. — Ela deu um suspiro. — Vamos lá, *Father Ted* vai começar em três minutos. Vou preparar o chá enquanto você pega os biscoitos.

* * *

Naquela noite, Emma sonhou novamente com o bebê. Foi tão real e intenso. Estava no shopping e tentava, com esforço, empurrar um carrinho para dentro do supermercado. Contudo, sentia-se cansada, com medo de prejudicar o neném. "Um neném!", conscientizou-se ela, assombrada. Em seguida, olhou para baixo e percebeu que sua barriga estava dilatada, formando uma leve protuberância arredondada. Era uma barriga de três meses de gravidez. Emma segurou-a delicadamente, como se, com isso, evitasse que algo se desprendesse. Ela acariciou o ventre, amorosa, e conversou com a pequena criatura que crescia dentro dela, necessitando de proteção; saber que estava grávida era uma sensação maravilhosa. Era uma menina e ela não sabia explicar como tinha tanta certeza disso. Emma passeou um pouco e conversou com algumas pessoas, incluindo Pete e sua mãe. Contudo, para evitar mau agouro, ela não contou nada sobre a gravidez. Decidiu, então, fazer um teste. Só que, ao andar descalça, por alguma razão, até a farmácia, percebeu que o local havia se transformado em uma mercearia.

Ela começou a ficar apavorada, porque sabia que precisava comprovar sua gravidez, mas não encontrava uma drogaria sequer. Tinha que se sentar porque estava andando demais e aquilo poderia prejudicar o bebê. Em seguida começou a chover e... ela acordou. Deitada na cama, ainda teve a sensação de estar grávida por alguns instantes. Tudo parecera tão real! Então, Pete se virou na cama e começou a roncar. O tênue mundo dos sonhos dissipou-se no momento em que a realidade entrou em cena. Emma olhou para o relógio: eram seis e meia da manhã e logo seria hora de levantar. E ela não estava grávida nem precisava apalpar a barriga para se certificar disso.

Levantou-se da cama, sabendo que, nem que quisesse, voltaria a dormir. Não queria nem pensar em dormir para ter o mesmo sonho em que tinha a ilusão de estar grávida.

Desceu as escadas silenciosamente e foi preparar um chá. Sentia-se estranha, como se tivesse sofrido uma perda. *Se era essa a sensação de se perder um bebê imaginário, imagine só como seria perder um bebê de carne e osso*, pensou ela com tristeza. Como a vida poderia se normalizar depois disso? Simplesmente não se normalizava. A ausência dessa criança seria um sofrimento diário.

Sentindo-se oca e vazia, Emma sorveu o chá e, durante meia hora, assistiu a um programa matutino de televisão. Não aguentava ficar imersa em seus pensamentos sombrios, precisava se distrair.

Quando Pete entrou na sala de estar, ela desligava a televisão. Os olhos do marido estavam embaçados de sono e o pouco cabelo que tinha, eriçado.

A simples presença dele me irrita, pensou ela de modo irracional, quando o marido se inclinou para beijá-la na boca.

— Por que se levantou tão cedo? — indagou ele, jogando-se no sofá e fechando os olhos.

— Perdi o sono — respondeu ela, com rispidez. Francamente, será que ele nem imaginava a razão? Será que não tinha a menor noção do que se passava com ela? Esses homens!

CAPÍTULO 22

As semanas transcorreram depressa. Enquanto abril passava, dando lugar a um dos meses de maio mais quentes dos últimos tempos, Felix se distraía decorando as falas do seu personagem para um filme que seria rodado em setembro e, para ficar com o saldo positivo em sua conta bancária, fazia locução em alguns comerciais. Ainda não sabia o resultado das entrevistas que fizera para participar de dois seriados e suas contas de telefone eram altíssimas, pois ele ligava para seu agente, em Londres, diariamente e ora estava otimista ora extremamente apreensivo, em virtude da longa espera.

Hannah trabalhava arduamente na imobiliária, e ficou entusiasmada quando David James chegou com a notícia de que abririam uma nova filial, dessa vez em Wicklow. Ele a chamou para trabalhar ali, ocupando um cargo mais alto.

— É uma excelente oportunidade — contou ela a Felix naquela noite, enquanto desciam a Dawson Street, para encontrar alguns dos atores e amigos de Felix, no Café En Seine. — Não estou nem acreditando nas mudanças que estão acontecendo na minha vida esse ano. O meu trabalho, você, tudo, enfim... — Ela sorriu para ele, radiante. — É maravilhoso. Você é maravilhoso, Felix Andretti. David me disse que poderíamos conversar sobre a nova filial no mês que vem; queria me dar algum tempo para pensar. Você acha que eu devo aceitar, não acha?

— É claro que sim, querida — respondeu Felix distraidamente. Eles tinham acabado de chegar ao seu destino e encontraram os amigos dele, um grupo de gente bonita, sentados do lado de fora. Todos usavam óculos escuros, apesar de o sol já ter se posto. — Olha só, a turma está toda aí. Oi, galera.

Na manhã de quinta-feira um comentário irônico, que Emma costumava fazer sempre que falavam sobre planos futuros, veio à mente de Hannah. "Toda vez que a gente faz um plano, Deus dá uma risada. Essa é a história da minha vida", diria a amiga.

No âmbito pessoal, Hannah achava aquele pensamento um tanto derrotista. Segundo sua concepção, a vida tinha que ser conquistada, e cada um trilhava seu próprio caminho, independentemente das outras pessoas, dos deuses ou de qualquer outra coisa. Acreditar nessas bobagens era perda de tempo. Se fosse assim, a humanidade não teria saído da Idade Média, com medo de ser castigada por um Deus vingador, por ter começado a se meter no mundo da ciência.

Definitivamente, aquele não era o lema de Hannah. Não mesmo. *Cada um* traçava seu destino e, acreditando nisso, ela levava sua vida.

Sua fé nesse credo vacilou naquela manhã de quinta-feira como consequência direta do êxtase em que Felix se encontrava. Ela adorava fazer amor de manhã cedinho e ainda sentia os tremores de um orgasmo fantástico percorrendo seu corpo após uma transa gloriosa quando Felix afastou-se dela e disse: "Que merda!"

— O que foi? — indagou ela, com preguiça, ainda sorrindo.

— A droga da camisinha arrebentou — respondeu ele.

— Verdade? — Hannah se sentou.

Ele examinou a caixa de preservativos. — É a segunda vez que isso acontece com essas daqui.

Hannah apoderou-se da caixa que estava na mão do namorado.

— Mas essas camisinhas estão vencidas, Felix — lamentou-se ela. — Onde você comprou isso?

— As que a gente estava usando acabaram, e eu tinha essas na minha sacola de ginástica. — Ele deu de ombros.

— Mas esses preservativos estão vencidos faz dois anos — enfatizou Hannah, com certo nervosismo. — E você está me dizendo que já teve outra que arrebentou. Não me lembro disso.

— Vamos lá, isso é apenas uma porcaria de um preservativo — disse ele, grosseiro. — É incrível como você faz tanto alarde por causa de detalhes insignificantes, Hannah.

— Um detalhe insignificante como esse pode significar um bebê, Felix — disse ela, pausadamente.

Ela levantou da cama com dificuldade e meteu-se embaixo do chuveiro, ainda em estado de choque. Pensou que estivessem tomando todas as precauções na hora de fazer sexo. Emma sempre dizia que a fertilidade da mulher ia se reduzindo depois dos 35, então Hannah tinha convicção de que suas chances de engravidar eram mínimas. Além disso, sempre usavam camisinha... Ela estremeceu sob o poderoso jato d'água. Contudo, não adiantava nada usar camisinhas fora de validade. Seria a mesma coisa que saltar de um avião com um paraquedas todo rasgado.

Ela se vestiu e não se preocupou em tomar o café da manhã. Por alguma razão, não sentia um pingo de fome.

Enquanto dirigia o carro até um chalé em Killiney, seu primeiro compromisso do dia, Hannah tentou se lembrar de quando fora a última menstruação. Nunca fazia anotações e só se recordava de seu ciclo ao associá-lo a determinados acontecimentos. Lembrou-se de que teve cólicas horríveis no réveillon e que estava sem tampões. No entanto, aquela era a última vez que se lembrava de ter menstruado. Houvera outras vezes, mas ela não tinha a menor ideia de quando foram. Sentindo-se furiosa consigo mesma e com Felix, ela decidiu parar em uma farmácia e comprar um abominável teste de gravidez. Por que não decidira tomar pílulas? Não fazia sentido confiar nos homens quando o assunto era esse: as mulheres tinham que se encarregar disso.

Ao chegar ao chalé, Hannah ficou feliz ao constatar que os vendedores da propriedade tinham ido trabalhar. Ela odiava fazer isso, mas teria que usar o banheiro deles para fazer o teste. *O que os olhos não veem o coração não sente,* pensou ela, enquanto admirava a banheira jacuzzi instalada em um dos cantos. Hannah lera uma reportagem em que alguns corretores de imóveis irresponsáveis confessaram que haviam feito sexo na casa de clientes. Ela ficou horrorizada com a história. Contudo, não achou que urinar pudesse ser considerado algo antiprofissional.

Depois de fazer o teste, ela enfiou o aparelho de volta na bolsa e abriu a casa para apresentar aos clientes interessados, com um sorriso forçado no rosto. Andaram pela casa durante quase meia hora, mas a segunda linha azul do marcador do teste para gravidez não precisou de tanto tempo assim para aparecer.

Mais uma vez livre de companhias na casa, ela observou o aparelho e amaldiçoou Felix, os fabricantes de camisinhas e a si mesma, nessa ordem.

— Estou grávida! Era só o que faltava! — lamentou-se ela, falando sozinha.

Era irônico demais. A pobre da Emma daria qualquer coisa para estar passando por aquilo, pensou ela, abatida. Emma desejava um bebê com todas as suas forças. E, então, quem engravidava era Hannah, a menos maternal das três. Hannah imaginou que até os bichos que comiam as próprias crias eram mais maternais do que ela. Não se interessava nem um pouco por bebês nem por crianças. Bem, tinha de admitir que considerava as filhinhas de sua prima Mary umas gracinhas. Krystle e Courtney eram meninas adoráveis, mas isso não queria dizer que Hannah gostaria que morassem com ela.

Enquanto dirigia de volta ao escritório, Hannah teve um ataque de raiva e, bradando consigo mesma, perguntou por quê, entre todas as pessoas, tinha que ter engravidado. Ali estava ela, com uma fantástica oportunidade de trabalho, um noivo deslumbrante e uma vida maravilhosa, e tudo isso iria por água abaixo por causa de um fedelho chorão. Que droga!

Carrie, a recepcionista, suspendeu a mão e sacudiu um maço de folhas de papel com mensagens telefônicas endereçadas a Hannah, assim que ela entrou no escritório.

— Felix acabou de telefonar — disse a recepcionista, enrubescendo. A moça havia visto Felix algumas das vezes em que ele fora se encontrar com Hannah depois do trabalho e, obviamente, ficara louca por ele. *Algo que Felix nem tentou ignorar*, pensou Hannah irritada, ao lembrar-se de como ele se sentara na borda da escrivaninha de Carrie para conversar.

— Ele disse que era importante — acrescentou a recepcionista.

Espere só até ele tomar conhecimento da notícia importante que eu tenho para dar, pensou Hannah, com raiva.

— Querida, você nem imagina — bradou ele, exultante. A notícia tinha que ser boa, pois dava para perceber que ele andara bebendo. — Consegui o papel em *A Moment in Time*. Não estou nem acreditando, vou ser o ator principal. Estamos feitos. Com esse papel, farei minha carreira. Agora vou rumo à Academia Britânica de Cinema e Televisão! Hannah, você não imagina quanto dinheiro vou ganhar. Eles me querem para o personagem principal, e Bill disse que posso cobrar quanto quiser. O diretor, Edwin Cohen, é uma celebridade nos Estados Unidos. Nunca trabalha para a televisão, você não tem noção do que significa trabalhar para ele.

— Isso é fantástico, querido — disse Hannah, satisfeita por ele. No entanto, sua alegria foi ofuscada pelo resultado positivo de um teste de gravidez. — Também tenho algo para lhe contar. Espere um minuto, esqueci uma coisa no carro — mentiu ela. — Telefono para você já-já.

Do lado de fora, ela ligou para o namorado.

— Felix, essa é a melhor notícia que você podia me dar, mas acho que a novidade que tenho para lhe contar não é tão boa assim. — Não adiantava fazer rodeios, tinha que lhe contar de uma vez. — Felix, eu estou grávida.

— Que fantástico! — gritou ele.

Hannah pestanejou. Aquela não era a reação esperada. Pensou que fosse ficar mal-humorado e dizer que aquela época não era propícia para nenhum dos dois, que atrapalharia suas carreiras e que um bebê não o deixaria dormir e ele ficaria sem ânimo para ir às festas. Em vez disso, Felix fez a maior algazarra, parecia um menino que acabara de ganhar um jogo infantil.

— Meu amor, estou tão feliz! Teremos que nos casar logo. Acho que a cerimônia podia ser nas Seychelles. É uma notícia fabulosa. Vou pedir para Bill procurar uma casa para nós em Londres e quero que ela se certifique de que o imóvel tenha um quarto de criança. E — ela podia visualizar o rosto sorridente do namorado — o Edwin Cohen é um homem de família. Sua esposa está grávida do quinto filho e todos sairão de Los Angeles para ficar aqui com ele durante as filmagens. Você poderia fazer amizade com ela, seria *brilhante* para minha carreira. Agora tenho que desligar, querida. Tem uma chamada na espera. Hoje à noite discutiremos os nossos planos. Tchau.

Hannah pressionou a tecla para desligar seu celular e ficou imóvel, tentando absorver tudo que Felix havia acabado de dizer. *Mudar para Londres? Ficar amiga da mulher do diretor que também estava grávida?*

E quanto ao trabalho dela e sua convivência com as amigas, indagou a si mesma, sentindo-se desamparada. Aquilo era ridículo. Estava sendo levada a entregar os pontos. Não queria seguir na direção para a qual estava sendo impulsionada.

Ela amava Felix, mas desejava realmente ter aquele bebê e ir para Londres? Não sabia dizer. Ter um filho nunca fizera parte de seus planos.

Antes do almoço, ela telefonou para Leonie.

— Vou enlouquecer se não conversar com alguém — comentou ela. — Você teria uns vinte minutos para sair e comer um sanduíche comigo?

— Tenho uma hora inteira — respondeu a amiga. — Está tudo bem com você, Hannah?

— Conto tudo quando a gente se encontrar.

— Não tem nada a ver com o Felix ou tem? — perguntou Leonie, ansiosa, logo que as duas amigas se encontraram do lado de fora da cafeteria que estavam acostumadas a frequentar, por ficar no meio do caminho de seus trabalhos.

— Mais ou menos — murmurou Hannah. — Estou grávida.

— Que notícia maravilhosa! — gritou Leonie, antes de perceber que a amiga não estava sorrindo. — Ou não é? — indagou. Hannah ficou em silêncio. — Então quer dizer que você não quer o bebê — prosseguiu ela, com lentidão.

A amiga mordeu os lábios.

— Já nem sei mais dizer o que quero, Leonie. Nunca pensei em ter filhos. Nunca ouvi o tique-taque do meu relógio biológico, em contagem regressiva, como se fosse uma bomba ou algo do gênero. E eu sei muito bem que isso me faz parecer antinatural e esquisita — ela ergueu os olhos —, mas é assim que me sinto. Tem pessoas que sonham em ter filhos, só que esse não é o meu caso.

— Então é uma gravidez acidental? — perguntou Leonie, tentando ser delicada.

Hannah deu um sorriso amargo. — Tão certo quanto dois mais dois são quatro.

— E o que foi que Felix disse a respeito?

— Por incrível que pareça, ele está nas nuvens. Achei que fosse me despachar na primeira barca para Harley Street para fazer um aborto, mas a verdade é que ficou encantado. — Ela não comentou que, em se tratando de Felix, ele logo achou uma utilidade para a gravidez da mulher, que serviria para aproximá-lo do novo diretor. — Além de tudo, ele quer que a gente se case imediatamente — ressaltou ela.

— Que ótimo — comentou Leonie.

— Pois é. Só que não é ele que vai passar nove meses parecendo uma baleia, que vai largar seu trabalho nem se mandar para Londres para se tornar a mãe de família sensual, enquanto ele dá prosseguimento à sua carreira interessante.

— Você não precisa parar de trabalhar só porque ficou grávida! Você não está doente, apenas esperando um bebê — disse Leonie, exasperada.

— E isso é apenas uma parte da história — ressaltou ela, abatida. — Para completar, Felix conseguiu esse papel em Londres e quer que a gente se mude para lá.

— Nossa!

As duas comeram seus sanduíches, enquanto discutiam a possibilidade de Hannah deixar a Irlanda e sua carreira florescente para acompanhar o noivo. Finalmente, Hannah comentou que apenas desejava que aquilo não tivesse acontecido *naquele momento*.

— Cheguei a pensar num aborto, Leonie, mas agora não sei — disse Hannah, enquanto brincava com seu café. — Será que eu teria coragem de fazer isso? Eu lembro que, quando era adolescente, faria um aborto sem nem pestanejar se ficasse grávida. E imagine que na época eu não saberia nem por onde começar. Havia uma aura de mistério, e a história de "pegar a barca para ir à Inglaterra" era um segredo vergonhoso. Mas isso foi antes; agora, acho muito egoísmo tomar essa decisão por pura conveniência.

— Não posso influenciá-la num assunto desses, Hannah. A decisão tem que ser sua.

— Eu sei.

* * *

Ao chegar em casa naquela noite, ela estava cansada de pensar em sua gravidez e no que faria a respeito.

— Oi, querida! — gritou Felix, puxando-a para seus braços logo que Hannah abriu a porta do apartamento. — Você está grávida de um filho meu!

Ela deu um suspiro e afastou-se dele. — Ah, Felix, eu não sei. Será que esse é o momento oportuno para termos um bebê? Não estamos preparados para isso, nunca discutimos o assunto e não sei dizer se quero ter um filho.

— Então está pensando em um aborto! — Felix encarou-a com frieza. — Nem acredito que você está cogitando uma coisa dessas, Hannah — disse ele. — Você não pode fazer isso com o nosso filho. E eu ainda pensei que me amasse.

— Claro que eu amo você — disse ela, arrasada. — É só que tenho a sensação de que fiquei sem opções. Até ontem, eu era uma mulher prestes a ser promovida, com um grande futuro pela frente. Íamos comprar uma casa aqui... e agora não passo de uma égua prenhe que vai ter que acompanhar você aonde quer que vá.

Felix se levantou e abriu um maço de cigarros. Em seguida, colocou-o de lado e virou-se para ela; seus olhos brilhavam de entusiasmo.

— Hannah, sei que os hormônios femininos enlouquecem quando a mulher engravida e tudo o mais, mas o que está dizendo é ridículo. Tudo bem que você fique chateada e emotiva ao pensar que vai perder seu emprego, mas existem imobiliárias em Londres também, sabia? Não é o fim da linha, mas sim o começo. Com o dinheiro que vou ganhar, podemos contratar uma babá, e você pode voltar a trabalhar. Terá sua própria vida e será independente. — Ele a puxou para perto dele no sofá. — Você vai ter a mim e ao nosso bebê, Hannah. Não vai ser maravilhoso?

Ela se permitiu enxergar o futuro deles através dos olhos de Felix.

— Imagine só, Hannah, uma casa em estilo georgiano, com um jardim, e nós dois faríamos o quarto do bebê. Poderíamos receber convidados para jantar. Você seria uma anfitriã perfeita. Formaríamos um par perfeito. Quando vi aquele presunçoso do Harry com você, eu soube que tinha que tê-la para mim e que até me casaria com você se fosse necessário. Bom, não queria que o Harry tivesse você de volta — ressaltou ele.

Hannah teve um sobressalto.

— Como assim? — indagou ela.

Felix arqueou as sobrancelhas.

— Depois que você saiu naquela noite, ele teve a coragem de me dizer que ia lhe pedir em casamento, aquele sacana.

— O Harry disse *isso*?

— Isso mesmo — respondeu Felix, despreocupadamente. — Imagine a audácia dele pensar que você preferiria ele a mim. Fala sério! Eu mandei Harry ir para aquele lugar, contei que estávamos noivos e disse que tínhamos apenas discutido. Aí enfatizei que o melhor que ele podia fazer era dar o fora.

— Mas nós não estávamos noivos — salientou ela, com calma. — Você tinha me abandonado, Felix. Não tinha o direito de dizer isso para o Harry.

A resposta dele foi deslizar a mão cálida por baixo do top dela e acariciá-la sob a renda do sutiã.

— Nós dois lidamos com outros amores no passado — disse ele. — Harry representa seu passado, e eu também tive alguém. Mas essas pessoas não são nada além disso: águas passadas. Pode se esquecer desse cara porque agora você está comigo.

CAPÍTULO 23

Emma sentou-se à sua escrivaninha e abriu a gaveta. Como todas as coisas em seu escritório impecável, tudo ali estava escrupulosamente arrumado. Havia uma caixinha com grampos de reserva, outra com clipes, além de várias canetas e bloquinhos de papel, organizados sobre algumas agendas telefônicas. Emma esticou a mão até o fundo da gaveta e pegou um pequeno estojo de toalete. Era seu kit de emergência, como ela mesma costumava dizer, e continha alguns tampões, uns analgésicos, uma calcinha preta, um velho pó compacto e um pouco de maquiagem para o caso de ela precisar ir a algum lugar quando saísse do escritório e tivesse esquecido de levá-la.

Naquele momento, precisava tomar um comprimido. Sua menstruação acabara de descer e, no entanto, ela já estava com as cólicas horríveis que costumava sentir a cada três ou quatro meses. Colocava as pílulas na boca, quando Colin Mulhall apareceu na porta com cara de quem queria desabafar.

Emma tomou um gole d'água e engoliu os comprimidos, com raiva do fato de ter sido exatamente Colin a vê-la se automedicando. Já no horário do almoço, todo o escritório saberia que a pobre da Emma estava com dor de cabeça ou cólica, tivera uma hemorragia cerebral ou sabe-se lá o quê. Colin adorava exagerar. Quando a recepcionista ficou três meses afastada por causa de uma mononucleose, ele espalhou que ela estava com câncer terminal, até a moça retornar ao trabalho saudável e pôr um fim nos rumores. *Quem inventou a história de que as mulheres são as maiores fofoqueiras obviamente não conhecia Colin*, pensou Emma, com raiva.

— Você não está passando bem? — indagou Colin, com uma voz sedosa, aboletando-se na cadeira vaga na sala de Emma. Ele usava uma gravata-borboleta com bolinhas vermelhas e estava ridículo.

— Estou com um pouco de dor de cabeça — respondeu Emma, com rispidez.

— Uma coisa que ajuda é fazer meditação — comentou ele. Devoto de qualquer coisa que fosse da Nova Era, tinha o costume de dizer às pessoas o que deviam fazer para melhorar suas vidas, como ele fizera. Tudo de que se precisava era um pouco de tempo e uma mente aberta, diria ele com devoção, como se fosse um ser evoluído e o resto da equipe, um bando de broncos.

— Eu me dou muito bem com paracetamol — disse Emma com rispidez. — Precisa de algo, Colin?

— Na verdade, sim. O Finn não está aí, e o Edward me perguntou dos planos para a conferência.

Emma procurou manter o autocontrole. Finn era o secretário de imprensa da instituição. Ele e Emma já haviam trabalhado juntos várias vezes na organização da conferência anual. Se Finn não estava, a última pessoa que Emma queria que falasse sobre o evento com Edward era o odioso Colin, que não digitava quatro linhas sequer sem cometer no mínimo oito erros. Imagine tratar da próxima conferência sobre assistência à infância com ele. As palavras "zero à esquerda" lhe vieram à mente.

— É mesmo? — foi tudo o que ela falou. Teve vontade de dizer a Colin que ele era um idiota pretensioso, que acabaria se dando mal ao tentar passar por cima de Emma e ter um cargo mais alto na instituição. Mas o máximo que ela se permitia era ser um pouco ríspida com ele; então, segurou a língua.

— Ele quer saber o que faremos em termos de publicidade, e comentei quanto tempo eu achava que a conferência devia durar.

Foi algo irracional, mas Emma sentiu-se ofendida. Definir o tempo de duração das conferências e organizar todos os detalhes era trabalho *dela*. Ajudar Finn como assistente de publicidade era o trabalho de Colin. *Não que ele fizesse sua parte do trabalho direito*, pensou Emma, zangada.

— Você não acha que isso vai além de suas incumbências?

— Escuta só... — Os pequenos olhos arredondados de Colin pareciam sinceros. — Andei conversando com alguns jornalistas e eles me disseram que, se a gente quiser realmente passar a mensagem de que somos uma instituição séria e dedicada às crianças, precisamos fazer conferências com uma semana de duração, talvez até fora de Dublin. Dessa forma, as pessoas se afastariam por uma semana e se concentrariam totalmente nos tópicos relacionados ao tema. — Ele estava se animando. — Seria ótimo, poderíamos até reservar uns hotéis em Limerick ou Galway e convidar uns palestrantes...

— Passar uma semana inteira fora? — indagou Emma, incrédula. — Como é que a KrisisKids vai bancar esse tipo de conferência? Os custos seriam proibitivos. E não sei com quais jornalistas você andou conversando, mas já é bastante difícil conseguir que eles participem um dia, já que sempre têm vários outros eventos para cobrir. Só alguns deles vão poder cobrir o segundo dia, dessa vez. E você querendo que eles viajem por uma semana! Não tem mesmo noção das coisas, Colin!

Ele fez uma expressão de desdém, levantou-se e jogou a cabeça para trás, melindrado.

— O Edward achou a ideia maravilhosa — ressaltou ele. — Disse que ia conversar com você a respeito, só que preferi falar antes para que não ficasse surpresa. Sinto muito por tê-la incomodado. Houve um tempo em que você era uma pessoa legal, Emma. Não sei dizer o que aconteceu, mas mudou muito e não foi para melhor! Virou uma piranha invejosa. — Com isso, ele se retirou do escritório.

Ela ficou olhando para a porta da sala, boquiaberta. Será que andara maltratando Colin? Estaria sendo uma profissional rigorosa demais ou simplesmente agindo como uma piranha, sem o menor profissionalismo, porque se sentia ameaçada? Será que ele tinha razão e ela realmente mudara muito? *Era difícil evitar isso, quando tinha que lidar com tantas dificuldades*, raciocinou Emma. Deus e o mundo conseguiam atingir seus objetivos, menos ela. Tudo o que queria era um bebê e mais nada. Era pedir muito? Como exigir que uma mulher ficasse feliz e satisfeita quando o desejo doloroso de ter um filho tomava conta da droga da sua vida? Emma ouviu um ruído; quando olhou para baixo, viu que partira em dois um dos lápis verde-claros da KrisisKids.

Horrorizada, percebeu que a ideia de ter um bebê tomara conta de sua mente de novo. Não pensava em outra coisa na vida. A não ser nisso. Trabalho, casa, diversão, sexo: seja o que fosse, o desejo de ser mãe sobrepujava tudo o mais. Naquele momento, passara a afetar sua vida profissional, a ponto de ela perder a paciência com um funcionário subalterno, que não fizera nada além de se esforçar para apresentar novas ideias.

Certamente o Colin era um fofoqueiro, mas não era má pessoa. Talvez até tivesse dificuldade pelo fato de Emma ter um cargo superior ao dele, mas cabia a ela fazer com que seus subordinados trabalhassem a seu favor e não contra. Não fazia diferença se Colin gostava ou não de ter uma mulher como chefe ou se apenas quisesse fazer com que Emma parecesse uma tola. Ela deveria ter tratado do assunto de maneira profissional, e não ter praticamente arrancado a cabeça dele. *Aquilo iria acabar*, decidiu ela.

Edward estava ao telefone quando ela bateu à porta, mas ele gesticulou para que entrasse assim mesmo.

Ao desligar o aparelho, ele sorriu para Emma, um pouco nervoso, e comentou que estava feliz em vê-la, porque precisavam discutir um assunto.

— O Colin Mulhall me expôs uma ideia muito interessante mais cedo e eu queria conversar com você a respeito — disse ele, hesitante. Edward era a pessoa mais inflexível e objetiva que ela conhecia. Mas ela soube instintivamente que ele estava evitando abordá-la de forma mais direta, receando irritá-la. Era horrível se conscientizar de que ela mudara tanto e ninguém lhe dissera nada. — Sei que você encara a conferência como a menina dos seus olhos — ressaltou Edward.

Emma estremeceu ao perceber que ele medira as palavras para falar com ela.

— E é por isso que não quero que fique aborrecida, mas precisamos analisar todas as sugestões, você entende?

Emma aliviou-o de sua apreensão.

— Edward, eu sei o que vai me falar porque acabei de conversar com o Colin. Na verdade, tenho até vergonha de dizer que me zanguei com ele. Eu descartei a sugestão porque fiquei com inveja e me senti ameaçada. No entanto, vou pedir desculpas a ele. Só passei aqui para lhe perguntar se você acha que tenho deixado a desejar no trabalho e sido uma pessoa difícil... — Era duro ter que fazer esse tipo de pergunta, mas o alto padrão de exigência em relação a si mesma exigia isso de Emma.

A hesitação momentânea de Edward disse tudo.

— Sinto muito — prosseguiu Emma, antes que ele pudesse falar. — Não há desculpas para isso, Edward. Vou falar com o Colin agora e depois vou para casa. Quando chegar ao trabalho amanhã, já terei voltado a ser a mesma de sempre.

— Você promete? — perguntou Edward.

Ela assentiu com a cabeça.

Colin estava mal-humorado e, assim que Emma se dirigiu à mesa dele, o rapaz pegou o telefone para fazer uma ligação. No entanto, quando ela começou a se desculpar profusamente e explicou que se sentia muito extenuada por conta de um problema que nada tinha a ver com seu trabalho, ele se alegrou.

— Bem que eu achei que tinha algo preocupando você — enfatizou ele. — Recentemente comentei com o Finn que você não estava amável e sorridente como costumava ser, e não conseguimos imaginar o que teria acontecido. Todos nós sabemos como é ruim ficar estressado e, se precisar de alguém para bater um papo e tomar um cappuccino, é só falar. Você sabe que não comento com ninguém os assuntos pessoais dos outros.

— Eu sei muito bem disso, Colin — concordou Emma, sentindo-se aliviada por ainda ter um pouco de senso de humor. — Hoje vou sair mais cedo, mas, amanhã, conversaremos sobre a sua sugestão. Até lá, então.

Ao chegar em casa, Emma pegou os seus livros de autoajuda e jogou-os no lixo. Em seguida, retirou seu tesouro sagrado do fundo do armário. Cortou-lhe o coração ter que jogar fora o manual de gravidez, o guia de alimentação do bebê e as lindas roupinhas de neném que acabara comprando. Teve mais dificuldade com os sapatinhos amarelos de chenile, feitos impecavelmente à mão, que comprara em uma loja de artesanato. Tão delicados e pequeninos! Quando os comprara, ficara imaginando como os pés de um bebê podiam ser tão diminutos para caber neles. Fazia tempo que não os tocava nem os admirava. Ela se permitiu fazer uma breve carícia nos sapatinhos antes de jogá-los no saco de lixo com as outras coisas. Depois, dispensou a loção para bebês, que usava como removedor de maquiagem, no lixo da cozinha e arrastou seu saco de preciosidades até o lado de fora. Ela estacionou em fila dupla em frente à loja Oxfam, largou o saco dentro do estabelecimento e partiu apressadamente, aos prantos. Colocava um ponto final na questão. Não havia esperança para ela; estava apenas se atormentando à espera de um milagre. Pelo visto, andara atormentando outras pessoas também. Se não podia ter um filho, não podia e ponto. De que adiantaria destruir a vida de Pete e a sua, por tabela, só porque não conseguia conviver com o fato?

Foi ao supermercado e fez suas compras, incluindo um monte de produtos de limpeza. Era estranho estar ali no começo da tarde. Normalmente, fazia compras no fim de semana ou tarde da noite, quando o lugar estava cheio de executivas estressadas e de homens enchendo os carrinhos de comidas para micro-ondas. Naquele dia, havia outro tipo de ruído no ar: aquele de mães exaustas com criancinhas, tentando afastar seus filhos com uniformes da escola primária dos biscoitos de chocolate, ao mesmo tempo em que consolavam pequerruchos, aos soluços, nos assentos dos carrinhos do supermercado.

Ela empurrou seu carrinho até o caixa com a menor fila. À sua frente, estava uma pequena chinesa, carregando um bebezinho em uma cadeira portátil. Emma tentou não olhar para a criança enquanto a mulher colocava os mantimentos na esteira rolante. Mas não conseguiu evitar. Olhinhos puxados e escuros a encaravam solenemente do rostinho diminuto, adornado com um chapeuzinho cor-de-rosa.

O bebê sacudiu os dedinhos imperiosamente para Emma, exigindo atenção. Dedinhos em cujas pontas havia unhas translúcidas. Para ela, era fonte de constante admiração o fato de criaturinhas pequenas representarem cópias tão perfeitas de um adulto, com dedos diminutos nas mãos e nos pés e um nariz pequenino, que, naquele momento, ficara torcido, demonstrando contrariedade porque ninguém lhe dera atenção.

— Ela não é adorável? — disse alguém, com voz de idosa, atrás dela.

Uma senhora idosa e frágil, que trazia apenas alguns produtos em seu carrinho, estava sorrindo para a neném e fazendo *gugu dadá* para ela.

— São encantadores nessa idade — comentou ela.

— É verdade — retrucou Emma. Era ataque de todos os lados.

— Você também tem filhos? — indagou a idosa.

Emma perguntou a si mesma o quanto seria rica se recebesse uma libra cada vez que respondesse a essa pergunta e imaginou a reação de quem indagaria se ela dissesse aos berros "Não tenho filho nenhum, sou estéril, sua abelhuda insensível!". Mas não dava para dizer isso, muito menos para uma senhora que provavelmente era sozinha e queria um pouco de companhia.

— Na verdade, não tenho não — respondeu.

A idosa deu um sorriso.

— Há muito tempo para isso, meu bem, você ainda é jovem.

— Pode passar na minha frente, se quiser — sugeriu Emma. — A senhora comprou poucas coisas, e eu comprei um monte.

— É muita gentileza da sua parte, querida — disse a idosa. — Não tenho mais forças para carregar aquelas cestas, por isso pego um carrinho, mesmo que seja para comprar umas besteiras.

Ela passou para o lugar de Emma e começou a conversar com a mãe do bebê. Emma decidiu ler um pouco e pegou, na prateleira ao lado do caixa, uma revista que não queria comprar. Não tinha o menor interesse em saber como transformar sua casa usando técnicas de pintura, como vira na televisão, mas qualquer coisa era melhor do que conversar desinteressadamente sobre crianças, como se não ansiasse por uma com todas as forças de sua alma.

Depois de chegar em casa e guardar as compras, Emma vestiu uma roupa velha e, frenética, começou a fazer uma limpeza. Já havia feito uma faxina em seu banheiro e no banheiro principal e estava compenetrada, passando o bico do aspirador de pó no canto de seu armário, quando ouviu o telefone. Era Hannah.

— Como vai, tudo bem? — indagou Hannah, com cautela. — Você está doente? Liguei para o escritório e me disseram que você tinha ido para casa mais cedo.

— Eu estou bem, sim — respondeu Emma. — E você, como está? Vai poder mesmo sair com a gente na semana que vem?

Elas tinham combinado de ir ao teatro para assistir a *Ligações Perigosas*.

— Vou, sim — retrucou ela, lentamente. — É que antes de mais nada, tenho uma novidade para lhe contar. Não queria deixar para falar com você na semana que vem.

Emma ficou curiosa.

— Já sei, o Felix vai fazer uma surpresa e interpretará o Valmond — disse. Ela se espantou ao perceber que ainda conseguia brincar, apesar de estar tão deprimida. — Ou então você ganhou na loteria.

— Não é nada disso. — Hannah soou estranhamente séria.

— Me diga logo o que é.

— Eu estou grávida. Não quis pedir à Leonie para lhe contar, quis fazê-lo eu mesma. Sabia que ia ser muito difícil para você.

Emma deu um gritinho áspero, que conseguiu transformar em uma risada rouca.

— Por que eu deveria ficar aborrecida, Hannah? Estou feliz por você. Deve estar tão entusiasmada, e o Felix também, é claro. É para quando?

As palavras travaram em sua boca como pedregulhos, mas precisava dizê-las. Tinha que falar de modo correto com a querida Hannah, uma amiga tão especial.

— É para o início de dezembro. Para falar a verdade, estou apavorada, Emma — confessou a amiga, incapaz de se conter. — Sei que parece terrível, mas nunca pensei em ter um bebê e agora que estou prestes a ter um, é maravilhoso e tudo o mais, só que... estou morrendo de medo. E se eu não tiver jeito para ser mãe? E se não tiver instinto maternal? As pessoas costumam dizer que isso vem naturalmente, mas muito do que se diz não passa de balela.

— Não entre em pânico — disse Emma, tranquilamente. — Hannah, você é uma mulher competente e sagaz, que pode gerenciar um escritório, que mudou de carreira e teve sucesso, e será capaz de se adaptar ao que der e vier. Ou você está tentando me dizer que vai desmoronar ao se deparar com uma fralda ou entrar em colapso se tiver que bater uma papinha de cenoura?

Hannah deu uma risada, apesar de tudo.

— É uma questão de bom-senso, Hannah — ressaltou a amiga. — Vai ser o seu filho e o de Felix, e é claro que vai amá-lo. Está certo que você não vai se transformar na Mãe Terra, que só usa túnicas floridas e planta seu próprio ruibarbo, mas vai ser maravilhosa. Vai fazer as coisas do seu próprio jeito, entende?

— Acho que entendo, sim — respondeu Hannah. — Mas o que me incomoda é que agora que estou grávida, o Felix parece achar que há uma aura maternal à minha volta, como se eu fosse uma madona de um quadro medieval. Acho até que ele não está mais apaixonado por mim — admitiu ela.

— Isso também é normal. Tem caras que só conseguem lidar com um conceito de cada vez. Tem a ver com o equilíbrio entre a madona e a prostituta. Você era a prostituta; não você, a Hannah, mas você como parceira sexual. Agora, passou a ser a mãe do filho dele, então tornou-se inacessível em termos de sexo.

— Você daria uma grande psiquiatra — enfatizou Hannah. — Eu tinha pensado que o Felix estava mal-humorado.

— Ei, você é noiva dele e devia saber. Talvez eu esteja lendo mais livros de autoajuda do que devia — disse Emma, com sarcasmo, lembrando-se da pilha de livros que tinha jogado fora, horas antes.

— É uma amiga e tanto — ressaltou Hannah, carinhosa. — Eu estava morrendo de medo de contar tudo para você. Bom, agora preciso desligar. Tenho que mostrar uma casa para dois idiotas que não têm a menor noção do que querem. Vejo você e Leonie na semana que vem, está certo?

— Certo — respondeu Emma automaticamente e desligou o telefone.

Estava feliz por ter descartado todas as coisas de bebê. Não queria mais tê-las. Pareciam fazer troça dela, só por estarem ali. Ainda assim chorou amargamente por conta de tanta ironia. Hannah, que nunca desejou ter filhos, ficou grávida de repente. E ela, que queria tê-los... De que adiantava ficar remoendo essa história? Ao menos conseguira ser convincente ao mentir para Hannah sobre seus verdadeiros sentimentos. Não daria uma grande psiquiatra, mas sabia mentir muito bem.

A menção da psiquiatria lhe deu uma ideia. Por que não procurava um especialista? Todo mundo fazia análise. Talvez isso a ajudasse a lidar com o que estava sentindo. Talvez assim pudesse dar vazão ao doloroso sentimento que ameaçava dominar sua vida. Poderia ser um desastre, mas resolveu tentar.

Ela procurou na lista telefônica e encontrou uma lista com vários profissionais da área. Muitos deles na vizinhança, então, ela fechou os olhos e escolheu um aleatoriamente.

Elinor Dupre. O nome parecia francês e era exótico. *Talvez ela não fale inglês, assim vai ficar mais fácil fazer terapia, já que uma não vai entender a outra*, pensou Emma. Ela discou o número na expectativa de ser atendida por uma secretária eletrônica ou por uma recepcionista que, no mínimo, a colocasse em uma lista de espera. Para sua surpresa, uma mulher atendeu com uma voz clara e nítida.

— Aqui quem fala é Elinor Dupre.

— Ah... Alô, como vai? Meu nome é Emma Sheridan e consegui seu número na lista telefônica — disse Emma, gaguejando. — Eu preciso da indicação de outro médico para ser atendida ou algo do gênero...? — Ela parou de falar abruptamente.

— Não é necessário. No entanto, seria importante se você me contasse por que gostaria de me ver. Aí dá para avaliar se poderia ajudá-la.

Sua voz era suave e reconfortante, e Emma teve o desejo ridículo de desabafar com ela ao telefone. No entanto, limitou-se a dizer:

— Não posso ter filhos e, por causa disso, toda a minha vida ficou comprometida.

— Creio que esse é um problema sério na vida de qualquer pessoa — comentou Elinor, com a voz calma, como se houvesse compreendido tudo de imediato. — Certamente esse não seria um caso que eu descartaria por não saber "se poderia ajudá-la". Quando poderia vir aqui?

Emma não saberia dizer o que aconteceu com ela, mas começou a chorar no telefone.

— Sinto muito. — Ela se debulhou em lágrimas. — Isso é bobagem, não sei por que estou chorando, nem por que lhe telefonei.

— Porque é a hora certa de fazê-lo — disse a outra mulher, com firmeza. — Você tomou uma decisão e, quando isso acontece, passa por um desprendimento. Um paciente meu cancelou inesperadamente uma consulta para hoje, às seis e meia. Gostaria de vir nesse horário?

— Gostaria, sim. Obrigada — respondeu Emma, emocionada. Não sabia nem dizer como aguentaria esperar até a hora da consulta. Poder conversar com alguém que entendesse tudo que vinha passando se tornou, de uma hora para outra, a coisa mais importante do mundo.

Elinor Dupre morava em uma casa imponente em estilo georgiano, no final de uma rua sem saída. Seu consultório ficava no subsolo e, enquanto estacionava o carro, Emma viu uma luz acesa em uma das janelas do porão. Antes de sequer bater à porta, alguém a abriu.

— Por favor, entre — disse, sorrindo, Elinor Dupre, com uma simpatia natural que suavizava a formalidade de suas palavras. Era uma mulher de expressão serena, perto dos sessenta anos, e trajava um chamativo quimono estampado. Seus cabelos escuros compridos achavam-se presos em um coque simples. Não estava maquiada e a única joia que usava, pendurada em seu pescoço delgado, era um relógio numa corrente comprida.

Ela acompanhou Emma até uma sala ventilada no andar de baixo, onde havia uma lareira, algumas estantes e duas poltronas. Havia também uma caixa de lenços de papel sobre uma mesinha do lado de uma das poltronas.

Elinor sentou-se na outra cadeira, colocando uma caneta e um caderno no colo e deixou que Emma ficasse ao lado da caixa de lenços de papel.

Emma acomodou uma almofada atrás de si, para ficar mais confortável e, depois de sentar-se, olhou a seu redor, com ansiedade, evitando fixar os olhos em Elinor. Não sabia mais por que estava ali. O que iria dizer? Estar ali não seria um desperdício absurdo de tempo e dinheiro? E por que Elinor não falava nada? Costumava fazer aquilo; era seu trabalho, sabia qual seria o próximo passo. E Emma não tinha a menor ideia.

Elinor finalmente falou, como se soubesse intuitivamente o que se passava na cabeça de Emma.

— Não existem regras em sessões como esta — explicou ela. — A princípio, parece estranho ficar esperando que alguém comece, mas a psicologia não funciona assim. Você veio aqui porque estava precisando...

— Da sua ajuda — interrompeu Emma.

— Na verdade, você vai ajudar a si mesma, Emma — enfatizou Elinor com seriedade. — Existem várias correntes na psicanálise, mas eu trabalho com a terapia cognitiva, em que você mesma aprende a resolver seus problemas. Serei apenas uma orientadora, uma ajudante. Nada mais do que isso. Algumas vezes lhe farei perguntas que me ajudarão a entendê-la melhor, mas, no geral, você vai estar no banco do motorista.

Emma deu uma risada rouca ao ouvir aquilo.

— Bem que eu gostaria — comentou ela, com amargura.

Elinor não disse nada, mas inclinou a cabeça, como se perguntasse por quê.

— Nem sei dizer por que falei isso — disse Emma, rapidamente.

— Porque é o que quer que aconteça? — indagou Elinor.

— Bom, é, sim... pelo menos às vezes... Nem sei. — Emma olhou à sua volta, confusa. Não sabia o que falar.

— Não existem respostas certas nem erradas — enfatizou Elinor. — Diga o que lhe vem à mente e o que sente. Me conte por que você não está no banco do motorista.

— Porque ninguém me dá ouvidos! — exclamou Emma, surpresa com a agressividade de sua resposta. — Ninguém. Com exceção de Pete, mas só ele e mais ninguém. Nem minha mãe, nem Kirsten, nem meu pai. Nunca! Ele faz pouco de mim e acha que sou uma idiota. Odeio isso, odeio meu pai!

Ela parou de falar, chocada. Dissera tudo aquilo, e o céu não desabara em sua cabeça, nem ouvira alguém, horrorizado, dizer que ela devia ter vergonha de si mesma. Na verdade, Elinor a escutava tranquilamente, como se muitas pessoas já houvessem sentado em sua poltrona e dito coisas terríveis sobre as criaturas que mais deveriam amar no mundo.

— Não acredito que falei isso — disse Emma, com a voz entrecortada.

— Mas você quis falar, não quis? — indagou Elinor, baixinho, com sua voz tranquilizadora.

— Quis, sim. Você nem imagina como é difícil conviver com eles. Eu adoro a Kirsten, de verdade. Mas ela é a filha preferida e eu não; nem de longe. Não que eu fique com ciúmes — acrescentou, relutante, buscando palavras para se explicar melhor. — A Kirsten é espetacular. Bonita e divertida, mas não a invejo por isso. Só não sei o que fazer para que eles me aceitem pelo que sou e para que meu pai pare de me intimidar e de fazer pouco de mim. Isso faz sentido?

Elinor simplesmente concordou com a cabeça.

— Tenho 32 anos e eles ainda me tratam como se eu fosse uma criança; uma criança idiota, ainda por cima. A impressão que tenho é de que nunca vou conseguir me ver livre disso, sabe? — prosseguiu Emma, recostando-se na poltrona e fixando os olhos na sanca atrás da cadeira de Elinor. — O fato é que invejo as pessoas que emigram, porque elas podem se ver livres de toda essa confusão. Ninguém as trata como crianças e, além do mais, suas opiniões são respeitadas. Pensei em sugerir ao Pete, o meu marido, que emigrássemos, sei lá, para a Austrália ou para os Estados Unidos. Mas não seria justo. Ele adora a família dele. Eu também amo a minha — acrescentou ela, com rapidez. — É só que...

— Aqui você não precisa fazer ressalvas. — Elinor deu um sorriso. — Esta sala, neste horário, neste dia da semana, é reservada para que você diga o que realmente pensa.

— Eu nunca faço isso — comentou Emma. — A não ser no trabalho, mas sou outra pessoa quando estou lá. Não consigo me imaginar dizendo o que realmente penso para os meus pais. Parece algo impossível. Fico triste com isso e me sinto uma idiota.

Ela começou a chorar e, pela primeira vez, não sentiu vergonha de fazê-lo na frente de uma pessoa que mal conhecia. Compreendeu então por que havia uma caixa de lenços de papel ao lado de sua poltrona.

Depois de uma hora, Emma estava arrasada. Continuou sentada por alguns instantes, enquanto Elinor procurava um horário para ela em sua agenda, na semana seguinte.

— Aqui tem um cliente que cancelou a consulta — explicou ela. — Você terá que vir noutro horário na próxima semana. Que tal segunda-feira, às cinco e meia?

Pouco mais de uma hora depois de ter chegado em casa, Emma deu consigo mesma na frente da porta de entrada, um pouco traumatizada pela experiência que vivenciara. Havia passado uma hora com uma desconhecida e não descobrira nada sobre ela. Nesse ínterim, Elinor extraíra o tempo todo detalhes da vida de Emma. Ela não chegou a ter a sensação de que vinha sendo questionada, mas simplesmente de que contava a alguém o que essa pessoa precisava saber. Em certos momentos, Elinor tomou notas em seu caderno, mas o fez de um jeito tão discreto, que Emma quase não percebeu.

E ela nem chegou a comentar que queria ter um filho, o que lhe pareceu muito estranho. Era algo que não saía de sua cabeça, mas não viera à tona.

Emma foi para casa dirigindo. Nunca se sentira tão esgotada em toda a vida. Não tinha ânimo nem para assistir a uma novela na televisão, de tão fraca e abatida que estava. Aquilo também era estranho. Tinha imaginado que terapias servissem para libertar as pessoas dos demônios do passado, tornando-as fortes e maravilhosas. No entanto, tudo que sentia era cansaço e tristeza. Dali em diante só poderia melhorar.

Mas, na verdade, piorou. Na semana seguinte, Emma sentiu-se um pouco mais preparada para enfrentar o estresse emocional da conversa com Elinor; decidiu que não iria chorar. Nada de ficar soluçando como uma criança, o que pareceria patético e seria uma grande perda de tempo, já que ela deveria estar se esforçando para ficar mais forte e otimista.

— Tudo isso tem a ver com a força de vontade, certo? — indagou ela. — Eu até tenho, mas muitas vezes ou não a uso ou deixo que a tomem de mim.

Elinor inclinou a cabeça. *Ela sempre fazia aquele gesto*, pensou Emma, com um sorriso. Significava "fale um pouco mais sobre isso", sem que a terapeuta precisasse dizer nada.

— Eu até poderia chegar para meu pai e mandá-lo para o inferno, mas não faço, porque toda vez que o vejo me sinto como se tivesse voltado a ter quatro anos de idade.

— Você se sentiria melhor se pudesse mandá-lo para o inferno? — indagou Elinor.

Emma movimentou o tornozelo direito enquanto pensava no assunto.

— Talvez não. Ele ficaria furioso, mas será que isso valeria a pena...? O pai da minha amiga Hannah é alcoólatra e ela já mandou o sujeito se danar várias vezes, mas acho que o relacionamento dela com ele é completamente diferente do que tenho com o meu.

— A Hannah é uma das amigas que conheceu nas férias? — indagou Elinor, com a caneta em punho, pronta para registrar os fatos.

— É, sim — respondeu Emma. — Ela está grávida. — Ao dizer isso, as lágrimas começaram a escorrer pelo seu rosto. Não chegou a cair em um pranto histérico, apenas ficou chorando, em silêncio, como se a palavra "grávida" tivesse aberto as comportas de uma barragem. — Não sei por que estou chorando — disse ela, estupidamente. Mas sabia sim, claro que sabia. — O consumo de lenços de papel deve ser muito alto aqui — sussurrou ela, pegando vários deles.

Elinor deixou que chorasse. Por fim, fez uma pergunta.

— Você já chorou por esse motivo na frente de mais alguém?

— Só na frente de Hannah e de Leonie, nas férias, quando nos conhecemos. Tinha certeza de que estava grávida... Todo mundo me pergunta se tenho filhos — comentou ela, com a voz rouca. — Na semana passada, eu estava no supermercado e uma senhora me fez essa pergunta. No domingo, na casa da minha mãe chegou uma parente e quis saber quando eu ia ter filhos. Não aguento mais. Quero mandar todos para o espaço!

— Acho que você precisa se esforçar mais para dizer o que quer — aconselhou Elinor, com calma. — Tem que se sentir segura o bastante para dizer "isso é o que eu quero" e para saber que, se suas necessidades deixam as outras pessoas espantadas ou aborrecidas, problema delas. O que importa é como *você* se sente. A reação das pessoas a isso é problema *delas*. Você não pode responder pelos sentimentos dos outros.

Emma recostou-se na cadeira, admirada. Nunca havia expressado seus sentimentos. Em seguida, percebeu que precisava dizer aquilo em voz alta.

— Nunca falei o que estava sentindo ou o que queria e, se o fiz, foi muito raramente, apenas para poucas pessoas. Não sei por quê.

— Está tentando ser aceita — ressaltou Elinor. — Mesmo quando se trata de algo extremamente doloroso, você não se manifesta. Fica esperando para saber o que as outras pessoas querem e, em seguida, adapta as suas necessidades em função disso. Dessa maneira, tem certeza de que tudo o que disser será o que os outros querem ouvir. Mas o que a obriga a agir assim? O que ganha com isso, além de relegar suas necessidades e seus desejos por causa dos outros? Encare a coisa de outra maneira: já conheceu alguém que simplesmente diz o que pensa em qualquer situação? Alguém que jamais aceitaria uma taça de vinho branco, só porque havia uma garrafa aberta, quando na realidade gostaria de tomar um tinto?

— A Kirsten, dos pés à cabeça.

— E as outras pessoas a aceitam?

— Com certeza. Todo mundo a adora. Ela é temperamental, mas fala tudo o que lhe vem à cabeça.

— O que significa que você também pode fazer isso e, ainda assim, ser bem aceita e amada. Então por que não o faz? Acha que é menos cativante do que a Kirsten? Que ela consegue se dar bem assim e você não?

— Para falar a verdade, acho sim — admitiu Emma. — O que é errado, não é?

— O que é certo ou errado não vem ao caso — explicou Elinor. — Mas o fato é que isso não lhe faz bem. Agindo assim, você cria um efeito negativo. Diga-me uma coisa: o que os médicos falaram de sua infertilidade?

Emma permaneceu sentada, em silêncio.

— Nunca procurei um médico — confessou ela.

— Nunca? — indagou Elinor, com seu tom de voz agradável e descontraído.

— Bom, na verdade, nunca quis falar sobre esse assunto com ninguém... — tentou se explicar.

Elinor continuava encarando Emma com certa expectativa.

— Nunca ninguém me disse que sou estéril — prosseguiu ela, por fim. — Eu simplesmente sei que sou. Da mesma forma que algumas mulheres até pressentem o momento em que ficaram grávidas, eu tenho certeza de que não posso ter filhos. Não sei explicar direito.

— E, por essa razão, nunca procurou um médico? Por que você tem tanta certeza disso, mesmo sem ter feito testes?

— É lógico que não posso ter filhos — insistiu Emma, com teimosia.

— Por quê?

— Porque não. Já tento há vários anos e nunca consegui. Simplesmente por isso — respondeu Emma, exasperada. — Nunca teve essa experiência, Elinor, saber de uma coisa sem ninguém ter lhe dito?

— Algumas vezes — respondeu Elinor, sem se deixar envolver. — E acontece com frequência? Isso de você saber das coisas sem ninguém lhe dizer?

— Na verdade, não — respondeu Emma, irritada. A sequência de perguntas a aborreceu. Parecia até que Elinor estava pondo em dúvida o que dizia. Ela daria tudo para ter um bebê, só que sabia que não podia engravidar.

O relógio de parede de Elinor bateu. A hora havia se passado, e a consulta de Emma terminara. Ela sentiu-se feliz naquele momento, porque poderia ir embora.

Enquanto dirigia até sua casa, ficou remoendo o assunto em sua mente. O que achava mais esquisito era o fato de Elinor não tratar o assunto do bebê como a questão primordial que fizera com que Emma a procurasse. Ela não comentara "Eureca, agora descobrimos a raiz do problema!".

Ficara óbvio que achava que havia muito mais em jogo. Emma suspirou. Era muito ruim ter que falar sobre os temores mais profundos, e quem achasse que se tratava de algo divertido, certamente não batia bem da bola.

No domingo seguinte, enquanto estavam a caminho da casa dos O'Brien para almoçar, Emma contou a Pete que vinha fazendo análise.

— Não quero que você pense que estou entrando em parafuso ou algo parecido — comentou ela, enquanto olhava para o sinal de trânsito vermelho à sua frente.

Emma estava tensa, com um dos punhos cerrado sobre o colo; Pete largou a marcha do carro e envolveu a mão da esposa com a sua. Ela apertou os dedos dele.

— Eu não acho que você está entrando em parafuso, Emma — disse ele, com gentileza. — Sei que vem sofrendo uma pressão enorme por causa de sua mãe e... tudo o mais.

Até então, os dois evitavam tratar da necessidade premente de Emma ter um filho. Ela não sabia quem era pior: se ela, por ficar obcecada com a ideia, ou se Pete, que, por ter tanto medo de magoá-la, nunca falava sobre crianças.

— Tudo o que eu quero é que seja feliz, meu amor. E, se conversar com alguém ajuda, ótimo. Só detestaria saber que não conseguiu falar comigo a respeito. Para mim, você é a pessoa mais importante do mundo. Amo você demais.

Ele afastou a mão para passar a segunda marcha, e Emma assentiu com a cabeça, emocionada demais para fazer comentários naquele momento.

— Eu *consigo* falar com você, Pete — disse ela, finalmente. — É que existem coisas que preciso esclarecer primeiro em minha cabeça e fica mais fácil conversar com alguém que não me conheça ou que não esteja envolvido comigo. Só não quero que isso o deixe zangado. Não tem nada a ver com nós dois, Pete. Você sabe que sou apaixonada por você.

Ele tornou a segurar a mão da esposa.

— Eu sei, sua boba. Se eu sequer imaginasse que estávamos tendo problemas, aí eu mesmo ia querer levá-la a uma terapia de casais. Não vou perder você, Emma. Sei que está sendo difícil ter que lidar com seus pais e — ele fez uma pausa — tem a questão do bebê.

— Como você sabe disso? — perguntou ela, baixinho.

— Se eu não tivesse percebido que está louca para engravidar, estaria cego, Emma. Sei que adora crianças, mas, às vezes, é preciso ter um pouco de paciência.

Ela assentiu com a cabeça, sem ter certeza de que ficaria mais tranquila. Pete sabia que ela queria ter um filho, mas nem imaginava seu desejo intenso de ser mãe, a ponto de viver em agonia e desespero. Tampouco tinha noção de que a esposa sentia-se culpada por não engravidar e de que acreditava que o pior estava prestes a acontecer. Seu temor não era estar demorando para engravidar e sim que fosse, na verdade, estéril, infértil. Não haveria, então, esperanças para ela; seria uma inútil. No entanto, Emma só tinha uma certeza naquele momento, não queria conversar com Pete sobre aqueles medos arraigados.

Ela interrompeu o marido.

— Pete, precisamos discutir esse assunto, só que não me sinto pronta ainda, está bem? Se você não se importa, falaremos sobre isso depois, mas não agora.

— Se você prefere assim, tudo bem. Mas vamos ter que tratar disso mais cedo ou mais tarde, Emma. De qualquer forma, nós somos jovens, e temos muito tempo pela frente.

Emma ficou sem palavras, comprimindo os lábios, quase sem acreditar que os dois estavam tendo aquele tipo de conversa. Seu marido achou que entendia como ela se sentia, mas se enganava. Ele estava dando tudo de si, porém, ninguém poderia compreendê-la, a não ser outra mulher, o que era trágico. Aquela situação poderia acabar fazendo com que Pete se distanciasse dela, se Emma não tomasse cuidado.

Ela se aproximou do marido e beijou-o no rosto. — Obrigada, Pete, não sei o que fiz para merecer você.

Quando eles chegaram, a mãe de Emma estava polindo a maçaneta de bronze da porta da frente da casa.

— Tudo bem, queridos? — saudou ela, distraída. — Estou dando um polimento aqui. — Ela retomou sua tarefa, ignorando os dois.

Marido e mulher se entreolharam.

Emma entrou e surpreendeu-se ao deparar com Kirsten; só não estranhou encontrar a irmã esparramada no sofá, lendo a seção de moda e beleza do caderno de domingo de um dos jornais. Ela não era o tipo de pessoa que ajudaria a preparar o almoço, sempre arranjava uma desculpa para não fazê-lo. O assado podia esturricar no forno antes que ela saísse de sua posição de bruços.

— Oi, gente — disse Kirsten, olhando-os de esguelha.

— Viu só o que a mamãe está fazendo? — indagou Emma.

— Está polindo algo, não está? — respondeu ela, voltando a se concentrar na revista.

— Ela está polindo a maçaneta da porta da frente, Kirsten. É muito estranho ela decidir fazer isso num dia de domingo. A mamãe nunca faz nenhuma tarefa doméstica nesse dia, a não ser preparar o almoço. Você não acha isso esquisito?

A irmã deu um suspiro e deixou a revista de lado, como quem diz que ficara óbvio que não conseguiria ler mais nada.

— Nem um pouco, Emma. Você sabe que ela tem mania de limpeza. Eu não ia ficar surpresa se fizesse qualquer tarefa doméstica que fosse.

Emma começou a perder a paciência.

— Kirsten, será que você não consegue enxergar nada que não faça parte do seu mundinho limitado?

A irmã deu um suspiro.

— Não sei qual é o seu problema, Emma. Na verdade, quem está vivendo um pesadelo aqui sou eu.

— O que foi que aconteceu? — perguntou Emma, empoleirando-se na beira do sofá.

— Eu e o Patrick brigamos. Ele é um cafajeste. Você nem imagina o quanto é sortuda, Emma. — Kirsten olhou para Pete de modo expressivo. Ele pegara um dos jornais, e fingia estar absorto lendo o caderno de esportes, para não dar espaço para discussões.

— Mas o que foi que houve? — perguntou Emma, direta. Não estava com paciência para os chiliques da irmã. Provavelmente Patrick se queixara do usual valor astronômico da fatura de seu Visa e fizera algum comentário sobre ela ser uma compradora compulsiva, exigindo que reduzisse os gastos. Seu cunhado nunca perdera a paciência, o que era impressionante em se tratando de alguém que convivia com uma pessoa como Kirsten. — Aposto que você andou esbanjando dinheiro nas compras, como se o mundo fosse acabar amanhã. A essa altura, você já poderia ser acionista da Gucci.

— Você pode até debochar, mas dessa vez a coisa foi séria — retorquiu Kirsten. — Muito séria.

Emma não estava convencida. — Explique para mim o que você chama de "coisa séria" — disse ela, com aspereza.

— Ele está pensando em ir passar umas semanas na casa do irmão.

— Que catástrofe! — Emma ficou chocada.

— Isso mesmo — disse a irmã, com mau humor, enquanto se levantava para sair da sala.

Emma foi atrás dela.

— Cadê o papai? — perguntou, ao perceber que Jimmy não se encontrava em canto algum.

— Parece que houve algum tipo de emergência na casa da tia Petra. Vai ver que ela encontrou os restos mortais do homem que veio medir o consumo de gás na casa dela, dez anos atrás, que ela, na certa, deixou trancado esse tempo todo na garagem. Só espero que o papai chegue logo, estou morrendo de fome.

Ela deu uma olhada no forno, com o mesmo olhar perdido de uma mulher da era vitoriana, que viajou pelo tempo e deparou com o painel de controle de um ônibus espacial.

— Você é realmente um zero à esquerda em se tratando de prendas domésticas, Kirsten. — Emma deu uma olhada no assado e, concluindo que estava quase pronto, abaixou o fogo e foi preparar a salada.

— Então, é melhor eu começar a aprender. O Patrick me disse que não tem a menor intenção de continuar bancando meu estilo de vida e que eu posso muito bem procurar um trabalho. Ah, peraí, na verdade, a expressão correta foi "uma droga de um trabalho".

— O que você andou aprontando, Kirsten?

A irmã vacilou por alguns instantes.

— Eu dormi com outra pessoa.

— Ah. Mas você ama o outro cara? — indagou Emma, hesitante.

— Não, é que eu estava de saco cheio. Na verdade, foi um erro. Bom, não de todo, porque ele era muito bom de cama — acrescentou ela, pensativa.

— Mas você é mesmo uma sacana irresponsável! — Emma ficou furiosa com a irmã. Que coisa mais insensata. Imagina só, aprontar uma dessas com o pobre do Patrick.

— O que os olhos não veem o coração não sente. De qualquer maneira, o que você entende dessas coisas? — retorquiu Kirsten, com sarcasmo. — É a maldita Dona Certinha! Só porque nunca teve o impulso de trair, isso não quer dizer que o resto da humanidade tem que agir do mesmo jeito.

— Eu não sou nenhuma Dona Certinha — gritou Emma. — Fiquei aborrecida porque gosto do Patrick e estou pouco me lixando para essa droga de cara que você conheceu. Se estivesse apaixonada por esse outro homem, eu lhe daria todo o apoio, mas esse não foi o caso. Ele não passou de uma transa de um dia em que estava bêbada. Você realmente não está nem aí para os outros, não é, Kirsten?

Naquele momento, tudo estava vindo à tona. Emma não conseguia se conter. As palavras lhe fugiam ao controle e ela estava colocando para fora toda a raiva reprimida que vinha guardando para si desde que Kirsten havia simplesmente se recusado a discutir a situação de sua mãe. Juntas, poderiam enfrentar o problema de Anne-Marie e conversar com Jimmy, dizendo-lhe o que pensavam a respeito. Mas, sem o apoio da irmã, ela receava fazê-lo. — Dizer que você só pensa em si mesma é pouco. Você é obcecada por si mesma — vociferou ela.

As duas trocaram olhares na cozinha, e os olhos de Kirsten faiscaram.

— Você acha o quê? Que é a mais sensata e responsável? — esbravejou Kirsten. — Não é sensata não. Na verdade, não passa de um capacho dos outros!

— Não tenho a menor intenção de interromper a luta final do ano dos pesos-pesados do boxe, mas acho melhor que uma de vocês vá lá fora e traga sua mãe para dentro — disse Pete, espiando da porta da cozinha, como se estivesse a ponto de ser atingido por uma panela.

— O que é que ela está fazendo? — indagou Emma, esquecendo-se da briga.

Pete fez uma careta. — Dá para ouvi-la daqui. — Foi tudo que ele disse.

As duas irmãs ouviram a mãe gritando; na verdade, ela estava berrando. — Vão embora, seus canalhas! Sumam daqui!

— Minha nossa! — disse Kirsten, chocada.

— Tentei convencê-la a entrar, mas ela não quis — ressaltou Pete.

Eles foram correndo até o jardim da frente. Anne-Marie estava de pé, junto do portão, com o punho em riste, gritando com os transeuntes perplexos. — Sumam daqui!

— Meu Deus, não consigo nem olhar! — exclamou Kirsten, voltando em seguida para dentro de casa. Pete tocou a mão da esposa suavemente e, então, os dois se aproximaram de Anne-Marie.

— Vamos para dentro, mãe — disse Emma, com sua voz mais suave. — Vamos tomar uma boa xícara de chá, está bem?

Hannah passara um mês ensaiando o que ia dizer a David James.

Estou pedindo demissão porque estou grávida. Fico muito grata por você ter me oferecido aquele emprego fantástico em Wicklow, mas não, obrigada, não vou poder aceitar. Quero lhe agradecer também por ter acreditado em mim, oferecendo-me uma promoção e dando-me a oportunidade de fazer uma carreira.

Não importava a forma como ela se expressava, aquele comunicado soava terrível. Parecia que ela era indiferente e mal-agradecida.

Começara a se acostumar com a ideia de que esperava um filho. Estava lendo livros sobre gravidez e aprendera a dosar seu consumo diário de cálcio e de alimentos nutritivos. E, apesar de Felix ter ficado encantado com a gravidez da noiva, continuava insistindo para que Hannah tomasse vinho nas boates e não entendia por que ela não o queria fumando por perto. No entanto, contar às pessoas era outra história. Hannah gostava de ter as coisas sob controle e detestava admitir que ficara grávida sem querer. Aquela gravidez não planejada fazia com que se sentisse parecida com algumas cabeças ocas que deixavam que as coisas acontecessem, em vez de tomar uma atitude.

Sua mãe ficara felicíssima com a notícia, e Hannah e Felix ainda teriam que encarar uma visita a Connemara, onde o pai dela ia pintar e bordar com o pobre do Felix.

— Seu pai vai ficar entusiasmado. Ele adora crianças —, comentara Anna Campbell ao telefone.

Felix queria que se casassem antes de partirem em visita às respectivas famílias. E Hannah estava inclinada a concordar com ele; já imaginava o pai fazendo o maior alarde, por não poder ter dado uma festa de arromba no casamento da única filha. Já Anna não se importaria com isso. Estoico era seu sobrenome. Hannah teria preferido conhecer a família de Felix primeiro, porém o noivo fora bastante reticente sobre seus pais e ela, percebendo aquilo, preferira não insistir.

Contudo, antes de se concentrar em casamentos e reuniões de família, Hannah teria que contar as novidades a seu chefe. Por algum motivo que desconhecia, estava odiando ter de fazê-lo.

Preferiu conversar com ele no final do expediente de uma sexta-feira, para poder se esquivar logo depois, sem ter de encarar o decepcionado David pelo resto do dia.

— Eu poderia dar uma palavrinha com você? — perguntou-lhe ela, às cinco e meia.

— Claro que sim. Venha até a minha sala em cinco minutos — respondeu David.

O chefe ainda estava falando ao telefone quando Hannah entrou. Ela ficou ali, parada, sentindo-se como uma colegial prestes a ser repreendida por ter simulado cólicas menstruais, pela segunda vez no mês, para ser dispensada dos jogos.

David sorriu para ela enquanto ouvia a outra pessoa falando na linha e fez um gesto para que se sentasse. *Que droga*, pensou ela, sentindo-se péssima. Ele já devia imaginar o que Hannah diria. Ela provavelmente estava com a palavra "culpada" escrita na testa. Mas por que a culpa? Estava grávida e iria se casar. O que poderia haver de errado naquilo? Absolutamente nada.

David desligou o telefone e, com um suspiro, reclinou-se na cadeira.

Sentindo-se, por um instante, encorajada, Hannah começou a falar em uma velocidade alucinante.

— Estou grávida, David. Eu e o Felix vamos nos casar e nos mudaremos para Londres. — Pronto. Resolvido. Já dissera o que precisava.

— Ah — foi tudo o que disse. Hannah havia esperado algo mais. Não sabia dizer exatamente o que, mas algo mais...

— Por isso, não vou poder aceitar o emprego de Wicklow. Mas quero que saiba que achei muita gentileza de sua parte me oferecer o cargo — apressou-se em dizer, meio inquieta. Queria terminar aquela conversa e sair logo dali.

David estendeu a mão e olhou para os dedos, pensativo, como se tentasse decifrar um enigma oculto, escondido entre eles.

— Acho uma pena — comentou ele, sem olhar para Hannah. — Sentiremos sua falta por aqui e, além do mais, tinha grandes planos para você no futuro. Tem um dom natural para esse negócio.

— Sinto muito — disse ela, pouco convincente, fixando os olhos nas próprias mãos. Arrependeu-se de não ter colocado seu anel de noivado, para ficar mais segura de si, mas fizera aquilo deliberadamente. Não queria usá-lo no escritório até fazer um comunicado oficial.

— O Felix é um cara de sorte — acrescentou ele, com suavidade. — Será que receberei um convite para o casamento por ter apresentado vocês sem querer?

Hannah percebeu por instinto que a última coisa que David queria na vida era estar presente naquela cerimônia.

— Talvez nos casemos no exterior — comentou ela, evitando trocar olhares com ele. — Mas é claro que vou trabalhar o mês inteiro para cumprir o aviso prévio.

— Claro — disse ele. — Hannah...

A forma suave e carinhosa com que pronunciou seu nome fez com que ela olhasse para ele. Normalmente, David sentava-se tão aprumado e empertigado em sua cadeira que parecia um militar disciplinado. Naquele momento, no entanto, ele se apoiava na escrivaninha, com os braços cansados, e as rugas no seu rosto faziam com que parecesse mais velho. *Ele está precisando de férias urgentemente*, pensou Hannah impetuosa. Trabalhava muito e nunca tirava folga. Talvez algumas semanas de descanso, para permitir que o sol bronzeasse a sua pele, levantasse sua expressão e suavizasse as rugas que contornavam seus olhos escuros. Era disso que ele precisava. Mas ela não estaria mais ali para sugerir o que quer que fosse, como costumava fazer, às vezes meio maternal, às vezes meio mandona. David parecia um tanto triste e desolado.

— Não deixe de manter contato, hein? — pediu ele, sem desgrudar os olhos dela.

— Não deixarei.

Hannah levantou-se. David fez o mesmo e foi na direção dela para abrir a porta.

De impulso, Hannah atirou-se nos seus braços. Com exceção daquele estranho almoço no pub quando ele pegara em sua mão, aquela era a primeira vez em que ficara tão perto de David. Enquanto ela o abraçava, ele a envolvia com os braços e a trazia para perto de si.

De repente, inclinou a cabeça, delicadamente, a barba do final do dia roçando no queixo dela. Foi um beijo cheio de arrependimento, não foi sensual como ela esperava, mas, ainda assim, bastante sedutor. Por algum motivo que Hannah desconhecia, desejou que ele prosseguisse, queria sentir suas mãos enormes envolvendo sua cintura, como se ela fosse uma pequena criatura frágil; queria sentir o corpo de David apertado de encontro ao seu e desejou passar a mão por seus cabelos grisalhos. Queria levá-lo para casa e convencê-lo a tirar um dia de folga, uma semana de folga e...

— Eu falei sério quando lhe pedi para manter contato — disse ele. — Sou seu amigo e pode contar com o meu apoio quando precisar. Nunca vai faltar trabalho para você.

Hannah assentiu com a cabeça e apressou-se até a porta. Se ficasse ali mais algum tempo, poderia dizer alguma coisa da qual se arrependesse mais tarde.

— Ele estava dizendo que nunca vai faltar trabalho para você aqui ou eu ouvi errado? — quis saber Gillian, que estava convenientemente posicionada próximo à fotocopiadora, que ficava do lado de fora da sala de David. Por um instante, Hannah assustou-se com a ideia de que a colega pudesse ter visto ela e David se beijando, mas lembrou-se de que as persianas da sala estavam fechadas.

— Eu estou indo embora, Gillian — respondeu Hannah, com mais satisfação do que realmente sentia. A partir de então, ela poderia contar a novidade para todo mundo.

— Você vai embora? — perguntou Gillian, enquanto arrumava a escrivaninha.

Hannah acenou com a cabeça.

— Vou me casar com o Felix. Na verdade, a gente já estava pensando em marcar a data, só que fiquei grávida — disse, olhando de esguelha para a colega —, então decidimos antecipar a cerimônia.

Gillian ficou radiante. Havia vencido! Sua inimiga número um estava saindo de cena, e ela poderia se dar ao luxo de ser agradável.

— Estou *muuito* feliz por você, Hannah — comentou ela, enquanto passava os olhos por sua barriga, na tentativa de descobrir há quanto tempo estava grávida. — Quando vai ser o grande dia? Quero dizer, o dia da cerimônia? — perguntou ela, dando uma risadinha estridente.

— Estou esperando o bebê para dezembro, mas ainda não temos a data do casamento.

Felizmente, o telefone de Gillian tocou, e Hannah foi poupada do interrogatório.

Donna lhe deu parabéns com um abraço. Sentia-se feliz por ela, porém com ressalvas que o olhar deixou transparecer.

— Você não acha que tomei a decisão mais acertada, acha? — indagou Hannah, em voz baixa.

A outra mulher deu de ombros.

— Está grávida, apaixonada e vai se casar. O que poderia haver de errado com isso? — retrucou, dando um sorriso sardônico.

— Posso lhe fazer uma pergunta pessoal? — quis saber Hannah, hesitante. — Por que você não ficou com o pai de Tania? Se não quiser, não precisa responder.

— Na verdade, fiquei com ele por um tempo — disse Donna, baixinho, para que Gillian não a ouvisse. — Acreditava que poderia ficar com o pai da minha filha, mas só que ele não merecia isso. Por Tania, teria valido a pena, mas por ele não. Cometi um erro e tive que me separar. Eu e minha filha estamos melhor sem ele.

— Você acha que eu e o Felix estamos cometendo um erro? — perguntou Hannah, receosa.

Donna balançou a cabeça.

— Não cabe a mim dizer, Hannah. Você é adulta. Eu a respeito e sei do seu bom-senso. Tem que fazer o que acha certo. Agora me diga uma coisa, será que dá para você tomar uma taça de vinho de vez em quando? A gente pode misturar um pouco de água com gás e preparar um drinque gaseificado que vai durar a noite toda.

No entanto, o plano das duas colegas de sair para tomar um drinque foi por água abaixo, assim que Hannah saiu do escritório. Ela marcara um encontro com Donna mais tarde, no McCormack's, e acabara de ligar para Felix, deixando uma mensagem no celular do noivo, avisando-o de que chegaria mais tarde aquela noite e, ao abrir a porta do carro, ouviu alguém dizendo: — Olá, Hannah.

Virando-se, ela deparou com a última pessoa que esperava no mundo: Harry.

— Como você ousa se aproximar de mim tão furtivamente? — perguntou ela, com o coração disparado, depois do susto que tomara.

— Não tive a intenção de assustá-la — disse ele, desculpando-se. — Queria conversar com você, mas tive medo de ir até o escritório e dar de cara com seu noivo — ele pronunciou a palavra cheio de ironia — esperando e acabar sendo agredido por ele.

— Corajoso como sempre, né? — disse Hannah, com rispidez. — Em vez disso, preferiu *me dar um susto*?

Ela ficou imaginando por um momento o que Felix teria dito para deixá-lo tão assustado. Provavelmente aproveitou o texto de algum filme de gângster e falou para ele que amarraria seus pés com pesos de chumbo e o faria nadar com os peixinhos, se a procurasse de novo.

— Não me trate assim, Hannah. Só queria bater um papo com você e nada mais — comentou Harry, dando uma de garotão irresistível, como costumava fazer. Ele passou a mão em uma mecha de seus cabelos longos e deu um sorriso cativante.

A técnica não surtiu efeito. As partes do corpo de Hannah que ficavam eletrizadas ao ver Harry não vibravam mais.

— Por quê? — indagou ela, com cansaço. — Estou com outra pessoa e não vejo razão alguma para ficar aqui, exausta, discutindo com você, Harry. Acho que já disse que não quero mais vê-lo.

— Você parece exausta — comentou ele.

Hannah o encarou. — Sempre dando uma de gostosão. Já considerou a possibilidade de dar aulas? — perguntou ela, com sarcasmo.

— Eu não quis insinuar nada.

Ela quis pôr fim àquela conversa. Não estava com a menor vontade de ficar ali, na beira da estrada, conversando com um homem que a fizera passar por tanto sofrimento. Harry fazia parte do seu passado. E Hannah tinha um futuro pela frente, que incluía Felix e um bebê. Afastou da mente o beijo que tinha trocado com David James.

— Como você bem disse, eu *estou* cansada. E isso é por causa da minha gravidez — disse ela friamente. Ele que engolisse aquele sapo.

Harry ficou com a boca tão escancarada que Hannah pôde ver suas obturações; notou que tinha várias. Seus dentes sempre foram fracos. Ela não conseguiu conter o sorriso. Ali estava o homem que a deixara transtornada ao ter ido embora e, naquele momento, era ela quem olhava para ele com frieza, completamente imune à sua presença e, ainda por cima, examinando sua dentição. O tempo juntamente com o amor de um homem sexy eram os melhores remédios.

— Você está grávida? — indagou ele.

— Estou sim, Harry. É claro que você não ia gostar nem um pouco se fosse o pai — respondeu ela, maldosa. — Como era mesmo que dizia? "A gravidez é a pior forma de estagnação." É isso aí. Por sinal, não se considera sortudo por eu nunca ter engravidado quando estávamos juntos? Aí eu teria realmente prendido você.

Harry parou de fazer o tipo de garotão irresistível.

— Você deve me odiar, Hannah — disse ele, estupidamente.

Ela encostou-se no carro, pouco se importando que estivesse empoeirado e que fosse sujar sua roupa.

— Na verdade, eu não odeio você, Harry — disse-lhe ela. — Deixei de odiá-lo tempos atrás. Era muito cansativo. Mas dei a volta por cima e espero que, agora, você faça o mesmo. De que adianta ficar me procurando? Estou com o Felix e vou continuar com ele. Gostaria de ser uma daquelas mulheres que se tornam as melhores amigas dos seus ex, mas esse não é o meu caso. Eu também sou radical, e a forma como você me abandonou não deixou muito espaço para isso. Tenho amor-próprio, sabe?

Harry sorriu, constrangido.

— Entendo. Aquela história de "vamos ser bons amigos" não se aplica. Tampouco você vai querer sair para jantar com o cara que a deixou — ressaltou ele. — Mas a gente formava um casal e tanto, não é verdade?

— É isso aí — respondeu Hannah, lembrando-se de que Harry fora um alienado e um grande preguiçoso no tempo em que viviam juntos. Fizera um grande favor ao abandoná-la. Do contrário, ainda estariam juntos: ele, fazendo planos grandiosos em função do romance que escreveria, e ela, apaixonada como sempre, estaria lavando e passando a roupa dele, enquanto ocupava um lugar secundário em seu ego inflado.

— Agora preciso ir — disse ela. — Cuide-se! — acrescentou. Ela lhe deu um beijinho no rosto, entrou no carro e tirou o veículo da vaga. Pelo espelho retrovisor, pôde vê-lo desaparecer rua abaixo. Dissera a verdade, já não o odiava mais. *Harry estava fora de sua vida, assim como David James,* afirmou ela para si mesma, com determinação. Hannah usara aquele dia para dar um basta em tudo. Concluíra o que ficara em aberto.

Decidiram fazer a reunião do grupo do Egito em um restaurante japonês, já que nenhuma das três estivera ali, e o local recebera críticas fantásticas nos jornais. Contudo, Hannah telefonara um dia antes, na terça-feira, para dizer que não ousaria comer em nenhum lugar que servisse peixe cru, porque o prato podia fazer mal para o bebê.

— Fazer mal para o bebê — repetiu Emma, com certa amargura, enquanto caminhava do ponto de ônibus até o bistrô italiano em que se encontrariam. Não demorara muito para Hannah deixar de ser a mulher executiva colérica e se transformar numa mãe de família sensual, não era verdade? Em um momento, achava que uma criança ia tolher seu estilo de vida, no outro, falava do bebê como se fosse a primeira mulher do planeta a ficar grávida. Emma acelerou o passo, e sua respiração ficou ofegante.

Não havia a menor necessidade de andar tão rápido, mas a amargura que invadira seu âmago fazia com que caminhasse impetuosamente. Emma prometera ao pai que faria companhia a Anne-Marie nas duas noites seguintes. Sua mãe não podia mais ficar sozinha. Nem com os vizinhos. Ficaria extremamente nervosa se isso acontecesse. No entanto, Emma não ansiava por isso. Sentia-se culpada, mas preferia muito mais ficar com Pete a passar a noite inteira andando atrás da mãe pela casa, enquanto fechava as portas dos armários e recolhia os objetos que Anne-Marie quebrava. Naquela noite, teria optado por ficar sossegada em casa, já que na sexta-feira passaria o dia inteiro em Burlington, na conferência da KrisisKid. Precisava de descanso e não de uma noite inteira de agitação. Teria que ficar dando gritinhos entusiasmados a noite toda, depois de ter passado um dia estressante, em que fizera inúmeros telefonemas e enfrentara um monte de problemas. Ela já cancelara o encontro anterior com as amigas, em que assistiram a *Ligações Perigosas*, então, *tinha* que estar presente naquela noite. Leonie ficaria muito magoada se ela não fosse.

Ela foi a primeira a chegar ao restaurante e sentou-se em uma banqueta. O som ambiente de *La Traviata*, o aroma de alho proveniente da cozinha, as mesas forradas com toalhas em xadrez vermelho e os castiçais de velas improvisados em garrafas de vinhos cobertas de cera derretida contribuíam para a atmosfera de um charmoso restaurante da Europa Continental. Emma pediu uma taça de vinho de mesa, esperando que tivesse o poder de relaxá-la. Precisava se descontrair.

Depois de tomar metade da taça, ela começou a relaxar e a respirar mais tranquilamente. Leonie e Hannah chegaram à mesma hora e, sorridentes, entregaram seus casacos ao garçom. Fazia quase seis semanas que ela se encontrara com Hannah pela última vez e ficou perplexa ao perceber que a barriga da amiga formava uma suave protuberância. Devia estar com dois meses de gravidez, e Emma não imaginou que mostraria indícios de seu estado. No entanto, trajando uma túnica verde-oliva com uma saia justa na mesma cor, dava-se para perceber *claramente* que esperava um filho. As alfinetadas maldosas da inveja perfuraram seu coração enquanto ela ouvia o garçom, sorridente, parabenizando a amiga pela gravidez, com o charmoso estilo italiano. Não podia imaginar um atendente de outra nacionalidade agindo daquela maneira, nem sendo gentil a ponto de acompanhar as duas amigas até a mesa — como se Hannah fosse parir ali mesmo —, e de se dar ao trabalho de puxar o móvel para que Hannah se acomodasse na banqueta ao lado de Emma.

— Oi, Emma, querida! — exclamou Hannah, dando-lhe um beijo.

— Oi, amiga — disse Leonie carinhosamente, inclinando-se para beijar Emma e, nesse ínterim, quase tocando fogo em seu cardigã. — Sinto muito. A gente se atrasou um pouco.

— A culpa foi minha — desculpou-se Hannah. — Finalmente cheguei à conclusão de que não dá para usar roupas comuns quando a pessoa começa a engordar tão depressa. — Ela sorriu, tranquila. — Eu ia usar uma calça jeans com uma blusa, mas, como não consegui fechar o último botão, tive que pedir à pobre da Leonie que esperasse até que eu encontrasse essa roupa.

Embaixo da mesa, Emma apertou as mãos até que suas unhas a machucassem. Preferia isso a fazer um comentário maldoso e amargo.

Hannah estava radiante. Seu rosto normalmente luminoso transmitia uma alegria incontida. Seu cabelo estava viçoso e ela simplesmente tinha a aparência de uma mulher apaixonada. Emma ficou horrorizada ao notar como ficara ressentida com a amiga por causa disso. Deveria ser *ela* a estar irradiando felicidade nos primeiros meses de gravidez, e não Hannah.

Finalmente controlando as emoções, Emma tentou conversar um pouco.

— Você realmente parece ter engordado um pouco desde a última vez em que a gente se encontrou — comentou ela, tentando manter um tom de voz agradável. — Não imaginei que já daria para notar tanto a gravidez.

Hannah deu um suspiro.

— Nem eu — confessou ela. — Felix disse que sente como se estivesse dividindo a cama com um bebê elefante.

Enquanto degustavam os dois pratos que haviam pedido e analisavam o cardápio para ver o que Hannah poderia ou não comer, as amigas começaram a falar detalhadamente sobre a gravidez dela. Emma, que comia seu *tagliatelli* sem interesse, ficou sabendo que Hannah não sentira indisposições matinais e que, afora as duas semanas nas quais ficara supercansada e mal conseguira se levantar da cama pela manhã, vinha se sentindo fantástica. Suas unhas estavam crescendo a uma velocidade impressionante e ela se comprometera a não ficar com estrias. Passava de forma obsessiva uma loção antiestrias por todo o corpo, duas vezes ao dia. Toda hora Felix aparecia com um nome bizarro diferente para dar ao filho.

— Fala a verdade, gente — comentou Hannah, dando uma risadinha —, fica estranho chamar uma criança de Pétala, não fica? Minha mãe me deserdaria se eu chegasse à casa dela com uma neta com esse nome. Mas o Felix acha lindo. Ele é maluco.

Emma começou a pensar que sua cabeça ia explodir, se ouvisse mais uma palavra sequer. Parecia até que ela já conhecia o médico de Hannah na intimidade e, graças a uma longa conversa sobre como aumentar roupas, ela podia visualizar o corpo nu da amiga com exatidão: as curvas naturalmente elegantes estavam agora dilatadas e ainda mais femininas, os seios ficaram fartos e pesados e já se percebia uma preciosa protuberância em que o neném ficava aninhado.

Hannah estava tão feliz que, sem perceber, continuou tagarelando sobre sua gravidez.

— Não pensei que fosse ter tanta consideração pelo bebê — disse ela, sincera. — Nunca senti nada parecido. Ora estou paranoica, com medo de fazer algo que prejudique a criança, ora fico andando para lá e para cá toda feliz.

Leonie sorriu para a amiga e, então, percebeu que Emma trazia uma expressão tensa em seu rosto. Estava pálida, com os olhos fundos.

Pobrezinha. Hannah se esquecera de como aquele assunto era doloroso para ela, concluiu, angustiada. Tinha se esquecido por completo. As duas se envolveram tanto na conversa, comentando os novos acontecimentos maravilhosos, que nem se lembraram de como aquele bate-papo devia estar sendo devastador para Emma. Leonie ficou envergonhada.

— Já ia me esquecendo de contar, meninas! — exclamou ela, alegre. — O Hugh me convidou para ir à casa dele e fez um jantar delicioso. Começou com uma torta de caranguejo, em seguida, fez bife e berinjelas recheadas. Depois — ela fez uma pausa para causar suspense —, veio uma irresistível torta de chocolate. Saboreá-la foi como ter orgasmos múltiplos.

Aquela revelação teve o efeito desejado. As duas amigas caíram na risada.

— Vou acreditar em você quando diz que o chocolate foi orgástico — comentou Emma, às gargalhadas, sentindo-se aliviada com a mudança de assunto.

— Na verdade, para mim não tem nada *mais* orgástico — protestou Leonie. — Eu já até esqueci como se faz sexo. Meu conceito atual de prazer consiste em beber meia garrafa de vinho e ler um bom livro.

— Quer dizer então que ainda não transou com ele? — Hannah ficou atônita. — Mas vocês já estão saindo juntos faz um tempão.

— Alguém da minha idade não vai de cara para a cama com as pessoas — ressaltou Leonie. — O ideal é esperar uns três meses até o creme anticelulite e os jantares dos Vigilantes do Peso surtirem efeito.

— De qualquer forma, também não entendo por que você gosta de ir para a cama com os caras logo de primeira, Hannah — disse Emma, calorosamente. — Nem todo mundo é igual a você. Existem outras coisas na vida além de sexo.

— Eu sei muito bem disso — retrucou Hannah, surpresa. — Só estava brincando...

— Acontece que nem todas as suas brincadeiras são engraçadas — vociferou Emma, enquanto se levantava. Ela saiu em direção ao banheiro.

Hannah conteve suas lágrimas. Estava muito emotiva ultimamente.

— O que foi que eu disse? — indagou, lamuriosa.

Leonie suspirou e deu um tapinha na mão da amiga.

— Não foi nada do que disse, Hannah. Você sabe muito bem que fiquei exultante com sua gravidez, mas precisa entender que para a Emma isso está sendo muito difícil. Ela adora você, só que deve ser muito doloroso ver que sua felicidade está completa com o bebê, e ela daria tudo para estar em seu lugar.

— A culpa não é minha — retorquiu Hannah. — Ela poderia tomar uma providência e não faz isso. É provável que não tenha ainda contado para Pete que acha que é estéril. Existem muitas alternativas, como a fertilização in vitro, os remédios para aumentar a fertilidade e a técnica de ICSI.

— Eu sei, eu sei. É que a Emma tem um bloqueio mental em relação a esse assunto. Você sabe que ela tem medo de fazer todos os testes e de ter o diagnóstico de que é estéril e, então, perder todas as esperanças.

— Ainda assim, ela deveria discutir o problema com o Pete — destacou Hannah.

— Sei muito bem disso. Mas a gente podia ter facilitado as coisas para ela, falando de outros assuntos além do bebê.

— Se não estava a fim de nos encontrar hoje, não deveria ter vindo — disse Hannah. Ficara sentida com a amiga por ela não compartilhar sua felicidade. Sabia muito bem que era difícil desejar muito uma coisa e não poder tê-la, no entanto, *ela* não ficaria com inveja de Emma se tivesse algo que ela não pudesse ter. Quando Hannah era sozinha e não tinha Felix, não ficara com inveja de Emma por ela ter Pete esperando por ela todo dia, quando voltava para casa, enquanto a única coisa que tinha era o controle remoto da TV e uma refeição individual. Como ela *ousava* se zangar com Hannah naquele momento?

— Não fique aborrecida — pediu Leonie, ao ver os olhos escuros da amiga faiscando de raiva. — A gente foi um pouco insensível por ter falado o tempo todo do bebê. Vamos dar um desconto para ela.

A amiga assentiu com a cabeça, mas trazia uma expressão sombria no rosto. — Não estou querendo perturbar ninguém — disse ela, torcendo o nariz.

— Mas você não está perturbando ninguém. Eu adoro conversar sobre o neném e Emma também adoraria, se não fosse tão doloroso para ela. No fundo, no fundo, você sabe disso. Vamos mudar de assunto, rápido. Ela já está voltando.

— Fale mais sobre o maravilhoso Hugh — disse Emma, direta, ao se sentar.

Hannah não fez nenhum comentário, porém comprimiu os lábios com força. Leonie rezou baixinho, torcendo para que as amigas não tentassem se agredir por cima dos pratos de sobremesa.

Ela começou a falar. — O Hugh é um cara espetacular...

Normalmente, as reuniões do grupo do Egito terminavam muito mais tarde do que o planejado, porque elas adoravam ficar batendo papo; daquela vez, porém, o garçom acabara de deixar a cafeteira com café descafeinado sobre a mesa quando Emma anunciou que precisava ir embora.

— Tenho um dia cheio amanhã — disse ela, de súbito. — Vamos receber a visita de dois palestrantes que participarão da conferência, e eu vou acompanhá-los.

Ela tomou o café, apressada, deixou dinheiro para pagar a conta e se levantou para ir embora.

Hannah sorriu para ela, com frieza, e inclinou-se para beijá-la no rosto. As duas ficaram tão longe uma da outra que acabaram nem se tocando na despedida.

— Até mais, Leonie — disse Emma, abraçando-a, efusivamente.

Ela foi embora, apressada, agarrando seu casaco, que estava com o garçom e desejando estar longe, caso gritasse ou começasse a chorar. Emma estava tão abalada emocionalmente, que não sabia dizer qual sentimento viria à tona: raiva ou tristeza.

Enquanto esperava pelo ônibus, ficou pensando como justificaria para Pete a volta tão cedo para casa. Na certa ele perceberia que aquele jantar havia durado metade do tempo dos outros. O marido tinha até brincado com ela mais cedo, dizendo que se ela voltasse outra vez bêbada para casa, ele não iria trocar sua roupa nem colocá-la na cama.

— Vou acabar mandando você para a clínica Betty Ford no seu próximo aniversário se continuar participando dessas reuniões — comentara ele ao celular, com uma voz estridente. — Sei que você está indo para a balada para se encontrar com outros homens. Conheço seu tipo, sra. Sheridan. Vai deixar a aliança na bolsa...

— Seu mente suja — dissera ela, dando risada ao telefone. — Preciso desligar, querido. Alguém está na outra linha. Tem pizza no congelador. Vejo você mais tarde.

Emma recostou-se no abrigo de ônibus, desejando já estar em casa, sentindo os braços de Pete à sua volta, confortando-a. Tinha sido muito doloroso ver Hannah tão feliz e maternal. Mas era lógico que não poderia explicar aquilo ao Pete. O que iria pensar se soubesse que um monstro de olhos verdes se apoderava dela, enfurecido, cada vez que ela olhava para a barriga dilatada de Hannah? Passara a noite inteira se controlando e mordendo os lábios para disfarçar a fúria que sentia. Estava com vergonha de si mesma. Que tipo de amiga estava sendo? Na hora em que a coisa apertava, ela só se preocupava consigo mesma. Estava morrendo de vergonha e prometeu a si mesma que telefonaria para Hannah no dia seguinte para pedir desculpas. Era o mínimo que poderia fazer. Elas deviam ser amigas.

Ela entrou em casa e encontrou o corredor às escuras. Ótimo. O Pete ainda não chegara. Ele tinha dito que talvez fosse tomar algo com o Mike, depois do trabalho. Ao menos sua ausência daria a ela a oportunidade de ir se deitar. Além disso, se ele voltasse após ter tomado uns drinques, acabaria não notando sua expressão triste.

Emma deixou a luz do corredor acesa e subiu. Chegou a tirar a blusa, quando uma onda de total desesperança atingiu-a, levando-a a sentar-se à beira da cama e chorar. Caiu em um pranto tão violento que soluçava fortemente a cada respiração; ela derramou lágrimas até não ter mais nenhuma e o rosto ficar rubro. Será que um dia superaria a dor de não ter filhos? Ela já parara de imaginar que poderia engravidar um dia: aquilo parecia distante demais da realidade, naquele momento. Tudo o que desejava era que aquela dor por querer tanto diminuísse de alguma forma, para que conseguisse lidar com ela.

— O que foi que houve?

Surpresa, Emma ergueu os olhos e viu Pete parado à porta, com o jeans desbotado e a jaqueta de couro velha.

Por um instante, pensou em mentir. Então, a voz de Elinor Dupre surgiu em sua mente: "O que há de errado em dizer o que realmente pensa, Emma?"

A psicanalista tinha razão. Já não podia esconder mais nada.

— A Hannah está grávida, e isso está me enlouquecendo. Não consigo suportar a ideia de não poder ter filhos. Acho que sou infértil — contou, sem rodeios.

— Ah, Emma. Sinto muito, meu amor. — Ele olhou-a desamparado, a face normalmente feliz, arrasada.

Então, a esposa arrependeu-se de ter-lhe contado. Já era ruim o bastante ela estar infeliz e, agora, ele ficaria também.

— Deixa para lá — disse ela. — Vamos esquecer o que eu disse.

— Esquecer? — perguntou Pete, sem poder crer. — Por que deveria esquecer? Isso diz respeito a mim também, Emma, caso você tenha esquecido. Somos dois neste casamento, sabia? Nada me irrita mais do que a forma como você sente que deve carregar o peso de tudo nas costas. Nunca me deixa enfrentar o seu pai, embora ele intimide você, além disso, insiste em manter segredos como este e deixa Kirsten fazer o que bem entende quanto às responsabilidades familiares. Simplesmente não me deixa ajudar. Por que diabos me mantém afastado desse jeito? Está destruindo o nosso casamento, caso não tenha notado. Pare de me deixar fora da sua vida! — Ela nunca o vira tão bravo. Ele agarrou seus ombros e sacudiu-a. — Como é possível que não veja que eu amo você, Emma? Eu amo *você*! — gritou. — Não a pessoa que acha que tem que ser para ser amada!

— Eu sei — balbuciou ela. — Eu não queria contar...

— Caso eu ficasse bravo com você, como o desgraçado do seu pai?

Emma encolheu-se, ante o ódio contido na voz dele.

— Não — protestou. — Não por causa disso. Porque... — Não terminou a frase.

Pete aguardou, enfurecido.

— Porque achei que, se falasse, não seria algo da minha cabeça, mas real: eu não poderia mesmo ter um filho. Achava que o resultado com certeza seria devastador.

— Meu Deus do céu, Emma, que estupidez! — exclamou ele, mas a esposa notou que a raiva se esvaía de seus olhos. — É uma idiotice supersticiosa. Achou mesmo que expressar as palavras traria má sorte para nós? Porque, se é assim, não faz sentido a gente ir consultar um médico comum para se tratar. Melhor procurar logo um curandeiro ou uma feiticeira. Ou, melhor ainda, podemos comprar umas cartas de tarô e usá-las para descobrir por que você não engravidou.

— A pessoa não pode simplesmente comprar essas cartas para si mesma — explicou Emma, baixinho. — Elas só funcionam se alguém as presenteia. Li isso em algum lugar.

Pete riu e puxou a esposa para perto de si.

— Já que lê tanto, por acaso se informou sobre tudo o que a medicina pode fazer por casais sem filhos?

Ela anuiu.

— Pois então? Se eles conseguem clonar ovelhas, porcos e os Meninos do Brasil, podem também ajudar a gente a ter um filho. Como as dificuldades da infertilidade não chegam aos pés das da clonagem, acho que temos uma chance. Somos jovens, saudáveis e estamos dispostos a fazer qualquer coisa, não é mesmo?

— Detesto a ideia de fazer você enfrentar todos aqueles exames investigativos — comentou Emma, com o rosto apoiado no ombro dele.

— Está se referindo àquela hora em que vão me deixar trancado num quarto com um copo descartável e todo o catálogo da *Hustler*? — perguntou, maliciosamente. — Pode ser que você tenha que entrar e me ajudar, Emma. Mas podemos fazer isso. Ei, e sabe-se lá, de repente não tem nada de errado com a gente. Talvez você esteja entrando em pânico sem necessidade. Leva tempo fazer um bebê, sabia?

— Já faz mais de três anos — lembrou-lhe Emma. — É muito tempo sem usar anticoncepcional e sem ter filhos.

— Está bem, está bem, talvez haja um problema, talvez não. Mas vamos descobrir direitinho, antes de tirar conclusões precipitadas. Amanhã cedo, antes de mais nada, marque uma consulta no médico. Ele pode indicar especialistas para nós dois.

— Você... você não se importa?

Pete segurou o rosto de Emma com ambas as mãos, olhando dentro de seus olhos azul-claros ansiosos.

— Eu amo você, Emma. Adoraria ter filhos. E, se houver algum problema médico que esteja nos impedindo, vamos buscar uma solução para ele. Se nada der certo e não pudermos mesmo, podemos lidar com isso. Contamos um com o outro, não é mesmo?

Emma assentiu, trêmula.

— Prometa uma coisa para mim. Não guarde mais segredos, certo? Vinha acabando comigo saber que as coisas não iam bem e não conseguir me aproximar de você.

— Prometo que não vou mais guardar segredos. Só que era muito difícil para eu contar... ou falar do assunto. Queria guardar tudo para mim mesma...

— Não dá certo, Emma — interrompeu Pete. — Por acaso acha que não passei meses me preocupando com a sua introversão cada vez maior e achando que eu vinha fazendo algo errado e que talvez até você não me amasse?

— Sabe que eu amo você — protestou.

— Como posso saber se não me conta algo tão importante quanto isso? Eu não sou muito bom em descobrir o que as pessoas estão pensando, Emma, sinto muito. Não consigo ler mentes. Preciso que me contem. Eu estava a ponto de ligar para Leonie e perguntar a ela. Sabe, você desabafa mais com ela do que comigo — disse ele, com amargura.

— Ah, Pete — exclamou Emma, sentindo-se exausta. — Eu sou louca por você. E, não, não conto tudo para a Leonie. Na verdade, cheguei a comentar com ela como me sentia a respeito do bebê, mas isso foi tudo. Não posso explicar por que não consegui contar para você. — Deu um suspiro, com tristeza. — Tudo sempre é minha culpa. Achei que isso seria também.

— Deixe de bobagem! — repreendeu-a o marido. — Parece até o desgraçado do seu pai falando. Ele adoraria que tudo fosse culpa sua, mas isso não significa que seja. Quer dizer apenas que ele é um velho maldoso, que quer controlar todos os seus pensamentos ao fazer com que se sinta inútil. Se realmente deseja que a análise valha a pena, diga para a terapeuta exorcizar a presença maligna do seu pai da sua cabeça!

— Nunca imaginei que você se sentia assim! — comentou ela, embasbacada.

Ele sorriu, voltando a apresentar o semblante bem-humorado de sempre.

— Nós dois estamos aprendendo muita coisa esta noite. O mais importante é que a gente se mantenha unido. Você não acha?

Ela anuiu.

— Quer saber, Pete? — perguntou, com os olhos marejados. — Eu amo você.

Quando a pessoa é mais velha e se apaixona, o problema não é conhecer os pais do amado, pensou Leonie. Futuros sogros difíceis de lidar deixavam de ser o maior obstáculo. Mas filhos desconfiados e exigentes passavam a sê-lo. Ela estava prestes a conhecer os dois filhos de Hugh e, como ouvira tanto a respeito dos dois, sentia-se tão nervosa quanto um paciente prestes a fazer uma vasectomia, deixando o médico examinar suas partes íntimas pela primeira vez. Apavorada era pouco para descrever como se sentia.

Deve ter ocorrido o mesmo quando Fliss conheceu Danny, Mel e Abby, pensou ironicamente Leonie, enquanto se arrumava para aquela tarde dominical importante. Embora, no caso dela, devesse ter sido mais fácil. Pelo menos, quando a pessoa tinha filhos, sabia o quão territoriais eles podiam ser, então pressentiam que poderia haver certa rejeição ou puro ódio por parte deles na ocasião em que ela levasse para casa um novo "amigo". Mas alguém sem filhos, como Fliss, na certa achava que os adolescentes eram umas gracinhas, concentrados demais nas próprias chances com o sexo oposto para se preocuparem com qualquer coisa que os velhos pais enrugados estivessem fazendo. Nada disso. Os adolescentes que achavam que estavam sendo postos de lado podiam odiar de um jeito muito mais contundente que qualquer cônjuge amargurado e separado.

Para a sorte de Fliss, os adolescentes a adoravam. Ela era tagarela e autoconfiante demais para se incomodar com preconceitos dos jovens. Não restara nenhuma outra opção para eles, além de adorá-la.

E, naquele momento, era exatamente o que estavam fazendo, claro. Que adolescentes não adorariam uma madrasta que os levasse para passar um fim de semana prolongado em Cannes? E, ainda por cima, fazendo todas as compras com que Mel podia sonhar?

Ray implorara que Leonie os deixasse passar a semana inteira com eles. — Nós vamos passar quinze dias na França, e seria uma pena os meninos não ficarem com a gente pelo menos uns sete —, dissera.

— A Mel e a Abby têm aula — explicara Leonie. — Não podem simplesmente tirar uma semana de férias, na metade de maio. Vão ter férias daqui a um mês. E Danny tem um monte de provas importantes chegando, então seria impossível ficar tanto tempo fora. — Ela não chegara a mencionar nada sobre a convicção de Danny de que ele não passaria nas provas.

— Bom, então um fim de semana, que seja — insistira Ray.

Leonie trabalhara até tarde na clínica, na quinta à noite, e não pudera levar as gêmeas e Danny até o aeroporto. Ela planejara chamar um táxi, mas Doug insistira em levá-los.

— Só se eu ganhar um caneco dos 101 Dálmatas de presente —, dissera ele às gêmeas.

Pelo menos Leonie ficaria livre e desimpedida no fim de semana, mesmo que isso significasse que as gêmeas teriam mais tempo de se apaixonar ainda mais pela madrasta.

Ela se perguntou o que os filhos de Hugh achariam *dela.*

— Vão adorá-la —, dissera ele, enquanto planejava um encontro breve entre os quatro.

Apesar do que ele dissera, Leonie intuiu que a reunião seria desastrosa. Não muito por causa de Stephen, que, ao que tudo indicava, parecia com Danny, com o mesmo polegar de jogador de GameBoy e uma inclinação por passar fins de semana inteiros deitado na cama, encontrando significados pessoais nas letras das músicas do Oasis. Mas, para Leonie, Jane, a linda e talentosa Jane, passava a sensação de Problema. Não sabia explicar por que sentia isso: será que tinha a ver com a forma pela qual Hugh falava da filha de 22 anos? Toda vez, usava um tom de voz de pura admiração, como se a jovem fosse Marie Curie, Madre Teresa de Calcutá e Julia Roberts englobadas em um único pacote. Não era preciso ter um QI superalto para perceber que Jane nunca faria nada de errado. O que, por outro lado, significava que, se Jane não gostasse de Leonie, seria um inferno para a nova amiga do pai.

O encontro seria rápido, na tarde de sábado, na National Gallery. Um lugar convenientemente neutro.

Pensando em como Fliss teria feito, Leonie usou as roupas de sempre — blusa de seda azul-da-prússia, calça de veludo preta e um lenço de pescoço bordado, de angorá roxo, que ela comprara em um brechó em Dun Laoghaire — e fez o possível para sentir uma autoconfiança casual. Não se esforçou demais, porque isso seria um erro tanto para ela quanto para Hugh. Ela queria muito que os filhos dele gostassem dela e a aprovassem, mas era preciso que tudo ocorresse no âmbito da realidade.

Leonie não queria se transformar em algo que não era só para estar à altura das exigências de um adolescente e de sua irmã de 22 anos. Bom, essa era a teoria, de qualquer forma.

Tratava-se apenas de "um encontro casual para conhecer meus filhos", como Hugh explicara, não de um interrogatório na Suprema Corte. No entanto, a teoria de Leonie não vinha se desenrolando bem e ela ainda se sentia apreensiva. Desesperada para se encher de coragem, ela disse a si mesma que tinha filhos e que sabia lidar com eles. Se conseguia se sair bem com a combinação vertiginosa de Mel e Abby, com certeza tiraria Jane de letra, que era mais velha e mais madura, não é mesmo...?

Hugh já esperava Leonie no restaurante da National Gallery, quando ela chegou, acalorada por sair apressada do estacionamento e por brigar consigo mesma por nunca ir àquela galeria, exceto quando ia se encontrar com alguém na área de alimentação. Ela realmente devia tentar incluir mais cultura em sua vida. Hugh encontrava-se sentado a uma mesinha na parte de trás, e havia alguém com ele: uma moça de jeans, percebeu Leonie.

O primeiro pensamento que lhe ocorreu foi que Hugh encontrara alguém enquanto esperava por todos eles. Não podia se tratar da fabulosa Jane.

A jovem, de acordo com a descrição do pai, era "linda, deslumbrante", e Leonie fizera a imagem mental de uma mulher com o olhar risonho e confiante do pai e a estrutura óssea de uma gazela.

Aquela moça rechonchuda, com a jaqueta jeans usada de um jeito nada lisonjeiro, não poderia ser Jane. O cabelo escuro era curto, e não fora lavado, os olhos, pequeninos sob sobrancelhas finas demais e o corpo, roliço. Aquilo não lembrava em nada uma gazela, a menos que elas tivessem olhos desconfiados e jeito carrancudo.

— Leonie! — Hugh levantou-se e cumprimentou-a como se houvesse acabado de avistar uma conhecida e, após quebrar a cabeça por algum tempo, tivesse se lembrado por fim do nome dela. Deu-lhe uns tapinhas enérgicos nas costas. Normalmente, beijava a companheira. — Esta é Jane, meu grande orgulho. Jane, esta é uma amiga minha, Leonie.

No decorrer de sua vida, Leonie ficara estupefata em poucas ocasiões. Esse tipo de reação era bastante incomum para uma mulher que detestava tanto lacunas nas conversas que tagarelava sem parar na companhia das pessoas, sem deixar que surgisse um silêncio constrangedor e evitando, assim, brechas. Naquele momento, ela sorria sem iniciativa alguma para o namorado e a filha, perguntando-se como diabos mesmo um pai envaidecido descreveria Jane como "deslumbrante". Seja como for, que péssimo de sua parte julgar a pobre coitada somente pela aparência. Talvez Jane tivesse algum carisma quando falasse e risse.

— Ouvi falar tanto de você, é um prazer conhecê-la — disse Leonie, por fim conseguindo falar e apertando a mão de Jane de forma calorosa.

— Eu praticamente não ouvi falar de você — comentou Jane, fazendo uma careta e lançando um olhar reprovador para o pai.

Ela não devia fazer beicinho daquele jeito, pensou Leonie, distraída, *pois vai ter várias rugas naquela região quando ficar mais velha.*

— Minha nossa! — exclamou Leonie, brincando. — Será que sou o grande segredo de seu pai?

Ela notou outro olhar lançado pela moça para o pai.

— Acho que sim — disse Jane, com rispidez.

Hugh sorriu de um jeito desamparado para Leonie.

— Não é nenhum grande segredo, não — salientou ele, com a falsa cordialidade de um homem diante do pelotão de fuzilamento e recusando-se a usar a venda. — A Leonie é minha nova amiga, e eu queria que você e o Stephen a conhecessem. Nós só saímos três vezes, mas você sabe que não quero que se sinta excluída, Jane, querida. — Lançou um olhar suplicante para a filha.

Leonie achou melhor não ressaltar que, àquela altura, eles já haviam saído juntos umas dez vezes e tinham tido uma sessão de agarros na qual apenas a menstruação e a calçola horrível dela haviam impedido que ficassem nus no sofá do apartamento de Hugh. A longo prazo, ela pensava em cenas românticas que incluíam depilação completa, roupa íntima sexy e bonita e bronzeado artificial, para disfarçar as partes flácidas com um dourado reluzente. Leonie pensara que era a namorada de Hugh, mas ele não deixara isso claro para ninguém.

Ao telefone, o namorado vinha sussurrando palavras românticas e dizendo coisas do tipo: "Você é incrível, Leonie." Agora, na presença da Grande Inquisidora, mostrava-se constrangido, capaz de negar um romance até com a Michelle Pfeiffer em pessoa cantando "Makin' Whoopee", se isso satisfizesse a filhinha. Leonie sentiu-se traída. E, mais uma vez, teve vontade de se levantar e deixar os dois ali. Mas não o fez. Seria desleal. Como mãe, tinha ciência de como era difícil estabelecer limites entre viver para os filhos e dar a eles total poder sobre a sua própria vida. Havia equilíbrio, e o coitado do Hugh precisava de ajuda para encontrá-lo.

Ela o ajudaria. Mesmo que fosse a última coisa que fizesse por ele.

— Não seja bobo, papai — ressaltou Jane. — Não me sinto nem um pouco excluída. É só que conheço todos os seus amigos. Se eu soubesse que estava se encontrando com alguém do trabalho, nem teria me dado ao trabalho de vir. Em que área você atua? — perguntou ela à amiga do pai.

As duas últimas frases esclareceram tudo para Leonie. Era óbvio que Hugh não contara aos filhos quem ela era, nem que iriam conhecê-la naquele dia. Ou isso ou Jane se mostrava decidida a não admitir a existência de qualquer mulher na vida do pai e estava colocando Leonie no papel da colega pouco atraente, que levara Hugh a sentir pena e a convidá-la para sair de vez em quando. E Jane ainda o chamava de "papai"! A maioria dos jovens deixava o estágio "papai" quando ia para a universidade e passava a usar um "pai" pronunciado de jeito tedioso.

Leonie sorriu para Hugh.

Ele a observava esperançoso, com um olhar do tipo espero-que-você-acompanhe-o-faz-de-conta.

— Eu não trabalho com o seu pai; sou enfermeira veterinária e amiga dele.

— Ah — disse a moça, fazendo outro biquinho de desaprovação.

— Seu pai me contou tudo sobre você — prosseguiu Leonie, corajosamente. — Disse que está indo muito bem no trabalho e que deve ganhar uma promoção. Parabéns!

— Papai! — exclamou, furiosa. — Isso é particular!

— Ah, vejam — disse Hugh, desesperado. — Lá vem o Stephen.

Alto e encorpado como o pai, o rapaz chegara com uma expressão sorridente, usando roupas que davam a impressão de que ele se vestira apressadamente. E parecia saber quem Leonie era.

— Que bom conhecer você, por fim — disse ele, deixando-se cair em uma cadeira. — Já estava na hora do velho encontrar alguém. Alguém já pediu algo? Os bolos daqui são ótimos.

Jane fuzilou o irmão com os olhos, em vez do pai.

— Você devia ter me contado. Tenho até a sensação de que me deixaram de lado.

Foi a vez de Hugh e Stephen entreolharem-se de forma significativa. Que família! Leonie desejou que eles conversassem, em vez de ficarem se olhando fixamente. As pessoas diziam o que queriam na casa dos Delaney, sobretudo Mel, que seria a mais propensa a se sentir excluída pela presença de Hugh.

Pelo menos no caso de Mel, daria pra ouvir o que ela sentia, normalmente a oitenta decibéis. Não teria ficado ali esquentando a cabeça calada, fitando as pessoas.

— Não seja ridícula, mana — disse o rapaz. — Por que tanta confusão? Eu avisei que a gente vinha conhecer a Leonie. Qual é o problema? — Ele se virou para a amiga do pai. — Não é melhor eu ir lá pegar algo para a gente? Estou faminto. Vocês querem café ou bolo?

Ele era um amor, concluiu Leonie. Ciente de que a irmã estava furiosa, fazia o possível para apaziguar a situação.

— Eu adoraria pedir algo — respondeu ela. — Vou com você para ajudar a trazer uma bandeja. Quer café, Hugh? — perguntou, animada, decidida a não deixar transparecer que achava que o namorado estava se comportando de forma ridícula ao bajular a medonha Jane.

— Quero — respondeu ele, olhando para Leonie pela primeira vez em séculos.

Stephen e Leonie examinaram com interesse a vitrine de bolos. Normalmente, ela evitaria comer isso. Mas, naquele dia, não estava a fim de recusar doces.

— Eu seria capaz de matar alguém por aquele bolo de cenoura — comentou para o rapaz, apontando para um bolo incrivelmente apetitoso, que na certa continha a mesma quantidade de calorias que um maratonista gastava a semana inteira.

— Eu também. Acho que a Jane vai gostar. Ela agora está numa dieta sem gordura, mas de vez em quando eu convenço a mana a desistir, quando está comigo.

Leonie não conseguia nem imaginar alguém convencer Jane a fazer o que quer que fosse sem que ela quisesse.

— Ela vai ficar bem — comentou Stephen, como se tivesse lido os pensamentos de Leonie. — Age de um jeito possessivo com o nosso pai. É a preferida dele e não entende que ele precisa de alguém na vida.

— Entendo — mentiu Leonie. — Mas a sua mãe está com um novo companheiro, não está? Isso é difícil para Jane também?

Stephen colocou três pedaços enormes de bolo na bandeja dele.

— É, mas a Jane não age da mesma forma com a nossa mãe. Elas são, tipo, exatamente iguais. É por isso que a mana não mora mais em casa. As duas se matariam. Ela não tem o menor problema com Kevin, o namorado da mamãe. — Eles foram para a fila, que prosseguia lentamente rumo às máquinas de café. Stephen colocou um tablete de chocolate na bandeja também. — Eu me preocupo com o velho. Ele fica muito sozinho. Está mais feliz desde que conheceu você.

— Obrigada — disse Leonie, com sinceridade. — É legal da sua parte dizer isso. Gosto muito do seu pai, e queria que vocês dois soubessem disso. Pena que Jane esteja sentindo tanta animosidade em relação a mim.

— É porque você tem filhos — explicou Stephen, sabiamente. — Ela morre de medo de que o pai goste mais deles do que de nós ou de que deixe algo para eles no testamento, se vocês dois se casarem.

— Como é que você sabe disso? Ela deu a impressão de que nunca ouviu falar de mim antes desta tarde.

— Conheço a minha irmã. E ela já tinha ouvido falar de você sim. Como eu sabia que o pai não teria coragem de falar de você para ela, fiz isso por ele. Ela está fingindo não saber de nada só para provocar o velho. Tenha paciência — pediu Stephen, de repente —, ela é meio...

Mimada, quis dizer Leonie.

— Insegura — concluiu o rapaz. — Adora o pai e vice-versa. Se você não estivesse aqui, tudo seria diferente.

— Bom, obrigada por ser tão sincero comigo. Seria melhor eu ir para casa, agora?

Stephen riu.

— Não seja boba. A Jane vai acabar tomando jeito.

Eles voltaram para a mesa com bandejas cheias de guloseimas. Jane e Hugh vinham conversando animadamente até a sua chegada; então, calaram-se. Todos tomaram café em meio a um silêncio glacial. Leonie podia até ouvir os estalos do próprio maxilar enquanto comia o bolo de cenoura.

Por fim, ela não aguentou mais.

— Achei que podíamos ir ver um filme mais tarde — disse, animada. — Por que vocês dois não vêm junto? — *Eu perguntei mesmo isso?*, indagou Leonie para si mesma. *Por favor, não aceitem.*

— Por que não? Não tenho nada mais para fazer hoje à noite — respondeu Jane, com rudeza.

Leonie, Hugh e Stephen queriam ver o novo filme do James Bond, mas Jane preferia a última sensação do cinema de arte, uma produção em preto e branco sobre jovens metidos no mundo sombrio do tráfico de drogas internacional. Leonie teria preferido cortar o jardim da frente com uma tesourinha de unha a assistir a esse tipo de filme. No entanto, Jane fizera sua escolha e, como Leonie vinha descobrindo, tudo tinha de ser feito do jeito dela.

Pelo menos tiveram assunto quando foram comer uma pizza num restaurante. Stephen conversou animadamente sobre o filme, ao passo que Jane, que os obrigara a vê-lo, chegara à conclusão de que não gostara muito da história.

Uma hora depois, quando ficou óbvio que Jane não tinha a menor intenção de ir embora antes de Leonie, a companheira de Hugh desistiu e anunciou que precisava voltar para casa.

— Vou com você até o carro — disse o namorado. Ela o olhou, agradecida. Livre da medonha Jane, por fim.

— Papai — disse Jane, com voz infantil —, posso pedir um favor?

— Claro, querida.

— Posso usar o seu cartão para fazer as reservas das minhas férias? O meu já está no limite e, se eu não resolver isso até segunda, vou perder o lugar. Óbvio que vou pagar depois — acrescentou, lançando-lhe um olhar meigo e suplicante.

Leonie cerrou com força sua mão direita.

Hugh acariciou os cabelos da filha.

— Nem precisa pedir, querida, sabe muito bem disso.

Nos primeiros cinco minutos, Leonie e Hugh caminharam em silêncio.

Quando chegaram a Nassau Street, Hugh pegou sua mão.

— Bom, e então, o que achou do encontro? — perguntou.

— Poderia ter sido melhor se você tivesse falado algo sobre mim para Jane — desabafou Leonie. — Não é fácil conhecer alguém quando essa pessoa pensa que você não passa de uma colega. Achei que estávamos saindo juntos, Hugh, mas, ao ouvir você falar mais cedo, daria para jurar que somos velhos amigos platônicos, prestes a obter passagens de ônibus grátis.

— Sinto muito. É difícil, sabe. A Jane é... bom, muito sensível.

Tão sensível quanto um rinoceronte, pensou Leonie, sombriamente.

— Eu deveria ter contado para ela, Leonie. Por favor, me perdoe. — Ele apertou sua mão. — Receio ser um desses pais indulgentes, que não conseguem negar nada para os filhos. A Jane não espera por nada menos que minha adoração.

— E o uso do seu cartão de crédito — salientou Leonie. — Jane não deve lidar bem com dinheiro, se tem um emprego maravilhoso e ainda precisa pedir ajuda financeira para você. — Assim que o disse, arrependeu-se. Criticar os filhos adorados do companheiro era proibido nos encontros, quase o mesmo que afirmar que você recebeu uma carta da clínica e que praticamente todas as verrugas genitais foram removidas. — Sinto muito — acrescentou, depressa. — Não foi legal de minha parte dizer isso.

— Achei que você, dentre todas as pessoas, entenderia — comentou ele, tenso. — As crianças precisam ser encorajadas e bem cuidadas.

Leonie assentiu. Concordava com ele. Mas Jane já não era criança. Tratava-se de uma adulta manipuladora, e Hugh não lhe fazia nenhum bem ignorando esse fato. Colocá-la no pedestal de criança idolatrada podia ser considerada uma fórmula desastrosa.

— Sei que você é louco por eles, e eu não deveria ter dito aquilo — desculpou-se ela. — Acho que estou meio chateada porque Jane, evidentemente, não gostou de mim.

— Sua boba — disse Hugh, com carinho. — Ela vai adorar você quando conhecê-la melhor. Só leva tempo.

Onde é mesmo que ela tinha ouvido isso antes?

— Como é que foi? — perguntou Hannah ao ligar, no dia seguinte.

— Estou reunindo material para um livro chamado *Namorando Divorciados* — respondeu Leonie. — E o capítulo mais longo será sobre como lidar com filhos narcisistas e medonhos, que acham que você está atrás do pai deles por causa do dinheiro e deixam claro que a odeiam.

— Quer dizer que você *não* está atrás dele por causa do dinheiro? — brincou Hannah, tentando dar um toque de humor à situação.

— O Hugh tem menos dinheiro do que eu — disse Leonie, aborrecida, sem achar graça. — E agora sei por quê. Dá tudo para Jane, embora eu não entenda o motivo, já que ela tem um emprego maravilhoso. A garota teve a audácia de pedir o cartão dele para fazer as reservas das férias. Eu pergunto para você; como pode isso, em se tratando de uma moça de vinte e poucos anos, com um bom emprego! É ridículo!

— Então o encontro não foi nada bom? — quis saber Hannah, com hesitação.

— O filho dele é ótimo e foi um amor comigo, mas a filha, Jane — fez uma pausa —, é incrivelmente ciumenta. Como se ele não pudesse gostar dela *e* de mim.

— Talvez tenha medo de que, com você ali, os cheques se tornem escassos.

— É mais do que isso. Chega a ser esquisito. Ela é louca por ele, como uma garotinha.

— As meninas e os pais — ressaltou Hannah. — Alguém escreveu uma canção sobre os corações delas pertencerem a eles.

— Não conheço nenhuma mulher adulta cujo coração pertença ao papai — salientou Leonie, brava. — O seu não pertence, nem o de Emma. Mel e Abby amam Ray, mas elas não entraram em pânico quando ele se casou com Fliss.

— É porque são adolescentes com pés no chão.

— Hugh tem pés no chão. Como pôde ter uma filha assim?

— Como é a ex-mulher dele?

— Parece ser bem normal. Eles se dão bem e a separação foi bastante amigável, como nunca vi antes.

— Ah, bom, então é isso — disse Hannah, sabiamente. — Nenhuma separação é amigável. É um paradoxo: as palavras "separação" e "amigável" simplesmente não podem ser usadas juntas. Acha que a mãe está envenenando a cabeça da Janinha, para que ela odeie toda mulher que tente tomar seu lugar?

Leonie deu uma risada melancólica.

— Acho que Jane não precisa de ninguém para envenená-la. Já tem a própria peçonha. Hugh é incrível, mas não posso nem imaginar ter que aguentar os melindres de Jane pelo resto da vida.

— O Hugh considera você maravilhosa — comentou Hannah. — É isso que importa. Jane vai acabar se acostumando com você, vai ver só.

Leonie gostava da casa de Hugh. Uma residência com terraço de três anos, no subúrbio de Templeogue, impecável, ainda com o jeitinho de nova em folha e sem nenhuma pintura descascando nem bagunça de adolescente. Dentro, as paredes eram de um tom marfim, ressaltados pela série de pôsteres de filmes antigos de Hugh e pelas estantes e diversas peças colecionáveis e curiosas, como um gramofone de corda e um imenso tabuleiro de xadrez com peças de mármore esculpidas em formato de animais selvagens. Tudo era bastante peculiar, e Leonie achava interessante. Só havia algo de que *não* gostava na casa: o excesso de fotografias de Jane por todo lado. O consolo da lareira poderia ser considerado um verdadeiro altar para a moça, com sete fotos diferentes de Jane: cativante na Primeira Comunhão, amuada na adolescência e ainda mais mal-humorada em diversas outras ocasiões. Havia apenas duas de Stephen. Leonie esperava que ele não se importasse, embora provavelmente se sentisse magoado, no fundo. Ninguém pode ser insensível ao fato de o pai preferir outro filho. Leonie torcia para que nunca tivesse feito com que um de seus filhos se sentisse menos do que os outros dois.

O pequeno quintal dos fundos lembrava um campo de rúgbi, graças às palhaçadas de Wilbur, Harris e Ludlum, os cachorros de Hugh. Leonie pensara em levar Penny para fazer uma visita, mas ainda não o fizera. Parecia meio precipitado levar a cadela até ali, porque averiguar se seus animais de estimação se dariam bem equivaleria a discutir se deveriam viver juntos ou não. Leonie adorava Hugh, mas não achava que estavam nem perto desse estágio, ainda.

Naquela noite, chegavam a um capítulo importante de sua relação. Iam Dormir Juntos. Na mente de Leonie, era um evento que requeria letra maiúscula. Tratava-se de um obstáculo imenso, hercúleo, gigantesco a ser ultrapassado.

Eles vinham saindo havia quatro meses e, embora tivessem tido alguns momentos eróticos, como aquela vez no Cinema Savoy assistindo a um *film noir* moderno ou aquela noite na casa de Leonie, quando Danny e as meninas haviam saído e eles acabaram numa troca voluptuosa de carícias e beijos no sofá, nunca tinham consumado a relação.

Não era que não desejasse Hugh. Longe disso. Achava-o bastante sexy, embora ele fosse, na verdade, até um pouco mais baixo que ela. Mas isso não importava. Havia algo másculo nele. E o quão másculo, ela pretendia descobrir naquele dia. E que aquela seria sua noite especial, esse era um acordo tácito entre ambos. Leonie pedira que a mãe ficasse em sua casa com as meninas, sob o pretexto de que passaria a noite fora com Emma e Hannah.

Claire — que Leonie suspeitava de que sabia exatamente o que ocorria, mas era discreta demais para fazer um comentário do tipo "Já não era sem tempo!" — dissera que adoraria.

Com as filhas fora do caminho, Leonie gastara um dinheiro que não tinha em um conjunto de sutiã e calcinha de renda, no tom café. Passara tanto tempo esfregando-se no banho que na certa perdera meio quilo só de pele, e colocara creme perfumado em cada centímetro do corpo.

Decidida a não se repreender por ter se esquecido de esfregar a loção anticelulite no traseiro e nas coxas, Leonie não ficou se olhando muito no espelho. Era uma mulher de 43 anos, e não uma supermodelo. Hugh gostava dela assim mesmo. Não poderia mudar, por mais que, no fundo, desejasse.

Hugh fizera um esforço similar na área de culinária. Quando ela chegara, os três cachorros a saudaram com latidos animados e, em seguida, correram para a cozinha para manter a guarda diante de seja lá que prato maravilhoso Hugh preparava.

— Carne? — quis saber Leonie, respirando fundo no corredor e sentindo o aroma apetitoso de alho, cebola e algumas ervas suaves.

Hugh, bem-apessoado no suéter de algodão bege e calça de algodão cáqui, balançou a cabeça antes de lhe dar um beijo.

— É uma surpresa.

— Eu adoro surpresas! — exclamou Leonie.

Ele beijou-a no pescoço também.

— E tenho outra surpresa, para mais tarde — sussurrou, fazendo com que ela desse uma risadinha.

O jantar foi maravilhoso, mas Leonie achou difícil comer muito. Não queria que a barriga sobressaísse no conjunto novo só porque se entupira de boeuf bourgignon e pudim de pão com frutas e creme.

— Você não gostou? — perguntou Hugh ansioso, quando ela pediu apenas uma fatia pequena de sobremesa.

— Gostei. Tão legal de sua parte cozinhar para mim, querido. É que... não estou com tanta fome assim depois da carne deliciosa.

Trocaram um longo beijo após o café e dançaram na cozinha ao ritmo suave de Frank Sinatra. Com os braços cingindo o pescoço de Hugh e o corpo colado no dele, Leonie fechou os olhos e pensou no quão perfeito estava sendo aquele encontro.

— Vamos subir? — quis saber Hugh, com a voz rouca.

Ela disse que sim em um sussurro e, de mãos dadas, os dois subiram. Leonie só estivera no quarto de Hugh uma vez, quando ele lhe mostrara a casa. Não estava tão arrumado quanto naquele dia: evidentemente, a tensão de cozinhar um banquete de primeira não lhe deixara tempo para fazer faxina. Havia roupas largadas de forma descuidada no encosto da cadeira, perto da penteadeira, uma toalha pendurada na porta e uma meia aparecendo do guarda-roupa parcialmente aberto. Mas a cama de casal estava forrada, com lençóis de listras azuis cheirando a amaciante floral. Leonie sorriu, até ver o criado-mudo ao lado da cama.

Um porta-retrato de moldura igualmente azul, com um ursinho talhado em um dos lados, achava-se ao lado de um radiorrelógio moderno; nele, havia a foto de Jane. O objeto de decoração parecia mais apropriado para um quarto de bebê que de um adulto.

— Não é lindo? — perguntou ele, enternecido, ao acompanhar o olhar de Leonie. Em seguida, acrescentou depressa: — Jane me deu na semana passada. Ela é um amor, sempre me presenteando.

Leonie contraiu o maxilar e resolveu que jogaria uma roupa ali em cima, para cobrir a foto da moça. De forma alguma conseguiria transar loucamente com Hugh, com a face sorridente de Jane observando cada movimento seu.

Mas contar com Jane ali no quarto com eles era bom, de certa forma. Por causa disso, Leonie não se sentira nervosa quando Hugh tirou com carinho sua blusa nem a ajudou a se livrar da saia. Não teve tempo de se concentrar no péssimo estado de suas coxas porque tinha a sensação de que a moça estava ali no quarto com eles, *olhando, observando, zombando.*

Foi apenas quando Hugh ficou de cueca e a levou para cama que Leonie chegou à conclusão de que precisava fazer algo. Enquanto ele puxava as cobertas, ela virou com cuidado o porta-retrato para o outro lado. Quando voltou o rosto, o namorado a olhava.

— Sinto muito, não me sinto à vontade com alguém me observando — explicou, nervosa. — Não me parece certo ter o filho de outra pessoa assistindo a tudo.

— Isso é tudo? — perguntou ele, sorrindo.

— Mães podem ser bastante pudicas com esse tipo de coisa.

O que os dois fizeram a seguir não foi nem um pouco pudico. Hugh dirigiu a cabeça ao decote dela e gemeu ao acariciar seus seios. Leonie já não se sentiu inquieta e começou a desfrutar daquele momento. Adorou quando ele acariciou todo o seu corpo e lhe disse que era linda e que tinha achado deslumbrante e sexy sua roupa íntima. Gostou de tocar um homem de forma erótica de novo, sentindo seu membro aumentar por sua causa. E também achou ótimo quando o guiou para dentro de si, lembrando-se de como era bom fazer amor e perguntando a si mesma por que ficara tanto tempo sem transar.

— Ah, Hugh — gemeu ela, enquanto seus movimentos se aceleravam.

— Leonie — sussurrou ele, rouco, o corpo rígido.

De súbito, o corpo de Hugh se contorceu em espasmos e ele atingiu o clímax, estremecendo e gritando “Ah, meu Deus! Ah, meu Deus!”, antes de se deixar cair, sem se mexer, em cima dela.

Um orgasmo religioso, pensou Leoni, de repente, a própria excitação sufocada ante a inatividade dele. Havia quatro tipos de gozos, contara Hannah para elas, rindo, no Egito: o religioso, o positivo, o negativo e o falso.

O religioso era "Ah, meu Deus!", na hora do orgasmo. O positivo, "Sim!", o negativo, "Não!", e o falso, o nome de quem quer que estivesse com você. "Ah, Hugh!", naquele caso.

Leonie aguardou um pouco, sentindo o peso dele sobre si. Esperou que ele pedisse desculpas por ter gozado tão rápido, esperou que ele tentasse lhe dar prazer. Já lera todos os artigos em revistas e jornais: homens modernos sabiam o que se esperava deles na cama. Os dias do "vapt-vupt obrigado meu bem" já haviam terminado. Homens eram criaturas sensíveis, com instintos adequadamente sintonizados nas necessidades das mulheres. Leonie esperara orgasmos múltiplos, ela lera sobre eles nas publicações femininas. Momentos de tamanho prazer em que ela gorgolejaria como um peru no Natal e certamente molharia a cama nesse ínterim. Os homens sabiam como fazer esse tipo de coisa hoje em dia. O ponto G era tão conhecido quanto a regra do impedimento no futebol.

Hugh se mexeu. Leonie sorriu, ainda na expectativa do prazer. Agora seria a vez dela. Ele deu um beijo relaxado e sonolento em seu ombro e saiu de cima dela, para se deitar ao lado. Uma perna ainda repousava sobre as suas. Então, Hugh soltou um gemido e começou a roncar baixinho. No escuro, Leonie pestanejou, furiosa. Tinha dormido. Hannah a mataria se soubesse que ele fora para a terra de Node sem fazer a menor tentativa de satisfazê-la. A amiga só saía com Novos Homens. Leonie, com Neolíticos.

Colérica, com um misto de fúria e desejo insatisfeito, ela ficou deitada, ao lado de Hugh, que continuava a dormir.

— Está tudo bem, Jane, queridinha — murmurou ela, olhando de esguelha para o porta-retrato virado. — Ficaria orgulhosa do papai hoje. Não houve nada para você sentir ciúmes.

Foi melhor de manhã. Quando Leonie acordou, encontrou Hugh acariciando com suavidade seu corpo nu. Ela espreguiçou-se languidamente, mas não ficou de frente para ele. Que a excitasse daquela vez. Não queria um desempenho igual ao da noite anterior.

Mas, então, quando os corpos despidos se uniram, Leonie estava em posição vantajosa em relação a Hugh. Com suficiente energia sexual acumulada para alimentar a rede elétrica nacional, ela se concentrou na própria satisfação. Quando gritou de prazer, em meio a convulsões, foi ele que teve de alcançá-la.

— Foi incrível — comentou Hugh, depois.

Leonie limitou-se a sorrir.

— Melhor que na noite passada. — Não conseguiu se conter. Se fossem ter um relacionamento adequado, ele precisava saber. — Ontem à noite, Hugh, você pegou no sono logo depois de atingir o clímax, e eu não gozei.

Ele se mostrou arrependido.

— Eu não sabia que você não tinha chegado lá — queixou-se.

Ela se aconchegou nele.

— Não se preocupe. Temos muito tempo para nos acostumar um com o outro de todas as formas.

CAPÍTULO 24

Leonie estava no meio de uma faxina quando a encontrou. Era sexta de manhã e ela tirara o dia de folga, já que precisava muito descansar. A casa se achava toda bagunçada, e ela prometera a si mesma que, se conseguisse passar duas horas ajeitando tudo, almoçaria fora como recompensa. O quarto de Danny podia ser considerado um verdadeiro pandemônio, e não havia muito que a mãe pudesse fazer, exceto pegar as roupas sujas no chão e passar aspirador nos pedacinhos de tapete que não estavam cobertos pelos livros da escola técnica, equipamentos de esporte e pilhas de CDs. Pelo estado da cama, parecia que Penny rolara nela depois de uma caminhada em que voltara particularmente suja.

— Como é que fui criar tamanho porquinho? — perguntou-se Leonie, em voz alta, enquanto tirava os lençóis e a colcha. Herman, o hamster, que, de alguma forma conseguira sobreviver naquele ecossistema tenebroso que era o quarto de Danny, entrou em sua rodinha, chocado com tanta atividade doméstica, e começou a correr depressa. — Você vai ser o próximo, Herman. A sua casa está fedendo Hora da faxina. — O hamster correu ainda mais rápido.

Quando Leonie concluiu a limpeza no quarto de Danny e deixou o banheiro brilhando, já eram onze e meia, e ela começava a se desanimar. A ideia de um almoço agradável no Delgany Inn, com uma taça de vinho e uma revista, deixou-a ainda mais angustiada. Mas o quarto das gêmeas precisava de uma leve faxina com o aspirador e, como ela passara os edredons na noite anterior, decidiu trocar os lençóis delas também. Normalmente, eram as gêmeas que faziam isso, porém, como Leonie estava com a faca e o queijo na mão, poderia fazê-lo. Mel ainda não tinha desfeito a mala após o fim de semana em Cannes, que se encontrava no chão, com roupas à vista. O método da filha de desfazê-la consistia em tirar aos poucos seus pertences, conforme necessitava deles. A certa altura, a mala esvaziava.

Leonie ligou o rádio e procurou músicas estimulantes antes de desforrar as camas e tirar as colchas. Dali a pouco a cama de Mel já estava forrada, com o edredom rosa de que ela tanto gostava. Ele não combinava com o papel de parede listrado em tom coral, mas as duas não se importavam. Leonie dirigiu a atenção para a cama de Abby. Quando se inclinou para enfiar o lençol rosa-claro debaixo do colchão, perto da parede, encontrou-a: uma caixa grande, vermelha, de laxantes.

Ela a fitou sem compreender por um momento, como se as palavras do remédio estivessem em suaíli, em vez de seu idioma. Laxantes. Para que Abby os estaria usando?

A resposta lhe ocorreu em um lampejo ofuscante: a filha *não* precisava deles. Tampouco as milhares de estudantes que os compravam, indo além do uso seguro de purgantes. Elas o faziam para emagrecer. Laxantes em quartos de adolescentes eram sinônimo de distúrbios alimentares.

Leonie deixou-se cair de forma abrupta na cama, como se alguém houvesse acabado de tirar sua capacidade de ficar em pé. Ao abrir a caixa, constatou que metade dos comprimidos já tinha sido consumida. Metade de vinte e quatro. Só Deus sabia quantas outras caixas Abby tomara antes. E só Deus saberia quantas estavam escondidas debaixo da cama dela naquele momento, esvaziadas e aguardando a oportunidade de serem jogadas no lixo, quando Leonie não estivesse observando.

Ela se ajoelhou no chão, puxou a colcha e olhou debaixo da cama. Revistas velhas, algumas bolas de tênis e uma malinha azul reluzente, de boneca. Bolas de pelos lembraram-lhe que deveria ter passado o aspirador com mais frequência ali. Pela primeira vez, Leonie não se sentiu furiosa com os sinais de sujeira. Usou uma raquete de tênis para examinar aquela área, encontrando um velho coelhinho de pelúcia, canetas e uma meia azul. Nada mais. Então, ela pegou a malinha; viera com uma boneca viajante, um troço feio de cabelos pretos que Abby amara incondicionalmente quando tinha sete anos. Leonie recordou-se de Mel caçoando da irmã, referindo-se a um esconderijo secreto, e soube, sem sombra de dúvida, que a malinha era ele. Um lugar perfeito para esconder objetos de olhos perscrutadores.

Abri-la seria igual a ler os diários ou escutar a conversa de sua filha ou algo terrível, sentira Leonie. Os psicólogos de crianças adorariam dizer a Leonie que o que estava fazendo era totalmente errado e que ela traía a confiança da filha. Mas, naquele momento, Leonie não se importava nem um pouco com esses analistas e seus conceitos de relacionamentos entre progenitor e prole. Do que é que eles sabiam? Simplesmente não haviam deparado com o indício de que a filha de 15 anos tinha um distúrbio alimentar. Não eram a mãe que se sentia culpada por espionar, porque nunca se dera conta do que vinha acontecendo.

Leonie abriu a malinha de supetão. Dentro havia um tesouro pavoroso com as guloseimas de Abby: embalagens vazias de balas e bombons, um pacote parcialmente consumido de biscoito de chocolate e vários de batatas fritas, além de pelo menos oito caixas vermelhas de laxantes, todas vazias. A mãe as tocou com suavidade, percorrendo com os dedos as cartelas prateadas em que antes se encontravam os comprimidos. Pobre coitada da Abby. Vieram à mente de Leonie imagens da filha se contorcendo de dor no banheiro, tentando aguentar as dores de barriga por tomar aquela quantidade insalubre de laxantes.

O sentimento de culpa apoderou-se dela. Como é que não notara antes? Que tipo de mãe era, ao não perceber o que vinha ocorrendo? Ela tentou lembrar-se dos eventos dos últimos meses, esforçando-se, desesperada, para reconstruir os indícios do problema da filha, os quais lhe pareciam dolorosamente óbvios naquele momento, mas imperceptíveis antes.

Recordou-se de que Abby emagrecera e ficara mais enjoada em relação à comida. Pensou na confusão e nos aborrecimentos quando a menina insistia em se alimentar apenas de produtos vegetarianos e lembrou-se de que ela própria ficara feliz, convencida de que Abby não teria de lidar com a dor de ser grandalhona e desinteressante, ao ver que a filha vinha ficando mais magra e bonita. Naquele momento, os pensamentos felizes se tornaram amargos, em retrospectiva — Abby emagrecera porque tomara laxantes e... Leonie ficou pálida ao pensar no que o "e..." poderia significar.

Se ao menos tomar esses comprimidos fosse todo o problema da filha, se ao menos não estivesse apresentando sintomas de bulimia nem de anorexia...

O telefone tocou, mas Leonie não atendeu. Continuou sentada no chão do quarto das gêmeas, fitando sem expressão os pôsteres de bandas de rapazes nas paredes, sem reparar em seus dorsos bronzeados e torneados;

via, em vez disso, sua querida Abby lidando com aquele distúrbio terrível sozinha. A mãe amaldiçoou a si mesma por não ter notado. Estivera tão obcecada com os próprios problemas, preocupada com o efeito que Fliss exerceria na vida delas, envolvida com o namoro com Hugh, que não se dera conta dos sinais.

Leonie tivera inúmeros sentimentos na vida, mas nunca se achara uma péssima mãe. Naquele momento, era o que sentia.

Alunas que não pareciam estudantes passavam pelos portões cinza da St. Perpetua às quatro horas, naquela tarde. Com mochilas e bolsas esportivas, mocinhas elegantes, com jeito de adultas, saíam, com os casacos azul-marinho desabotoados, as saias evasês em tom azul-imperial, levantadas assim que saíam dos olhos atentos das freiras. *As mais velhas pareciam velhas demais para o ensino médio*, pensou Leonie, sentada no carro, aguardando Mel e Abby. Algumas acendiam cigarros conforme caminhavam rumo ao ponto de ônibus, outras passavam rímel e batom enquanto aguardavam carona, falando pelos cotovelos, felizes por terem o fim de semana pela frente.

O ônibus para Bray chegara e partira antes de Mel e Abby aparecerem no meio de um grupo do Ano de Transição, dando gargalhadas por causa do que observavam em uma revista, com os pescoços esticados para não perder os detalhes.

Mel notou o carro da mãe primeiro e foi correndo até ele. Ficou surpresa ao vê-la, já que normalmente as duas voltavam de ônibus.

— Mãe! O que é que foi? Alguma coisa com a vovó ou o Danny? Conta logo!

— Nada disso — respondeu Leonie.

— Mas você nunca mais veio pegar a gente.... — começou Mel.

— Preciso conversar com vocês duas — disse Leonie, séria.

— Ah. — Com tristeza, Mel sentou-se no banco da frente e colocou o cinto de segurança. — O que é que a gente fez agora?

— E aí? — perguntou Abby alegremente, enquanto abria a porta de trás. Jogou a mochila no banco e sentou-se. — Estou exausta, mãe. Que bom que você veio! Seu dia de folga foi legal?

Leonie olhou fixamente para a filha pelo retrovisor, buscando em sua face alguns sinais de doença ou bulimia, como se eles estivessem escritos em sua testa.

— Hã... foi — balbuciou.

— A gente se meteu em alguma confusão, Abby — anunciou a irmã. — O que é que foi agora?

Leonie desceu a colina em meio a um dilema. Embaixo, só se deu conta da placa de Pare quando já era tarde e teve de meter o pé no freio. Como poderia abordar o assunto? Deveria esperar até chegarem em casa, deveria conversar apenas com Abby?

— Desembucha, mãe — disse Mel, exasperada e louca para descobrir se, seja lá qual fosse o delito que tinham cometido, a mãe as deixaria de castigo durante o fim de semana.

— Encontrei laxantes no quarto de vocês hoje, ao lado da cama de Abby. — Ser direta era a única forma de dizê-lo. Leonie olhou para Abby pelo retrovisor, de novo.

A filha fechou a cara e ficou calada.

— Eu não estava fuxicando — prosseguiu a mãe. — Ia trocar os lençóis quando encontrei uma caixa ao lado da sua cama, Abby.

— E daí? — perguntou ela, de mau humor.

— Sei que não devia ter feito isso, mas chequei a malinha azul e encontrei todas as outras.

— Você o quê? Não tinha o direito de mexer nas minhas coisas! — gritou Abby. — Por acaso gostaria que alguém fizesse isso com você? Aquilo pertence a mim e tenho direito à minha privacidade.

— Eu sei, amor — disse Leonie, tentando acalmá-la. — Só que estou preocupada com você. Não estava procurando diários nem nada. Queria ver se tinha tomado mais desses troços horríveis. Fazem muito mal.

— Não é da sua conta se fazem mal ou não — vociferou a menina. — Espero que não tenha lido o meu diário.

— Claro que não, nem cheguei a vê-lo. Mas você *é* da minha conta sim, Abby, assim como o que faz. Tenho direito de saber o que anda aprontando, sou sua mãe e quero cuidar de você. Tomar laxante faz mal, é uma idiotice. Você é bonita, filha, não precisa mudar sua aparência. Há outras formas de emagrecer, se é o que você quer.

— Ah, sim, e você entende muito delas, né? — retrucou Abby, com uma precisão malévola.

Até Mel, que gostava de brigar e nunca se desconcertava com grosserias, ficou pasma.

Leonie se viu abrindo e fechando a boca inutilmente, como um peixe fora d'água.

— Ela não quis dizer isso, mãe — disse Mel.

— Quis sim! — vociferou Abby.

Foi a vez de Leonie bradar:

— Como pode dizer algo tão terrível? É isso que realmente pensa de mim?

A filha não respondeu.

Elas chegavam à garagem e, assim que o carro parou, Abby saiu e entrou depressa em casa. Mel saiu correndo atrás dela. Sentindo-se exausta, Leonie as seguiu.

— Abby, nós precisamos conversar — disse, em voz alta, parada na frente do quarto das gêmeas. Ouviam-se ruídos abafados e sussurros. Leonie não queria forçar a entrada, mas, pelo visto, era o que teria de fazer. — Abby! — gritou de novo. — Precisamos conversar.

Com o rosto corado e os olhos suspeitosamente brilhantes, Abby saiu após um momento, dando a impressão de estar menos aborrecida. Sem dúvida, estivera averiguando se o diário se encontrava no mesmo lugar, fechado. Leonie não chegara a notar esse caderno quando revirara tudo antes. Estava obcecada demais para notar algo além dos laxantes. Ao que tudo indicava, a filha se acalmara.

— Conte para mim há quanto tempo isso vem acontecendo, Abby. Não minta — ordenou a mãe.

Abby não a olhou. Apoiando o corpo ora num pé ora no outro, continuava parada diante da porta do quarto, ainda de uniforme.

— Não muito. Eu li sobre eles, mas não deu certo. Pronto! Aquelas caixas que você encontrou eram velhas.

— Por favor, prometa para mim que não tomará isso de novo — implorou Leonie. — Se quiser, podemos buscar uma terapia. Sei que tem grupos especializados em distúrbios alimentares...

— Não tenho distúrbio alimentar! Eu só estava experimentando, e nada mais. Não preciso explicar tudo pra você, sabia? Não sou mais criança — acrescentou, com um tom de voz desdenhoso.

— Eu sei, querida — disse a mãe, sem forças. Tentou tocar na filha, mas ela se afastou. — Não fique brava comigo, Abby. Não quero tratá-la como criança, mas o que você tem feito é perigoso, e sou sua mãe. É minha obrigação cuidar de você. Não posso ficar parada vendo você se destruir. Preciso saber se não vai tomar mais laxantes, preciso saber se fez algo mais... — a voz falhou por uns instantes —, se tem provocado vômitos.

— Não fiz nada mais, mãe — respondeu ela, ressentida. — Não acredita em mim?

Leonie fitou-a por um longo tempo.

— Se jura que está dizendo a verdade, acredito. Mas, se por acaso andou fazendo isso, podemos superar juntas, em família. — Seus olhos haviam ficado marejados. Queria abraçar a filha, como fazia quando as duas eram pequenas. Abby sempre fora tão carinhosa, um toquinho de gente que adorava beijos e abraços. — Posso conseguir o número do grupo especializado em distúrbios alimentares e podemos lidar com esse problema juntas.

Abby semicerrou os olhos.

— Eu tenho a solução. Olha, mãe, não quero ficar aqui, eu podia ir morar com a Fliss e o papai. Eles adorariam isso, e eu aposto que eu não chegaria a ser um *problema* para eles — disse, lançando farpas com os olhos.

Leonie olhou fixamente para a filha, tão magoada que mal conseguia pensar. Abby falou como se já estivesse nos Estados Unidos. Pronunciando "mãe" do jeito norte-americano, não do irlandês. E não afirmara que iria ficar com o pai e Fliss, mas o contrário. Fliss primeiro, depois Ray. Não era ele o chamariz que a atraía para os Estados Unidos, era a magra, charmosa e elegante Fliss. Leonie nunca se importara com o fato de a norte-americana linda ter se casado com seu ex-marido. Os dois estavam separados havia tanto tempo que Fliss fora bem-vinda. Mas teria um troço se Fliss tomasse as crianças dela.

— Você não é um problema, Abby — ressaltou Leonie, de coração partido. — Eu a amo, e não aguentaria se fosse morar em outro lugar. Só quero o que é melhor para você, será que não entende?

— Me deixa em paz. Isso é que é o melhor para mim.

Ela deu a volta e entrou no quarto, batendo a porta com tanta força que os objetos mais próximos vibraram.

Leonie preparou o jantar mecanicamente, a mente confusa enquanto tentava pensar no que fazer. Sentira-se arrasada demais para ligar para a mãe ou Ray, embora soubesse que precisava de apoio moral. Queria ficar algum tempo sozinha para pensar no comportamento de Abby.

A filha saiu do quarto, naquela noite, com o rosto pálido e os olhos vermelhos. Leonie soube, por instinto, que se arrependera de tudo o que dissera. Largando as verduras que estavam na peneira, ela atravessou a cozinha e abraçou Abby.

— Ah, mãe — disse a filha, apertando a mãe com força —, sinto muito. Eu me odeio pelo que disse. Claro que amo você muito, é que fiquei brava. Por favor, acredita em mim.

— Psiu, psiu — murmurou Leonie, acariciando os cabelos da filha. — Eu também a amo, Abby. E quero ajudá-la. Você me deixa? Por favor, não me afaste. — Ela segurou a face da menina com ambas as mãos e olhou-a, inquisitivamente. — Você promete para mim não tocar mais em laxantes?

Abby assentiu, calada, os olhos reluzindo.

— Sinto muito, mãe.

Leonie abraçou-a de novo.

— Tudo bem, filha, a gente vai enfrentar isso juntas. Está tudo bem.

Mas claro que não estava. A cada refeição, Leonie se esforçava para não ficar de olho no prato de Abby, mas acabava checando-o, observando com ansiedade cada garfada e aguçando a audição todas as vezes que a filha se aproximava do banheiro, em busca de sinais de vômitos.

— Para de ficar me olhando — queixou-se Abby no sábado à noite, quando ficou beliscando o jantar.

O ambiente tenso perdurou durante todo o fim de semana. Por incrível que parecesse, Danny, que vinha se dedicando por completo a um projeto, não deu sinais de haver notado nada. Abby evitava a mãe o tempo todo, obrigando-a a orquestrar um momento a sós com ela para perguntar como se sentia.

— Bem! — explodira a filha. — Eu já disse que não vou fazer mais, será que não consegue aceitar isso?

Na segunda-feira de manhã, as gêmeas foram para a escola, e Leonie ligou para a clínica para avisar que chegaria mais tarde. Precisava dar um telefonema.

A mulher do disque-ajuda para pessoas com distúrbios alimentares chamava-se Brenda, e já ouvira toda aquela história antes. Sua voz suave e simpática e seu jeito imparcial foram um bálsamo para a alma ferida de Leonie, que se autoincriminara por não ter notado o problema de Abby; dessa forma, esperava que os outros a condenassem também.

Mas Brenda descartou logo a ideia de culpa e censura.

— É ótimo que finalmente saiba como Abby se sente — comentou ela, após ter escutado tudo o que ocorrera. — Agora pode ajudar, antes, não. Claro que é bom.

— Certo — disse Leonie, atordoada.

— A confiança será uma parte importante para lidar com isso, daqui em diante — explicou Brenda com seu jeitinho dócil e prosaico. — Não adianta você ficar vigiando a menina feito uma águia nem forçá-la a comer o jantar, muito menos insistir que coloque porções generosas no prato. Isso vai fazer com que Abby tente dissimular tudo ainda mais.

— Então, o que é que eu faço? — gritou Leonie. — Quero ajudar, mas me sinto tão impotente. Ela está se afastando de mim.

— Isso é comum. Não pense que é só com você. Ela está brava e magoada. Quer ferir alguém e vem tentando mantê-la afastada para que ela possa continuar a controlar o que vem fazendo. Se Abby baixar a guarda, acredita que não assumirá mais o comando.

— Ela sempre foi tão boazinha, uma menina maravilhosa — disse Leonie, angustiada. — Se alguém estivesse destinado a ter isso, eu nunca pensaria em Abby. A irmã gêmea dela, Melanie, sempre se interessou mais pela aparência, por roupas e rapazes. A Mel era a linda e feminina. Abby, a confiável e tranquila.

— Talvez ela tenha se cansado de ser a boazinha — sugeriu Brenda, com suavidade. — Deve ser difícil viver à sombra da irmã.

— Tem razão.

— Pelo visto, parece que você descobriu o problema nos estágios iniciais, embora nunca se possa ter certeza. As pessoas com distúrbios alimentares sempre conseguem esconder muito bem. — Brenda riu. — Eu deveria saber. Tive anorexia durante cinco anos e bulimia durante oito.

Do outro lado da linha, Leonie deixou escapar uma exclamação de espanto.

— Eu sei que está surpresa — prosseguiu a mulher —, mas pense bem: a pessoa mais indicada para lidar com alguém que tenha esse problema é aquela que o enfrentou antes. Você não pode forçar a sua filha a comer. Tudo o que pode fazer, nessa altura, é apoiá-la e ajudá-la a lidar com isso. Está indo muito bem.

Brenda recomendou alguns livros, que poderiam ser úteis, e disse que, se Leonie conseguisse levar Abby para uma reunião do grupo, seria ótimo.

— Algumas das meninas vêm para cá e ficam petrificadas de medo. Não conhecem ninguém mais que se sinta como elas e se sentem muito sós. Quase nunca dizem algo no primeiro encontro, simplesmente ficam lá, observando, impressionadas por estarem numa sala cheia de gente que já passou por isso. Tente trazer sua filha, Leonie.

— Vou fazer o possível — prometeu.

Leonie mal conseguiu se concentrar no trabalho.

— Hugh pediu a sua mão em casamento ou algo assim? — perguntou Angie, quando Leonie levou o coelho errado para ser castrado na cirurgia matinal. — Esta é uma fêmea.

— Sinto muito — disse Leonie, levando de volta a coelha consternada e agitada. — Estou com enxaqueca, só isso.

— Quer ir para casa? — quis saber Angie, compassivamente.

Leonie balançou a cabeça. A última coisa que queria era voltar para casa e passar a tarde sozinha, em companhia apenas dos pensamentos terríveis sobre Abby.

Depois do almoço, ela foi até uma das salas do andar de cima e preparou-se para ligar para Ray. Ele precisava saber.

O ex estava de mau humor e, assim que Leonie lhe assegurou — falsamente — que não havia nada de errado, ele passou cinco minutos reclamando do tempo péssimo em Boston.

— Maldito clima — resmungou.

— É — concordou Leonie, de um jeito abstraído. — Está fazendo frio aqui também. Olhe só, Ray, precisamos conversar.

— Quer dizer então que *tem* algo errado.

— Detesto ligar e informar simplesmente: Ray, tem algo muito ruim acontecendo — sussurrou ela.

— Diga o que é.

Leonie previu que o ex ficaria transtornado e até choroso. O que *não* imaginara era que ele ficasse tão furioso com ela.

— Porra, Leonie, como é que isso foi acontecer sem você saber? Não se pode ligar a TV aqui sem escutar algo sobre jovens com anorexia ou bulimia. As escolas e os pais são muito conscientes disso, mas, pelo visto, você não fazia ideia.

— Você não está sendo justo comigo! — protestou Leonie. — Por sua própria natureza, é uma doença dissimulada. Eu amo as crianças e faria qualquer coisa por elas. Espero que não esteja me acusando de ser negligente.

— Você certamente não prestou atenção nesse caso.

— Os três acabaram de voltar da viagem de Cannes com você. Como é possível que não tenha visto?

— Quatro dias não é nada — disse ele, secamente. — Preciso ir. Tenho uma reunião às dez, um dia cheio pela frente, sabe? Vou ligar hoje à noite para conversar com Abby. Acho que seria uma boa ideia ela vir ficar comigo e com a Fliss por um tempo. Podemos ficar de olho nela. E a Fliss se dá muito bem com ela. As duas se divertiram muito em Cannes.

Ele desligou, deixando Leonie atemorizada.

Desesperada, em busca de algum apoio, telefonou para Emma, mas a ligação caiu na caixa postal. Uma mulher educada, na imobiliária de Hannah, informou que ela saíra. Leonie não tentou contatar Hugh; sentia não poder conversar com ele a esse respeito. Segundo o namorado, a maldita Jane tinha sido uma adolescente tão perfeita, que ela não suportaria contar para ele o que estava acontecendo com Abby.

Sentindo-se sozinha, Leonie tapou o rosto com as mãos e caiu no choro. Como é que conseguiria lidar com isso? Por que se concentrara tanto em si mesma, a ponto de negligenciar os filhos?

Voltou para casa cedo e levou Penny para caminhar, apesar de a tarde agradável de maio ter se transformado num vendaval e numa tempestade de granizo, que caía feito projétil. Leonie não se importou com o tempo: condizia com seu atual estado de introspecção e ódio por si mesma. Ela *merecia* que o granizo fustigasse seu rosto e o vento ameaçasse carregá-la dali. Péssimas mães não podiam esperar por outra coisa. E Penny também adorava vendavais. Erguia a cabeça e aspirava, sentindo cheiros que nenhum olfato humano identificaria. Seguia saltitante, pisando nas poças, com a dona ao encalço, a cabeça inclinada por causa do vento.

Quando elas chegaram aos portões pesados e pretos na entrada da casa de Doug Mansell, Penny, acostumada a se encontrar com os dois pastores escoceses dele nas caminhadas noturnas, decidiu que os visitaria naquele momento. Ignorando os apelos de Leonie para que voltasse de imediato, passou confiante pelo portão, atrás dos amigos. A dona praguejou, mas foi atrás dela. *Talvez fosse bom conversar com Doug*, pensou. Eles costumavam andar juntos à noite agora, conversando sobre diversos assuntos. Tratava-se de uma relação fácil e agradável. Doug tinha um senso de humor cáustico e, assim que baixou a guarda com Leonie e os filhos, acabou fazendo-o com entusiasmo. Fora jantar lá diversas vezes e parecia apreciar o caos do lar Delaney. Vinha ensinando Danny a dirigir em seu jipe e prometera que, quando as gêmeas crescessem, daria aulas para elas também. "Mas antes é melhor eu colocar o marca-passo", brincara ele com Mel, que não levava mesmo muito jeito e que considerava a direção uma forma de sair para conhecer mais rapazes do que podia no ônibus.

Leonie não contou nada para Hugh a respeito daqueles jantares aconchegantes. Achava que ele interpretaria mal. Era difícil explicar sua amizade com Doug, por ser totalmente diferente de qualquer outra que tivera. Não romântica, claro, mas, bom... Tinha a ver com companheirismo e camaradagem. Não se podia explicar isso.

Ela deu a volta pelos fundos, rumo à cozinha, pois sabia que Doug estaria ali ou no ateliê, atrás. Ele abriu a porta antes que ela tivesse tempo de bater, já que a presença dela fora denunciada pelos latidos histéricos dos três cachorros, todos loucos para brincar um com o outro.

— Sinto muito invadir sua casa desse jeito, mas a Penny queria ver Alfie e Jasper — explicou.

Doug contorceu o rosto, fazendo uma careta.

— Quer dizer então que não se daria ao trabalho de me fazer uma visita, a menos que Penny quisesse marcar um encontro? — quis saber ele. Mas, ao ver que Leonie ficara chateada, arrependeu-se na hora. — O que foi que houve, Leo? — perguntou, preocupado. Era o único que a chamava assim, e ela gostava. Algo especial, só deles.

Leonie lhe contou tudo. Era um alívio poder se abrir com alguém.

Tinha se sentido magoada demais para conversar com Angie, e detestava a ideia de contar para a mãe, já que ela ficaria tão consternada. Mas era bom conversar com Doug. Ele fez com que Leonie se sentasse na poltrona mais confortável e lhe deu chá quente e adocicado, juntamente com biscoitos italianos, que parecia ter sempre à mão. Depois de escutar tranquilamente toda a história, dando migalhas de biscoito para os três cachorros, ele comentou que Ray exagerara e deveria ser trucidado.

— É muito fácil apontar o que você anda fazendo de errado, a cinco mil quilômetros de distância. Como Ray se sente muito culpado por não estar aqui, procura se livrar do sentimento perdendo o controle com você. Não tem que aceitar isso, Leo.

— Sou um fracasso como mãe.

Doug ficou sério, o olhar penetrante.

— De jeito nenhum! Tem três filhos ótimos, mas eles não são santos. Cometem erros, como todos nós, Leo. Se Mel, Abby e Danny fossem perfeitos, seriam indivíduos tediosos, que nunca se tornariam nada na vida. Mas não são. Podem ser considerados espirituosos, inteligentes, sensíveis, talvez até demais, no caso de Abby, adolescentes que estão abrindo seu caminho na vida. Não são mais crianças. Você tem que aceitar isso. Pode apoiá-los quando cometerem erros, mas não tem como impedir que eles os façam. Bom — disse, ao notar que o lábio inferior dela tremulava —, sermão concluído. Eu acredito em você, Leo, e seus filhos também. As gêmeas e o Danny fariam tudo por você. Isso por causa de todos os sacrifícios que fez por eles. Não se esqueça disso.

Ela assentiu.

Doug observou os três cachorros, que naquele momento se esparramavam no chão da cozinha, exaustos depois de uma brincadeira de pega-pega no andar de baixo da casa.

— Penny já se exercitou bastante por hoje — comentou ele. — Vou levar você para casa e, se me mostrar em que parte do freezer guarda aquela lasanha deliciosa, vou preparar o jantar. Negócio fechado?

— Negócio fechado.

Fliss telefonou tarde, naquela noite, quando Doug já voltara para a casa dele e as gêmeas se preparavam para ir se deitar. Leonie sentiu os pelos da nuca se arrepiarem, tal qual ocorria com Penny quando ela via uma gata diferente de sua companheira, Clover.

— Leonie, imagino que seja uma experiência péssima para você e toda a família. Eu me sinto mal por você.

— Obrigada, Fliss — disse ela, sem jeito, detestando a mulher por ter acesso àquele segredo tão íntimo da família.

— Ray me contou que se descontrolou ao falar com você mais cedo, e eu queria pedir desculpas, pois ele não tem o direito de fazer isso. Nós conversamos e pensamos numa solução que talvez seja adequada para todos.

— É mesmo?

Sem perder a tranquilidade, apesar do tom de voz sarcástico de Leonie, Fliss prosseguiu:

— Eu e o Ray achamos que seria bom para Abby passar algum tempo conosco, e Mel também. Acho que seria um erro separá-las.

— O quê? Isso é ridículo! Elas acabaram de voltar às aulas, depois de faltar dois dias para ir até a França. Não podem perder tempo agora. As provas finais estão chegando.

— Esse é apenas o Ano de Transição aí na Irlanda. É opcional mesmo. Além disso, elas já vinham em agosto, de qualquer forma — interrompeu a outra. — Só adiantariam alguns meses a viagem. Seria muito bom para Abby a mudança de ares, para tirar da cabeça o que vem acontecendo.

— Embora seja o Ano de Transição delas — insistiu Leonie, com hesitação —, a escola na certa não vai querer que percam as provas.

— Você sempre pode alegar que tem a ver com o direito do pai. Não conheço bem o código familiar daí, mas sei que não é incomum os adolescentes irem viver com um dos pais, por um tempo. Até mesmo dois ou três meses fariam diferença para Abby.

— Dois ou três *meses*! — exclamou Leonie, horrorizada. — Eu estava pensando mais em algumas semanas. Ficaria perdida sem elas.

— É, imaginei que se sentiria assim — disse Fliss, com amabilidade. — Leonie, não estou tentando tomar as gêmeas de você. Elas são suas filhas e a amam. Ninguém pode mudar isso. Não se trata disso, mas de Abby. Você é o melhor apoio que ela poderia ter, mas, neste momento, acho que quebrar o ciclo do que ela vem fazendo seria o melhor para ela. Abby precisa de outro ambiente. Você sabe que o pai dela adoraria tê-la aqui, junto com Mel também.

Leonie sentiu que teria de desligar logo ou cairia no choro.

— Preciso pensar no assunto, Fliss — disse, abruptamente, e desligou. Então, desatou a chorar.

Doug se ofereceu para levá-las ao aeroporto.

— Você não vai estar em condições de ir dirigindo para lugar nenhum — dissera a Leonie, com amabilidade.

Ela sabia que ele estava coberto de razão. Nos três dias desde que falara com as gêmeas sobre a viagem, não conseguira fazer nada direito. Pedira licença do trabalho, já que havia a possibilidade de que cometesse um erro terrível durante uma cirurgia, tornando-se responsável pela morte de algum pobre animal. Angie fora bastante solidária quando soube de Abby.

— Uma mudança de ambiente provavelmente será uma boa ideia tanto para ela quanto para você — comentara ela. — Depois que as meninas partirem, por que você e Hugh não tiram uma semana de férias? Podem ir de carro para Kerry ou Clare e não fazer nada além de comer, beber e perambular pela floresta! Você merece uma folga e, se Hugh estiver chato, pode se mandar com algum andarilho que encontrar nas caminhadas!

Mas Leonie não estava a fim de piadas nem de férias. Queria voltar para sua toca e hibernar para curar suas feridas.

Eram dez horas, e o voo das gêmeas sairia às duas e meia. Leonie quis ter certeza de chegar com antecedência o suficiente para enfrentar as longas filas da imigração norte-americana. Que ironia, pensou ela, estar correndo para que elas não perdessem um voo que, na verdade, não queria que pegassem.

— Estão prontas, meninas? — chamou Leonie, com falsa animação.

Mel e Abby estavam acordadas desde as sete, acrescentando os últimos itens à mala, lavando os cabelos e até dando uma última ligada triunfal para a antiga inimiga de Mel, Dervla Malone, para se vangloriarem da viagem a Boston, enquanto ela se dirigia à escola, para as suas aulas seguidas de francês, e depois, para a prática de basquete, na chuva.

— Quase — gritou Mel. — Não consigo fechar esta mala. Você pode ajudar mãe?

Revirando os olhos para Doug, que lia pacientemente o jornal na cozinha, com a servil Penny ao seu encalço, Leonie foi para o quarto delas.

— Surpresa! — exclamaram as duas, agitando um envelope e dois presentes em pacotes de formato peculiar para ela.

— Vinho — contou Mel sem necessidade, já que o embrulho dela era em formato de garrafa.

— E isso é algo para você abraçar quando estiver se sentindo sozinha — disse Abby em voz baixa, entregando o presente.

Leonie sentiu um nó na garganta.

— Ah, meninas — disse, chorosa —, vou sentir muita falta de vocês duas.

Abby abraçou a mãe.

— Eu sei que é por minha culpa que a gente está indo, e eu adoro a ideia, mas sinto muito que seja tão difícil para você — ressaltou a menina, também aos prantos.

Leonie agradeceu aos céus pela garrafa de vinho. Era um ótimo Burgundy, e caro, ela podia jurar.

— Como é que vocês conseguiram comprar uma bebida alcoólica? — quis saber. — Não têm idade.

— O Doug ajudou a gente. Mostrou o que você gostaria e pegou para nós.

A mãe ficou comovida. Como ele era gentil. As crianças o adoravam, e ele prometera dar aulas de pintura para Abby. Doug dera gargalhadas um dia antes, quando Mel comentara, desajeitada, que gostaria que pintassem o seu retrato, mas que ele não fosse o pintor, já que nos seus quadros todo mundo parecia gordo e feio.

Leonie abriu o segundo presente. Era um bichinho de pelúcia, um cachorrinho com olhos castanhos grandes como os de Penny, e pelos avermelhados.

— É lindo!

— Não é? — perguntou Abby, fungando. — Sei que vai se sentir sozinha, então isso é para que se lembre da gente.

Leonie acariciou com suavidade o rosto de Abby.

— Como se eu pudesse me esquecer de vocês por um minuto sequer — disse, com carinho. — Muito obrigada, meninas. Mas é melhor irmos andando, o Doug vai ter um troço se não partirmos logo.

Abby deu um largo sorriso.

— Isso que é legal no Doug — comentou ela. — Não importa o que aconteça, ele não tem nenhum troço.

Leonie conseguiu se controlar durante o trajeto e quando foram tomar café na lanchonete.

— Não se esqueça de estudar — aconselhou a mãe. — A escola só está deixando você ir contando que vai se esforçar muito e fazer análise, Abby.

Ray conseguira um professor particular, que daria aulas para as duas ao longo das seis semanas que passariam fora, e Abby concordara em ir até um especialista em distúrbios alimentares. Fora apenas essa promessa, feita durante uma longa reunião na escola em que se tratou dos problemas de Abby e dos direitos do pai de vê-la, que levara a diretora a concordar em deixar as gêmeas partirem.

— Se não fosse o Ano de Transição, de forma alguma as meninas poderiam ficar tanto tempo fora, sem perder o ano — dissera irmã Fidelma. — As provas estão chegando, e sei que as pessoas acham que elas não são importantes, mas são sim.

Leonie explicara com calma para ela que o estado de espírito de Abby era mais importante que qualquer registro de presença ou prova final.

— Talvez o Ministério da Educação não concorde — insistira a irmã Fidelma, irritada. Porém, tomara todas as providências. Pela forma como a diretora agia, Leonie comentara com Doug, mais parecia que ela estava mandando as filhas para serem aprendizes em um sex-shop tailandês, e não para visitar o pai em Boston.

— E não deixem a cozinha bagunçada por lá, como fazem em casa — avisou Leonie. — Não seria justo com Fliss. E, por favor, liguem.

— Claro que vamos — disse Mel, louca para partir.

— É melhor elas entrarem agora — aconselhou Doug. — A imigração é demorada.

Leonie limitou-se a assentir, arrasada demais para falar. Ela e Doug foram com as gêmeas até a barreira de segurança que dava acesso aos portões de embarque, onde deviam se encontrar com o representante da Aer Lingus, que as ajudaria a passar pela Imigração, já que as duas eram menores de idade.

Ambas se despediram de Doug com um beijo.

— Cuida da mamãe, está bom? — pediu Abby.

— Claro — respondeu ele.

Abby virou-se para Leonie.

— Tchau, mãe.

— Tchau — disse a mãe, já sem forças. Soluçou, sem conseguir mais se conter, estendendo os braços cegamente para abraçar as filhas.

As três se abraçaram com força, antes de Mel se afastar.

— Não entra em pânico, mãe — disse ela. — A gente vai voltar antes que você se dê conta. — Pegou a mão da irmã e puxou-a. — Vamos. Detesto despedidas.

As duas acenaram até sumir de vista. Doug cingiu com o braço forte o corpo trêmulo de Leonie.

— Elas só vão ficar seis semanas — comentou ele. — Voltarão. Agora, vamos sair daqui. Vou levar você para jantar num lugar elegante hoje, mas antes temos que levar os cachorros para passear.

Leonie já parara de chorar quando ele estacionou na frente de sua casa, uma hora depois.

— Vou entrar para preparar um chá quentinho para você — disse Doug.

— Melhor um uísque quentinho — corrigiu Leonie, dando uma fungada com o nariz entupido.

— Negócio fechado.

Cumprindo como sempre a palavra, Doug pôs a chaleira no fogo e preparou uma receita de uísque quente para ela. Quando Leonie terminou de tomar a bebida, ele se levantou.

— Leo, não vou deixar que fique aqui se lamentando o dia todo. Vá se arrumar para caminhar, que volto daqui a dez minutos com Jasper e Alfie. Vamos dar uma volta por Wicklow Way e, quando você não puder dar nem mais um passo, vamos jantar no Hungry Monk.

— Você é muito mandão — queixou-se ela.

O semblante sério dele finalmente ficou sorridente.

— Está dando certo, não está?

O dia estava maravilhoso. Enquanto eles caminhavam ao longo dos tojos com flores amarelo-claras que cobriam as colinas de Wicklow, Leonie continuou pensativa. Respondia a Doug em monossílabos, até ele se irritar com a depressão dela.

— Só vou dizer isso uma vez, Leo. Você é uma ótima mãe. Seus filhos amam você. Estão crescendo, e isso é tudo, com todas as dores envolvidas no amadurecimento. Então, pare de ficar se remoendo e deixe a tristeza de lado.

— Bom, então me diga por que eu realmente me sinto uma péssima mãe? — quis saber ela, aborrecida. — Estou tão puta da vida!

Hugh teria ficado chocado ao vê-la falar palavrão, mas Doug nem se abalou.

— Por quê? — quis saber ele.

— Por quê? Essa é uma pergunta idiota, Doug.

— Você não é Deus — disse o amigo, com tranquilidade. — Acontecem coisas que estão fora do seu controle, e precisa aprender a lidar com elas. Foi o que *eu* tive de fazer. Acha que eu queria sofrer queimaduras num incêndio e ver a mulher que eu amava me dar um fora por não conseguir ficar ao lado de um homem desfigurado, que já não era mais o queridinho das galerias de arte?

Leonie ficou espantada demais para fazer qualquer comentário. Doug nunca falara de seu passado antes. Ela descobrira que ele era um artista famoso, sucesso de crítica, mas os dois nunca haviam conversado sobre isso. Às vezes ele lhe mostrava seus quadros, e Leonie os adorava, sobretudo as paisagens silvestres e turbulentas, que sobressaíam nas telas, conquistando os observadores.

— Eu não pude controlar isso — prosseguiu Doug, solenemente. — Mas tive de lidar com tudo. E você deve fazer o mesmo ou vai se deixar consumir pela amargura e pelo ressentimento. Não vou deixar que aconteça com você, Leo. Agora vamos, ainda temos cinco quilômetros pela frente.

Ele caminhava com agilidade, fazendo com que até mesmo Leonie, com suas longas pernas, apertasse o passo para acompanhá-lo.

Três horas depois, os dois se encontravam sentados à penumbra, no restaurante Hungry Monk, em Greystones, comendo pãezinhos e tomando gim-tônica.

— Estou esgotada — comentou Leonie. Suas pernas doíam agradavelmente após a caminhada de dez quilômetros, e ela se sentia relaxada pela primeira vez desde que encontrara os malditos laxantes debaixo da cama de Abby. — Fazer exercício com certeza é melhor que birita para fazer a gente relaxar.

Doug, concentrado no cardápio de vinhos, riu.

— Fazer exercício *e* tomar umas biritas é melhor ainda.

Eles comeram mexilhões suculentos, galinha caipira e batatas maravilhosas, cobertas com queijo e creme. Depois de uma garrafa de vinho tinto, passaram para um vinho doce australiano, que acompanhou a sobremesa de maçã que compartilharam, satisfeitos em simplesmente permanecer ali, ouvindo o bate-papo das outras mesas. Sentindo-se imprudente, Leonie resolveu pedir um café irlandês para arrematar.

— Você vai se arrepender amanhã — avisou Doug. — Misturar bebidas desse jeito provocará uma ressaca de matar.

— Não vai não, seu bobo — disse ela feliz agora com o físico cansado e a mente meio entorpecida por causa do álcool. Se tomasse outra bebida, dormiria como um bebê e não passaria a noite se preocupando com as adoradas gêmeas.

Ligeiramente ébria, Leonie reuniu coragem para fazer uma pergunta a Doug, relacionada ao que ele dissera mais cedo.

— Eu nunca faço perguntas sobre seu passado, mas foi você que o trouxe à tona. Conte mais para mim. Afinal de contas, já sabe tudo o que há para saber sobre mim e o meu.

Doug brincou com o pé da taça de vinho.

— Não gosto de falar dele — disse ele, sombriamente.

— Só para mim — queixou-se Leonie.

— Bom, eu sei que é só para você. Esta não é uma história com final feliz, sabe?

— Ah, vamos lá, pode contar tudo. Conheço você bem demais para que hesite dessa forma.

— Você já pensou em jornalismo investigativo como carreira? — quis saber ele.

Ela riu.

— É preciso aprender a fazer perguntas capciosas quando se tem três filhos, de outro modo, você nunca descobriria quem são os amigos deles e o que andam aprontando.

Pela primeira vez, Doug não retribuiu o sorriso. Parecia tão sério como quando começara a contar a história.

— Ia me casar com a mulher com quem namorava fazia três anos. Cheguei a morar com outras antes, mas nunca tive vontade de me casar até conhecer Caitlin. Ela era escultora, e tudo indicava que seria um casamento perfeito. Eu teria o meu ateliê, e Caitlin, o dela, bem ao lado. — Ele tomou um gole de vinho, os olhos sombrios. — Uma noite, ficamos fora até tarde e resolvemos pernoitar numa cidade, com um amigo meu que morava em cima da própria galeria, no apartamento do segundo andar. Um aquecedor pegou fogo lá embaixo. Acordei e não encontrei Caitlin. Havia fumaça por todos os lados. Achei que talvez ela tivesse descido, para sair por aquele caminho, embora houvesse uma saída de emergência. Foi lá que me queimei.

— O que aconteceu com ela? — perguntou Leonie, horrorizada.

Doug deu de ombros, secamente.

— Caitlin tinha decidido voltar para a própria casa mais cedo. Disse que me deixara um bilhete porque detestara dormir no apartamento e, como precisava acordar cedo, saiu de lá às três. Você não repara em bilhetes deixados em travesseiros quando o quarto está cheio de fumaça — acrescentou ele, com ironia. — Depois, ela não aguentou mais. Foi uma mistura de sentimento de culpa por eu ter me queimado por causa dela e por ela amar coisas lindas. — A antiga amargura, que Leonie não via em seu rosto havia muito, retornara, fazendo com que a boca dele se contraísse de um jeito sisudo. — Eu não era mais lindo. Caitlin adorava tocar em tudo; ela percorria minha face com os dedos como se estivesse lendo braile. Como escultora, contemplava com os dedos. Já não gostava do que via.

Quanta crueldade, pensou Leonie. Essa tal Caitlin não devia ter amado muito Doug, se o deixou por causa disso.

— Foi quando você se mudou para cá — concluiu ela.

— Planejei uma vida isolada, pintando, até uma habitante local cair do lado de fora de minha casa e pronto: adeus, privacidade — brincou. — Para ser sincero, não consigo me livrar dela. — Ele fingiu pensar mais no assunto. — Não, não é verdade. Se ela não estivesse por perto, sentiria saudades dela. A mulher me enlouquece, mas é muito divertida.

Leonie enrubesceu.

Doug chamou a garçonete.

— Poderia chamar um táxi para nós, por favor? — perguntou.

No caminho, já no carro, Leonie cochilou. Acordou quando o veículo estacionou do lado de fora de sua casa, apoiada confortavelmente no ombro ossudo do amigo.

— Acorde, dorminhoca — dizia ele, sacudindo-a.

— Ah, meu Deus, sinto muito — sussurrou, sonolenta.

Doug saiu do táxi e ajudou-a a fazer o mesmo.

— Você está bem? — quis saber.

Ela assentiu.

— A gente se vê amanhã. — E, em seguida, inclinou a cabeça para o alto e fez algo que nunca fizera antes: beijou-o. A sensação do bigode em seus lábios foi engraçada, mas gostosa. Doug era ótimo. Feliz em seu torpor ébrio, ela acariciou o rosto dele com carinho antes de dar a volta para percorrer a entrada, cambaleando.

Os latidos de Penny a acordaram na manhã seguinte. Leonie teve a sensação de que o homem do logo da Rank Organization e seu gongo estavam em seu quarto, batendo com toda a força.

— Pare, Penny — gemeu Leonie, cobrindo-se com um travesseiro. A cabeça latejava e a boca estava seca. Os acontecimentos da noite anterior lhe vieram à mente de forma imprecisa. O Hungry Monk, a comida deliciosa, Doug sendo tão carinhoso com ela, a história sobre o incêndio e... essa não. Ela se sentou de supetão. Acabara lhe dando um beijo de boa noite. Que terrível! Ele odiaria, pensaria que estava dando em cima dele. Ah, meu Deus, não! E Leonie já tinha um homem em sua vida, Hugh. Não era como se estivesse desesperada para encontrar alguém. Não, mas, ainda assim, precisava agir como uma vagabunda de meia-idade que se atirava nos amigos por estar bêbada.

Após algum tempo, a sede arrancou-a da cama. Lutando com o roupão atoalhado, ela foi arrastando os pés até a cozinha, os chinelos ressoando forte contra o piso. Danny ouvia o rádio às alturas, enquanto colocava pão na sanduicheira e fazia uma bagunça com migalhas, pingos de maionese e queijo derretido.

Penny sentou-se de imediato próximo a ele, com veneração, aguardando quaisquer restos de comida.

— Você está com a cara péssima, mãe — comentou Danny, animado.

— Daria para você abaixar o volume do rádio? — pediu a mãe, com a voz fraca. — E também preparar um chá para mim?

— Chá? — vociferou o filho, com malícia, sabendo que ela estava de ressaca.

Leonie lançou-lhe um olhar ferino.

— Na próxima vez que você voltar para casa acabado do Micro Club e eu fizer você tomar um litro d'água e colocá-lo na cama, vou lembrar quanto foi cruel comigo hoje.

— Brincadeirinha, mãe. O chá já vai sair.

No peitoril da janela, do lado de fora, dava para ver Clover fitando-os com expressão ultrajada no rosto felino. Era óbvio que não fora alimentada.

— E dê comida para Penny e Clover também — acrescentou Leonie, levantando-se. — Tenho que dar um telefonema.

Ao ligar para Doug, estremeceu ao pensar em qual seria a reação dele.

— Sinto muito, eu me comportei mal na noite passada? — perguntou ela assim que ele atendeu, sem querer ouvir a resposta.

Doug deu uma risada sincera.

— Muito mal — concordou. — Tive de impedir que dançasse na mesa no Hungry Monk e, quanto ao que você tentou fazer com o creme do café irlandês... Bom — disse, fazendo uma pausa —, acho que não vão aceitar outra reserva nossa não.

— Ah, meu Deus!

— Estou brincando, sua boba. Exceto pela hora em que...

Leonie prendeu a respiração. Ele estava prestes a dizer *exceto pela hora em que você tentou me agarrar.*

Em vez disso, o amigo acrescentou:

— Tive que vê-la subir cambaleando a entrada de casa até a porta da frente. Eu e o taxista apostamos quanto tempo você levaria para pegar as chaves na bolsa. Eu deveria ter acompanhado você. Sinto muito.

— Não tem problema — disse ela, aliviada. — Eu não devia ter tomado aquele café irlandês. Foi o que acabou comigo.

Danny chegou com um bule de chá.

— Tenho que ir. A gente se vê — prosseguiu Leonie, despedindo-se. — Obrigada por ontem à noite.

— Ah, eu esqueci de dizer, mãe — comentou Danny, pegando um dos biscoitos de chocolate que pusera na bandeja, junto com o chá. — As meninas telefonaram bem cedinho. Ligaram para avisar que chegaram direitinho ontem.

— Por que você não me acordou?

— Você estava dormindo!

— Eu vou ligar para elas agora.

— Elas vão passar o dia fora, mãe, foi o que a Mel contou. A Fliss vai levá-las para fazer compras. Em algum mercado ou algo assim, não lembro bem. Sabe como é a Mel, louca por compras.

— Você conversou com a Abby? — perguntou Leonie, em um sussurro.

— A-hã. Ela pareceu estar animada também. Já vou, mãe. Devo voltar tarde hoje. Até mais.

— Até mais — repetiu ela, com tristeza.

Quando Hugh lhe telefonou mais tarde, ela ficou feliz em ouvi-lo. Passara um dia solitário em casa. Penny fizera o possível para consolá-la, metendo o focinho gelado e úmido na mão da dona, de vez em quando, como quem diz *Estou aqui*. Mas Leonie se sentia tão inconsolável que nem mesmo sua adorada Penny conseguiu animá-la.

O telefonema de Hugh, no entanto, era bem-vindo. Talvez ele tivesse ligado para lhe dizer que houvera uma mudança de planos, e os dois sairiam juntos, no fim das contas.

— Você ainda vai levar Jane para o cinema? — perguntou, esperançosa.

— Vou. Ela está superanimada. A coitadinha está arrasada por causa do miserável do ex-namorado dela.

— Sinto muito — disse Leonie, falsamente. Queria que Hugh tivesse desistido do passeio com a filha. Gostaria de contar com uma companhia naquela noite. *Mas as crianças precisavam vir em primeiro lugar*, pensou ela, conformada. Só que Jane não era uma. — Acha, por um acaso, que Jane aceitaria se você desmarcasse o encontro de hoje e viesse me ver? — ousou perguntar.

Hugh ficou horrorizado.

— Não posso, Leonie — respondeu, em tom de voz chocado. — O infeliz do ex-namorado vinha enganando a menina há séculos, então ela está furiosa com ele. Precisa de mim.

Mas, e eu? Ela teve vontade de chorar. Eu também preciso de você. Minhas filhas partiram e são mais preciosas para mim que um namoradinho-de-três-semanas para a maldita Jane. Porém, não disse nada.

CAPÍTULO 25

Três meses depois

pedido de casamento de Felix tornou-se matéria de entrevistas. Outro ato a ser incluído nas citações da mídia. A história incrível de como ele chegara à casa dela com cinquenta buquês (um pequeno exagero era praxe nas entrevistas, explicara ele) e um brilhante enorme, e ficara horas esperando ao lado de fora a chegada da amada, quase tendo uma hipotermia e precisando até ficar meia hora na frente da lareira antes de os dentes pararem de bater.

Hannah já estava farta de sua vida com Felix virando fonte de comentários. Ao menos seu casamento no Caribe não fora publicado em oito páginas na *Hello!* (embora ela soubesse que fora apenas porque Bill, a agente de Felix, não conseguira o que considerava uma oferta digna da revista), mas vários jornais dominicais haviam incluído algumas das fotos. Hannah, com os cabelos soltos nas costas e adornos de flores, não gostara muito de si mesma no vestido à altura do tornozelo de Ben de Lisi. Sentira-se gorda e grávida ao lado de Bill, uma londrina espalhafatosa, fumante inveterada, que achava que o dia teria sido desperdiçado se não tivesse dito "seu grandissíssimo idiota!" aos berros para alguém.

Baixinha, magra, quase emaciada, cabelos laqueados cor de ameixa, Bill fizera mais cabeças se voltarem para ela que a noiva, quando chegara ao casamento na praia com um terninho marfim, sem nada por baixo. Afora o penteado estilo anos 1960, lembrava muito Bianca Jagger.

Hannah, que crescera acreditando no conceito de que era uma grosseria ofuscar a noiva usando branco ou marfim, ficara furiosa. Antes, tinha se sentido ótima. A pele bronzeada apresentava um brilho saudável, graças a um hidratante com toques de dourado.

"Ela é uma vaca", quisera comentar com alguém quando estava no belo altar, montado em um deque adornado com flores exóticas. Mas não havia ninguém com quem falar. Eles estavam em St. Lucia, e a lista de convidados consistira em Felix, Bill, o assistente dela — um jovem magricela que praticamente nunca abria a boca, nem mesmo quando a chefa gritava com ele — e o juiz que os casaria.

Hannah gostaria muito de ter tido alguma amiga íntima ao seu lado naquele dia. Até Gillian, da imobiliária, teria quebrado o galho. Qualquer pessoa com quem pudesse conversar normalmente.

Quando Felix terminou de relatar como fora o casamento, este já se tornara uma decisão de último minuto, com os dois simplesmente saindo de casa com a roupa do corpo (o que não explicava o lindo vestido de Hannah, o qual tivera de ser encomendado com três semanas de antecedência e reformado duas vezes para acompanhar a barriga de cinco meses, que crescia rápido) e pegando um avião para o Caribe.

Tal qual o homem fascinante que vem interpretando no novo seriado, Felix Andretti não resistiu e se casou da forma mais idílica possível com a noiva, Hannah. Em vez de passar semanas organizando igreja, flores e recepção, dois meses atrás Felix carregou a morena Hannah para St. Lucia, e eles contraíram matrimônio em uma cerimônia simples, na praia, com apenas dois amigos íntimos como testemunha.

"Queríamos que o casamento fosse puro e simples", ressaltou Felix, sem desgrudar os olhos da lindíssima esposa irlandesa. "Eu sou um cara romântico e sempre achei que, quando encontrasse a mulher certa, ia querer casar logo, sem muito auê. O casamento é sagrado para mim, e a ideia de fazer isso ao ar livre, com a natureza e o oceano à nossa volta foi perfeita: você se torna um só com a natureza e com a pessoa que ama. Nós dois estávamos descalços na praia. Nunca vou me esquecer. Foi um evento improvisado, mas maravilhoso."

O casal passou a lua de mel aproveitando os dias de folga para nadar e caminhar sob a luz do luar na mesma praia em que se casou, a apenas alguns passos do hotel adorável em que ficaram, o charmoso Rex St. Lucian. Felix até tentou fazer mergulho, enquanto Hannah, que está esperando o primeiro filho do casal, passeava, curtindo os raios de sol.

Hannah mal conseguiu terminar de ler o artigo entusiástico da revista. Felix tinha ido mergulhar, sim, deixando-a sozinha por dias, com a maldita Bill. Como a ideia de diversão da agente envolvia a maior quantidade possível de coquetéis à base de rum, não chegara a ser uma companhia sóbria o bastante.

Alguns dias, Bill adiava a bebedeira a tempo de jogar uma partida de tênis rápida com o profissional bonitão do hotel, para depois ir até o bufê, comer a velha folha de alface de sempre, com uma garrafa de vinho branco gelado para acompanhar. Hannah, que sentia calor demais para ficar no sol, passara a maior parte do tempo no quarto com o ar-condicionado ligado, observando os casais felizes à beira da piscina.

Poderia ter apostado que era a única mulher em lua de mel que passara a maior parte do tempo sozinha.

No último dia lá, ela implorara que Felix deixasse de lado o mergulho para que ficassem juntos, talvez dando uma volta pela ilha e indo almoçar em algum lugar...

— Eu já paguei por hoje — protestara ele. — Seria um desperdício de dinheiro perder o último mergulho."

— Foi um desperdício de dinheiro me trazer junto! Podia ter economizado ao me deixar lá em casa, já que não passou nem cinco minutos comigo desde que chegamos aqui! — gritara Hannah, jogando um cinzeiro em cima dele.

Felix se abaixara e o objeto batera com força na parede, deixando uma marca profunda nela.

— Olha só o que você fez — dissera ele, exasperado. Hannah começara a chorar.

— Se deixar a disfunção hormonal tomar conta de você, eu vou embora — sussurrara ele.

Ela fora fazer uma massagem facial em um hotel ali perto e, depois, sentara-se no bar à beira da piscina para tomar chá gelado antes de ir caminhar na praia. Como estava quente demais para ficar muito tempo ao lado de fora, Hannah comprara algumas revistas e voltara para o quarto. Deitara na cama e cochilara...

Felix a acordara às sete da noite.

— Vamos, querida, vamos jantar, estou faminto.

Desorientada, Hannah não conseguira se lembrar de onde estava por alguns instantes. Mas Felix estava ali, não? Com a pele reluzente em virtude do bronzeado acentuado, os cabelos louro-claros por causa do sol, parecia mais belo do que nunca. Uma camisa de linho branco e calça bege do mesmo material ressaltavam o corpo esbelto. Os dentes brancos e brilhantes contrastavam com a pele bronzeada, a boca sensual marcante no rosto. Ele se inclinou e beijou-a. Hannah sentiu o aroma inconfundível de água salgada e de pele queimada do sol. Sonolenta, deixou que ele desabotoasse seu vestido e pegasse um de seus seios agora volumosos. Com a língua, quente e ágil, Felix percorreu sua pele, saboreando e mordiscando, deixando-a estonteada de prazer.

— Vamos jantar depois — anunciara ele, enquanto tirava seu vestido e colocava a mão dentro de sua calcinha de algodão.

Uma mulher reconhecera Felix no aeroporto de Birmingham. Ele e Hannah aguardavam a bagagem e discutiam se comeriam ou não um sanduíche rápido antes de ir para a casa da mãe dele. A residência ficava a uns 45 minutos dali de táxi e os dois estavam famintos, já que não comiam desde o lanche oferecido no voo de St. Lucia. Até mesmo para o sempre preocupado com a forma Felix, o pacotinho de biscoito com sabor de queijo servido no voo de conexão do Heathrow não podia ser considerado almoço. Então, uma mulher de meia-idade, trajando blazer azul-marinho e saia creme, fora correndo até eles, empunhando a alça de uma malinha com rodas atrás de si.

— Você é o cara da TV! De *Bystander's*, né? O carpinteiro que mora no apartamento embaixo das duas moças.

Felix dera um sorriso pueril para ela.

— Sou eu, sim.

A satisfação da mulher era evidente por trás do sorriso. Ela chamara a amiga. Logo, os três começaram a conversar animadamente, e Felix dera autógrafos com a facilidade de alguém que fazia isso havia anos. Batera papo com as mulheres como se fossem grandes amigos, fazendo perguntas e respondendo às delas.

Hannah ficara observando a cena de um canto, achando aquilo divertido. *Felix era tão charmoso*, pensara, cheia de orgulho. As duas fãs estavam babando por ele.

A esposa ficara de olho na bagagem que devia chegar e escutara a conversa.

— Ela é sua namorada? — quisera saber a primeira mulher, que se chamava Josephine.

Hannah balançara a cabeça e sorrira.

— Não — respondera ele, com um tom de voz orgulhoso —, é a minha esposa.

— É uma graça também — comentara Josephine, admirando-a.

Hannah se sentira ótima. Fizera o possível para estar bonita, já que ia conhecer a sogra. Pusera o vestido bastante elegante de Jasper Conran, que costumava se ajustar ao seu corpo esbelto, favorecendo-o, com botas de cano longo de camurça e uma bolsa nova, de couro reluzente e retangular, que custara quatro vezes mais que qualquer outra em seu guarda-roupa. O vestido estava um pouco apertado na cintura, agora, embora fosse muito bem cortado, e ela colocara um lindo lenço de pescoço preto e branco, que comprara em St. Lucia, caindo em um dos ombros, para desviar os olhares das pessoas de sua barriga.

O efeito fora a personificação da elegância, e Felix adorara. Mas não chegou a comentar se a mãe adoraria a roupa ou ela. Na verdade, ele nunca mencionara muito a mãe, e Hannah começara a se sentir nervosa ante a perspectiva de se encontrar com a sra. Andretti.

— Tenho que ir, Josephine e Lizzie — disse Felix, naquele momento, para as duas fãs. — Vejo que a nossa bagagem está chegando na esteira.

Com o "boa sorte" ressoando nos ouvidos, Hannah e Felix pegaram os pertences e saíram do aeroporto.

— A mamãe vai cozinhar algo — ressaltou ele, explicando por que decidira que não deveriam comprar um sanduíche no aeroporto. — Mesmo quando se chega lá sem avisar, ela já vai pegando a frigideira.

— Quer dizer que você não avisou que estamos indo? — perguntou Hannah, surpresa, enquanto se acomodava no banco de trás do táxi. Tinha certeza, quando Felix declarou que a levaria para conhecer a mãe, que ele já *contara* para a pobre coitada que acabara de se casar e que planejava aparecer com a esposa.

— Não — admitiu com cautela. — A gente não é esse tipo de família, que faz grandes reuniões.

Felix raramente mencionava a família — a segunda geração de pais espanhóis, pelo que Hannah sabia. Na verdade, descobrira isso na biografia dele do *TV Times*, quando *Bystanders* começara a passar no período de seis semanas. Ele nunca falara muito dos parentes para ela; só comentara que não eram muito chegados. "Eles pertencem ao meu passado e você, ao meu futuro", dizia, misteriosamente.

Hannah supôs que eles seriam espanhóis típicos, valorizando não só a família como também as reuniões maravilhosas, em que membros de várias gerações se reuniam. O problema era que ninguém na família achava que atuar fosse um trabalho adequado. Não é possível que pensem assim agora, concluiu Hannah. A carreira de Felix estava no auge. Ela pensou em contar para a sogra como ele vinha fazendo sucesso, e a ideia de reunir aquela família desunida lhe pareceu plausível. Em segredo, ela vinha estudando um livro de frases em espanhol, tentando aprender algumas palavras para que eles não a achassem tosca por não conhecer nada de seu idioma.

— Como devo chamar sua mãe? — quis saber ela, decidindo não fazer nenhum comentário sobre Felix não ter avisado à família que iriam visitá-la.

— Vera.

— Não é muito espanhol — brincou Hannah.

— Hannah, querida, antes que a gente chegue lá, quero explicar algo. Os atores adotam nomes artísticos, você sabe disso. O Cary Grant era Archibald ou coisa parecida, e o John Wayne, Marion. Eu mudei o meu, certo?

— Quer dizer que você não tem um lado da família espanhol? — perguntou ela. — Foi o que puseram na *TV Times*!

— Não. — Felix deu de ombros. — Achei que seria uma boa ideia, na época, porque sou louro. Sabe, o espanhol louro, pensei que iriam lembrar, e foi o que ocorreu. Mas essa é a história oficial, né? Meu sobrenome verdadeiro é — ele sussurrou — Loon, não Andretti.

Hannah olhou-o boquiaberta. Depois de saírem juntos há meses, de se casarem, só agora ela ficava sabendo do nome verdadeiro de Felix. Se é que era esse seu nome. Ela estremeceu ante a ideia de que também fosse outro.

— Qual é seu nome? — perguntou, hesitante.

— Phil.

— Phil Loon — repetiu ela, devagar. — Acho que prefiro Felix. Não consigo me imaginar por outro nome.

— Olha, meu nome é Felix Andretti e ponto final. Estou contando como me chamava antes porque vai conhecer a minha família. Minha mãe nunca me perdoou por escolher outro nome, mas não se pode ser uma estrela internacional do palco e do cinema com um nome como Loon. Imagine a gozação dos críticos: iam me chamar de Loonático toda vez que eu participasse de uma produção. Nem pensar.

— Então eu sou a sra. Loon — comentou Hannah, contemplativa. Deu uma risadinha ao considerar o quão inusitado tudo aquilo era.

— Eu o mudei com escritura unilateral e tudo, então é oficial agora — corrigiu ele. — Pare de brincar com isso, está legal?

— Mas o seu sotaque. Não parece totalmente inglês. Tem um toque diferente... — Fez uma pausa. O sotaque de Felix realmente parecia ligeiramente exótico, como se ele tivesse aprendido inglês em uma escola pública e passado a adolescência em uma terra longínqua.

— Aulas de oratória — explicou ele, a contragosto. — E eu nunca disse que era espanhol, apenas que minha família tinha vindo de lá. Não foi uma mentira. Sempre posso afirmar que me entenderam errado, se a informação vazar.

A mãe de Felix vivia em uma casinha semigeminada em um conjunto habitacional nas cercanias de Birmingham. Mulheres com carrinhos de bebê e segurando a mão de criancinhas estavam agrupadas na escolinha no final da rua, quando o táxi deles passou por ali. Do outro lado da casinha, havia uma área verde, com um parque infantil e muitos arbustos viçosos.

— É bonito aqui — comentou Hannah, admirando as casas recém-construídas com as modernas janelas panorâmicas, pórticos com tetos angulosos e fachadas em alvenaria decorada.

— Obviamente, eu não cresci aqui — disse Felix, pagando o taxista. — Mamãe se mudou para cá depois que todos nós saímos de casa.

— E o seu pai?

— Já morreu.

— Ah. — Hannah pegou sua maleta e se deu conta de que aprendera mais sobre o marido e a família dele na última hora do que em todo o tempo que estavam juntos.

Felix tocou a campainha; a porta foi aberta por uma mulher alta e loura, que preenchia o vão de alto a baixo. De agasalho aveludado azul-marinho, devia pesar uns 130 quilos. Tinha um rosto de feições rígidas, acentuadas pelo tom platina dos cabelos. Aquela mulher não podia ser mãe de Felix.

— Oi, mãe — disse ele, pronunciando as vogais de um jeito menos cantado, curiosamente. — Esta é Hannah, a gente acabou de se casar, e você vai ser avó em breve.

— Melhor vocês entrarem, então — convidou Vera Loon. — June — vociferou, quase ensurdecendo Hannah —, bota a chaleira no fogo.

June era a irmã de Felix, a versão morena dele. Magra, com os mesmos traços bem-definidos, poderia ter trabalhado como modelo em qualquer revista de luxo. Contudo, era óbvio que passava o tempo correndo atrás dos três garotos sapecas, que estavam aprontando na cozinha da avó.

— Parabéns — desejou June com simpatia, quando soube das novidades. — O Phil é caladão. Nunca conta nada para ninguém.

Ele nunca me disse que se chamava Phil, quis lembrar Hannah, mas ficou calada.

— Venham, meninos — chamou Vera. — Precisam conhecer sua nova tia. Você está supermoreno, bem. Andou viajando?

Os três garotos foram apresentados e, em seguida, trouxeram chá e bolo e todos se sentaram à mesa da cozinha.

Vera era menos intimidante sentada, e não ficava examinando a pessoa de cima até embaixo, como um escâner de aeroporto, concluiu Hannah.

— Não sei por que ele não trouxe você aqui antes — comentou Vera, suspirando. — Igualzinho ao pai, cheio de mistérios.

— Eu estava trabalhando — disse Felix, mal-humorado.

Ele aparenta estar deslocado, aqui, pensou Hannah. Não era o tipo de homem que se podia imaginar numa casa semigeminada de três quartos, com uma cozinha simples e alguns quadros religiosos pendurados nas paredes. Felix dava a impressão, de fato, de ser exótico e diferente. Mas não era, era? Tratava-se de um homem simples, de família igualmente simples. Hannah se perguntou o que mais ele teria escondido dela e do resto do mundo. Havia mais de Felix Andretti do que se podia ver — ou menos?

Ela tomou chá e contemplou os meninos, enquanto Felix andava de um lado para o outro da cozinha, ao que tudo indicava, entediado. Não participou da conversa forçada, nem fez nenhuma tentativa de brincar com os sobrinhos, notou Hannah.

— Uma pena você não querer que a gente participasse do casamento — acrescentou Vera, magoada. — Adoro ir passear. Quando deve nascer o neném, bem?

Hannah ficou triste por ela, que evidentemente sabia que o filho glamoroso sentia vergonha de suas raízes. Acariciou a mão de Vera.

— Dezembro — contou, sorrindo. — Claro que gostaríamos que tivessem ido ao casamento — acrescentou, esquecendo-se de que ela mesma não gostava da ideia de um casamento para toda a família. — Mas tudo aconteceu muito depressa, com o bebê e coisa e tal, e não tivemos tempo de planejar a sua ida. Felix teria adorado ver vocês lá.

Felix deu um chute na perna dela, debaixo da mesa. — Nós nos casamos fora — salientou ele. — Sabem, para evitar o pessoal da imprensa. Voltamos de St. Lucia hoje de manhã.

— A gente adora ir para o exterior — explicou June, com o filho mais novo, de três anos, inquieto em seu colo, enquanto comia um biscoito de chocolate. — Tony Pai e eu não vamos para fora desde a nossa lua de mel. Portugal. Adoro esse país, mas sem eu estar trabalhando no momento e com três filhos, fica difícil ter grana para viajar. O Clark nasceu um ano depois do nosso casamento, o Adam, dezoito meses depois, daí veio o Tony.

— O que você fazia antes? — quis saber Hannah.

— Era cabeleireira.

— Com a sua aparência, devia ser modelo — salientou ela. — Você é linda.

June estremeceu.

— Nem pensar ter toda aquela gente olhando para mim, dizendo que eu sou gorda ou velha demais. O Phil adora isso, eu não.

Tão diferentes quanto o dia e a noite, pensou Hannah, com um meio sorriso. Felix daria tudo para ter todos olhando para ele, ao passo que a irmã ficava horrorizada só de pensar na possibilidade. As famílias eram estranhas. Unidas por sangue, mas tão distintas.

— Por que você tinha que dizer para elas que precisavam nos visitar depois que a gente se instalar direito? — queixou-se Felix algumas horas depois, quando estavam em outro táxi, indo para um hotel da região.

— É a sua família — protestou ela. — Não pode se esquecer dela.

— Você convenientemente se esqueceu da sua.

— Que mentira! — exclamou Hannah, enfurecida. — Você vai conhecer a minha mãe em breve e, quanto ao meu pai, eu já contei, ele é alcoólatra. Pode acreditar, não ia querer que ele fosse a qualquer evento com bebidas de graça.

— Quer dizer então que o seu pai pode ficar de fora, mas minha família não?

Eles discutiram durante todo o percurso até o hotel. Hannah comentou que ele insultara a mãe dele ao se recusar a pernoitar lá.

— Ela tem um quarto de hóspedes. Estava louca para que a gente ficasse, ainda mais porque fazia séculos que não recebia uma visita sua.

— Não quis dormir lá, quando podia ficar num hotel confortável, de quatro estrelas — explicou Felix.

— Você foi criado bem longe dos malditos hotéis de luxo — bradou ela.

— Esse tempo já passou, queridinha. Agora sou uma celebridade foda e tenho que me comportar como tal.

— Ah, é? Bom, então vou dizer uma coisa. Se é assim que se comporta como uma celebridade *foda*, não vai ter foda nenhuma, está legal?

As animosidades foram colocadas de lado no dia seguinte, quando foram almoçar com Vera antes de ir para o aeroporto. Hannah ficou feliz ao ver Felix se comportando um pouco melhor com a mãe, chegando até a ponto de convidá-la para ir passar um fim de semana em Dublin, "uma hora dessas...".

— Seria ótimo receber a senhora, June e as crianças — disse Hannah com sinceridade, antes de partirem. — Estou falando sério. O lugar em que estamos é meio pequeno agora, mas devemos nos mudar para um maior, e eu adoraria receber vocês então.

— Sei que está sendo sincera, Hannah. — Vera sorriu. — Cuide desse meu filho, certo? Fico feliz em ver que ele conseguiu uma mulher decente, por fim. E cuide-se, viu bem? Ele é difícil de controlar, o nosso Phil, sempre foi.

— Sua mãe é um amor — comentou Hannah a caminho do aeroporto.

— Bom, tente você viver com ela — disse ele, contemplando a paisagem de cara fechada.

Hannah desistiu e deixou-o curtir a fossa. O estado de ânimo dele só melhorou quando estavam no ar e a comissária de bordo sorriu e lhe pediu um autógrafo "para a irmã".

Para você, melhor dizendo, pensou Hannah sombriamente, enquanto Felix abria um largo sorriso para a comissária.

Em Dublin, ele voltou a agir como o Felix de sempre, charmoso, carinhoso e engraçado.

— Fico meio tenso quando vou para casa — reconheceu ele, segurando a mão de Hannah enquanto voltavam de carro para o apartamento. — Não quis descontar em você, é que... sabe, coisas de família. Você acha que estou agindo feito um babaca, mas não entende o que aconteceu.

— E como vou saber se você não me contar? — queixou-se Hannah. — Não guarde segredos de mim, Felix.

— Não tem segredo, apenas problemas familiares chatos. Esquece.

E ela precisava se contentar com isso.

CAPÍTULO 26

Hugh jogou os panfletos de férias na mesa de centro.

— Bom, ao menos, *dê uma olhada* neles — disse, chateado.

Leonie olhou-o de onde estava, na poltrona, com Harris, o terrier, acomodado em seu colo.

— Eu já disse para você, Hugh — ressaltou, tentando ser paciente. — Não posso tirar férias agora. As meninas estão para chegar e vão precisar de mim.

— Elas já estão fora há dois meses e meio, e aguentarão ficar pelo menos uma semana sem você. A sua mãe pode ficar com as duas — insistiu ele, com desdém.

Harris movimentou a cabecinha dócil, e Leonie acariciou suas orelhas sedosas. Ele parecia um morceguinho deitado de cabeça para baixo, com a barriga à mostra, a cabeça inclinada para trás e os olhinhos sapecas.

— Não são mais crianças, podem se cuidar, sabia? — prosseguiu Hugh.

Leonie começou a sentir os primeiros sinais de impaciência tomando vulto.

— Faz um ano que eu não tiro férias, nem você — continuou ele. — Só uma semana, talvez duas, na Itália, no final deste mês. Em agosto ela vai ficar entupida de turistas, mas vamos nos divertir assim mesmo.

— Eu sei que parece ótimo — começou Leonie. Era difícil quando Deus e o mundo vinham falando nas férias do verão e você não tinha nada planejado. Mas ela não tivera vontade de viajar quando as gêmeas estavam fora, e a ideia de Hugh de irem para outro país juntos viera em má hora. As filhas chegariam na semana seguinte, e ela estava louca para vê-las. Cada dia que passava aproximava o momento em que as abraçaria e diria que as amava muito. — Não posso deixar as meninas sozinhas agora.

— Elas ficaram tão satisfeitas sem você que passaram mais de dois meses fora, quando deveriam ter ficado seis semanas — salientou ele.

Aquilo machucou. O fato de Mel e Abby terem desejado ficar longe dela por quase três meses magoava Leonie mais do que ela ousava contar a alguém.

— Bem que elas podiam ficar conosco quando formos para o rancho Charlie's, no Texas, este verão — dissera Ray ao telefone, no início de julho, quando as seis semanas das gêmeas chegavam ao fim. — As duas podem aprender a andar a cavalo e se divertir. São só mais algumas semanas. A Abby está ótima. Vem se dando tão bem, por que não deixar que fiquem mais, Leonie?

Mel e Abby haviam implorado para ficar mais. — Ah, vai, mãe, *por favor, por favor*!

Leonie cedera e, em seguida, chorara durante dois dias, sentindo-se traída pelas duas filhas, que queriam ficar longe dela. A situação diferia com Danny. Ele era mais velho e mais independente. O filho anunciara que passaria um mês viajando de mochila nas costas com os amigos, na Europa, e Leonie não se importava. Claro que ela se preocupara, receando que algo acontecesse com ele, que fosse assaltado ou se envolvesse com drogas ou algo assim. Mas, em maio, ele fizera 20 anos, e não cabia a ela controlá-lo mais com rédeas curtas. Sem ele e as gêmeas, a casa parecia um necrotério. Penny se sentira deprimida, e até Herman, o hamster, ficara para baixo, sem brincar na roda, nem nada.

Nem mesmo o apelo de Portofino no calor escaldante tiraria Leonie de casa quando as filhas chegassem.

— Eu não posso ir agora — disse ela, com relutância. — Se ao menos você tivesse pensado nisso antes, já poderíamos ter ido e voltado.

— Estou na lista para tirar férias no final deste mês — insistiu Hugh. — Seja como for, o problema não é esse, e sim Melanie e Abigail. Elas já não são mais crianças. Precisa dar espaço para as duas.

— Isso é meio absurdo, vindo de você.

— O que quer dizer com isso?

— Ah, dá um tempo, não preciso explicar claramente, preciso? — perguntou, já brava. — Você tem uma filha de 22 anos e não deixaria que ela fizesse a maldita cama, se pudesse forrá-la por ela. Jane foi totalmente arruinada, de tão mimada. Você dá dinheiro para a menina o tempo todo, embora ela tenha um emprego ótimo, e corre para ajudá-la assim que a garota estala os dedos. Lembra a vez em que o pneu dela furou quando ela estava indo para uma festa, e você me deixou plantada feito uma idiota no restaurante enquanto ia correndo trocá-lo para ela. Isso não é normal! As minhas filhas ainda são adolescentes, não fizeram nem 16 anos. *Você* é que trata uma adulta feito criancinha.

Hugh a fitava indignado.

— Eu amo Jane... — começou a dizer.

— Como se eu não soubesse! — vociferou ela. — Chega a ser obsessão, não é normal! Daí você vem *me* acusar de não dar espaço para os meus filhos. A expressão "O sujo falando do mal lavado" me vêm à mente.

— Você não tem o direito de falar comigo assim. — Ele estava encolerizado.

— Por que não? Você se acha no direito de dizer o que bem entende dos meus filhos, mas ninguém pode dizer um A dos seus. Aliás, não dos seus dois — acrescentou ela, de súbito —, só de Jane. O coitado do Stephen é sempre ignorado.

A campainha tocou naquele instante. Ele olhou pela janela e o semblante afetado se esvaiu.

— É a Jane. Talvez a gente possa manter essa discussão só entre nós dois.

— Por mim, tudo bem.

Jane entrou despreocupadamente, carregando um monte de sacolas, os cachorros agitados aos seus pés.

— Oi, Leonie — cumprimentou, quase simpática. — Eu estava fazendo compras em Liffey Valley e resolvi dar um pulinho aqui na casa do papai a caminho de casa.

Leonie fitou as sacolas. Cinco, no total, abarrotadas de roupas. Todas compradas por uma jovem que ainda não devolvera ao pai o dinheiro das reservas das férias dela, que ele pagara com o cartão de crédito.

— O que é que você comprou? — perguntou Hugh, com sua vozinha indulgente de papai.

A filha deu um largo sorriso e tirou da sacola um vestido de lycra preto, que teria parecido vulgar até numa freira. Leonie tentou, mas não pôde imaginá-la usando-o. Não conseguia entender por que Jane comprava roupas que não favoreciam seu corpo.

— Meio decotado, né? — comentou o pai, examinando todo o vestido. — Vai usar no jantar do escritório, para deixar todo mundo de queixo caído?

Os dois riram com cumplicidade.

— Lembra aquela última festa, quando você foi pegar a gente no Buck's e todo mundo estava chapado? Daí me levou para a casa da mamãe e teve que me carregar até lá em cima? — começou Jane.

Ela fazia isso todas as vezes em que se encontravam, notou Leonie: iniciava uma conversa programada para excluir a namorada do pai. Como se dissesse: *olha só para a gente, a nossa história é longa, conversamos sobre coisas que você não sabe.*

Jane continuou a tagarelar na linha "você lembra..." por mais alguns instantes, lançando para Leonie um olhar sorrateiro de triunfo.

Leonie pegou Harris de novo e aproximou-o de si. Ele retribuiu ao gesto com algumas lambidas.

— Qual balada? — perguntou ela, tentando ser educada, por causa de Hugh. Não dava a mínima para a festa do escritório de Jane; por sinal, achara o vestido inadequado para qualquer evento profissional, a menos que a profissão em questão envolvesse uma dança sensual em torno de um poste, em um palco na frente de homens bêbados e cheios de babas.

— Nós temos uma festona todo verão — explicou Jane, no tom condescendente de uma professora explicando física quântica a uma criança de três anos. — Antes era um churrasco, mas alguns de nós reclamaram, dizendo que era preciso haver um evento maior, uma balada. Daí, este ano vai ser no salão do Shelbourne. Mal posso esperar.

Leonie gostaria de ver as fotos. A seu ver, o hotel Shelbourne e os vestidinhos de lycra pretos de prostituta não combinavam.

— Eu já ia fazer café. Quer? — perguntou Hugh.

— Quero — respondeu Jane, sentando-se no sofá e pegando os panfletos de férias. — Vai viajar, pai? — gritou ela para ele.

O diabinho na cabeça de Leonie acordou.

— Não — respondeu, com suavidade. — Na verdade, o seu pai e eu estamos tentando tirar férias juntos. Ele quer ir para a Itália comigo, mas nesta época fica difícil para mim. — Foi ótimo ver os olhinhos frios da moça se arregalarem, consternados. — Quem sabe em setembro! Eu sempre quis viajar pela costa da Itália num carro esportivo. Seu pai adoraria isso, não?

Leonie sentiu-se um pouco culpada por ser maliciosa com uma criança, mas Jane não era uma. Na verdade, podia ser comparada à jovem de *O exorcista*.

— Não sei se ele ia gostar disso — comentou com frieza Jane. — Em setembro, a gente sempre alugava uma cabana em West Cork. Eu, ele e o Stephen.

— Mas vocês não fazem isso há anos, certo?

— Fazem o quê? — perguntou Hugh, voltando para a sala com uma bandeja e canecos de café.

— Ir para West Cork — respondeu Jane, com ansiedade. — Ah, papai, por que a gente não vai este ano? A viagem com as amigas foi legal, mas, para relaxar mesmo, seria bom passar uma semana em Clonakilty ou algo assim. Almoços no pub, shows de música típica à noite, caminhadas na praia... por favor, vamos?

Parecia uma criança, pensou Leonie. Uma de pais separados, que passara anos manipulando os dois. Isso era o que Leonie receava que acontecesse com Mel, Abby e Danny quando se separou de Ray: que se tornassem especialistas em acionar os culpômetros de ambos os pais, abaixando os olhos no momento certo e dizendo: "Pai, você me deixa fazer isso...". Por sorte, não havia sido assim. Mas Jane apresentava todos os sintomas. A única parte estranha é que ela já era quase adulta quando Hugh e a esposa se separaram. E não vinha usando artimanhas para influenciar os dois, mas apenas Hugh, já que o queria só para si.

O namorado de Leonie, então, passou a considerar a possibilidade de uma cabana em West Cork.

— Você poderia ir nessa época, não poderia, Leonie?

Sem Jane, teria sido um convite tentador. A namorada gostava de Stephen e teria desfrutado de umas férias com ele. Mas não com a srta. Mimada.

— Eu teria de levar Mel e Abby — respondeu, pensativa.

— Pensei que só a gente iria, pai.

— Leonie precisa tirar férias, Janie — disse ele, com carinho. — Talvez as gêmeas possam ficar com a avó, por uma semana — sugeriu.

Leonie o fitou friamente.

— Minha família não é boa o bastante para West Cork? — quis saber, voltando a sentir a raiva e a hostilidade que sentira antes.

— Não é isso — assegurou Hugh. — É que a cabana onde a gente costuma ficar não é muito grande, nada mais.

— Alugar uma maior está fora de cogitação, então? — Dava para sentir o sarcasmo em cada palavra de Leonie.

— A gente sempre vai para a mesma — ressaltou Jane, os olhinhos brilhando.

Leonie se perguntou o que é que aquela moça tinha para fazer sua mão coçar de vontade de lhe dar um tapa.

Hugh não disse nada, nem uma palavra sequer sobre como, evidentemente, alugariam uma cabana maior e como havia sido idiota por sugerir que Mel e Abby ficassem em outro lugar.

— Tudo bem. — Leonie tirou o desapontado Harris do colo e se levantou. Ignorou Jane e se dirigiu a Hugh: — Vai para West Cork, Hugh. Você precisa descansar. Infelizmente, não vou poder ir junto. Eu ligo para você. Uma hora dessas.

Dito isso, pegou a bolsa e saiu com a maior dignidade possível.

Hugh e os três cachorros a seguiram até a pequena varanda.

— Não aja assim, Leonie — implorou ele. — Nós podemos conversar sobre as férias. Talvez as gêmeas nem queiram ir. Vão achar tedioso depois do tempo que passaram em Boston.

— Você é incrível, Hugh. E não digo isso como elogio. — Como Leonie estava de salto alto, ficava mais alta do que ele; precisou olhar para baixo naquele momento. — Os meus filhos vêm em primeiro lugar na minha vida e, se você não entende isso, não entende muito sobre mim. Eu não cogitaria participar de umas "férias em família" sem a minha. Como você ousa sugerir isso? Adeus, Hugh.

Ela não esperou que ele falasse, simplesmente abriu a porta da varanda e saiu depressa. Ficou furiosa com ele até chegar em casa. Os outros motoristas, que a viram na pista dupla da estrada, devem ter pensado que ela enlouquecera, falando sozinha e gesticulando encolerizada.

Ao chegar, ligou para Hannah, desesperada para conversar com alguém.

Hannah, que tirava seus pertences das caixas em sua nova casa, em Londres, adorou a possibilidade de distração.

— Eu odeio esta casa — comentou para Leonie. — A cozinha é feia e escura, e no corredor parece até que deixaram a tinta azul de um hospício dos anos 1940. Detesto ficar sozinha aqui.

— Cadê Felix?

— Saiu. Mas me conte suas novidades — acrescentou bruscamente. — As minhas são chatas e deprimentes demais.

— Bem-vinda ao clube — disse Leonie, com tristeza.

Em sua angústia, ela contou a Hannah todos os detalhes dolorosos que deixara propositalmente de mencionar antes. Como Hugh achara que orgasmos múltiplos era o que acontecera com ele quando fizeram amor três vezes. Como Hugh cancelara um encontro, certa vez, porque Jane ligara com as entradas de uma partida de rúgbi.

— Mas que mulherzinha ardilosa — resmungou Hannah. — Não se conseguem essas entradas no último minuto. Ela já devia saber, mas simplesmente esperou até o pai marcar o encontro com você para revelar a surpresa para ele.

E Leonie contou tudo sobre a noite em que Hugh a levara para comemorar o aniversário de quatro meses em um jantar no Thornton's, e Jane telefonara histérica para o restaurante, em meio a um drama qualquer. Eles pagaram a conta, deixando a maior parte do prato principal, Hugh deixara Leonie na estação e fora a toda a velocidade ao apartamento de Jane, para consolá-la. Leonie nunca contara isso a ninguém: a sensação era péssima, como se ela fosse de segunda classe, sem chance de virar primeira.

— Sabe? O que é que eu fiz de errado? — perguntou ela, chorosa. — Onde foi que errei com Hugh? Achei que éramos feitos um para o outro.

— Não me pergunte — respondeu Hannah. — Não sou especialista em homens.

Leonie riu, como se fosse piada.

— Ah, está bom! A deslumbrante sra. Andretti, orgulho das colunas sociais juntamente com o marido lindo, o homem que ela fisgou quando ninguém mais conseguiu.

— Juro que só fisguei o Felix porque ele chegou à conclusão de que precisava de uma esposa. Tinha tudo o mais, só faltava a esposa. Agora tem uma grávida, o que é muito útil para impressionar as empresas de entretenimento, que não querem um farrista instável e consumidor de drogas estrelando sua produção multimilionária. Querem um homem de família equilibrado, com muitos compromissos financeiros, que não acabe com a verba do programa ao ser preso por cheirar coca demais nos banheiros das festas.

— Como assim? — Leonie ficou impressionada com o ódio contido na voz de Hannah. Algo como ouvir dizer que Paul Newman e Joanne Woodward não eram o casal mais feliz do mundo, no fim das contas. Felix e Hannah se amavam, pelo amor de Deus. Ou não?

— Ninguém entende o Felix, sabia disso, Leonie? Foi o que ele me disse outra noite — contou Hannah, com amargura. — Até então, achei que o entendia, mas, pelo visto, não é o caso. Ele vinha me levando junto para festas, vangloriando-se para todos os jornalistas que encontrava do seu grande amor, mas a realidade é que está tão feliz por ter voltado para Londres que nunca fica em casa. Nós passamos duas semanas no apartamento da Bill, e nunca vi nenhum dos dois. Acabamos de nos mudar para cá na segunda, e ele não desempacotou nenhuma caixa. Não passo do novo aspecto publicitário da vida dele, caramba!

— Não está falando sério, Hannah! — exclamou Leonie, sempre tentando consolá-la.

— Talvez não. Se você está precisando tirar férias, por que não vem com as gêmeas para cá? — sugeriu ela, animando-se. — Mel e Abby não se importariam com sacos de dormir, se importariam?

— Não — respondeu ela, pensando que depois das férias de luxo nos Estados Unidos, esse tipo de acomodação estaria bem embaixo na lista de programas divertidos das gêmeas. — É muita gentileza sua, Hannah. Adorei a ideia. Vou conversar com as meninas quando elas voltarem. Tem certeza de que Felix não se incomodaria com a nossa visita?

Hannah deu a impressão de estar chateada de novo.

— Não vai fazer diferença para ele. Nunca está aqui.

Quando as duas terminaram de conversar, Leonie desligou com tristeza. Ligara para a amiga em busca de consolo, e acabara receando por ela. Hannah costumava ser tão animada e, agora, aparentava estar para baixo, muito deprimida e ressentida. Não poderia ser um problema hormonal. Os homens adoravam jogar a culpa de cada nuança do estado de ânimo feminino nos hormônios, mas isso era fácil demais. Hannah aparentou estar no auge da depressão. Não pela primeira vez, Leonie desejou que a amiga não tivesse se mudado para longe.

Decidiu ligar para Emma, tentando se animar.

Kirsten atendeu.

— Oi, tudo bom? — saudou ela, quando Leonie se identificou. — A Emma está lá em cima. Um instantinho só que já vou chamar.

— Alô — disse Emma, com exagerado entusiasmo, quando atendeu. — Espera um pouco, vou levar o telefone para o quarto.

Leonie ouviu uma porta sendo fechada.

— Não queria falar no corredor, caso a Kirsten me ouvisse — sussurrou ela.

— Por quê? O que está acontecendo?

— A Kirsten deixou o Patrick.

— O quê?!

— Ou melhor, ela saiu antes que ele a mandasse embora. Teve um caso, e Patrick descobriu. Acho que ela já vivia paquerando todo mundo antes, e ele nunca tinha notado. Eles estavam brigando o tempo todo, e eu não sabia por quê. Mas acho que ela acabou indo aos finalmentes com algum cara que os dois conhecem. E agora está tudo terminado entre ela e o Patrick. Ela chegou aqui hoje de manhã com oito malas e o travesseiro favorito, dizendo que o casamento tinha acabado.

— Que péssimo! — exclamou Leonie, pasma. — Sua irmã não me pareceu nervosa pelo telefone, mas, também, é a primeira vez que falo com ela, então não dá para dizer.

— Ela não está transtornada — murmurou Emma. — Acho que andou tomando tranquilizantes ou algo assim. Ou isso ou ela espera que Patrick apareça de supetão daqui a meia hora e a leve para casa, dizendo que não aguenta viver sem ela.

— Você acha que ele vai fazer isso?

— Não. Kirsten se ferrou desta vez. O Patrick é um amor de pessoa, mas não vai aceitar isso. É uma grande pena, pois os dois se davam muito bem. Ele era perfeito para ela. Fazia as suas vontades, sem deixar a posição de chefe. Bom, mas com a Kirsten aqui, ela pode me ajudar com a mamãe. Minha irmã detesta ficar sozinha, então estou ficando bastante tempo com ela. Espero que me ajude mesmo. Bom, sabe-se lá. Ela tem que sair de casa quando a mamãe começa a chorar, o que faz muito agora, a coitada.

— Eu, você e Hannah formamos um trio e tanto — comentou Leonie. — Terminei com o homem dos meus sonhos, você está tendo de enfrentar, com dificuldade, os problemas de toda a família e Hannah anda nas profundezas do desespero.

— O que é que houve? — perguntou Emma, bruscamente. Não entendia como podia haver algo errado com Hannah. Ela não estava grávida?

O que mais uma mulher podia pedir? Típico da idiota da Hannah: sempre querendo assobiar e chupar cana ao mesmo tempo.

— Ela tem estado chateada com o Felix, só isso — explicou Leonie, sentindo-se culpada na hora por haver mencionado isso. Hannah e Emma mal tinham conversado ultimamente. Era óbvio que Emma não conseguia lidar com Hannah tão animada por causa da gravidez. Por sua vez, a amiga grávida se irritava porque Emma não fazia nada para tentar ter filhos. Cabia a Leonie tentar apaziguar a situação, o que estava se tornando cada vez mais complicado.

— Por quê?

— Ele não está ajudando nada agora que ela tem que desempacotar tudo.

— Só por isso? — quis saber Emma, respirando fundo. — Ela não tem muito com que se preocupar, né?

Desalentada com ambas as ligações, Leonie resolveu fazer outra tentativa: desabafaria com Doug.

Colocando a coleira em Penny, andou depressa até a casa dele.

Ele saiu do ateliê com olhos cansados, o jeans velho coberto de tinta.

— Quer ir dar uma caminhada? — perguntou-lhe, animada.

Doug sorriu.

— Ótima ideia. Me dê só dois minutinhos. Podemos acrescentar mais alguns quilômetros e ir até Wicklow Way.

A luz da secretária eletrônica piscava histericamente quando Leonie voltou para casa, depois da caminhada com Doug e os três cachorros eufóricos. Hugh deixara quatro mensagens, cada qual mais ansiosa que a anterior.

“Sinto muito, Leonie. A gente precisa conversar”, dissera, todas as vezes.

Vai falar com um maldito psiquiatra!, pensara ela, ao apagar as mensagens. A caminhada a acalmara, embora ela não tivesse comentado com

Doug o que acontecera. Como ele era bastante intuitivo, na certa notara que havia algo errado. Mas não se intrometeria.

Hugh telefonou de novo naquela noite.

Leonie já se acalmara e se arrependera do acesso de raiva anterior.

— Respeito o fato de você ter filhos, Hugh — disse ela, interrompendo o "sinto muito" antes mesmo que ele pudesse dizê-lo. — E, da mesma forma, precisa fazer o mesmo comigo.

— Mas eu respeito.

— Não é o que parece. Sei que, quando as pessoas da nossa idade se encontram, já vêm com uma enorme bagagem física e emocional, mas é preciso lidar com ela. Considero difícil o relacionamento com Jane e, você, pelo visto, acha que é complicado incluir os meus filhos.

— Não acho não.

— Hugh, você não quer que as meninas participem da nossa viagem de férias. — Ela não conseguia pensar em nada mais doloroso que isso. — Somos um pacote. Se me quer, tem que aceitar meus filhos também. Simples assim.

— É difícil lidar com os filhos dos outros — admitiu ele. — A única criança com quem realmente me dei bem foi Jane. Até com Stephen não fui bem-sucedido. Não sou bom com adolescentes.

— Isso é desculpa — disse Leonie, friamente. — Eu tentei me relacionar com Jane, embora ela me odeie. Você não faz o menor esforço com os meus filhos. Quantas vezes quis vir aqui jantar com a gente? Só uma vez. Sempre preferiu se encontrar comigo na sua casa, e agora entendo o motivo.

— A Jane não odeia você — ressaltou ele, ainda magoado com as observações de Leonie.

Ela perdeu a paciência.

— Caia na real, Hugh! Ela odeia qualquer mulher que tente tirar você dela. Está realmente me dizendo que não é verdade?

— Jane fica sensível quando namoro alguém.

Se não se tratasse de uma conversa séria, Leonie teria dado uma gargalhada. Jane, sensível?

— Hugh, se você acha que é porque ela é sensível, problema seu — comentou Leonie, contendo a vontade de dizer que Jane era uma obcecada, ardilosa e manipuladora ao extremo que precisava de uma boa dose de realidade para aprender a se conter. — Acho melhor deixarmos os ânimos se acalmarem, dar um tempo e pensar na relação.

— Por quê? — quis saber. — Você está, na verdade, terminando comigo, sabe disso.

— Não estou, não. Precisamos de um tempo para pensar. Precisa resolver se quer namorar uma mulher com três filhos, e eu tenho que decidir se quero continuar com você.

Houve uma pausa.

— Você está sendo dura em relação a isso, Leonie.

— Não estou nada. Estou sendo realista. Eu cheguei a me preocupar com a possibilidade de Penny não se dar bem com os seus cachorros. Na verdade, deveria ter me preocupado com você se dando bem com Abby, Mel e Danny, e como eu me relacionaria com Jane e Stephen. E o mais importante — ficou calada por alguns instantes —, quais seriam os sentimentos deles em relação a nós.

— A gente não pode terminar por causa de uma bobagem dessas.

— Não é bobagem, e não estamos terminando — salientou ela. — Vou ligar para você daqui a algumas semanas, quando estivermos menos exaltados.

— Mas e as nossas férias?

— Vá viajar com a Jane.

Quando desligou, Leonie pensou em como se sentia. Cairia no pranto e iria entornar uma garrafa de gim? Não. Ela deu um sorriso sombrio. Não se sentia nem um pouco animada. Hugh fora uma boa ideia: um homem agradável para dar umas saídas, ver filmes e transar. Mas nada além disso. Não a deixara cheia de paixão e saudade. Se fosse assim, ela estaria morrendo de chorar naquele momento. Teria lutado com unhas e dentes para diminuir o domínio exercido por Jane sobre ele. E ele também haveria entendido o quanto ela amava os filhos. No fim das contas, Hugh não era o cara certo.

Leonie foi até a cozinha e resolveu preparar o jantar. *Coitado do Hugh*, pensou, ao picar as verduras para fritá-las, *nunca escaparia das garras claustrofóbicas de Jane*. Ele buscava o grande amor, mas a filha afugentaria qualquer mulher que ousasse se aproximar dele.

Hannah sentou-se numa almofada, no chão da sala, desembrulhando com cuidado enfeites das caixas. Já desempacotara tudo da cozinha e guardara com cuidado cada xícara, pires, prato e tigela, depois de limpar os armários. Agora, estava se dedicando às caixas da sala. Havia demasiadas delas. Como era possível que tivesse tantos objetos?

A porta da frente bateu, e a porcelana que ela deixara no chão estremeceu com a vibração.

— Hannah — vociferou Felix. — Você está em casa?

E onde mais eu estaria?, resmungou ela para si mesma. *Não conheço ninguém, todos os meus amigos estão na Irlanda e não tenho carro. Aonde iria?*

— Estou aqui — avisou Hannah.

Duas mãos apareceram à porta, uma segurando um presente com um embrulho cor-de-rosa e a outra, um buquê enorme de lírios.

Então, Felix apareceu, a face charmosa iluminada com um largo sorriso.

— Presentinhos para você, meu amor. Porque é a mulher mais maravilhosa do mundo. — Embora estivesse sem ânimo, ela sorriu. Ele foi até a esposa, inclinou-se e entregou-lhe o buquê. Ela sentiu a fragrância maravilhosa das flores. — E tem mais — acrescentou, dando-lhe a caixa cor-de-rosa.

Dentro, havia uma garrafa de champanhe, que ela ergueu e agitou diante dele.

— Eu não posso beber, seu bobo.

— É para mim — disse Felix, rindo e tomando-a dela. — O resto é para você.

O resto era um frasco de Allure, da Chanel, um dos perfumes favoritos dela, *uma caixa de chocolates caseiros, que iria direto para sua barriga cada vez maior*, pensou Hannah, sorrindo, e uma peça de seda amarelo-âmbar que reluziu quando ela a ergueu para observar. Era uma camisola curta e sensual, que devia ter custado uma fortuna, algo que os dois não tinham. Como o patrocinador do filme que Felix faria em setembro desistira, eles estavam mais apertados do que nunca.

— Felix — disse ela, admirada —, não podemos arcar com isso.

— Podemos sim, meu amor — ressaltou ele, sentando-se no chão ao lado dela e fazendo carinho em seu pescoço com o rosto. — A gente está com grana de novo. Eles aprovaram a segunda temporada de *Bystanders*, e os salários subiram à beça.

— Ah, Felix, que ótimo! Eu estava tão preocupada com dinheiro...

— E comigo, suponho — disse ele, amargamente. — Eu sei, sinto muito. Sei que é difícil conviver comigo, pois viro um tremendo canalha quando estou sem trabalho. Tenho me comportado supermal, mas vou me redimir. Você me perdoa?

Ela anuiu, estremecendo.

Felix começou a tirar seu cardigã.

— Vamos ver como essa camisola linda fica em você — sussurrou.

— Felix, não dá. Ainda não escureceu e as cortinas estão abertas. Qualquer um poderia passar ali e ver a gente.

Ele deu uma risada gostosa e espontânea.

— Não seria divertido?

Depois, Felix cochilou no sofá, as mechas de cabelo louro caindo no rosto perfeito. Hannah ficava espantada com a capacidade dele de pegar no sono em qualquer lugar. Ele tirara sonecas no avião, enquanto ela se preocupara com a turbulência. Chegara até a dormir no metrô, no momento em que os dois apenas iam de Green Park para Covent Garden. Ela cobriu o marido com o casaco dele e se levantou devagar para colocar as flores em um vaso.

Olhou para Felix com paixão. Ela o amava, apesar de suas mudanças de humor e de sua melancolia. Talvez tivesse a ver com o temperamento artístico. A insegurança do trabalho de ator misturada com a imersão nos personagens requerida por cada papel: isso devia afetar a pessoa. Esse era o problema de Felix, concluiu Hannah. E ela teria de aprender a lidar com ele. Não se podia ser a esposa de um ator e ficar chateada cada vez que ele se deprimisse. Outras pessoas talvez não soubessem em que pé estavam com Felix, mas ela sabia. Era sua esposa, para quem ele levara flores e presentes. Os dois se entendiam perfeitamente. Caminhando sem fazer barulho para não acordá-lo, ela foi para a cozinha, que ficava embaixo. Tinha certeza de que tinha desembrulhado um vaso, mas onde estaria?

CAPÍTULO 27

Doug insistiu em levar Leonie até o aeroporto para pegar Mel e Abby.

— Não posso tirar você do ateliê — disse ela, sabendo que ele estava prestes a terminar um quadro importante, no qual vinha trabalhando.

— Eu participei desde o início desse drama familiar dos Delaney e quero estar presente no final — ressaltou ele. — De qualquer forma, preciso dar um pulo na cidade para me encontrar com meu amigo na galeria. Se você for comigo, podemos almoçar e depois ir até o aeroporto, matando dois coelhos com uma cajadada só.

— Se tem certeza... — Leonie hesitou.

— Como assim? Eu já disse que quero ir. A menos que prefira que Hugh vá com você.

— Não — sussurrou Leonie. Ela ainda não dissera nada sobre ele e o rompimento. Sentia-se tão idiota! Doug ficaria horrorizado ao descobrir que seu ex não se interessava nem um pouco pelas gêmeas. Ele as adorava, e nem mesmo namorava a mãe delas. Leonie deu de ombros. Era impressionante pensar que saíra com um sujeito que não se importava com os filhos dela.

— A gente se encontra às onze e meia amanhã, então — combinou Doug.

Ela quase não o reconheceu quando chegou no dia seguinte. Durante todo o tempo em que o conhecera, nunca o vira sem o jeans velho e os suéteres pesadões, da cor e da textura de cimento. Naquele dia, ele estava incrivelmente diferente. Os cabelos castanho-avermelhados mostravam-se bem penteados, para trás, e ele usava um terno cinza-escuro com uma camisa azul-marinho que ressaltava muito o tom de suas mechas. Uma gravata cinza metálico elegante completava o conjunto. Leonie fitou o homem cosmopolita diante de si. Parecia tão classudo e refinado. Mal dava para notar as cicatrizes agora: vinham esvaecendo bastante. Desde que Leonie lera sobre vitaminas e minerais que ajudavam a cicatrização, forçara Doug a tomar um punhado de comprimidos todas as manhãs. Ele costumava dizer brincando que chacoalhava ao caminhar, mas que elas, ou algo, vinham exercendo um ótimo efeito nas cicatrizes.

— As minhas roupas velhas não estão soldadas em mim, sabia? — disse ele, com um brilho malicioso nos olhos enquanto Leonie o fitava boquiaberta. — Eu tenho outros trajes e, de vez em quando, gosto de me arrumar.

— Mas... você está tão diferente!

— Melhor?

Ela balançou a cabeça.

— Está ótimo, mas adoro sua roupa velha. Nunca me sentiria tão à vontade com você se estivesse assim quando o conheci. Como rainha do totalmente informal, teria me sentido intimidada para conversar com alguém tão refinado!

— Este era o terno favorito de Caitlin — comentou Doug, pensativo. — Ela odiava minhas roupas de trabalho desarrumadas e insistia que eu deixasse de lado as manchas de tinta e me arrumasse mais à noite. Achava ternos muito sensuais. Hugh os usa? — perguntou, de súbito.

— Nem fale dele, está bem?

— Brigaram?

Ela assentiu. Era mais fácil deixá-lo pensar assim que ter de explicar tudo em detalhes.

Na cidade, Doug estacionou na frente de uma galeria em Ballsbridge.

— Só vou levar alguns minutos para deixar os quadros lá. Por que você não entra e dá uma olhada?

— Eu vou ajudar.

— Não vai não — disse ele, com firmeza. — São todos pesados. Vá dar uma olhada. Daqui a pouco me encontro com você.

Enquanto Doug e um sujeito da galeria, com cabelos supervolumosos, estilo anos 1960, e gravata cor-de-rosa, levavam para dentro os quadros, Leonie perambulou pela galeria, admirando as pinturas a óleo realistas, aquarelas oníricas e esculturas agressivas e pontiagudas, no meio do ambiente. Tudo era muito caro. Os quadros de Doug na certa custariam mais. Hugh lhe comentara que as telas de Doug Mansell requeriam um investimento substancial.

— Você podia comprar uma obra barata dele — sugerira o ex, os olhos reluzindo enquanto pensava em fazer um dinheirinho — e, daqui a alguns anos, vendê-la, obtendo um bom lucro.

Leonie ficara horrorizada: ganhar dinheiro à custa de um amigo? De jeito nenhum.

Ela observava uma grande obra de arte moderna, tentando identificar o que seria aquilo, quando a porta da galeria bateu com força. Quando se virou, viu uma lourinha entrar.

Jovial seria a palavra certa para descrever a mulher pequenina. E cheia de energia que transbordava dela como champanhe. Detrás de uma escultura esquisita, Leonie contemplou o terninho vermelho belo e extravagante, as botas fashion incrivelmente altas e o cabelo louro curto e espetado. *Com certeza, não tingia o próprio cabelo*, pensou Leonie, com olhos de quem entende. A mulher foi até Doug e, então, inclinou-se para segurar o rosto dele com ambas as mãos e beijá-lo.

Os olhos de Leonie arregalaram-se. Não poderia ser...

— Oi, Caitlin. Não sabia que estaria aqui — disse Doug.

— Eu soube que viria — respondeu, com a rouquidão de quem fuma.

Leonie fez o possível para se mesclar com o cenário. Observou uma tela horrivelmente manchada e tentou não ficar ouvindo a conversa dos dois. Mas não conseguiu. Aquela era a mulher que destruíra Doug quando o deixara.

— Como você tem estado? — perguntou ela, com a mão diminuta tocando o braço dele.

Era muito mais baixa do que ele, e precisava arquear o pescoço magro para fitá-lo. Jovial, com certeza, com aquele rostinho expressivo e os imensos olhos escuros. Nunca parava de se mexer, batendo um dos pés no chão o tempo todo, enquanto falava.

— Senti sua falta, sabe? — comentou Caitlin.

— Sentiu mesmo? Nunca telefonou. Sabia onde eu estava — disse Doug.

Leonie sentiu pena do amigo. Ele sentira falta daquela mulher, e ela o abandonara. A vaca.

Caitlin aproximou o corpo dele, a mão subindo até a lapela do terno, em um gesto cheio de intimidade.

— Você está com o meu terno favorito — salientou ela, olhando para ele.

— Estou.

Uma palavra podia dizer muito. Ele o usara para Caitlin, Leonie sabia disso.

Ela não conseguiu suportar mais a troca de olhares atormentada entre os dois.

— Tchau, querido — disse Leonie, soprando um beijo para o dono da galeria, que se mostrara surpreso. — Vou tomar um cafezinho na cafeteria. Volto depois.

Retribuindo a atenção, o sujeito também lhe soprou um beijo.

— Está bom, queridinha, até mais.

Com a saia esvoaçando, retirou-se, passando por Doug como se não o conhecesse. Não seria bom estragar tudo para o amigo. Se ele queria Caitlin de volta, talvez não quisesse que ela soubesse de sua amizade com Leonie.

Não, ponderou a amiga, com tristeza, ao pedir um café descafeinado e um sonho na cafeteria, que *existisse* algo além de pura amizade em sua relação. Ela mexeu o café melancolicamente, percebendo de repente que gostaria que *houvesse* algo mais. Doug era ótimo, amável, um amigo de verdade. E ela queria que fosse mais do que um colega. Muito mais. Tivera a chance e deixara que escapasse.

Não seja idiota, ele nunca se interessou por você, de qualquer forma, disse Leonie a si mesma, com firmeza. O que poderia oferecer a um homem que namorara alguém como Caitlin, um avião que tinha menos de 40 anos e uma ótima carreira, e que ainda por cima não precisava comprar sapatos de vovó para calçar nos pés gigantescos?

Ela poderia apostar que Caitlin não tinha leggings nem suéteres esculachados no guarda-roupa, para os períodos em que estivesse gorducha. Não, se aquela mulher tivesse dois armários, um seria do tipo "Uau, estou me sentindo supersexy" e o outro, "Nossa, como sou deslumbrante!".

Leonie sorveu o café e contemplou a paisagem pela janela, esperando que Doug aparecesse e lhe dissesse que dispensara Caitlin com uma pulga atrás da bela orelhinha. Já tomara a segunda xícara e comera todo o sonho quando o dono da galeria apareceu à porta. Vendo-a, acenou dramaticamente e caminhou com afetação até Leonie, a gravata cor-de-rosa adquirindo um tom roxo sob a luz daquele ambiente.

— Leonie, não é mesmo? — perguntou ele. Ela anuiu. — O Doug pediu que eu lhe desse isso e dissesse que ele sente muito, já que não vai poder ir até o aeroporto com você. — Informou, colocando uma nota de cinquenta libras na mesa. — Lamenta muito não poder levá-la, mas mademoiselle Caitlin está tendo um ataque histérico, e ele vem tentando acalmá-la. "Diva" não é a palavra certa para aquela mulher. — O sujeito deu de ombros, ultrajado. — Eu mesmo daria uns tapas nela, mas o Doug não acharia legal, e eu gosto muito dele.

Ela não prestou atenção em tudo o que ele disse. Começou a devanear quando escutou que Doug não lhe daria carona por estar consolando Caitlin. Ele era um cara bastante digno de confiança. Nunca deixaria ninguém na mão, de jeito nenhum. A não ser para alguém que realmente amasse, alguém que estava afastado dele havia anos e agora voltara a se unir a ele.

Os olhos de Leonie ficaram marejados. Empurrou o dinheiro na mesa.

— Não, obrigada — disse, reunindo a maior coragem possível. — Não quero isso. Tenho dinheiro. O Doug estava apenas me fazendo um favor.

— É mesmo? — Os olhos do dono da galeria mostraram-se perspicazes sob a leve camada de rímel. — Não seja boba, queridinha. Eu agi assim uma vez e olha só para mim. Estou só. Aconselho que diga o que pensa.

Deixando o dinheiro na mesa, ele se retirou afetadamente.

Leonie pegou a nota, a bolsa e retirou-se depressa. Saiu correndo de perto da galeria, ofegando sob o sol de agosto enquanto passava ao longo dos carros parados no cruzamento. Seu objetivo era se afastar o máximo possível para não ter de ver Doug abraçando Caitlin com carinho. Por fim, chegou ao final da rua e deu a volta na esquina. Havia um ponto de táxi ali perto, lembrou.

Ela estava acalorada e suada quando finalmente entrou num táxi, a base escorrendo pelas maçãs do rosto e a blusa de seda de tom amarelo-âmbar colada no corpo. Fosse qual fosse o desodorante que passara, já não surtia efeito. Mas Leonie não se importava. Sentou-se no banco de trás e fitou a paisagem com mau humor.

O taxista até tentou puxar conversa, mas, como ela só respondia com monossílabos, desistiu. Já se aproximavam do aeroporto quando Leonie se deu conta de que estava com a aparência péssima e resolveu retocar a maquiagem. Como chegara com uma hora de antecedência, ficou na área de desembarque, folheando, sem ver, uma revista. *Doug, ah, Doug. Por que eu não notei antes?*, pensou, desesperada. Agora era tarde demais.

A maioria dos passageiros do voo de Boston já tinha saído quando Mel e Abby passaram depressa pelas portas corrediças, bronzeadas, saudáveis e animadas, com um monte de malas e bolsas de mão.

— Mãe! — gritaram as duas, assim que a viram.

Leonie abraçou as gêmeas, lágrimas escorrendo de felicidade.

— Ai, é tão bom ver vocês! — exclamou ela, meio rindo meio chorando.

— A gente também está feliz em te ver!

— Vocês estão superbem — vociferou Leonie. E era verdade.

Mel parecia deslumbrante: bronzeada e bonita, os cabelos escuros presos numa trança, elegante com a calça de náilon preta e a camiseta rosa manchada, estilo anos 1970, com um cardigã lilás amarrado na cintura. Mas Abby deixou a mãe sem fôlego: crescera e ficara mais alta que a irmã. A altura adicional alongara seu corpo, tornando-o sensual, em vez de robusto. Ela usava um jeans desbotado justo, que delineava as pernas longilíneas, e uma camiseta turquesa moldada no corpo, que realçava o tom de seus belos olhos. Pulseiras de prata e turquesa dos nativos norte-americanos adornavam seus braços e usava uma gargantilha de prata no pescoço moreno. Seus cabelos, clareados pelo sol, espalhavam-se sedosos pelos ombros e pelas costas. O visual relaxado, estilo *Thelma & Louise*, caía muito bem nela.

— Abby, você está ótima — comentou Leonie, dando um passo para trás e admirando seu patinho querido, que virara um cisne.

— Eu me sinto ótima — disse Abby, com um largo sorriso. — Sinto ter encontrado o meu eu.

— Ela ficou lendo aqueles livros de autoajuda o tempo todo — contou Mel, dando risadinhas. — Não consigo encontrar o meu poder interior, por mais que tente.

— Você só acha o seu poder interior quando vê um cara bonito — disse Abby, provocando a irmã.

Como que por mágica, um grupo de rapazes com mochilas pesadas passou por elas e lançou olhares de admiração para as gêmeas. Mel, acostumada com isso, observou-os com enfado. Mas a reação de Abby impressionou Leonie. Ela olhou para os jovens com um sorriso confiante e, em seguida, inclinou a cabeça rindo, os cabelos brilhando. Exalava autoconfiança, percebeu a mãe. Sua bebê se tornara adulta.

Elas conversaram sem parar no táxi até chegarem em casa.

— O Doug não vinha pegar a gente? — perguntou Mel.

— Não deu para ele vir — informou Leonie. — Agora vamos, contem tudo para mim.

Boston fora ótimo, o Texas, melhor ainda. O pai de Fliss, Charlie, tinha um rancho em Panhandle, além de uma casa perto de Taos, no Novo México, "um lugar lindo, superlegal, onde se pode esquiar no inverno", informara Mel, com ar sonhador.

— Era lindo pra caramba. Cheio daquele pessoal da Nova Era, que Abby adorou. Ela até saiu com um deles, Kurt.

Antes, Abby ficaria furiosa se a irmã tivesse contado algo assim, mas, agora, simplesmente sorriu e brincou com a pulseira de camurça do pulso bronzeado.

— Foi só um amigo, mãe, nada mais. A Mel quer que todo mundo esteja saindo junto. É *tão* ultrapassado isso.

Em casa, Penny ficou totalmente empolgada, o corpo de pelos dourados tremendo de alegria ao lamber as gêmeas e cheirar suas malas, em êxtase.

— A gente morreu de saudades de você — exclamaram as duas, sentadas de pernas cruzadas no chão, com a cadela.

Clover preferiu ignorar aquelas boas-vindas e ficou sentada em cima do armário da cozinha, observando tudo como se fosse uma rainha entediada com os seus súditos.

Leonie meio que esperava que as filhas se sentissem desapontadas por voltar para casa, mas as duas pareciam estar animadas, dizendo inúmeras vezes como haviam sentido falta dali e como era irritante ter que andar superarrumado o tempo todo.

— A Fliss é tipo assim obcecada por limpeza — contou Mel. — Você odiaria, mãe.

Leonie conteve um sorriso.

Mel foi telefonar para as amigas/inimigas de imediato, para lhes contar que se divertira, ficara bronzeada e trouxera roupas lindas, que nunca se conseguiria comprar na Irlanda, claro.

Abby tirou da mala vários pacotes coloridos de chá de frutas e ervas e se ofereceu para preparar uma infusão revigorante para a mãe. Desistira de tomar chá preto e café. Não poluía o corpo com coisas desse tipo, contou a Leonie.

— Você é o que come — afirmou, explicando que comidas frescas e saudáveis eram bem melhores que alimentos processados. — Acho que o de limão é super-revigorante — comentou, enquanto colocava a chaleira no fogo —, mas o meu preferido é o de laranja com oxicoco.

Leonie sentou-se à mesa da cozinha e admirou a filha alta e autoconfiante.

— Está ótimo, Abby — comentou, com um nó na garganta. — Tenho muito orgulho de você.

— Prove só — disse a filha, entregando-lhe a xícara com a infusão.

— Uma delícia! — exclamou a mãe.

— Eu estava tratando mal o meu corpo — explicou ela. — Consumia tudo quanto era porcaria, sem querer saber. Por isso ficava deprimida e me odiava. Mas agora me sinto bem à beça.

Leonie notou como Abby estava animada. Os olhos da filha brilhavam, e ela estava cheia de vida, confiante e feliz.

Recordando-se da adolescente enraivecida e confusa que partira três meses antes, Leonie fez uma pequena prece de agradecimento, em silêncio. E agradeceu também a Fliss. Independentemente do que ela tivesse feito para Abby, Leonie se sentia grata.

— A Fliss foi muito legal, claro — comentou a mãe.

— Não foi a Fliss — ressaltou Abby, com veemência —, mas você, mãe. Você fez isso por mim. Sempre foi tão forte, e senti que eu não podia ser assim. Estava perdida, tentando parecer outra pessoa. Eu... — procurou as palavras certas — queria ter a aparência de Mel, falar como a Fliss e ser eu. Não se pode fazer isso tudo ao mesmo tempo. — Ela riu diante da tolice dessa ideia. — Temos que ser nós mesmos, é o que devemos para a nossa pessoa. O curso me ensinou isso. Eu conversei com uma conselheira para pessoas com distúrbios alimentares por um tempo, e foi legal, mas aí a gente teve que ir para Taos, e ouvi falar nesse curso. A Mel achou que era loucura, mas eu estava precisando justamente de algo assim. A pessoa tem que se livrar de todas as noções bobas sobre si e aprender a ser ela mesma. A gente teve que falar sobre as pessoas que admirava e — os olhos de Abby reluziram — eu falei de você, mãe.

Os olhos de Leonie brilharam também, marejados.

— Contei como você foi corajosa quando se separou do papai por ter se dado conta de que a relação não ia bem, por perceber que devia pra você, pro papai e pra gente estar com a pessoa certa. E contei também todos os sacrifícios que fez por nós. Sei, mãe, que compra roupa usada para dar coisas novas para a gente. Não pense que eu não sabia. Só que antes nunca dava valor. Quando fiquei longe de você, passei a dar.

— Ah, Abby. — Leonie estendeu o braço e pegou a mão com anéis de prata da filha. — Achei que mal podia esperar para se afastar de mim e ficar com a Fliss.

— Mal podia esperar para ficar longe de mim mesma — reconheceu Abby. — Estava com bulimia, mãe. Sinto muito, mas eu mesma me fazia sentir doente. Sei que menti para você.

Leonie não conseguiu dizer nada, mas segurou com mais força a mão da filha.

— Nem posso acreditar o quanto fui idiota — prosseguiu Abby. — Sabe, a pessoa pode ter até um ataque cardíaco por causa de bulimia. Acaba com os dentes e a gengiva, fere a garganta, por causa dos ácidos estomacais que vêm junto com o vômito, e, ainda por cima, não funciona. Tudo o que faz é destruir a pessoa de dentro para fora. — Ela respirou fundo. — Foi difícil contar isso pra você, mãe, porque eu tinha mentido. Mas é importante enfrentar essas coisas.

A filha parecia tão madura, tão no controle de si mesma.

— Abby, prometa para mim que nunca mais fará isso — implorou Leonie.

Ela abraçou a mãe.

— Não vou, mãe. Não vou por você e por mim, pode contar com a minha palavra. Só quem consegue interromper a bulimia é a própria pessoa que sofre dela. Somente assim vem a cura. Não é fácil, mas eu vou conseguir. Ainda mais com você do meu lado.

Elas se sentaram à mesa a tarde inteira, rindo e conversando sobre as férias. Como sempre, Mel tirara fotos e, tal como costumava fazer, cortara as cabeças da *maior parte* das pessoas.

Aparentava ser mais nova que a irmã, percebeu Leonie. Abby amadurecera muito, por diversos motivos, ao passo que isso não ocorrera com Mel, que, a certa altura, teria de sofrer e enfrentar as dores que evitara sem esforço até aquele momento. Mas Leonie sabia que Abby ajudaria a irmã quando chegasse a hora.

— Mãe, estou com fome — disse Abby, percorrendo a cozinha e abrindo os armários. — Por acaso tem rúcula, semente de pinheiro e pesto?

Leonie riu com vontade.

— Não. A gente vai ter que ir ao supermercado amanhã. A sua nova rotina de alimentação saudável significa que eu vou cozinhar quatro tipos de refeições todo dia?

A filha mostrou a língua, com malícia.

— Você vai comer do meu jeito já-já, vai ver só.

— E ela vai fazer isso mesmo, mãe. Já não me deixa tomar sorvete com o dobro de calda de chocolate.

Naquela noite, Leonie foi se deitar com a sensação de que um peso enorme lhe fora tirado dos ombros. Abby estava bem; na verdade, mais do que bem. Radiante. Isso era o mais importante. E daí se ela estava com uma dorzinha no fundo do coração por causa de Doug? Contava com as filhas, as filhas adoradas. De que mais precisava? Ela cometera o erro de se envolver com Hugh e de não perceber o que havia de errado com Abby. Mas isso não voltaria a acontecer. Os homens não fariam parte de sua vida no futuro, decidiu, com determinação. Quem precisava deles, de qualquer forma?

No dia seguinte, as três foram comprar roupas e uniformes para a escola. As aulas começariam dali a uma semana; Mel precisava de um suéter novo e Abby, de outra saia, pois como crescera tanto, a antiga já não lhe servia. Quando compraram tudo, foram ver o último filme da produtora Merchant Ivory e, em seguida, dirigiram-se a um restaurante mexicano. Enquanto estava com as gêmeas, Leonie se esqueceu de Doug. Porém, quando chegaram em casa, havia uma breve mensagem dele na secretária eletrônica, dizendo que ligaria de novo mais tarde. Leonie passou a tarde inteira esperando o telefone tocar. Ela não sabia como ele explicaria o que acontecera, mas, ainda assim, queria ouvir a voz dele, queria ouvi-lo dizer "Leo" com aquele jeitinho suave de sempre. O telefone tocou, sim: para as meninas, sem parar. Doug não ligou. Era óbvio que devia estar feliz, perdidamente apaixonado por Caitlin, concluiu Leonie.

Sentia-se estranhamente desanimada quando foi trabalhar no dia seguinte. Devia estar exultante: Mel e Abby tinham voltado, felizes em vê-la, e Danny chegaria na semana seguinte. Contudo, estava deprimida.

— O que é que aconteceu com você? — quis saber Angie, enquanto ela guardava a bolsa e colocava o uniforme de enfermeira.

— Nada não — respondeu Leonie, pegando a prancheta com os acontecimentos do dia. Duas fêmeas seriam esterilizadas de manhã, e Angie faria uma cirurgia exploratória em um gato que supostamente consumira um carretel de linha e uma agulha.

— Aconteceu algo com as gêmeas? — perguntou Angie, com suavidade.

— Não, tudo anda as mil maravilhas. Elas se divertiram, mas estão felizes por terem regressado. Abby voltou linda, de bem com a vida. — Leonie parou de falar. Não queria conversar sobre aquilo. Caramba, nem *sabia* por que se sentia tão aborrecida.

Ela examinou os pacientes da ala cirúrgica. Três gatos, um dos quais estava tomando soro, quatro cachorros que haviam sido operados um dia antes e iriam para casa naquele dia e Henry, um pombo, que quebrara a asa e a fitava da gaiola, furioso por estar confinado daquele jeito. Para deixar claro como se sentia, ele pegou alpiste e jogou para fora da gaiola, no chão. Normalmente, Leonie teria rido disso. No entanto, naquele dia, olhou-o e disse:

— Que coisa feia, Henry!

Angie atendeu a um telefonema de um dono preocupado com o cachorro; nesse ínterim, Leonie, Helen e Louise, as outras enfermeiras de plantão, começaram a levar os cães para passear no jardim dos fundos.

— Eu sei que dói, coitadinha — disse Leonie para uma boxer dócil, de nove meses, que fora esterilizada no dia anterior e gemia ao caminhar vacilante até a gaiola. A cadela apoiou-se nela, estremecendo, ansiando ser reconfortada. Leonie abraçou-a até que parasse de tremer. — Você vai voltar para casa hoje — sussurrou, acariciando as orelhas macias da boxer.

Quando todos os cachorros foram retirados e suas gaiolas, limpas, Leonie e Louise passaram para os gatos.

Por fim, todos os animais foram atendidos; chegara a hora das cirurgias matinais. Como a recepcionista se atrasara, Leonie teve de ficar na recepção. Odiava trabalhar ali quando havia muito movimento e, naquele dia, a clínica estava lotada. As pessoas e os animais amontoavam-se na entrada, com cachorros latindo, chateados, e gatos miando, assustados. Quando, por fim, a recepcionista chegou, pedindo mil desculpas e explicando que o pneu do carro furara, Leonie já atendera a dez pessoas, recebera quatro telefonemas e acalmara uma mulher histérica, que chegara com um gato vomitando.

— Tudo bem — disse Leonie, com rispidez.

Uma vez livre das obrigações na recepção, ela trocou de lugar com Helen, que vinha ajudando Angie na sala cirúrgica. A veterinária estava retirando o dente encravado de um poddle, um trabalho traiçoeiro. Em silêncio, Leonie assumiu sua posição ao lado da cabeça do cachorro, monitorando a cor e o ritmo da respiração do bichinho. A língua dele apresentava um tom rosado saudável, o que significava que vinha suportando bem a anestesia.

— Puxa, Leonie, você está com cara de quem comeu e não gostou — comentou Angie, olhando-a.

— Estou bem.

— Se está, eu sou a Rainha de Sabá — insistiu a amiga. — Me diga o que anda errado, pelo amor de Deus!

— Ah, sei lá. Algo me deixou deprimida...

— O Hugh? — perguntou Angie, ao jogar, triunfante, o dente extraído na bandeja.

— Não. Aconteceu uma coisa no dia em que eu fui para a cidade com o Doug, quando íamos pegar as meninas no aeroporto.

— Ah, sim, o recluso Doug. Eu o vi outro dia. O cara não é de se jogar fora, hein?

— Angie, você é terrível! Ele já passou por tanta coisa.

— E você está a fim de consolá-lo? — observou Angie, astutamente.

— Não, de jeito nenhum. Ele é apenas um amigo, nada mais do que isso.

— O que foi que Shakespeare disse sobre as pessoas que protestavam demais? — A amiga passou a se concentrar em outro dente.

— É *só* amigo sim — insistiu Leonie.

— E por que você não ficou triste quando deu um megafora no querido Hugh? — Não havia como responder a isso. — Me conte o que aconteceu, anda.

E Leonie contou.

— E ele não ligou até agora? — perguntou Angie, aborrecida.

A amiga balançou a cabeça.

— Você sabe o que tem que fazer, não sabe? Precisa se encontrar com ele e contar o que sente.

— Não seja louca — começou a dizer Leonie. Mas, então, reconsiderou. — De qualquer forma, eu não sinto nada. Simplesmente fiquei chateada por ele não ter ligado para pedir desculpas. Bom, ele até telefonou, mas eu não estava em casa e ele não voltou a ligar.

— Delaney, dá um tempo, vai! Eu sei muito bem que você está caidinha por ele. Vê o cara dia sim dia não, faz longas caminhadas com ele, toma um monte de café no ateliê dele... Então não me venha com essa de que não está apaixonada, embora só agora tenha se dado conta disso. Pô, você via o Doug dez vezes mais do que o maldito Hugh. *Claro* que está apaixonada por ele!

— Eu não sabia que estava — comentou Leonie, baixinho. — Foi só quando vi a Catlin e ele juntos que me dei conta disso. Eu a odiei por ter magoado tanto o Doug.

— Bom, *diz para ele*!

— Como posso dizer, se é óbvio que ele está com ela? O que é que eu devo fazer: entrar de supetão na casa dele e exigir ser ouvida, com ela em segundo plano, zombando de mim até por ter pensado em sair com ele? Devia ter visto a mulher, Angie. A miserável é perfeita.

— Não, se deixou o Doug daquele jeito tão insensível. — Angie deu uma injeção de antibiótico no poodle, para ajudar a combater infecções; em seguida, pegou-o e levou-o até a gaiola. — Você tem que dizer algo para ele, ou não vai se perdoar pelo resto da vida.

— Bom, acho que não vou me perdoar, então — murmurou Leonie, limpando a mesa cirúrgica.

Na semana seguinte, Danny voltou da viagem com a mochila cheia de roupas imundas e mil histórias para contar. As gêmeas voltaram às aulas, animadas com suas próprias aventuras. Leonie estava sempre ocupada, tentando voltar à rotina de acordar bem cedo, e trabalhando horas extras, já que uma das outras enfermeiras adoecera, levando todas as outras a dividir seu serviço. Não deveria ter tido tempo de pensar em Doug, ainda assim, acabou pensando nele. Lembrou-se das caminhadas nas montanhas, das longas conversas que tinham, sentados à mesa da cozinha dele, do jantar maravilhoso no Hungry Monk, quando se sentiram tão à vontade um com o outro. Ela nunca relaxara tanto com Hugh, percebeu Leonie. Nem mesmo quando faziam amor. Ou talvez *especialmente* nessa ocasião. Às vezes, ela se permitia imaginar como seria transar com Doug, sentir a barba acariciando seus seios enquanto ele a beijava... *Pare!* Furiosa consigo mesma por ficar na fossa como uma adolescente, Leonie levava Penny para dar passeios longos e exaustivos, com o intuito de queimar sua energia estressante. Não caminhava na frente da casa de Doug: ia para o outro lado, evitando qualquer possibilidade de deparar com ele e Caitlin abraçados de um jeito inebriado, com Jasper e Alfie perambulando ao redor. Penny, no entanto, queria ir para o lugar de sempre e se encontrar com os colegas caninos, porém Leonie a puxava para longe.

Na sexta à tarde, quando chegou da caminhada, viu o jipe de Doug estacionado na entrada da casa.

— O Doug está aqui! — gritou Mel sem necessidade, quando viu a mãe.

— Ótimo — mentiu Leonie. Odiava ter de encará-lo, mas não havia outra opção. Colocando um grande sorriso no rosto, foi até a sala, onde ele via TV com Danny.

Doug se levantou na hora.

— Eu preciso conversar com você.

— Sinto muito, não posso, tenho um encontro marcado com Hugh — mentiu.

— Não tem... — começou a dizer Danny.

Leonie o silenciou com um olhar fuzilante.

— Sobre a semana passada, lamento muito, Leonie. Caitlin apareceu, e eu tinha que conversar com ela...

— Tudo bem — disse Leonie, saindo da sala. — Não tem problema. Tenho que ir. Tchau.

Ela foi correndo para o quarto e bateu a porta. Então, atirou-se na cama, sem se importar com a roupa imunda da caminhada, e desatou a chorar.

Doug ligou no sábado.

— Diga que não estou — sussurrou Leonie.

— Ela mandou dizer que não está — disse Danny a Doug.

Leonie revirou os olhos. Muito discreto, ele, hein? Bom, talvez o amigo percebesse que a amizade dos dois terminara, concluiu ela. Se Doug queria ficar grudado na enjoativa Caitlin pelo resto da vida, Leonie não queria ter que assistir à cena.

No domingo, Leonie caminhava com Penny, quando viu o jipe de Doug chegando, na rua. Ansiosa para evitá-lo, ela entrou em um campo ali perto, para o deleite da cadela. As ovelhas locais ficaram horrorizadas.

— A gente só vai ficar um minutinho — informou Leonie de seu esconderijo, atrás do portão.

A vida continuou, como sempre. Abby perguntou por que Doug não fora jantar lá, desde que elas voltaram dos Estados Unidos.

— Não sei — mentiu Leonie. — Acho que ele está ocupado com um quadro.

Abby lançou-lhe um olhar astuto.

— Por acaso acha que vou acreditar nisso?

Leonie resmungou.

— Pode parar. Parece até que estou no programa da Oprah, recebendo conselhos da plateia sobre como conduzir a vida.

— Você não está feliz, mãe — salientou Abby. — Qualquer um pode notar isso.

— Estou cansada, filha, só isso. Agora com licença que vou pôr umas roupas na máquina.

Outra semana passou arrastando-se. Leonie ficara no piloto automático na maior parte dela. Teve plantão no fim de semana e, no sábado, o lugar ficou cheio de clientes e animais tremulantes. Leonie monitorava um coelho castrado quando o telefone tocou para Angie.

— Fique de olho no coelho, está bem? — disse Leonie para Louise. — Tenho que ir chamar Angie.

Foi para a segunda sala de cirurgia e parou, estupefata. Ali, segurando Jasper, que gemia e tremia, encontrava-se Doug. Aparentava estar atormentado, com os cabelos assanhados pelo vento, a roupa de caminhar, e o aspecto cansado. *Sexo demais*, pensou sombriamente Leonie.

— O que foi que aconteceu com Jasper? — perguntou ela, na hora.

Reconhecendo a velha amiga, o cachorro balançou levemente o rabo, sem forças.

— Coitadinho — disse ela, acariciando sua cabeça.

— Ele machucou a pata. O dedo rudimentar foi arrancado, juntamente com parte da pele. — Angie se preparava para anestesiar a área.

Jasper gemeu de dor e uivou ainda mais quando Angie se aproximou. Com certeza passava o cheiro de veterinária, que todos os cachorros odiavam.

— Tem uma ligação para você — informou Leonie para ela. — A sra. McCarthy, sobre o gato. É urgente.

— Está bom. Volto já-já.

Angie saiu da sala.

— Por que você tem me evitado? — perguntou baixinho Doug.

Leonie não o estava fitando. Manteve a cabeça na direção de Jasper, que parara de uivar, mas lhe implorava com os olhos que o tirasse daquele lugar horrível.

— Não tenho evitado ninguém — disse ela, bruscamente. — Ando ocupada, assim como você.

— Eu não ando ocupado, mas deprimido e sozinho. Não tem mais ninguém aparecendo a qualquer momento para se certificar de que tomei as vitaminas e me tirar do ateliê para tomar um pouco de ar fresco. Ninguém que me convide para jantar e me dê lasanha caseira. Ninguém com quem eu possa rir e conversar.

Leonie notou que prendia a respiração. Exalou suavemente, trêmula.

— E Caitlin? — perguntou ela. — O amor da sua vida voltou, não precisa de alguém entediante como eu para conversar nem para preparar café. Conta com a sra. Deslumbrante para fazer isso com você.

Antes que ele pudesse responder, Angie entrou de novo na sala. Jasper voltou a gemer.

— Sinto muito pela interrupção — ressaltou ela, olhando para Leonie, cuja área ao redor da boca se encontrava bastante pálida.

— Melhor eu ir — disse Leonie, saindo depressa dali.

Ela se escondeu no banheiro por alguns instantes, até ter certeza de que controlara a vontade de chorar. Então, foi cuidar do coelho. Havia menos gente trabalhando naquele dia e muitos animais a serem atendidos; ela não podia deixar tudo com Louise e Helen.

Acabara de fechar a gaiola do coelho, minutos depois, quando Angie apareceu, acompanhada de Doug e Jasper, que ofegava satisfeito com a pata dianteira erguida, agora devidamente enfaixada.

— Não pode entrar aqui — vociferou Leonie. — O Jasper já foi medicado. Melhor você ir para casa.

Angie pegou a coleira do cachorro de Doug, e Doug avançou até ficar bem perto de Leonie. Ela sentiu o cheiro típico de tinta a óleo; havia uma mancha ocre na camisa dele.

— Você pode consertar a pata dele — comentou Doug —, mas não o meu coração.

Leonie o fitou, trêmula.

Todas as enfermeiras estavam observando. Até mesmo os animais nas jaulas mostravam-se interessados. Contemplar seres humanos em meio a um drama de partir o coração era mais divertido que ver as enfermeiras se aproximando com injeções e termômetros retais.

— Doug, do que é que você está falando? — perguntou Leonie, esforçando-se para controlar as emoções.

— De você. Vem me evitando há duas semanas. Não caminha mais comigo nem vai tomar café no meu ateliê.

— Aqui não é o lugar apropriado para tratar esse assunto.

— Você não conversa comigo em casa, então tive que vir até aqui.

— E machucou o pobre do Jasper só para me fazer falar com você?

— Não, ele sabia que eu estava desesperado e, quando chegou cambaleando em casa hoje pela manhã, foi o sacrifício supremo.

Até mesmo em um momento como aquele, Doug a fazia rir.

— Nunca conheci alguém que tirasse tanta conclusão precipitada quanto você.

— É verdade — disse Louise.

Leonie ficou boquiaberta com aquela injustiça.

— Você tinha certeza de que a perna daquele pastor alemão estava quebrada e, no fim das contas, não foi esse o caso — salientou Louise.

— Isso não é tirar conclusão precipitada, é pensar no pior cenário possível para tomar a decisão correta. Prefiro uma reação exagerada a uma moderada demais.

— Você teve uma reação exagerada quando me viu com Caitlin — disse Doug, com suavidade. — Não pude levar você até o aeroporto porque precisei consolá-la. Ela ficou arrasada porque queria voltar comigo e eu lhe disse que isso estava fora de cogitação, já que tinha me apaixonado por outra.

Leonie ficou com os olhos marejados.

Jasper, entediando-se, uivou.

— Quieto, Jasper! — avisou Angie. — Isso está melhor que *Coronation Street*.

Todos riram. Doug aproximou-se e puxou Leonie para si.

— Amo você. Se tenho que fazer isso diante de uma plateia, não me importa, porque estou apaixonado e só assim você vai acreditar em mim. — Ele falou mais alto. — Eu, Doug Mansell, amo Leonie Delaney, mãe de três filhos, manteiga derretida e mestre em tirar conclusões precipitadas.

A audiência bateu palmas, e os animais que não estavam se recuperando da anestesia uniram-se a ela, uivando, latindo, chirriando e batendo as asas.

— É mesmo? — quis saber ela, apoiando-se nele, sem forças.

Doug lhe deu um beijo na testa, já que a face dela achava-se pressionada contra seu peito.

— É. Passei a semana inteira tentando falar com você e, se não fosse por Abby, eu não teria dito nada, porque você me fez pensar que ainda estava com o canalha do Hugh.

— Abby?

— Ela tem conspirado comigo. Se Jasper não tivesse se machucado, eu ia passar na sua casa hoje à noite e tiraria você de lá. Abby está preparando uma mala, já que eu queria levar você para Kilkenny, para passar alguns dias românticos fora. Dois dias na bela quinta Mount Juliet. — A plateia deu um suspiro ante aquela declaração emocionante. — Cheguei à conclusão de que a tática radical seria a melhor, já que você se recusava até a falar comigo.

— Eu vou matar Abby, aquela danadinha. Podia ter me contado — disse Leonie.

— Não faz isso não. Ela vai cuidar dos cachorros para nós. Você vem?

Leonie esfregou a marca de tinta na camisa dele e, em seguida, acariciou sua barba.

— Vou sim, vai ser ótimo.

A audiência soltou outro suspiro.

— Não podemos desapontá-las — comentou Doug, com um brilho malicioso nos olhos. — Precisam de um beijo para que esta matinê termine. — E beijou-a com tanto ímpeto que Leonie precisou se apoiar no armário de remédios para não cair.

CAPÍTULO 28

Sete meses depois

Enquanto ouvia o noticiário das seis da noite no rádio da cozinha, Emma cortou o peito de frango quente em pedacinhos e, em seguida, colocou uma colher bem cheia de purê de batata no prato. Ela preparara um molho para acrescentar ao jantar do pai, mas sabia que seria um erro colocar um pouco para a mãe. Ocorreria o mesmo que acontecia com alimentos como feijão assado ou molhos de macarrão escuros: iria se espalhar pela sua roupa ou pelo chão. Era algo inexplicável Anne-Marie ter acessos justamente nas ocasiões em que comia algo que manchasse. Com refeições de tons suaves, ela comia sossegada com o garfo de plástico ou permitia docilmente que a alimentassem. Mas, ao ver um molho a bolonhesa, agitava-se e jogava o garfo na sala, salpicando os móveis e as paredes, fazendo o ambiente adquirir certo ar de arte moderna. Era como alimentar uma criança, pensara Emma, várias vezes. Uma menina com tamanho de adulta, que podia ser incrivelmente forte.

— Mãe — chamou Emma naquele momento, colocando o prato na mesa da cozinha, juntamente com uma xícara de chá morno. — Mãe, o jantar está pronto.

Como ela não apareceu, a filha foi procurá-la. Anne-Marie encontrava-se na sala de jantar, tentando abrir com força as portas da varanda. Era sua ocupação favorita depois de perambular sem parar pela casa; ela só não escapava porque as portas ficavam o tempo todo trancadas, com as chaves escondidas. Três meses atrás, quando desaparecera uma noite e fora — felizmente — encontrada pelos vizinhos, chorando no jardim da frente da sua residência, Emma insistira que todas as portas e janelas permanecessem fechadas.

Jimmy, arrasado com o súbito desaparecimento da esposa de sua cama, às três da madrugada, concordara sem dizer uma palavra. A casa era agora uma miniColditz. Anne-Marie demonstrara que tinha muita habilidade para escapar por janelas totalmente abertas. Travas de janela complicadas, que permitiam apenas uma abertura mínima, tornaram-se a única opção. Outra inovação foram os prendedores à prova de criança colocados nas gavetas e nos armários, além de uma capa de plástico para o vídeo, já que ela metera uma fita do lado errado, o que emperrara o aparelho. Emma sabia que seria terrível durante o verão, quando todos ficariam loucos para abrir as janelas. Por outro lado, ela se perguntava o que aconteceria àquela altura? A mãe ainda estaria em casa? Seu estado vinha se deteriorando com tanta rapidez que a filha tinha certeza de que o pai não aguentaria aquilo por muito tempo. Não que ele estivesse naquele momento.

Naquele dia, uma sexta-feira gelada de março, Anne-Marie estava tranquila, e acariciou com suavidade o braço da filha quando esta a levou à cozinha para jantar. Emma colocou açúcar no chá e, em seguida, sentou-se ao lado da mãe para ver se ela precisaria ou não de ajuda. Naquela tarde, a resposta seria não. Anne-Marie começou a comer, faminta, olhando para o nada ao fazê-lo. Seu rosto outrora bonito não demonstrava nenhuma expressão na maior parte do tempo, a não ser quando ficava inexplicavelmente apavorada. Nesses momentos, os olhos arregalavam-se em virtude de algum temor velado. O medo era uma das poucas emoções que lhe restavam. Naquele dia, seu semblante parecia uma tela vazia; os olhos mostravam-se vidrados e os músculos estavam relaxados, enquanto ela comia devagar, de boca aberta. Emma nunca se dera conta de como a expressão do rosto de uma pessoa estava ligada às emoções, até a mãe adoecer. Sempre supusera que uma face era uma face, às vezes iluminada por um pensamento ou acontecimento positivo qualquer, sempre marcada por algum tipo de expressão, mesmo quando a mente da pessoa estivesse a quilômetros de distância.

Contudo, ao observar uma mulher sucumbir às garras apavorantes do Alzheimer, aprendera com clareza: o cérebro era tudo. Quando ele ia sendo consumido aos poucos pelo avanço cruel da doença, o rosto se tornava apenas outra parte do corpo. Todo traço de humor ou de inteligência pareciam haver desaparecido. Anne-Marie já não falava, exceto por sussurros incoerentes ou por ocasionais momentos de raiva, nos quais atirava objetos e chamava por Jimmy.

Ela ainda dizia os nomes das pessoas em voz alta e as reconhecia — Emma, Kirsten, Jimmy e sobretudo Pete, por algum motivo. Só que saber qual pertencia a que rosto com frequência lhe era difícil. Chamava Emma de "Kirsten" na maioria das vezes, algo que não importava mais à filha, que já pensava no futuro, quando a mãe não a reconheceria nem a chamaria de nada.

"Anne-Marie terá noção de que vocês são importantes para ela, porém não saberá mais quem são", explicara-lhes o amável especialista em Alzheimer, tudo no dia fatídico, três meses antes, quando lhes passara o diagnóstico.

De todos eles, fora Jimmy quem ficara mais chocado ao ouvir aquelas palavras. Emma já lera todos os livros que pudera sobre demências. Conhecia cada detalhe doloroso, desde a perda lenta e gradual das faculdades até as indignidades derradeiras da incontinência urinária e de refeições líquidas se, tal como ocorria às vezes, o paciente não conseguisse engolir mais. Com seu costumeiro autocontrole, Emma se obrigara a ler todo detalhe terrível.

Já Kirsten se recusara a dar uma olhada nos livros comprados pela irmã, ao passo que Jimmy insistira com firmeza que não havia nada errado que não pudesse ser curado.

Uma operação, dissera ele, isso sim era o necessário.

Ele construíra um lindo jardim de inverno para um médico certa vez, e o sujeito sabia tudo sobre cirurgia cerebral. Pronto.

A família foi ver o neurologista, que lançara um olhar compassivo para Emma do outro lado da sala e tentara informar com delicadeza a Jimmy O'Brien que dificilmente uma cirurgia ajudaria a esposa. Na certa poderia ter explicado o que havia de errado com ela, mas, em vez disso, recomendara que fossem ao especialista prestativo e amável em Alzheimer, que dera as péssimas notícias com a maior indulgência possível.

Somente uma autópsia confirmaria suas suspeitas, explicara ele, por causa da natureza das demências. No entanto, tinha certeza de que Anne-Marie O'Brien estava com Alzheimer. A certa altura, ela requereria assistência por 24 horas.

Jimmy dera a impressão de que choraria pela primeira vez na vida. Seus ombros grandes curvaram-se de frustração, e ele deixara de ser o Sr. Durão vigoroso e próspero, para se tornar um homem arrasado. Kirsten contemplara a vista da janela do consultório, com uma expressão impenetrável. Somente Emma conversara com o especialista, discutindo o que deviam fazer por enquanto, que tipo de tratamento, se é que havia um, estava disponível para Anne-Marie e quais clínicas geriátricas ele recomendaria. Jimmy e Kirsten saíram: ele sentara-se com a esposa, que ficara furiosa por ter sido deixada sozinha com a enfermeira, ao passo que os demais tinham ido conversar; Kirsten saíra para fumar.

Fora mais fácil falar abertamente sem os dois no consultório.

— Meu pai tem dificuldade de lidar com isso — dissera Emma.

— É difícil para todo mundo. Não consigo pensar em alguém que acharia fácil — comentara o especialista. — O complicado é que você será a única enfrentando tudo, enquanto os outros aprendem a lidar com a doença de sua mãe. Sua irmã também tem dificuldade?

Emma anuíra. Não era o momento de tratar da visão limitada que Kirsten tinha da vida. Como as crianças traquinas, que achavam que se tapassem os olhos e não pudessem ver a pessoa, ela tampouco poderia vê-las, a irmã acreditava que nada a feriria, a menos que olhasse diretamente.

— Em termos práticos — começara a perguntar Emma, pegando um bloco para anotar tudo o que ele dizia —, aonde vamos daqui para frente? Por quanto tempo minha mãe deverá ficar do jeito que está agora?

Naquela época, Anne-Marie muitas vezes agitava-se e, embora falasse, não se lembrava de conversas, nem de incidentes, nem de refeições. Minutos depois de almoçar, ela reclamava que a estavam deixando faminta e que queria comer.

O especialista explicara que era impossível saber. A doença progredia em ritmos diferentes. Algumas pessoas permaneciam no mesmo estágio por anos; outras, como Anne-Marie, pioravam a uma velocidade vertiginosa.

Ele salientara que o Alzheimer ocorria em um sistema de níveis: uma pessoa podia ficar em um por um tempo, então caía para o seguinte, para nunca mais voltar. A descida era irreversível.

Os remédios podiam auxiliar nos estágios iniciais, mas, no fim das contas, a progressão continuava. Como Anne-Marie era jovem, podia viver muitos anos com a doença. Por outro lado, como tinha muita energia e tendia a se mover muito, cuidar dela poderia ser mais difícil que de uma pessoa mais velha, com menos mobilidade. A mãe requereria uma clínica estável e especializada, que custaria caro. Se ficasse mais agitada do que naquele momento, ele aconselharia que a internassem em um hospital psiquiátrico para que ela recebesse uma medicação que ao menos a ajudaria a dormir.

— Algumas pessoas se esgotam caminhando constantemente, outras querem comer sem parar, pois se esquecem de que já foram alimentadas e, então, engordam muito. Cada paciente é diferente, cada um, singular. Mas — ele se inclinara na cadeira — o paciente não é o único paciente, se entende o que quero dizer. Toda a família é afetada pelo Alzheimer. Ela precisa receber cuidados, pois muitas vezes é nela que os maiores problemas ocorrem. O acompanhante principal tem que enfrentar muita coisa. Será você?

— Não sei — respondera Emma com sinceridade. Eu trabalho e, até agora, meu pai vinha tentando trabalhar em casa, por telefone. Eu dava um pulo lá à noite, para ver como andava tudo. Mas, no mês passado, ele teve que tirar folga, pois minha mãe não deixava que ele saísse de manhã.

O especialista anuíra.

— Sua mãe está com medo. Imagine só: ela olha para a casa dela e nem sempre a reconhece. Percebe que está só, porém não sabe há quanto tempo nem se algum conhecido voltará. É apavorante. Ela não poderá mais ficar sozinha, infelizmente.

Fora uma jornada árdua desde que receberam o diagnóstico. Tanto a família quanto os amigos contribuíram para cuidar de Anne-Marie. Emma ficava a maior parte dos sábados com a mãe e passava três vezes por semana, à noite, para cozinhar e limpar. O pai começara a trabalhar meio expediente, deixando boa parte do trabalho para seu subordinado; duas vizinhas ficavam com Anne-Marie algumas manhãs, durante a semana, para permitir que ele trabalhasse.

Kirsten aparecia nos domingos para ajudar, mas não dava as caras nos dias úteis, alegando ficar exausta com o novo emprego como recepcionista numa clínica dentária. Até mesmo a abominável tia Petra reservara as manhãs de sexta para ficar com Anne-Marie, embora Emma não soubesse dizer se era uma boa ideia ou não, já que, como a tia tinha problemas no quadril e osteoporose, poderia se machucar subindo e descendo as escadas para ajudar a sobrinha.

Emma sentia que realmente precisavam de assistentes qualificadas. Sua mãe já não dormia bem e chegava a um ponto em que precisaria de um atendimento mais especializado que o oferecido pela família e os amigos bem-intencionados.

Jimmy, no entanto, não queria saber; era como se tivesse convencido a si mesmo que nada muito ruim aconteceria se não houvesse especialistas cuidando da esposa. Com a família e os amigos por perto, tudo andaria bem, não? Com uma assistente ou enfermeira na casa, então ele seria obrigado a admitir que não havia luz no fim do túnel.

Por causa da costumeira teimosia de Jimmy, ele e Emma discutiram diversas vezes a esse respeito.

— Nós não vamos contratar uma enfermeira — dissera ele, furioso. — Não tem necessidade. Eu posso cuidar da sua mãe sozinho.

Só que não está cuidando dela sozinho, teve vontade de dizer Emma. Já conta com ajuda e precisará de mais. Odiando a si mesma por ter ficado calada, ela se retirou. Oito meses de análise lhe haviam ensinado que, ao não conseguir dizer o que queria, era melhor simplesmente se retirar. Assim, o pai saberia que estava aborrecida e não concordava com ele, embora ela não pudesse dizer isso diretamente.

Não se tratava de uma forma de resistência muito contundente, mas era melhor do que nada. Emma colocou mais chá na xícara da mãe, certificando-se de deixá-la afastada até servir leite frio em quantidade suficiente para deixar o líquido morno.

Anne-Marie pegou a xícara e tomou tudo de uma vez, derramando um pouco na frente da blusa cor-de-rosa plissada, que adorara quando a comprara anos atrás em Ashley Reeves.

— Baixou de cinquenta para vinte libras — comentara a mãe naquele dia, agitando a linda blusa com botões de madrepérola. — Vai combinar direitinho com a minha saia cinza.

Emma enxugou uma lágrima no canto dos olhos ao se lembrar daquele tempo e suspirou. Tristeza e cansaço tentavam ganhar sua atenção. A exaustão vencera. Era a segunda roupa na qual a mãe derramava algo naquele dia. Mais roupa para lavar.

Ela vinha lavando as roupas dos pais na própria casa, já que Jimmy não sabia usar direito a máquina de lavar. A quantidade de vestimentas aumentava o tempo todo, e Emma lutava para aguentar o ritmo. Anne-Marie sempre fora muito vaidosa: andava maquiada, com roupas bonitas e impecáveis. A filha estava decidida a mantê-la assim, de qualquer forma.

Emma se perguntou se uma enfermeira maquiaria a mãe todos os dias, como ela tentava fazer. Provavelmente não. A maquiagem ficaria no final da lista, embora, por incrível que parecesse, fosse importante.

Eles precisavam muito de uma enfermeira, alguém qualificada que ajudasse de vez em quando. Emma sabia que custava caro, mas o pai não era pobre. Tinha condições de pagar por esse tipo de serviço. Mas, por trás da resistência obstinada dele, não estava a questão do dinheiro.

— Tem alguém em casa? — chamou Kirsten, do corredor. — Sou eu.

— A gente está na cozinha.

A irmã foi até lá devagar, jogou a jaqueta em uma cadeira e deixou-se cair ao lado de Emma, sem se aproximar da mãe para saudá-la ou beijá-la.

Durante os meses afastada de Patrick, Kirsten mudara bastante: perdera o visual luxuoso obtido com o marido que era bem de vida o bastante para pagar pelos intermináveis tratamentos de cabelo e de beleza, bem como assegurar que não precisasse trabalhar.

Agora, com o trabalho de recepcionista na clínica dentária, ela não tinha mais condições de pagar por tinturas e cortes frequentes, e fazer a unha duas vezes por semana se tornara coisa do passado. Seus cabelos haviam crescido, apresentando as luzes douradas com raízes escuras, e a maquiagem estava borrada, após um longo dia de trabalho e nenhum tempo de sobra para retocá-la a cada cinco minutos. Apenas a bolsa com estampa de onça e a enorme aliança davam sinais da antiga Kirsten.

Patrick vinha lutando com unhas e dentes para manter seu dinheiro longe das garras dela, mas não pedira a aliança de volta.

— E aí, mana? — perguntou Kirsten. — Tem chá sobrando? Estou louca para tomar um.

— No bule — informou Emma. — Cumprimente a mamãe.

— Oi, mãe — disse a irmã, sem interesse. Ela andou arrastando os pés até o bule, para dar uma espiada, com o ar esgotado de quem correra uma maratona de 42 quilômetros. — Está gelado. Vou preparar mais.

— O que é que está fazendo aqui? — perguntou Emma, irritada com a falta de interesse da irmã na mãe.

— Nada de mais. Pensei em dar um pulo aqui e checar o que você ia fazer hoje. Talvez quisesse ir ver um filme ou algo assim.

Emma teve de controlar a vontade de dizer que, se ela estava com tempo sobrando, podia usá-lo cuidando com mais frequência da mãe. Não era justo. Elas tinham que tocar a vida para a frente, além de cuidar de Anne-Marie. E Kirsten vinha ficando muito sozinha, desde que se separara.

A irmã já não tinha dinheiro para andar com a mesma galera. Visitar Nova York para ir fazer compras ou ir até Meribel para esquiar estava fora de cogitação. Também gastar fortunas em restaurantes da moda. Constrangida demais para procurar os amigos dos quais se afastara antes de se envolver com os ricos e badalados, Kirsten, pelo visto, levava uma vida solitária e começara a passar bastante tempo na casa de Emma e Pete, levando os últimos filmes lançados em vídeo e sacos grandes de batata frita.

— A gente não planejou nada — informou Emma. — O Pete vai trabalhar até tarde, e nós vamos comprar algo pronto e comer em casa. Quer ir até lá?

— Ah, de repente vou sim.

Quando a mãe acabou de comer, Emma foi com ela até em cima, a fim de levar a efeito a cerimônia complicada de trocar sua blusa. Na maioria das vezes, Anne-Marie aceitava bem ser alimentada e não se importava que escovassem seus dentes, embora engolisse mais pasta que cuspisse. Porém, trocar a roupa dela exercia o mesmo efeito que um toureiro de vermelho para um touro. Assim que se abria um botão, ela ficava furiosa, afastando o braço e gritando como se estivesse sendo machucada.

— Jimmy — pedia, lamuriosa. — Faça com que ela pare!

— Mãe — dizia Emma, com a maior calma possível, enquanto se esquivava de golpes —, só vamos trocar a sua blusa. Sabe que detesta usar qualquer roupa que esteja suja.

— Jimmy — bradava a mãe.

Onde estava a maldita Kirsten quando se precisava dela?, questionou Emma.

— Jimmy, Jimmy, Jimmy...

A porta da frente bateu e alguém subiu a escada com passadas pesadas.

— O que é que você está fazendo com ela? — vociferou Jimmy O'Brien, aparecendo à porta com o rosto fulminando de raiva.

Anne-Marie, ao ouvir os brados, gritou ainda mais alto.

— Jimmy, Jimmy! Por favor, me ajude.

— Estou aqui — disse ele, tentando abraçar a esposa. Porém, ela, transtornada naquele instante, afastou-se dele.

— O que você fez com ela? — perguntou em tom acusatório para Emma.

Cansada depois da longa manhã e tarde cuidando da mãe, a filha apenas deixou-se cair na cama.

— Nada. Estou apenas tentando tirar a blusa dela, já que caiu comida.

— Dane-se essa maldita blusa! — gritou ele.

Algo em Emma explodiu. Ela tirara meio dia de folga no trabalho para que o pai pudesse ficar no dele o dia todo. Estava cansada, já que adiantara o serviço até as nove horas na noite anterior, para não ter de fazê-lo naquele dia. E fora uma tarde exaustiva com a mãe, que esvaziara um frasco de desinfetante no alto da escada, o que Emma levara séculos para limpar.

Aquelas embalagens não eram à prova de crianças, não importava o que afirmavam no rótulo.

Agora, ela fitava o pai, sentindo o calor da raiva percorrer as veias de seu corpo.

— A blusa é muito importante — disse, com a voz baixa e controlada, para não perturbar ainda mais Anne-Marie. — A mamãe gosta de manter a boa aparência. Sempre considerou isso fundamental. O problema é que não sou treinada para trocar a roupa de alguém como ela. Só uma assistente especializada conseguiria fazer isso sem transtorná-la, como o senhor bem sabe.

Jimmy fez menção de interrompê-la: — Escute aqui...

Porém, a filha não conseguiu ficar ali. Levantou-se e saiu do quarto, apesar da exigência do pai de que voltasse de imediato.

Ela encontrou Kirsten entreouvindo tudo ao pé da escada.

— É isso aí, mana. A gente vai embora agora?

Emma anuiu, com tristeza. Não pôde nem falar.

Ao chegar em casa, saiu do carro e esperou por Kirsten, com uma dor palpitante atrás dos olhos. Queria gritar consigo mesma por ser tão covarde, por não dizer para o maldito pai o que ele podia fazer com a sua sordidez, má educação e total falta de reconhecimento do que a filha fazia. Emma tivera a oportunidade de jogar tudo isso na cara dele, já que se sentira furiosa o bastante, mas, outra vez, fracassara. Fraqueza era seu sobrenome. Junto com estúpida, vacilona e simplesmente patética. Elinor não ficaria impressionada.

— Você está com a cara péssima — comentou Kirsten, quando ela saiu com elegância do banco de motorista do carro, com as inevitáveis batatas fritas e um tablete enorme de Toblerone. — Espero que não seja porque está planejando ligar para o papai e pedir desculpas por tê-lo deixado falando sozinho. Ele detesta ficar sem plateia quando está aquecendo as turbinas para uma grande briga. Você é terrível.

Emma esboçou um sorriso. Kirsten sempre conseguia apaziguar a situação, com seu jeito despreocupado.

— A única coisa que quero fazer hoje é ver seja lá qual for o filme que você alugar na locadora e encher a cara de pizza.

Bastou Pete dar uma olhada para o rostinho fechado de Emma ao chegar em casa para dizer que iriam jantar fora.

— O orçamento que vá para o inferno — disse, abraçando a esposa. — Precisa se animar, e não precisa me dizer por quê.

Eles foram a um pequeno restaurante italiano e saborearam massa caseira e um delicioso vinho tinto envelhecido, terminando com taças grátis de grappa, porque Kirsten dera um sorriso tão charmoso para o dono, que ele se sentara à mesa com eles, lançando olhares meigos e interessados para ela.

Foi quando Emma voltou meio embriagada do toalete para a mesa que entreouviu a irmã e Pete em uma conversa acalorada, enquanto aguardavam a conta.

— Eu bem que queria dar um soco na cara dele, sabia? — dizia Pete, com um tom venenoso pouco comum na voz normalmente doce. — Quando eu penso no tempo que ela passa com a sua mãe, cuidando dela, fazendo tudo... Por causa da Emma, eu nunca digo nada, porque acho que ela não precisa de outro mandão babaca na vida, mas um dia vou dizer para o seu pai exatamente o que penso dele!

— Não se contenha por minha causa — disse Kirsten. — Ele tampouco está na minha lista de ganhadores do prêmio Nobel, e me adora. O problema de Emma é que ela mesma precisa confrontá-lo. Eu não sei por que já não fez isso anos atrás.

Apesar do isolamento provocado pelo vinho e pela grapa, Emma ficou deprimida de novo. Não era bom encher a cara de álcool para esconder seus sentimentos. Estava enganando a si mesma. Só enfrentar o pai ajudaria. Mas Jimmy vinha lidando com tantas dificuldades naquele momento, que seria cruel brigar com ele. Não poderia ser considerado culpado porque ela não tivera a coragem de impedir que ele a intimidasse anos atrás. Não poderia dar um chute no pai justo quando se encontrava caído no chão.

— Melhor eu ficar mais no banheiro para que vocês dois tenham mais tempo de falar de mim? — perguntou Emma, indo até a mesa e dando um beijo na careca de Pete.

— Sinto muito, amor, a gente só estava conversando sobre o danado do seu pai — disse Pete, sentindo-se culpado. — Sei que não quer que eu me meta, mas gostaria muito de dizer algo para ele. Não é justa a forma como ele trata você, e eu já não aguento mais. Parece até uma empregada escravizada, e já é hora de alguém enfrentá-lo e deixar isso claro.

— Ah, Pete. — Emma suspirou. — O coitado do papai está se vendo numa situação supercomplicada, com a mamãe doente. Não podemos dizer nada. Deixe que eu lido com isso, está bem?

Kirsten e ele deram de ombros, ao mesmo tempo.

No dia seguinte, Emma foi com relutância à casa dos pais. Era uma linda manhã ensolarada, sem uma nuvem sequer no céu. O tipo de dia em que ela e Pete gostavam de passar o tempo no jardim, desfrutando do sol e dos cadernos especiais do fim de semana, lendo trechos de artigos um para o outro e preparando comidas fáceis, como ovos mexidos. Ou talvez indo a um horto para ver que novas plantas podiam comprar e deixar morrer. Nenhum dos dois era bom jardineiro; seu gramado quadrado podia ser considerado, no mínimo, desigual, e as petúnias, que o rapaz da loja jurara que cresceriam em qualquer parte, mostravam-se murchas e pequenas demais. Só a florzinha roxa, que Emma suspeitara se tratar de uma erva daninha, ia de vento em popa. Já cobria o jardim ornamentado com pedras, cercando as urzes, e estava prestes a controlar hostilmente os bulbos, os quais lutavam para brotar acima do solo.

Em vez disso, Emma passaria três ou quatro horas com a mãe, já que o pai tinha marcado um almoço com um velho amigo. Sentia-se culpada pela forma como antecipava com ansiedade o dia que teria pela frente.

Como as enfermeiras e auxiliares conseguiam fazer isso?, perguntou-se ela, parada dentro do carro, no sinal vermelho, com as janelas abertas, sentindo a última brisa fresca a qual teria acesso nas próximas horas, já que tudo tinha de ficar fechado em casa, por causa da mãe. Com certeza, era um trabalho impossível cuidar de pessoas cujas mentes se esvaíam, com mudanças de humor acentuadas, que as levavam a rir ou chorar?

O pai esperava por ela no corredor, já com a jaqueta e as chaves do carro. Parecia agitado.

— Você está atrasada. — Foi tudo o que disse, ao passar pela filha. — Eu não fiz comida para a sua mãe. Ela está num dia péssimo.

Fora um eufemismo em face do que realmente ocorria. Emma encontrou a mãe trancada no quarto, cercada do conteúdo de seu guarda-roupa, juntamente com o do marido e de todas as gavetas. Meias, camisas, blusas, calças e lenços estavam espalhados à sua volta. Anne-Marie, apenas de calcinha e meia-calça, empilhava as roupas na cama, colocando com cuidado uma em cima da outra em um montículo precário até ele cair; então, recomeçava.

Seus cabelos longos, outrora bem tratados, estavam sujos e embaraçados, a face, sem maquiagem, e a cabeça, sem nenhuma das joias tão adoradas por ela. Nem um brinco nem as alianças de noivado e de casamento, as quais nunca tirava. Antes, ela jamais saía do quarto pela manhã sem ter certeza de estar ao menos com os brincos de pérola e um colar. E a única vez que Emma se lembrava de ter visto a mãe com o cabelo tão assanhado fora anos atrás, quando ela tivera uma forte gripe.

Emma sentiu os olhos ficarem marejados.

Duas horas e diversos ataques de raiva depois, Anne-Marie já usava um vestido azul-marinho, com os cabelos claros brilhando e maquiagem. Ela se admirava no espelho do corredor enquanto Emma preparava uma massa para o almoço.

Fosse qual fosse o péssimo estado de ânimo em que a mãe se encontrava, já passara. Agora cantava em voz alta, entrando de vez em quando na cozinha, dançando, para sorrir com doçura para a filha. As duas almoçaram e então foram para a sala, onde Emma ligou a TV. Um filme em preto e branco acabava de começar.

— Mãe, sente aqui comigo, vamos ver esse filme — chamou Emma, dando palmadinhas na almofada do sofá.

Anne-Marie sentou-se obedientemente a seu lado. Raramente assistia à televisão agora, mas adorava filmes antigos, sobretudo musicais. Naquele momento, aconchegou-se ao lado de Emma e assistiu ao início de *A estranha passageira*.

Se alguém as visse, teria achado a cena emocionante, com mãe e filha vendo um filme juntas, pensou Emma. A situação era outra, na verdade. Será que ela mesma teria uma filha, com a qual se sentaria e assistiria à TV? Talvez não.

Mas por que não? Emma sentou-se ereta no sofá. O que a impedia? Não sabia se era ou não infértil. Até descobrir com certeza se não podia ter filhos, por que ficar se lamentando, como se não pudesse mesmo? A vida era preciosa demais para ser desperdiçada na agonia de não saber. Anne-Marie começou a cantar sua própria música desafinada, e Emma acariciou seu braço. Se havia uma prova de que a vida era preciosa demais para ser desperdiçada, era sua mãe. Deveria ter tido anos para desfrutar dela; no entanto, encontrava-se aprisionada por aquela doença terrível, a vida praticamente terminada.

Emma não podia desperdiçar o resto de sua vida. Não o faria. Animada com um entusiasmo súbito, sensacional, e sentindo-se como São Paulo a caminho de Damasco, ela ansiou contar para Pete.

Ele demorou um pouco para atender ao telefone.

— Eu caí no sono lendo o jornal — admitiu o marido. — Estava tão cansado. — Emma sorriu. — O que é que foi? Sua mãe está bem?

— Você lembra quando conversamos sobre fazer exames para descobrir por que eu não estava engravidando?

— A-hã — respondeu ele, com hesitação.

— Ainda quer fazer isso? — perguntou Emma, o coração batendo forte.

— Com certeza. — Ele nunca parecera tão certo de algo.

— Na manhã de segunda, a primeira coisa que vou fazer é ir ao médico — anunciou Emma. — Quero ter um filho, Pete. Fui uma idiota por protelar isso por tanto tempo, mas eu não achava que estava na hora, com a mamãe tão doente. Estamos no momento certo agora.

— Ah, Emma, eu amo você, sua bobinha. Por que mudou de ideia?

— Por ter ficado aqui sentada com a mamãe — explicou a esposa. — A vida dela está se esvaindo, dia a dia, e aqui estou eu desperdiçando a minha porque não consigo encarar a realidade. Se não pudermos ter filhos, vamos adotar. Qualquer atitude é melhor do que nada, que é o que fiz por anos. Tenho sido uma tremenda idiota.

— Não seja tão dura consigo mesma, Emma.

— Não sou, mas perdi tempo. É preciso ficar na lista de adoção durante anos antes de receber permissão para adotar um bebê do exterior; já desperdicei tempo demais.

— Primeiro vamos ver se podemos ter nosso próprio filho. Tenho lido sobre a tal da FIV. Há vinte por cento de chance de sucesso, então, se não der certo na primeira vez, a gente vai fazer outras tentativas.

— Não é barato — salientou Emma.

— Se eu tiver que vender o corpo para financiá-la, é o que vou fazer — brincou Pete. — Sério, querida, a gente vai dar um jeito. Isso é o mais importante agora. Vamos pedir dinheiro emprestado, não me importo.

— Você é incrível, sabia?

— E você também. Venha para casa logo, para que possamos praticar como colocar minha amostra no copinho descartável.

Foi só depois das sete que Jimmy voltou para casa. Emma estava exausta, louca para ir para a sua e fazer planos com Pete. Ansiava que segunda-feira chegasse logo, de forma que pudesse dar início à bateria de exames para saber o que havia de errado com ela. Fosse o que fosse, tinha certeza de que conseguiria superar. Ela e o marido seriam pais, com certeza.

Jimmy estava de mau humor.

— Você não fez o meu jantar? — perguntou, assim que se deu conta de que não havia nada apetitoso no forno.

Emma o fitou. Era inacreditável.

— Não — respondeu com frieza. — Não fiz nenhum jantar para você, porque supus que estaria em casa muito antes.

— Que maravilha. Criei você, e não pode nem preparar o jantar para mim. Escute aqui...

— Não — disse Emma, com rispidez. — Escute você. Eu passei o dia inteiro do meu dia de folga cuidando da mamãe, e a primeira coisa que você faz ao voltar é gritar comigo. Nunca é bom o bastante.

— Não fale desse jeito comigo, mocinha! — vociferou Jimmy.

Pela primeira vez na vida, Emma não recuou. Aquele era o dia das primeiras vezes. Ela tomara a decisão importante de fazer algo sobre ter filhos e agora daria outro passo crucial.

— Não fale assim comigo — disse a filha, com muita frieza. — Porque, se falar, vou sair por aquela porta e nunca mais voltar, daí vai se dar conta do quanto faço pelo senhor.

— Bobagem! — gritou ele.

— Quando tiver que cuidar da mamãe o tempo todo sem a minha ajuda, quando tiver de limpar esta casa sozinho, lavando e passando suas roupas, talvez comece a se lamentar, pai.

— Kirsten faria isso num piscar de olhos.

— Kirsten não se daria ao trabalho — respondeu ela, secamente. — Ela tem a própria vida, e já descobriu como dizer não há anos. Eu acabei de aprender. — Emma pegou a bolsa. — Só vou voltar depois que o senhor pedir desculpas.

A face do pai perdeu parte da arrogância.

— Mas e a sua mãe?

— Nós vamos discutir a contratação de enfermeiras, quer o senhor queira quer não.

— Não gosto da ideia, e sou eu que decido.

— Sinto muito, mas não cabe somente ao senhor tomar essa decisão. Eu e a Kirsten temos que participar também. Estamos chegando a um ponto em que não podemos cuidar da mamãe sozinhos. Ou o senhor contrata pessoas para virem para cá ou ela precisa ir para uma clínica, onde receberá atendimento especializado. E pode parar com a sua intimidação, pai, já não funciona mais. — Ela ignorou a movimentação silenciosa dos lábios dele. — E *nunca* mais fale comigo assim. Eu estou cuidando da mamãe porque a amo, não por causa do senhor.

Ela voltou para casa dirigindo em alta velocidade, pisando fundo no acelerador, na tentativa de se livrar da energia excessiva que sentia.

Emma aguardou o sentimento de culpa, a sensação sobrepujante de que decepcionara a todos que a amavam ao se deixar levar por uma amostra estarrecedora de mau humor e ingratidão. Boas moças não brigavam com os pais. Mas isso não aconteceu: Emma sentia apenas um incrível alívio e nenhuma culpa.

Ela fervilhara de raiva e ressentimento a vida inteira, mas guardara isso para si mesma. A fúria era ruim, algo nada feminino, destinado a fazer com que as pessoas a odiassem. Ou assim pensara Emma.

Naquele dia, acabara descobrindo que não era verdade. Pete, que ela amava, ficaria feliz por ela finalmente ter enfrentado o pai. Importava Jimmy ter ficado bravo com a filha? Ele se sentia assim desde que ela nascera, por nenhum motivo aparente. Agora era lhe dera um, e pronto. E o pai precisava mais dela do que ela dele. Por sinal, a filha não precisava dele para nada. O pensamento lhe pareceu inebriante.

Emma encontrou Pete fazendo o jantar; correu até ele e abraçou-o.

— Você não mudou de ideia, mudou? — perguntou ele, ansioso.

— De jeito nenhum. Tive um dia e tanto.

No dia seguinte, Pete e Emma continuavam deitados na cama.

— É bom ter você para mim — comentou ele, enroscando o corpo no dela.

— Tenho passado muito tempo mesmo com a mamãe — admitiu Emma, dando um suspiro. — Espero que ela esteja bem. Eu me sinto culpada por causa dela.

— O seu pai é o responsável por tudo isso — ressaltou o marido. — Abusou da sua boa vontade, e a única forma de dar uma boa lição nele é sendo durona. Amor exigente.

— Ele não consegue aguentar, mas não admite.

— Problema dele. Você não pode carregar os problemas do mundo nas costas, Emma. Vem sendo subserviente ao seu pai desde que nasceu. Não significa que é má filha só porque tem que levar a própria vida, longe daquele tirano.

Ela se aconchegou nele, desfrutando da sensação do corpo dele contra o seu.

— É triste — explicou. — Eu teria compaixão por qualquer um na situação do meu pai, mas não consigo me aproximar dele. Nossa relação é tão ruim que nunca vou conseguir fazer isso.

— Cuide da sua mãe — aconselhou Pete. — Certificar-se de que ela esteja bem cuidada é o mais importante agora. Não deixe seu pai usar isso para manipular você.

— Não vou.

No fim das contas, Kirsten acabou se envolvendo.

— Não posso acreditar que esteja fazendo isso — disse Emma uma semana depois, quando se dirigiam ao hotel em que se encontrariam com o pai e as auxiliares de enfermagem, que entrevistariam para cuidar de Anne-Marie.

— Ele me liga o tempo todo — queixou-se Kirsten. — Não saber usar a máquina de lavar foi o primeiro problema. Daí quebrou o aspirador de pó ontem e, quanto ao micro-ondas, pode esquecer. Eu disse que não era a escrava dele e que ele podia aprender a mexer com tudo sozinho. E também dei uma bronca por ter sido tão terrível com você. Disse que você havia sido uma filha muito melhor do que eu, e que ele nem merecia vê-la de novo.

— Você disse isso mesmo? — Emma ficou admirada. — Legal da sua parte.

— Bom, quando ele se apoia em você, não precisa ficar pendurado no telefone comigo, então minha atitude amável teve um pensamento egoísta por trás — admitiu.

Emma riu. Kirsten não mudava nunca mesmo.

— Essa semana tem sido péssima — queixou-se a irmã. — Eu precisava fazer com que largasse do meu pé de alguma forma. E funcionou. Por fim, deu-se conta de que não podia cuidar da mamãe sozinho, até porque antes você se encarregava de quase tudo.

Jimmy parecia haver diminuído quando Emma o viu na recepção do hotel. Aparentava não apenas estar mais baixo, como também mais magro. A filha sentiu a antiga culpa, achando que não deveria ter deixado o pai sozinho para cuidar da mãe.

Kirsten lhe deu um cutucão na costela.

— Nada de ficar toda cheia de sentimentalismo e pesar. O papai tem que pedir desculpar para *você*, e não o contrário. A doença da mamãe não permite que ele seja ainda mais odioso do que já é.

As desculpas não eram o forte de Jimmy.

— Oi, meninas — sussurrou ele. — Eu disse para as moças que estaria no bar. Melhor nós entrarmos.

— Você não tem algo a dizer, pai? — perguntou Kirsten.

Ele olhou Emma nos olhos pela primeira vez.

— Sinto muito — disse, de forma brusca. — Não fui justo com você naquele dia.

— Desculpas aceitas — ressaltou Emma. Não conseguiria arrancar muito mais do pai. Ele nunca admitiria que precisava pedir desculpas por muito mais do que o ocorrido naquele dia. Mas era culpa dela ter agido como vítima. Permitira que ele pisasse nela. Não obstante, se conseguissem se dar bem o bastante para cuidar de Anne-Marie juntos, aquilo bastava. — Vamos então até o bar? — perguntou, animada.

Emma queria terminar logo as entrevistas. Agora que sentira ter recomeçado tudo com o pai, estava louca para contar à irmã a notícia: ela e Pete estavam adotando os passos para ter filhos e nada os impediria de tê-los. Nada.

Os resultados foram inesperados. Não havia nada de errado com nenhum dos dois. A contagem de esperma de Pete era excelente e Emma não tinha qualquer obstrução, cicatriz ou motivo aparente para não conceber.

— Não há nenhum motivo para você não ter um filho — explicara o especialista. — Chamamos isso de infertilidade inexplicável.

Ela teve a sensação de que aquilo era tão inconclusivo, tão dúbio. Pareceu-lhe inacreditável que, neste mundo da ciência moderna, no qual tudo era transplantável e existiam camundongos com orelhas humanas nas costas, a infertilidade dela pudesse ser inexplicável. No entanto, esse diagnóstico a deixara com um sentimento crucial: a esperança.

— Algumas pessoas, na sua situação, aguardam, esperançosas, mas como você já fez isso por um bom tempo, pode tentar a FIV — encorajara o especialista.

Do lado de fora da clínica, Pete segurara sua mão com tanta força que doera. Ela o viu mordiscar os lábios e sabia que ele não queria nem olhar para ela, receando que ela perdesse o controle. Contudo, por algum motivo inexplicável, Emma não se sentia transtornada, mas aliviada. Como se um marco até o momento preso como uma corda em seu pescoço houvesse sido solto. Sua incapacidade de ter filhos era inexplicável, não algo que ela tivesse provocado, nem alguma falha em seu corpo traiçoeiro, tampouco um problema que não pudesse ser resolvido. Mentes brilhantes lhe haviam dito isso. O temor e a apreensão em relação ao resultado já faziam parte do passado.

Depois de anos receando descobrir a verdade, Emma agora sabia. E ela era como uma catarse, como um bálsamo para sua alma, pois infertilidade inexplicável significava esperança.

— Pete... — Ela virou-se para ficar de frente para ele e acariciou o rosto tenso, sentindo a pele macia na área em que o marido se barbeara horas atrás. — Eu não estou nervosa, querido, não estou mesmo.

Ele não acreditava nela, ela podia ver isso. Sua expressão normalmente franca e sorridente mostrava-se consternada por ambos. Porém, Pete, ao contrário de Emma, não lera cada livro e artigo de revista sobre infertilidade. Supunha que aquele era o pior resultado, embora não fosse.

— Não vê, Pete? A gente pode recomeçar — argumentou ela. — Estamos enrolando há tanto tempo, imaginando o que andava errado, receando conversar sobre isso e sobre o futuro. Mas, agora — Emma sorriu com gosto —, eles não encontraram nada. E é isso que infertilidade inexplicável quer dizer. Eles não acharam nada em mim. O que pode significar que nunca poderei ter filhos ou que poderei ter sim. Vamos tentar a FIV. As nossas chances são tão boas quanto as de todo mundo. Como você mesmo me disse, o índice de sucesso é de vinte por cento. Não me importo em arriscar, se você também não.

Por um momento, Pete fitou-a; em seguida, seu rosto iluminou-se com um sorriso radiante. Ele levantou-a e fez com que girasse, beijando-a com ardor e vociferando o mais alto que podia:

— Eu amo você!

Pendurada nele, Emma atirou a cabeça para trás e deu um grito de alegria, sem se importar com os transeuntes, que observavam o casal feliz, o qual dava a impressão de recriar a cena de um filme sobre jovens amantes.

— Aonde a gente tem que ir? — quis saber Pete. — Vamos fazer isso agora mesmo!

CAPÍTULO 29

Claudia jogou a chupeta em Hannah. Com o telefone ainda encaixado entre o ombro e a orelha, a mãe pegou-a, colocou-a no esterilizador, tirou outra dali e entregou-a à filha. Ao ver o olhar no rosto de Hannah, a bebê, que era muito esperta para os quatro meses, decidiu ficar com a chupeta. Fitou a mãe com carinho, comprimindo o rostinho angelical e usando os olhos castanhos meigos, tão parecidos com os do pai, para tirar a expressão irritada da face de Hannah. Antes que Claudia nascesse, ela achava que chupetas eram obra do diabo e de mães preguiçosas. Nenhum filho seu usaria uma. Contudo, depois de dois meses de berreiros constantes, uma vizinha amável, que ela conhecera no parquinho, aconselhara que Hannah deixasse de lado suas teorias honradas e fosse até a farmácia naquele instante comprar um pacote com seis. "Paz e princípio são bem diferentes", afirmara a mulher. "Eu jurei que nunca as usaria, e olhe só para os meus filhos. Não estou nem aí se fizerem os exames finais da universidade com elas na boca!" Hannah seguira seu conselho, e a paz reinou.

Naquele momento, Claudia chupava satisfeita a chupeta, com os olhos grandes observando a mãe atentamente.

— Precisamos de outra garçonete — disse Hannah de novo, para o sujeito que administrava o bufê A & E. — Uma só não vai dar. Vamos receber cinquenta pessoas hoje à noite, como você bem sabe, já que fornecerá a comida. Uma garçonete só é ridículo.

O homem veio com a mesma conversa mole, e ela revirou os olhos. Não entendia por que Felix insistira em usar os serviços daquele bufê. Só porque o novo grande amigo o recomendara, não significava que teriam de contratá-los para sua primeira grande festa. Porém, o marido teimara em dizer que era uma boa ideia.

— Hannah, fui a três festas recentemente, em que eles serviram. Confie em mim — dissera ele, com rispidez.

Como ela não fora a esses eventos, pois as cólicas de Claudia não permitiam que a deixasse com a babá, Hannah não teve como contestar. A babá não conseguia dar conta de muita coisa. Pelo visto, o A & E tampouco. Felix lhe falara com orgulho dos planos para um bufê com frutos do mar e tortas de framboesas deliciosas de sobremesa, tal como ocorrera na última festa em que estivera. O bufê informara que a mulher responsável pelos frutos do mar estava de férias e perguntara se ela não se contentaria com os frios, os queijos, com alguns quiches e merengue de frutas exóticas.

Agora o problema era a quantidade de funcionários. Alguém fizera reservas demais, e só havia uma garçonete disponível para a festa. Hannah, que já achara tudo caro demais e teria preferido cancelar o maldito evento, não tinha a menor intenção de ser a segunda garçonete, o que acabaria acontecendo a menos que ela torcesse o braço do administrador do A & E.

— Olhe — disse ela, por fim —, quero duas garçonetes, ou você pode se considerar despedido. — E bateu o telefone. — Mercedes!

Mercedes era a babá, uma francesa encantadora e indolente que poderia estar na capa da *Vogue* e que obviamente cuidava de crianças enquanto aguardava o convite para fazê-lo. Uma sílfide alta com pernas intermináveis, de 19 anos, cabelos louros platinados tão longos que podia se sentar neles e grandes olhos azuis, que devem ter parecido libertinos desde o dia em que ela nasceu. Naquele momento, a jovem entrou devagar na cozinha, com o sapato rosa, de salto baixo, ressoando no piso em terracota de Hannah, muito bonita com o jeans preto e a blusa de guingão do mesmo tom do calçado, com as pontas amarradas descuidadamente na cintura diminuta.

— *Oui* — disse Mercedes.

— Você pode levar a Claudia para passear? — perguntou Hannah. — Tenho que dar mais alguns telefonemas, ela está muito inquieta.

— Mas preciso fazer a unha — respondeu a babá, queixosa.

As unhas da própria Hannah não estavam pintadas, e na certa ficariam assim, já que ainda restava muito por fazer antes da festa planejada por Felix, um evento caro demais para o orçamento dos dois.

— Mercedes, por favor — implorou ela. — Pode tirar o dia de folga amanhã.

Por um breve e estonteante momento, Hannah lembrou-se de ter administrado uma imobiliária, contratando e despedindo pessoas quando bem entendesse. Agora, restava-lhe implorar pela ajuda da babá. Mercedes devia trabalhar seis horas, cinco dias por semana, previamente estabelecidos entre o empregador e a empregada. Porém, após o primeiro mês dando apoio a Mercedes, para que saísse da fossa em virtude da saudade de Marselha, Hannah ultrapassara a linha da empregadora e passara a figura maternal; agora a babá se comportava exatamente como devia agir em casa: ficava pendurada no telefone durante horas, ora triste, ora radiante, dependendo de qual namorado telefonara e sem o menor interesse em esvaziar a máquina de lavar pratos. A jovem adorava Claudia, o que era ótimo, mas odiava trocar fraldas e dar comida ao bebê. Persuadi-la a dar uma volta com a menina equivalia a fazer com que os enviados da OTAN chegassem a uma decisão unânime.

A promessa do sábado de folga resolveu a situação. Mercedes adorava passar esse dia com as amigas babás, perambulando por Covent Garden para tomar café, sendo paquerada por jovens charmosos e gastando o dinheiro que os pais mandavam comprando roupinhas coquetes na French Connection e na Monsoon.

— *Oui.* — Aceitou Mercedes, com relutância. E, como era uma jovem doce, acrescentou: — Você vai para o cabeleireirrro, 'Annah? Posso ficar com Claudia de tarde.

Hannah poderia tê-la beijado. Uma vez que decidia ajudar, Mercedes era prestativa.

Claudia foi a única que não gostou do plano. Fez uma careta e abriu o berreiro, jogando a chupeta em Mercedes e provocando tamanho escarcéu a ponto de assustar o gato.

Hannah pegou-a no colo e apertou-a com carinho enquanto os gemidos iam parando. Ao segurar o corpo soluçante de Claudia perto de si, ficou impressionada com a intensidade de seus sentimentos para com a filha. Desde o segundo em que ela nascera, o amor por ela tomara conta de Hannah, como uma erupção vulcânica jorrando sem cessar de uma cratera. Ela adorara as mechas escuras da cabecinha dela, ficara obcecada com cada respiração que dava, chegando a se sentar ao lado do berço quando a filha ainda era recém-nascida, escutando cada exalação, como se a observação do peitinho subindo e descendo pudesse manter Claudia segura. Considerando as circunstâncias, podia ser considerado um milagre a menina ter se tornado tão doce e tranquila. Apesar de adorá-la, Hannah receava mimá-la; a filha aprendera que de vez em quando a mãe precisava fazer atividades e ir a lugares que não a incluíam.

Mas a pequena não estava de bom humor naquele dia. Aconchegada à mãe, ela fungava com tristeza.

— Espero que ela não esteja ficando doente — comentou Hannah com ansiedade, considerando de imediato a possibilidade de cancelar a hora marcada no salão.

— Ela está bem — disse Mercedes, tomando a queixosa bebê da mãe. — A gente vai brincar no parque, não vai, *ma cherie*? — perguntou a babá, com voz de criança, para Claudia.

Os olhos da neném iluminaram-se diante da atenção.

Estava tão fofa com o cardigã de lã vermelho e o macacão de bolinha azul!

— Vá com a Ruth, está bom? — pediu Hannah à babá.

Nunca se sabia que tipo de esquisitão se aproximaria de uma jovem com um carrinho de bebê. Tinha ficado paranoica com a segurança, e se sentia mais segura quando a babá da vizinha ia junto com Claudia e Mercedes, levando o danadinho de um ano do qual cuidava, Henry, menino que estava ensinando a neném a fazer malcriação num minuto e a sorrir angelicalmente no outro.

— Talvez fosse melhor a gente comprar um cachorro, um cão de guarda — sugerira Hannah a Felix, preocupada, quando se mudaram para a casa em Clapham. A filha nem havia nascido, na época, e ela lera uma história terrível sobre uma mulher que fugira correndo de um cão maluco no parque perto de sua casa, quando levava os filhos gêmeos no carrinho de bebê.

— Você se preocupa demais — comentara Felix, acariciando sua barriga. — Não somos um casal de atores famosíssimos, sabia? Ninguém vai sequestrar nosso neném.

Ainda assim, Hannah fazia o possível para garantir que sempre que Mercedes saísse com Claudia, fosse acompanhada de alguém. Ela própria não receava encontrar alguém assustador quando estava sozinha com a filha: sobretudo porque sabia que atacaria brutalmente qualquer um, homem ou animal, que tentasse tocar num fio de cabelo de sua neném preciosa. O amor maternal podia ser bastante violento.

Claudia reclamou um pouco quando Hannah colocou o gorro de lã vermelho e um casaco da mesma cor. Era uma bela sexta-feira de abril, mas a mãe sempre fora paranoica com o frio, e estava mesmo ventando um pouco mais do que de costume. Convencida de que Claudia se encontrava bem protegida tanto do vento quanto de doidos no parque, ela despediu-se da filha e da babá, lembrando a Mercedes que ligasse para o salão caso surgisse algum problema.

Era ótimo contar com algumas horas preciosas para si mesma, pensou, assim que saiu de casa, dez minutos depois. Lá fora, os raios de sol batiam nas casinhas brancas, com terraço, e a fragrância dos junquilhos amarelos do vizinho encheu as narinas de Hannah no exato momento em que fechou a porta. Sua casa não era a mansão eduardiana bela e espaçosa prometida por Felix, quando ele a persuadira a se mudar para Londres. Por sinal, não havia espaço nela. De pé-direito alto e estreita, consistia em uma cozinha no subsolo, duas salas bonitas no térreo e três quartos minúsculos no primeiro andar. Se o sótão não tivesse sido assoalhado, Hannah não sabia onde Felix teria colocado suas roupas.

Ainda assim, tratava-se de uma casinha charmosa, que ficaria ainda melhor se eles tivessem dinheiro para reformá-la. Eles haviam colocado um papel de parede com estampas em tom verde-claro e creme, do qual Felix tinha gostado, no entanto, fora tão caro que eles se viram obrigados a deixar de lado os planos de redecorar a cozinha vermelho-escura.

Tudo se tornava questão de dinheiro. Felix não trabalhava havia dois meses agora e, como gastara com imprudência quando trabalhava, os dois estavam apertados financeiramente. Um dos motivos que deixara Hannah desanimada com a festa naquela noite.

— Você não entende, não é mesmo? — dissera o marido, aborrecido. — Esse tipo de evento é fundamental para a minha carreira. A Bill vai trazer uma diretora importante, encarregada de selecionar o elenco. Ela pode conseguir algo para mim.

Hannah sabia reconhecer quando sofria uma derrota. A carreira de Felix era tudo, sobretudo considerando que a dela havia sido colocada a escanteio. Porém, os dois precisavam cortar os gastos, sendo a babá um deles. Hannah nem quisera contratar ninguém, afirmando que preferia cuidar de Claudia sozinha, mas Felix insistira que pessoas "como eles" sempre contavam com algum tipo de ajuda. Desse modo, ela poderia sair mais e talvez até voltar a trabalhar, sugerira.

No entanto, a vontade intensa de ficar com Claudia acabou fazendo com que o trabalho de Hannah se limitasse a duas manhãs por semana numa loja de caridade local, que sua própria mãe insistira que faria bem a ela, por tirá-la de casa.

— Você não quer virar uma daquelas donas de casa sem vida fora das quatro paredes da cozinha — aconselhara sabiamente Anna Campbell. — Se não fosse pelo meu trabalho, eu já teria ficado gagá há muito tempo.

Hannah passou uma hora agradável no salão, lendo revistas que normalmente não comprava e saboreando uma xícara de café açucarado. Naquele pequeno lugar sempre lavavam e faziam escova muito bem. Felix ia ao Nicky Clark fazer as luzes, mas ficaria muito caro se ambos fossem lá.

— E pensar que eu achava que esse tom era natural — rira Hannah, passando os dedos pelos cabelos louros sedosos do marido, no dia em que descobrira que ele os pintava no salão.

— Eu era muito louro quando pequeno — protestara Felix, parecendo magoado por Hannah achar que ele não era o homem dos cabelos dourados com quem ela se casara.

Ela lhe dera um beijo carinhoso.

— Não vou contar para ninguém, prometo.

Ele fizera o cabelo no dia anterior e, naquele momento, estava se encontrando com Bill no Groucho Club, dando a impressão de estar com um emprego ótimo e bem pago, em vez de sem fundos e preocupado. Bill era terrível no que dizia respeito à bebida, e Hannah esperava que ela se mantivesse longe do uísque até chegar à festa. Do contrário, começaria a beliscar os traseiros de homens num piscar de olhos. Bill usava os homens com mais rapidez que Claudia suas fraldas. Ao menos, se estava levando uma diretora famosa e influente, encarregada da escolha do elenco, com certeza tentaria se comportar bem. Tomara.

Por impulso, Hannah deu um pulo na farmácia a caminho de casa e comprou um batom vermelho-escuro e esmalte da mesma cor. Andava bastante desleixada nos últimos tempos, perambulando em casa com jeans velhos e sem se dar ao trabalho de se maquiar nem de pintar as unhas. Certos dias, podia considerar um milagre quando conseguia pentear os cabelos. Felix era um amor, nunca reclamava quando ela se deitava com uma camiseta enorme amassada e meias, em vez de alguma roupa íntima de seda bem pequena e passada, feita para ser arrancada.

Mas ele sabia o quão cansada ela vinha ficando depois de ter tido Claudia. Cuidar de uma bebê que se recusara a dormir por mais de duas horas à noite, até a semana passada, deixara Hannah acabada. O sexo e a rotina de preocupação com a beleza pareciam importar pouco quando se estava tão esgotada que mal se conseguia enxergar direito.

Naquela noite, faria Felix se lembrar da mulher sensual e glamorosa com a qual se casara, jurou Hannah para si mesma. Um sorriso levantou os cantos dos lábios de sua boca carnuda, quando ela pensou no assunto. E, quando a festa terminasse, a esposa levaria o marido para o quarto, torcendo para que Claudia dormisse, e o seduziria. Vagarosa e sensualmente, como ele gostava.

— Por que eles vieram? — perguntou Felix, arrastando Hannah para a cozinha assim que ela levara os vizinhos Freddie e Michelle até a sala e fora buscar um vinho para os dois.

— Eles são os nossos vizinhos — sussurrou Hannah, aborrecida. — E, a menos que queira iniciar uma guerra na rua, precisa convidá-los para as festas. Se a Bill ficar bêbada e começar a correr de um lado para o outro lá fora, pelada, com um copo de uísque na mão e uma rosa no bumbum, melhor ter os vizinhos do nosso lado, não acha?

Felix franziu o cenho. Não tinha argumento. Bill viera com ele do Groucho Club; os dois chegaram muito mais tarde do que o prometido e sem a famosa diretora. O marido parecia estar meio ébrio (era ambicioso demais para se soltar por completo), ao passo que a agente estava trêbada, não importava o quanto tentasse esconder esse fato. Hannah era especialista em avaliar bebedeiras. Metera uma xícara de café forte na mão de Bill, mandara-a para o jardim tomar ar fresco e fizera Felix lhe dar um prato com presunto ibérico, que o pessoal do bufê estava tirando dos pacotes refrigerados. Isso ocorrera uma hora atrás. Naquele momento, os convidados chegavam, começando pelos vizinhos que tinham filhos pequenos e gostavam de ir cedo, já que, com as crianças acordando às cinco da manhã, se sentiriam exaustos demais para se manter despertos até tarde.

— Vai dar uma volta — ordenou Hannah para o marido bonitão, que vinha admirando o próprio reflexo em uma bandeja de prata reluzente.

— Nenhum dos meus convidados chegou — comentou ele, ajustando o colarinho da camisa de tom café, que combinava tão bem com os olhos e a pele morena.

— Quer dizer então que todos os vizinhos são meus colegas sacais e os atores empolgantes, que vão demorar horas para chegar, são seus amigos? — perguntou ela, aborrecida.

— Fica fria. Eu vou circular. Mas não deixa de ir me resgatar se eu ficar preso.

Hannah seguiu-o até a sala, levando o vinho, e observou-o cumprimentar Freddie e Michelle como se tivesse contado as horas até a sua chegada. A vizinha enrubesceu quando ele lhe deu um beijo como se fosse a irmãzinha bonita de Claudia Schiffer, e não uma bancária experiente, a qual comentava queixosa com Hannah que já não aguentava mais o macarrão dos Vigilantes do Peso.

— Freedie! — exclamou Felix, calorosamente. — Quando é que vai parar de enrolar e jogar squash comigo? Você prometeu reservar um horário para mim.

Ele era tão charmoso, pensou Hannah, observando a cena. As pessoas o adoravam, pela forma como animava o ambiente; as mulheres, então, não desgrudavam os olhos dele. Por isso tinha tanto carisma nos filmes.

Tal como a melhor crítica, embora meio amarga, escrevera: "A presença de Felix Andretti é tão impactante que atrai os olhos dos espectadores. Quando ele está em cena, é cativante. Essa qualidade de estrela equivalerá à de excelente ator? Só o tempo dirá, mas fique de olho nele."

Hannah ficara horrorizada com a crítica. E assustada. Seu maior receio sempre fora que Felix, por ser um homem muito bonito, teria sucesso até certo ponto naquele meio, mas nada além disso, simplesmente por não ser um ator bom o bastante, apesar da aparência de ídolo de matinê. Com os sonhos grandiosos de Felix de ser tanto sucesso de crítica quanto de bilheteria, ele ficaria arrasado. A crítica parecia confirmar os temores da esposa, mas Felix e Bill a haviam considerado excelente.

— Interpretações ou representações exageradas — comentara Bill no almoço em que eles foram comemorar, no restaurante mexicano, em King's Road. — Você tem qualidade de estrela, querido. Isso é fundamental nesta área.

A condensação deixara as taças de vinho branco úmidas enquanto Hannah ficara parada à porta, observando Felix esbanjar carisma.

Freddie e Michelle riam como criancinhas de suas piadas, assim como as outras pessoas da sala, que se aproximaram dele por instinto.

— Estas taças de vinho são para alguém em especial? — quis saber a garçonete.

O bufê A & E enviara duas delas, uma competente e simpática, a outra, uma jovem de cara fechada, que não devia ter muito mais que 16 anos, e dava a impressão de haver sido arrastada de algum episódio brilhante de *Friends* para trabalhar de garçonete naquela festa tediosa.

Fora a srta. Cara Fechada que lhe perguntara.

— Não — disse Hannah, sorrindo, na esperança de que a jovem retribuísse a gentileza. — Pode deixar que eu levo.

— Como quiser — disse a moça, antes de sair batendo os pés.

— Querida — chamou-a Felix, lançando-lhe o olhar que ela reconheceu como o do "me tire daqui". — Traga o vinho aqui, antes que a gente morra de sede.

Hannah foi até o grupo, e Felix entregou as bebidas antes de cingir a cintura dela com o braço livre, em um gesto tanto de orgulho quanto de possessão.

— Não é maravilhosa? — perguntou ele, animado. — Não sei o que faria sem ela!

— Maravilhosa — repetiram seus seguidores.

Foi a vez de Hannah corar. Odiava quando o marido fazia isso, fazendo com que se sentisse como um bem em exposição. Hannah recordou-se da festa na casa de um ator, quando estava com a gravidez avançada, em que Felix perambulara com ela diante de si como se fosse um talismã, parecendo perguntar "Não sou um homem de sorte?".

Naquele momento, não era possível que ele estivesse mesmo fazendo aquilo. Na época, ela se tornara tamanha escrava dos hormônios que deixara de lado aquela percepção, tomando-a como depressão por causa da gravidez.

Não obstante, voltava a senti-la agora. Hannah fazia parte do currículo de Felix, juntamente com os trabalhos temporários em espetáculos mal financiados, o ano que passara nos Estados Unidos e a atuação em *Hamlet*, com trajes modernos, em Chicago. Seu lugar no CV era o da doce esposa irlandesa, que cuidava da bela filhinha e da casa aconchegante em Clapham. O bem-aventurado lado doméstico na vida de cada ator, sem o qual eles "estariam perdidos", como gostavam de mencionar nas entrevistas.

— Preciso atender à porta — disse Hannah, depressa.

— A campainha tocou? — perguntou Michelle, surpresa. — Achei que a sua tocava como a nossa, e não ouvi nada.

Por sorte, o som da campainha ressoou alto.

— Aí está, tocou de novo — mentiu ela.

Freddie riu para a esposa.

— Um golinho de vinho, e ela nem sabe mais se vai ou se fica!

Hannah foi abrir a porta para os recém-chegados e descansar a testa quente, apoiando-a na parede gelada do banheiro. Devia haver algo errado com ela. Foi dar uma olhada em Claudia e Mercedes. A neném estava dormindo, angelical com os olhinhos travessos fechados.

— Você quer ir comer algo? — perguntou ela à babá, que pareceu ficar chocada com a ideia.

Depois das nove horas, Mercedes nunca tocava em nada mais do que uma torrada. *Motivo pelo qual era tão magra*, pensou Hannah, colocando uma das mãos na barriga, a qual ainda não recuperara a magreza outrora invejável, antes do nascimento de Claudia.

O bufê foi um sucesso, juntamente com as incontáveis garrafas de vinho Roda. A fraternidade de atores compareceu em massa e devorou a comida como uma praga de gafanhotos, desfrutando sobretudo do champanhe após o jantar, que, pelo visto, Felix pedira sem contar nada a Hannah.

— A boa bebida é o símbolo de uma boa festa — comentou um dos amigos de Felix, já ébrio, ao se servir de outra taça de champanhe do tamanho de uma de vinho, com a ânsia de beberrão servindo-se de uma bebida barata, com alto teor alcoólico.

Uma boa festa desperdiçada, pensou Hannah, desolada, ao observar a cena de campo de guerra em que se encontrava a cozinha e imaginar o quanto tudo aquilo lhes custara. Cada vez que outra rolha estourava, ela estremecia e se lembrava da conta bancária no vermelho. Teria sido aceitável se a amiga importante de Bill tivesse dado as caras para admirar Felix e, depois, contratá-lo para atuar em algum filme ou programa de TV bom para a carreira dele. Mas a mulher ainda não chegara e, como passava das onze, era difícil que aparecesse.

A maioria dos convidados consistia em gente talentosa com dificuldades financeiras, e não indivíduos ricos e poderosos, que trabalhavam nos bastidores. A pessoa mais importante do evento acabou sendo uma atriz muito bem conservada, que, ao que tudo indicava, participara de todos os filmes britânicos feitos nos últimos dez anos e que se encontrava ali, obviamente, por ser louca por Felix.

Para o alívio de Hannah, ele não aparentava estar interessado, chegando a contar em tom crítico para ela que o marido lindo e jovem da atriz era, na verdade, gay.

— Na idade dela, é o melhor que vai conseguir — comentara ele, com desdém.

Hannah ficara tão feliz ao notar o desinteresse dele naquela mulher, que não chegara a dizer nada sobre suas observações sexistas e preconceituosas.

Ela percebeu, com amargura, que ele ficara bastante tempo conversando baixinho com Sigrid, uma atriz dinamarquesa que fizera uma ponta em seu último seriado para TV. A morena magra e elegante, com o cabelo curto espetado e personalidade condizente com o corte, estava muito bem vestida, com uma calça de camurça justa, e se inclinava na direção de Felix, enquanto os dois fitavam deliberadamente os rostos um do outro, batendo papo com animação.

Hannah conversou com os demais convidados, riu das antigas piadas e serviu mais vinho, o tempo todo olhando de soslaio para o marido. Embora ele e Sigrid não se olhassem nos olhos, havia algo entre os dois, uma sensação inconfundível de que ambos eram mais próximos que meros colegas, embora os dois não viessem se tocando nem nada disso. Será que Hannah estava imaginando coisas?

Nem mesmo quando alguém derramou vinho tinto na almofada de tapeçaria, que ela pensara em esconder por não estar protegida com um produto à prova d'água, Hannah se importara. Estava ocupada demais observando Felix e sentindo o estômago revolver por causa da tensão.

Quando voltou da cozinha, depois de colocar meio quilo de sal na almofada, o marido conversava com outro grupo, com um dos braços cingindo os ombros de uma mulher que ela sabia que ele odiava. Talvez essa fosse a pista, pensou Hannah, com o choque da compreensão súbita.

Ele não se importava de tocar em público nas pessoas das quais não gostava; porém, evitava ao máximo fazer isso com as que apreciava.

Hannah sentiu-se aliviada quando Sigrid foi embora dali a pouco, com o homem com o qual chegara. Porém, o sentimento incômodo em seu interior não fora embora.

— Está tudo bem, querida? — perguntou Felix casualmente, tocando no braço dela quando Sigrid se retirou.

— Está.

Felix lhe deu um sorriso quase desvairado: ela já estava farta da festa, mas ele se sentia no auge, satisfeitíssimo por aquelas pessoas terem ido vê-lo, nas nuvens com a mistura de bebidas e empolgação.

Após lhe dar um beijo, Felix foi circular, lançando charme e encantando a todos. O homem louro que atraía todos os olhares na sala.

À meia-noite e dez, Hannah já estava exausta; tanto por causa do evento quanto pela preocupação de que Claudia se incomodasse com o barulho; ela fora checar a filha a noite toda. A maioria dos convidados já havia ido embora, exceto o grupinho da fraternidade de atores acostumado a ficar até mais tarde, que se encontrava sentado à mesa da cozinha, tomando o uísque que Bill achara atrás dos panos de prato no armário.

Quando Hannah foi para a cozinha, após se despedir de alguns convidados, o grupinho se dedicava satisfeito a criticar um seriado de TV, no qual nenhum deles recebera papéis.

— Uma bela porcaria — comentou um.

— Detesto aqueles programas cheios de espartilhos e sim-vossa-excelência — acrescentou Bill. — Sabe, será que eles não transavam na época de Jane Austen? Do jeito que fazem, impossível imaginar.

Hannah se perguntou se alguém notaria se ela fosse se deitar.

Como Claudia dormira durante toda a festa, apesar da barulheira incomum, então com certeza acordaria às cinco e meia da manhã. A mãe sabia que o pai não teria energia para se levantar, e Mercedes, que fora ótima naquele dia e levara o berço da neném para seu quarto com o intuito de se certificar de que tudo estava bem, merecidamente tiraria o dia de folga.

Isso mesmo, decidiu Hannah. Entraria no quarto de Mercedes para lembrar à coitada da babá que ficaria com Claudia para que ela pudesse dormir até mais tarde. Felix devia estar no banheiro ou algo assim, mas se daria conta de que ela fora se deitar e daria atenção aos convidados sem ela.

Hannah subiu na ponta dos pés, muito feliz pela festa já ter terminado. Tivera que se meter muito, por causa da ineficácia dos donos do bufê. E vinha limpando a casa havia uma semana. Mercedes era um caso perdido quando precisava colocar luvas de borracha e fazer faxina. Ela até estremecera quando Hannah sugerira que o fizesse.

Coitada da moça. Hannah sentiria falta de seu charme francês.

Ela vinha calculando quanto eles economizariam sem a babá quando chegou ao quarto dela. Havia um ruído abafado intenso vindo de lá, e, no mesmo instante, Hannah supôs que Claudia acordara e estava exigindo atenção. Bateu de leve à porta e não esperou que a babá dissesse o costumeiro “pode entrar”. Sabia que Mercedes tinha direito à privacidade, mas aquela era a primeira vez que deixara o berço da filha no quarto dela durante a noite. A ideia de dar uma folga para a babá ao pegar Claudia era seu principal pensamento quando abriu a porta.

Só que não encontrou a filha exausta, estendida na cama de Mercedes, agitando-se enquanto a fralda era trocada e choramingando em busca da mãe.

Era Felix, somente com a cueca cobrindo o corpo longo e esguio. Usava, inclusive, a da marca Next, reparou Hannah, pasma com os detalhes que lhe pareciam claros mesmo naquele momento dramático.

Ele não deu a impressão de ter ficado transtornado. Muito pelo contrário: parecia apenas ligeiramente surpreso, como se tivesse acabado de acordar na cama da esposa e fosse Hannah que estivesse ao seu lado de sutiã e calcinha, em vez do corpo sexy de Mercedes, bastante atraente, com um conjuntinho de roupa íntima de tom creme.

Por sorte, Claudia dormia no berço, a face angelical tranquila, uma das mãozinhas agarrando a ovelhinha preta da qual ela se recusava a se afastar. Hannah nunca perdoaria Felix se ele tivesse trepado com a babá com a filha assistindo à cena. Teria sido imperdoável. Não que a atual situação fosse perdoável, porém podia ser considerada um pouco menos grave por causa do sono profundo de Claudia.

— Hannah, sinto muito — gritou Mercedes, arrasada. — Nunca quis fazerrr isso, gosto muito de você, pode acreditarrr. Ninguém planejou nada, simplesmente aconteceu.

Eu me pergunto quantas vezes isso ocorreu antes, pensou Hannah, furiosa.

— E como é que aconteceu, então? — perguntou ela friamente, olhando para Felix, e não para Mercedes, que, no fim das contas, era uma bela jovem de 19 anos e não podia receber toda a culpa pelo adultério de seu patrão.

A face de Felix ficava totalmente branca quando ele fazia algo errado, uma espécie de tela vazia na qual ele podia pintar a expressão correta. Estava assim naquele momento, aguardando ver que farpas a mulher lançaria antes de reagir.

— Estou esperando a sua explicação, Felix.

Como se houvesse percebido que a tradicional desculpa do "culpa da outra mulher" não funcionaria com Hannah, Felix ajustou o semblante de acordo.

— Lamento, Hannah. Eu estava bêbado. Vim dar uma olhada na Claudia e a Mercedes estava aqui. Ela deu em cima de mim e...

— Não dei não! — protestou Mercedes, indignada. — Você tem me perseguido desde que eu cheguei aqui. Só cedi porque estava me enchendo o saco!

— Mentirosa! — disse ele. — Não acredite numa só palavra do que essa mulher está dizendo, Hannah. Ela agiu como uma gata no cio desde que veio para cá.

Com isso, Claudia acordou e, ao ver suas pessoas favoritas gritando umas com as outras, abriu o berreiro. Mercedes olhou de esguelha para a patroa, como se perguntasse se deveria pegar a neném. Porém, Hannah balançou a cabeça de leve e pegou a filha inquieta.

— Como está a minha fofa? — perguntou, apoiando a cabecinha com cachos da filha no peito, surpresa por conseguir falar normalmente com a criança, depois do que acabara de presenciar. — Felix, por que não leva o berço para o nosso quarto?

Ele deu um sorriso afetado para a babá, como quem diz "ganhei". Ela acreditou em mim. Mercedes ficou triste, e o lábio inferior sensual começou a tremer.

Hannah ignorou tudo aquilo e levou Claudia para o aposento que o corretor chamara de quarto principal. Era um pouco menos minúsculo que os dois outros quartos; ainda assim, havia espaço apenas para uma cama, uma penteadeira, duas diminutas mesinhas de cabeceira e uma cadeira. O morador principal devia ser uma minipessoa, pensara ela. Ela nunca teria descrito aquele cômodo como quarto principal, já que parecia tão idiota. Com o berço ali, mal havia espaço para se mover.

Assim que Felix levou o berço de Claudia e todos os pertences dela de volta ao quarto do casal, ele foi se sentar na cama deles, sobre a colcha amarela e florida.

— Nem pense, Felix — avisou Hannah, mantendo a voz baixa, já que queria tranquilizar Claudia. — Pode dormir em algum outro lugar hoje. Com certeza vai ter alguém que vai ficar grata: talvez Sigrid, se Mercedes estiver furiosa demais para deixar você voltar para a cama dela.

Ele ergueu a cabeça e olhou ressabiado para Hannah, perguntando-se o quanto ela sabia ou supunha.

— Você deve me achar uma tremenda idiota, não é não? — quis saber Hannah, com rispidez. — Não precisa nem responder, já que é óbvio que sou meio imbecil. Não notei que você vinha aprontando na nossa própria casa e provavelmente transando com metade das atrizes de Londres...

— Eu não... — começou o marido.

— Nem se dê ao trabalho de dizer que lamenta e vir para cima de mim com desculpas esfarrapadas. — Hannah caminhava pelo quarto, embalando com carinho a filha. — Agora se manda daqui e vai cuidar dos seus convidados.

Sabendo que fora derrotado, Felix se retirou. Alguns minutos depois, umas batidas suaves à porta e uma vozinha indicaram a chegada de Mercedes.

— 'Annah, posso entrarrr e explicarrr?

— Vai embora, Mercedes, pode se explicar pela manhã — respondeu Hannah, exausta.

Quando ela desceu meia hora depois para pegar leite para Claudia, a cozinha estava vazia. Os retardatários se encontravam na sala, pelo visto brincando de charadas de filmes pornôs. Risadas asquerosas ressoaram quando alguém adivinhou em voz alta *Vaqueiras descaradas trepam no centro de Delhi*.

Hannah esquentou leite tanto para a filha quanto para si. Por algum motivo, a ideia daquela bebida quente lhe apeteceu, talvez por ser um dos remédios favoritos da mãe. Quando não se está bem do estômago: leite quente com gengibre. Para resfriados fortes, leite com a peculiar adição de pimenta-do-reino era ótimo. Se funcionava ou não, Hannah não sabia, mas ainda associava essa bebida quente ao bem-estar.

Quando Claudia por fim dormiu no berço, Hannah tirou a roupa e se recostou nos travesseiros amarelos só de calcinha e sutiã, sorvendo o leite. Ela estava com o conjuntinho preto de renda que nunca usara antes e que pusera para seduzir o marido. Uma grande ironia ela ter pensado em como faria o adorado Felix se lembrar da incrível vida amorosa que compartilharam antes, ao passo que ele se concentrara na incrível oportunidade de transar com a babá. Hannah tentou afugentar a imagem dele e Mercedes deitados na cama, com a despreocupação graciosa de modelos em um comercial de perfume de Calvin Klein.

Ela não queria ter de pensar no que acabara de acontecer, não queria ter de enfrentar as lições dolorosas que estava aprendendo. Em vez disso, gostaria de conversar com Leonie ou com sua mãe ou com Emma e chorar. Queria mais consolo que o proporcionado por um caneco de leite quente.

Por algum motivo inexplicável, Hannah pensou em David James. Seu rosto de traços marcantes e os ombros imponentes lhe vieram à mente. Dava para chorar apoiada naquele dorso, com a cabeça aconchegada em sua solidez, enquanto braços fortes e amáveis a seguravam com força, murmurando palavras reconfortantes. Nada parecido com o abraço de Felix. Com medo de ficar musculoso demais, como Schwarzenegger, Felix usava pouco peso na academia, preferindo um corpo ágil e magro a outro forte e másculo. O marido era do tipo que fazia as mulheres chorarem, sendo totalmente oposto ao que dava um ombro amigo para elas caírem no pranto.

David tentara avisar, mas Hannah não lhe dera atenção. A quem ela podia recorrer agora?

A manhã chegou com uma lentidão dolorosa e, pela primeira vez, Hannah abriu os olhos antes de Claudia começar a murmurar e resmungar no berço, conversando com sua fala de bebê com Harvey, a ovelha. Hannah se deu conta de que conseguira três horas de sono intermitente, entremeadas por momentos difíceis, em que se sentara na cama com a cabeça revirando diante da lembrança do que vira de madrugada. Felix ocupara seus pesadelos; o corpo esbelto e nu curvado sobre o de uma série de mulheres: ora Sigrid, ora Mercedes, ora belezuras anônimas, que riam com sarcasmo de Hannah e balançavam os corpinhos empinados e sem estrias para ela.

Ela pegou Claudia, beijando o corpo de tom rosado da filha, que soltou um gritinho ao ser vestida. Hannah simplesmente pôs o jeans surrado de novo e uma camiseta cinza. Penteou o cabelo, escovou os dentes e nada mais. Por que tentar se embelezar se o marido não dava a mínima?

Hannah deu uma espiada na sala e viu Felix dormindo no sofá. Babaca.

Na cozinha, preparou a mamadeira da filha. Era bem mais fácil quando ela dera de mamar! No entanto, o leite secara inexplicavelmente após um mês e Hannah tivera de começar a dar mamadeiras para Claudia.

— Eu vou poder ajudar mais, agora que você não está mais dando de mamar — dissera Felix. Grande piada, pensou Hannah, sombriamente. A ajuda dele envolvia trocar a fralda da filha sempre que havia algum fotógrafo da imprensa por perto. De outro modo, seu auxílio se restringia a carinhos durante o banho ou em outras ocasiões, quando a neném já estava limpinha. Dar mamadeira para ela era tedioso demais para ele, pois Claudia se alimentava devagar.

Hannah conseguiu tomar uma xícara de café e comer uma torrada no intervalo entre a alimentação da filha e a arrumação. Ela já enchera e esvaziara a máquina de lavar pratos duas vezes quando Mercedes entrou com hesitação na cozinha.

A babá não dormira muito também, e seu rosto normalmente viçoso mostrava-se acinzentado de cansaço, sob a base que passara. Seus olhos azuis grandes estavam avermelhados, e era óbvio que ela sentia um remorso tremendo. Ainda assim, mantinha a aparência impecável, com um lenço de bolinhas vermelhas amarrado no pescoço, para dar vida à camiseta branca e a calça preta que usava.

— 'Annah, sinto muito mesmo, porrr favorrr, acredite em mim — disse Mercedes, revirando as mãos com nervosismo.

E lamentava mesmo. Era estranho a babá aparentar estar mais preocupada por tê-la ferido que o próprio marido.

Se Felix realmente se importasse, já teria se levantado e implorado a ela que não o deixasse. Como se ela fosse fazê-lo, pensou Hannah, sem esperanças.

— Mercedes, acho melhor você ir para casa. Eu vou ligar para os seus pais...

— Não — gritou a moça. — Não pode contarrr para eles!

— Eu não estava planejando fazer isso. Vou dizer apenas que dispensamos você e passar as informações sobre o voo. Felix usou camisinha? — perguntou ela, sem rodeios. Não queria enviar a babá grávida para casa. Tinha certeza de que iria contra as diretrizes de empregador/empregada.

A moça enrubesceu.

— Usou.

— Espero que você não engravide — ressaltou Hannah, soltando um suspiro. — Seria bom que fosse ao médico quando chegar em casa. — Que estranho; era como se ela e a babá estivessem tratando de uma relação sexual qualquer, não de uma que envolvia seu marido.

— Foi sexo seguro — disse Mercedes, ainda rubra.

— Ótimo. Esta situação já é complicada o bastante, sem dificuldades adicionais. — Hannah encontrou o catálogo e o abriu na seção de companhias aéreas. Empurrou-o, juntamente com o telefone, para a babá. — O sr. Andretti pagará por seu voo de volta, sem dúvida alguma. É o mínimo que pode fazer. A gente vai dar uma volta — acrescentou, saindo com Claudia no colo.

Quando voltou, Mercedes e seus pertences já não se encontravam lá; havia apenas um bilhete melancólico, em que ela afirmava lamentar muitíssimo.

Hannah dobrou-o com cuidado e o guardou no bolso. Havia gostado da moça.

Felix estava na sala, vendo futebol e tomando uma taça de vinho. Ela ficou pasma ao constatar que ainda restava algo para tomar, após a festa. Tinha certeza de que Bill encontrara todas as bebidas escondidas, com sua habilidade excepcional de farejar álcool.

— Oi, amor — disse Felix despreocupadamente, quando Hannah colocou Claudia no manto, em cima do tapete, para que se movesse, e pôs o brinquedo favorito dela ao lado. A bebê adorava tentar pegar os sininhos e chutar as bolinhas felpudas, o que fazia o tempo todo com sua fala de neném.

Felix não desgrudou os olhos do jogo. Hannah sentiu a fúria aumentar dentro de si. Ela estivera no piloto automático desde a madrugada, decidida a lidar com a traição dele o mais tranquilamente possível. Como ele *podia* ficar sentado ali, como se nada houvesse acontecido, como se não tivesse trepado com a babá com a filhinha do lado, como se não houvesse praticamente admitido ter transado com metade das atrizes de Londres?

— Tem algo para dizer em sua defesa? — perguntou ela, com amargura. Ele deu de ombros e ajeitou uma mecha do cabelo sedoso, como se indagasse: "Sobre o quê?". — Como pôde? — gritou ela, perdendo a cabeça. — Como pôde dormir com outra pessoa? Eu o amava, Felix. Não era suficiente para você?

— Não seja tão provinciana. Todo mundo faz isso.

— Provinciana! — vociferou ela. — É assim que se é chamada quando se acredita em fidelidade? Porque se for, então sou a mais provinciana do mundo!

— Ah, não me venha com essa baboseira — disse ele, curvando o lábio. — Não pode me dizer que não andou aprontando. Até tudo ficar sério entre nós, tinha algo rolando entre você e o David James, não? Não minta para mim, eu sei que tinha. Você estava com os dois ao mesmo tempo. Ele praticamente me mandou deixar você em paz.

— Ele fez isso?

Felix riu.

— Não está mais tão arrogante agora, né, queridinha? O David me disse que, se eu machucasse você, iria cortar o meu pescoço. Posso não ser um dos membros da Mensa, mas deu para sacar direitinho o que ele quis dizer.

Hannah ficou muda.

— Mas, mas... — balbuciou, após um momento. — Ele não, *nós* não...

— Me *engana* que eu gosto.

— Nós não namoramos — insistiu ela. — Eu nem sabia que ele gostava de mim.

— E por que ele promoveu você de gerente a corretora júnior, hein? Por ser a mulher mais talentosa que ele já conheceu na vida ou porque queria trepar com você?

Ela recuou diante de tamanha grosseria. Bem típico de Felix: atingi-la enquanto estava para baixo.

— Está querendo dizer que meu talento não teve nada a ver com a minha promoção, que David me usou cinicamente e que me colocaria de volta na posição anterior quando obtivesse o que queria? — perguntou ela com calma, odiando o marido pelo que acabara de dizer. — Muito lisonjeiro, Felix. Bom saber que você aprecia minhas qualidades mais refinadas e respeita minha capacidade. E pensar que eu abandonei aquele bom emprego para me casar com um homem que me vê como uma perua inútil. — Ela lhe lançou o olhar sério e ferino com o qual sempre provocara bastante impacto durante anos. — A única pessoa por aqui que usa os outros cinicamente é você, Felix. Você se casou comigo porque achou que uma esposa grávida seria útil, mais uma qualificação no seu currículo.

Hannah aguardou que ele negasse, mas ele não o fez. Simplesmente ficou ali sentado, olhando para ela com frio desinteresse.

Claudia começou a chorar por causa dos gritos à sua volta. Hannah pegou-a e abraçou-a, sussurrando palavras carinhosas e mantendo-a bem perto de si.

— Se você não podia esperar nem mesmo por nosso primeiro aniversário de casamento antes de começar a me enganar, tenho que perguntar por que se casou comigo, Felix? — perguntou ela, baixinho. — Mercedes não foi a primeira, foi? Por que você precisou de outra pessoa? Pensei que eu seria suficiente para você.

Ele revirou os olhos.

— Quer parar com essa idiotice de psicanálise, Hannah? A gente se casou, está casado e ponto final. As pessoas têm amantes no casamento, não é o fim do mundo. A vida não é *E o vento levou*, sabia? Nem tudo acaba com o felizes para sempre.

— *E o vento levou* não teve um final feliz — ressaltou Hannah, com o tom de voz estranhamente alto.

— Não importa. Você se casou comigo e agora vai ter que me aguentar. Do jeito que eu sou. Eu não posso mudar.

— Mas eu achei que você me amava — repetiu ela, cegamente.

— E amo sim, eu só queria transar com outra pessoa. Você por acaso nunca quis fazer isso?

— Não — sussurrou. — Não. Você é suficiente para mim.

— Caramba, vocês, mulheres, e sua obsessão com o que é suficiente! É como vinho tinto — disse ele, erguendo a taça. — Só porque eu gosto dele, não significa que quero tomá-lo o tempo todo. Às vezes, também acho gostoso provar uísque e champanhe.

— Então, o que é que eu sou? Os sedimentos? Vinho barato com rolha descartável? — quis saber Hannah, começando a chorar.

Felix tomou o vinho de um só gole e se dirigiu à porta.

— Se vai continuar assim, vou me mandar. Ficarei com a Bill por alguns dias, até você esfriar a cabeça.

Ela queria lhe implorar que não fosse, mas, por mais arrasada que estivesse, sabia que não poderia se humilhar a esse ponto. Hannah ouviu-o no andar de cima jogando objetos na mala. Dali a dez minutos, Felix já saíra, e ela se permitiu cair no pranto. Claudia se uniu à mãe.

Quando ambas pararam de chorar, Hannah se sentia tão esgotada quanto se houvesse dado cinquenta voltas numa piscina. Fez chá para si e considerou as opções.

Queria telefonar para Leonie, ouvir os conselhos reconfortantes, amáveis e sensatos da amiga. Ela saberia o que fazer. Era o que sempre acontecia. No entanto, Hannah não conseguiu ligar para ela. Estava muito magoada e sensibilizada. Seria doloroso e humilhante admitir o que ocorrera. Em vez disso, limpou a casa, arrumando os estragos causados pelos piores excessos dos convidados. Esfregou e poliu, trabalhando até o braço doer. Claudia observava e acabou cochilando. Por fim, Hannah parou e se sentou no sofá para ver *Blind Date*. A música de abertura acabara de terminar quando o telefone tocou, e Hannah correu até ele, esperando que fosse Felix, telefonando para declarar seu amor incondicional e pedir desculpas, situação altamente improvável. Era a sua mãe. Anna Campbell sempre ligava no sábado à noite, antes de ir para o bingo com as amigas. Tratava-se de um ritual reconfortante que as duas haviam estabelecido, para falar da semana que tiveram e dos problemas do mundo.

— Oi, Hannah — disse a mãe, que não era do tipo que saudava com um "oi, querida".

A filha desatou a chorar.

— É o Felix, não é? — perguntou Anna, sem rodeios.

Hannah chorou mais alto ainda. Passaram-se alguns minutos antes que conseguisse controlar os soluços para poder contar à mãe toda a história triste. Não deixou nada de lado. Seu instinto de manter as partes mais humilhantes para si fora embora, como Felix.

— Venha para casa, Hannah — sugeriu a mãe, depois de escutar tudo. — Está dando murro em ponta de faca. Vamos. Eu deveria ter feito isso anos atrás, mas nunca tive coragem. Você é jovem, tem que pensar na bebê, deixe esse sujeitinho.

Hannah apoiou a cabeça na parede gelada.

— Não posso simplesmente ir embora — disse ela, sem forças.

— E por que não? Porque ele é tudo o que você queria? — A voz de Anna parecia amarga. — O que é que vai fazer na próxima vez? Porque vai ter outra, sabe?

— E o que eu poderia fazer? — quis saber Hannah, desesperada.

— O seu chefe daria o seu emprego de volta, não daria? Você sempre disse que ele era o tipo de homem em quem poderia confiar em qualquer situação.

— Está falando de David James? — Ficou calada. Entre todas as pessoas, não se sentia muito à vontade para pedir isso a ele. Hannah desprezara todos os seus avanços, em todas as acepções da palavra. Era óbvio que ele estava apaixonado por ela, que o desprezara. David lhe dera uma carreira quando Hannah não contava com mais nada e, ainda assim, ela lhe dera as costas também. O amável David fizera o possível para protegê-la, avisando que Felix a magoaria. Ele seria a última pessoa para quem poderia ligar, mesmo se quisesse. E ela queria.

— Por que não telefona para ele, Hannah? Pode ficar uma semana comigo, para recobrar as forças, e, depois, voltar ao trabalho. Leonie a hospedaria ou aquela Donna gentil, de quem você me falou antes. Daí você poderia alugar rápido um apartamento para você e Claudia, e conseguir uma boa creche. Não sei por que acha que não pode.

— Não sei explicar — disse Hannah, irritada. Sentia-se triste demais para pensar direito, muito menos para tomar uma decisão tão radical. — Não posso fazer isso — repetiu, exausta. A música indicando o término de *Blind Date* começou a tocar. As duas estavam conversando havia uma hora.

— Sua conta de telefone será altíssima, mãe, e vai acabar perdendo o bingo. Eu ligo para você amanhã.

— Que se dane o bingo — salientou a mãe.

— Eu vou ligar amanhã — repetiu a filha. Não queria mais que lhe dissessem o que fazer. Queria lamber as feridas em paz. Queria tomar banho e deixar escorrer pelo ralo tudo de ruim que estava acontecendo.

A embalagem informava que se tratava de um produto esférico, aromatizado com baunilha, ilangue-ilangue e um toque de manteiga de cacau para suavizar a pele.

Hannah desembalou com cuidado o invólucro com sais e jogou o conteúdo na banheira. De imediato, o produto borbulhou na água, liberando um maravilhoso aroma de baunilha no ar, trazendo à mente bolos recém-assados e o aroma suave de pele de bebê. Ela inalou e suspirou. Seu corpo implorava por um banho quente. Nunca mais tinha tempo para eles. Claudia exigia tanto de seu tempo que uma ducha de dois minutos entre as sonecas dela era o máximo permitido à rotina de cuidados com o corpo de Hannah. Fazia semanas que não passava condicionador nos cabelos, já que, com aqueles fios superlongos, levava muito tempo para tirar o produto. E quanto às máscaras faciais, nem pensar. Tomar um banho com um produto aromático dentro era o ápice da excitação sensual, naquele momento parecia. No dia anterior, o cabeleireiro expressara sua desaprovação por causa do estado em que se encontravam os cabelos de Hannah. Ontem, antes da festa, aparentava haver ocorrido cem anos atrás.

Ao abrir a porta do banheiro, ela moveu-se com cautela no quarto e deu uma olhada no berço. Claudia estava deitada de costas, a coberta amontoada nos pezinhos e uma das mãozinhas apoiada na boca. Dormindo, lembrava um querubim de uma pintura medieval: o cabelo escuro cacheado, as maçãs do rosto rosadas e a expressão angelical. Acordada, sempre tentava conseguir o que queria, com o sorriso mais cativante do mundo quando estava feliz. A onda de amor atingiu Hannah de novo como um trem expresso. Ela nunca imaginou que se podia amar tanto alguém. Simplesmente nem podia conceber a ideia de ficar longe de Claudia. Elas passavam horas brincando, a mãe mostrando à filha brinquedos e objetos, Claudia exultando de alegria quando conseguia dar uma mordida em algo. A bebê mordia tudo, desde toalhas a dedos, e segurava tudo com muita força, apesar de ser ainda bem pequenina. Hannah, inclusive, preocupava-se com a possibilidade de o rabo da gata ser agarrado pela mãozinha enérgica da neném e de a experiência não ser boa para nenhuma das duas. Adorava a gatinha, mas gostaria que Felix tivesse pensado duas vezes antes de comprá-la. Felinos e bebê não eram necessariamente os melhores companheiros. Porém, o marido não dava a mínima para o resultado de suas ações: fazia o que queria e deixava que as outras pessoas se virassem.

Satisfeita ao ver Claudia dormindo, Hannah tirou o jeans, o suéter e a roupa íntima e entrou agradecida na água quente. Devaneando enquanto o líquido aquecido mitigava as dores em seu corpo, ela encarou a realidade penosa. Felix a traíra e, provavelmente, voltaria a fazê-lo. Ao escolher Mercedes, deixara claro seu desrespeito pela esposa.

De súbito ocorreu a Hannah, como um raio de luz, um *coup de foudre*, tal qual diria Mercedes que, se ficasse, estaria repetindo o que a mãe fizera. *Perseverando por causa das crianças*. Ela mesma não criticara Anna por causa disso? Censurara o raciocínio que estimulava a manutenção do *status quo*, não importando a que custo pessoal. Desde que Hannah tivera idade suficiente para ouvir o pai esbarrando nos móveis ao chegar cambaleando em casa, totalmente bêbado, ela se perguntava por que a mãe não o deixara — ou não o expulsara de casa. A resposta era que a geração de Anna Campbell não acreditava nesse tipo de atitude. As mulheres ficavam casadas a vida inteira — o que Hannah considerava uma sentença de prisão perpétua. Ela sempre planejou fugir desse estilo de vida e controlar o próprio destino. Ter uma carreira e ser independente seria a única forma de escapar da escravidão do casamento; contudo, Hannah seguira os passos da mãe tão fielmente quanto se as duas fossem gêmeas univitelinas: envolvera-se com dois homens que não apenas a usaram, como também abusaram dela, eliminando sua autoconfiança e deixando-a como uma abóbora sem polpa, vazia e inútil. Primeiro Harry, depois Felix. Se Harry não tivesse ido embora, ela ainda estaria com ele. Esperando que se casassem e se estabilizassem, quando, na verdade, ele era incapaz disso.

E agora Felix a usava e humilhava. Se Hannah ficasse, ele daria continuidade ao mesmo comportamento, com a confiança de quem já escapara impune de vários casos, sabendo que ela ficaria lá esperando, uma esposa doce que nunca iria embora. *Não*, pensou Hannah, cada vez mais horrorizada, *de jeito nenhum*. A única forma de romper o padrão era assumir o controle da situação e deixar o marido. Independentemente do quanto doesse, do quanto sentisse saudades dele. Apaixonada por Felix, Hannah sentia falta de seu corpo, ansiava por seu sorriso, pensava nele sempre quando estavam separados. Porém, tudo isso era unilateral. Ela sabia que nas relações sempre havia o parceiro que amava mais e que não estava no controle. Essa pessoa era Hannah, e Felix tiraria proveito disso. A menos que o deixasse agora. Do contrário, tanto ela quanto Claudia sofreriam.

Hannah não podia permitir que a filha crescesse em um ambiente em que a noção de respeito não passasse de uma simulação. Imaginou a menina já aos 20 anos, falando de suas lembranças da infância e recordando-se do pai transando com outras mulheres quando a mãe não estava, achando que a filha era jovem demais para notar.

Hannah saiu da banheira e pôs o velho roupão atoalhado, de tom azul. No quarto, Claudia, já acordada, deu início à sua fala de bebê, exigindo atenção. A mãe pegou-a e apreciou os belos olhos de Felix, que a fitavam do rostinho angelical da menina. Ele sempre faria parte de sua vida por causa de Claudia. E com todo o direito. Hannah não acreditava em separar pai e filha. Contudo, Felix não faria parte de *sua* vida, não como marido. Ela seria destruída se isso ocorresse.

— Que tal ir para Connemara? — perguntou Hannah a Claudia, que lhe deu um sorrisinho banguela.

Leonie lavava o cabelo quando o telefone tocou. Faixas de bolhas de xampu escorreram por seu pescoço quando ela espremeu com força o cabelo e o envolveu com uma toalha, formando um turbante. Foi correndo atender, ficando ofegante em meio à ânsia. Afinal de contas, devia ser Doug. Ele passara o dia em Dublin, e ela estava louca para conversar com o namorado. Ainda a impressionava o quanto sentia sua falta quando não estavam juntos. Eles planejavam passar uma noite de sábado tranquila com as gêmeas, com filme e comida para viagem. Leonie mal podia esperar.

— Alô — disse ela, sem fôlego, sentindo gotas de água escorrerem do pescoço ao suéter.

— Oi, Leonie, é a Emma. Você pode falar? — perguntou a amiga, com sua voz rouca e charmosa.

— Claro, querida. Tudo bem com você? — quis saber Leonie, usando a ponta da toalha para secar o pescoço. Ela se sentou no banquinho ao lado do telefone. O cabelo podia esperar. Fazia ao menos uma semana que não conversava com Emma.

— Tudo. Na verdade, vou mais do que bem, estou ótima. Adivinha o que aconteceu.

— O quê?

— Está sentada?

— A-hã — respondeu ela, com nervosismo. — É uma boa notícia, né?

— A melhor possível. — Até mesmo ao telefone, a felicidade de Emma era notória. — Estou grávida.

Leonie deu um grito.

— Meu Deus! Que maravilha, Emma! Fico tão feliz por você. — Ela sentiu os olhos ficarem marejados. Sua querida amiga vinha ansiando por isso há tanto tempo; passara o pão que o diabo amassou tentando engravidar, e seria uma ótima mãe. — Estou contentíssima, é uma excelente notícia.

— Eu sei. — Do outro lado da linha, os olhos de Emma também estavam cheios de lágrimas. — Nunca pensei que isso fosse acontecer, Leonie. Eu me perguntava se ficaria grávida um dia. Até mesmo quando a gente decidiu entrar no programa de FIV, eu não sabia se ia dar certo.

Enquanto falava, ela acariciava com carinho a barriga ainda plana.

— Com quantas semanas você está? — perguntou Leonie, ansiosamente.

— Seis. Imagine, eu, já com uma gravidez de seis semanas, e sem saber até alguns dias atrás. — Deu uma risada satisfeita. — Vou contar os detalhes para você.

Ela e Pete haviam marcado a consulta na clínica de FIV para dali a um mês, e, nesse ínterim, Emma vinha examinando todas as publicações específicas que recebera. Como ela queria saber tudo antes da consulta, lera e relera as informações sobre o estresse que o tratamento provocava nos casais, o quanto seus ovários seriam estimulados com injeções de hormônio e como seus óvulos seriam coletados. Tudo lhe pareceu assustador.

As publicações especializadas recomendavam que se iniciasse o ciclo de FIV no período em que o trabalho dos pacientes não estivesse muito pesado. Emma não podia nem imaginar uma época mais turbulenta na KrisisKids: estavam prestes a se mudar para um lugar maior e, por causa de um caso terrível de maus-tratos infantil, que chamara a atenção do país nas semanas anteriores, os conselheiros e Edward vinham sendo bastante requisitados, para tratar do trabalho da instituição de caridade.

Os telefones não haviam parado de tocar, o departamento de publicidade estava caótico porque Finn tivera intoxicação alimentar, e Emma fora obrigada a assumir o trabalho dele, juntamente com o seu. Na quinta de manhã, ela já se sentia esgotada e não conseguira juntar forças para sair da cama quando o alarme tocara às seis.

— Estou exausta. Não consigo levantar agora — sussurrara ela para Pete, aconchegando-se nele, desfrutando do calor do corpo sólido junto ao seu. Era uma manhã gelada, e Emma não queria enfrentar o frio e tirar a roupa para tomar banho.

— Mais cinco minutinhos — dissera o marido, sonolento, puxando-a para perto de si.

O corpo de Emma se encaixara na curva do corpo dele. Pete deslizara uma das mãos sob a camiseta dela, para acariciar a pele exposta. Não se tratara de um gesto erótico, mas de um reconfortante e carinhoso. Emma aproximou-se ainda mais dele, desfrutando da mão cálida tocando-a.

Os dedos de Pete encontraram a curva dos seios da esposa. Ele a acariciou com suavidade, passando a mão sobre a pele sensível do mamilo, que de súbito pareceu cheio demais.

— Você andou fazendo aqueles exercícios para o busto de novo? — brincou o marido. — Está ficando muito peituda para a sua idade.

— O quê? — perguntou Emma, com a sensação de que viera tentando montar um quebra-cabeça e que as peças finalmente começavam a se encaixar. Ela sentara-se de repente, mal notando a temperatura gelada do quarto em comparação com o ambiente aconchegante debaixo das cobertas.

— Brincadeirinha — ressaltara Pete, depressa. — Achei os seus seios maiores, só isso.

— Mas... eles estão mesmo — balbuciara Emma, tirando a camiseta para se olhar. Ela se tocou; não restava dúvida, o busto aparentava haver crescido e mostrava-se diferente. Mais sensível, de um jeito quase doloroso. — O meu peito cresceu?

Pete se sentara e a fitara.

— Não está tão diferente assim, mas tive a *sensação* de que ele tinha crescido. Por quê?

Emma mencionara com calma: — Seios maiores e mamilos sensíveis são sinais de gravidez.

Pete a abraçara, animado.

— Emma! — exclamara, maravilhado.

— Não, espere um pouco, Pete. Não vamos cometer o mesmo erro que sempre cometi. Eu já passei por isso antes. Vamos confirmar para não restar nenhuma dúvida.

Com o coração batendo forte, ela saíra da cama e fora ao banheiro. No fundo do armário, escondido em um velho nécessaire, havia um teste de gravidez.

— Onde você conseguiu isso? — perguntara o marido, apoiado na porta do banheiro.

— Vem da época em que eu nutria aquela obsessão...

Juntos, leram as instruções. Um ponto cor-de-rosa significava que a mulher não estava grávida; dois, que sim.

— Tomara que apareçam dois pontinhos rosa — dissera Pete com ansiedade, os olhos brilhando.

Emma o abraçara.

— Vamos lá.

Depois de ela colocar urina no aparelho, eles o deixaram no chão do banheiro e foram se sentar na beira da cama, abraçados. Ambos estavam tensos demais para se vestirem ou tomar banho. Emma não podia nem olhar para o relógio, já que os segundos passavam com extrema lentidão. A bula informara que seria necessário esperar três minutos; os mais longos da vida dela.

— Está pronto — informara Pete, por fim, fitando o relógio. Os dois permaneceram na cama, como se estivessem colados nela.

— Não posso olhar — dissera Emma, com a voz rouca. — Não posso. Faz tanto tempo que anseio por isso, não vou aguentar.

O marido a abraçara com tanta força que a machucara. Emma ouvia os batimentos dele pelo tecido leve da camiseta. Ele ficara tão tenso quanto ela, cada músculo retesado, ante a expectativa e a ânsia.

— Eu vou checar — dissera Pete, com determinação.

Ela assentira com nervosismo, receando falar e começar a chorar.

Devagar, o marido fora até o banheiro e pegara o dispositivo de teste.

Emma aguardara, prendendo a respiração. Ele demorara séculos. Ela observara as costas amplas do marido enquanto ele permanecia de pé, de costas, segurando o dispositivo.

— Pete? — perguntara ela.

— Dois pontinhos cor-de-rosa! — exclamara ele, virando-se para que ela pudesse ver as lágrimas que escorriam em seu rosto. — Dois pontinhos! Emma, minha querida, a gente vai ter um filho!

Leonie precisou usar a manga do suéter para enxugar as lágrimas.

— É tão maravilhoso, Emma — repetiu, chorosa. — Estou superfeliz por vocês dois.

— Obrigada — disse ela, dando um largo sorriso. — Eu precisava contar para você. Vamos manter a notícia apenas entre nós por alguns meses. O médico disse que eu estou com seis semanas, então esperaremos outras seis antes de divulgar a novidade. Estou tão feliz, que tenho que parar de sorrir o tempo todo, ou as pessoas vão pensar que sou alguma imbecilizada drogada.

— Sorria o quanto quiser — aconselhou Leonie. — Você merece. Quando vocês podem dar um pulo aqui, para a gente comemorar com um jantar?

— Provavelmente no mês que vem, porque Pete fez um cronograma para redecorar a casa, principalmente o quarto do bebê, o que deixaria até o partidário mais radical do "faça-você-mesmo" exausto. Ele já comprou a tinta e o papel de parede do neném.

Leonie deu uma risada, satisfeita.

— Por que você e o Doug não vêm jantar com a gente no próximo fim de semana?

— Seria ótimo. Uma pena que Hannah não vai estar aqui. Podíamos até fazer a reunião do grupo do Egito.

— Eu me sinto tão culpada em relação a ela — salientou Emma. — Não consegui lidar com a gravidez dela e não fui muito legal. Na noite em que você ligou avisando que a Claudia tinha nascido, fiquei arrasada. O Pete teve, literalmente, que me colocar na cama.

— Hannah entendeu como você se sentiu — disse Leonie, com amabilidade. — Sabia o quanto queria ter um filho. De qualquer forma, isso é coisa do passado, agora. A próxima pergunta é: quando nós duas vamos sair para comprar roupas de grávida?

Emma deu um suspiro, feliz.

— O que é que você vai fazer no sábado que vem?

CAPÍTULO 30

Na terça, o pessoal da mudança levou quatro horas para empacotar tudo, parando apenas para fazer um lanche com chá e biscoitos. Eles eram bastante eficientes, embora quando ela ligara na segunda de manhã para agendar o serviço já houvesse deixado claro que a rapidez seria fundamental. Se lhes pareceu estranho serem contratados em tão pouco tempo, não disseram nada. Na certa, já tinham exercido seu papel em inúmeras separações, pensou Hannah, secamente.

Ela se sentiu emotiva ao se lembrar de como empacotara feliz seus pertences sete meses antes, quando estivera certa de que ela e Felix tinham um futuro grandioso diante deles. Agora, a única coisa que compartilhavam era Claudia. A coitadinha de sua querida filha. Hannah não queria que a menina fosse fruto de pais separados. Sabia o quão duro Donna tivera que trabalhar para cuidar de Tania sozinha e como fora complicado para Leonie. Uma situação nada fácil para os pais solteiros. Mas era melhor não ser casada e ter autorrespeito que continuar com o parceiro e ficar cada vez mais amarga com o passar do tempo. A situação só poderia ser positiva para Claudia, com a separação. Ao menos, nunca veria os pais se odiando, tendo amantes para tirar a desforra e reclamando um do outro pelas costas.

O caminhão de mudança ainda se encontrava a meio caminho da rua quando Hannah deu uma última olhada na casa. Ela deixara a cama para Felix, todos os pertences pessoais dele e os móveis da sala de jantar. O sofá, a mesa da cozinha e a maioria dos enfeites, das fotos, das estantes e dos abajures pertenciam à esposa. Michelle, a vizinha, adotara a gatinha. Hannah não achara que conseguiria lidar com a caixa de areia e Claudia na viagem de volta para casa e, se ela tivesse deixado o pobre do bichano em casa, Felix na certa se esqueceria de alimentá-lo.

Hannah chamou um táxi e, vinte minutos depois, já estava a caminho do Heathrow, com duas malas enormes, toda a parafernália de neném de Claudia, incluindo seu carrinho de bebê e uma mochila. O taxista ajudou-a a colocar tudo no carro, mas, no aeroporto, assim que ele pôs a bagagem no carrinho, Hannah teve de se virar.

Ela recordou-se da viagem que fizera a Paris um mês depois do nascimento da filha. Foram a uma festa dos participantes do filme de Felix, aquele no qual ele trabalhava, na Irlanda, quando se conheceram. Voaram de primeira classe, com as pessoas ajudando o tempo todo: as comissárias de bordo amáveis e o pessoal encarregado da divulgação do filme, que brincara com Claudia, enchendo-a de carinhos, pedindo para carregá-la e demonstrando muita satisfação ao receberem permissão de pôr a neném para arrotar. Cercada de carinho e ajudantes, Hannah mal sentira a viagem.

Naquele dia, deu-se conta de cada minuto. Claudia abriu o berreiro durante o check-in e, de novo, quando viu a equipe de segurança e seus uniformes. O plano de Hannah de alimentá-la e colocá-la para dormir antes do voo foi para o espaço conforme os gritos lamentosos da filha ecoaram no aeroporto. Ainda carregando o carrinho, a bolsa da bebê e a mochila, Hannah foi se dirigindo com dificuldade até a sala de embarque, onde ninguém queria ouvir uma neném se esgoelando.

— Seu pai andou ensinando você a projetar a voz? — perguntou ela a Claudia, quando o choro foi se estendendo do portão 82 ao 90.

Em vez de parar durante o voo, a bebê continuou a chorar nos quarenta e cinco minutos de viagem. Hannah conseguiu tomar um quarto de copo d'água antes de Claudia derramá-lo.

— Por favor, não chore, querida — implorou a mãe, ela mesma com vontade de cair no pranto.

Aquilo foi um pesadelo. Como pôde achar que conseguiria sozinha? Deveria ter telefonado para Leonie. A amiga teria ido para Londres para ajudá-la a voltar para casa, e estaria no aeroporto para acompanhá-la, sorrindo radiante, com Doug, feliz, ao seu lado.

Mas você tinha que dar uma de orgulhosa, não tinha, Campbell? Hannah não contara a ninguém que estava voltando para casa, por se sentir envergonhada demais. Envergonhada porque todos estavam certos e ela estava errada. Emma não se deixara enganar por Felix desde o início, tal como David James. Somente Leonie, a eterna e querida amiga romântica, achara que o verdadeiro amor poderia florescer da verdadeira luxúria. Apenas Leonie e Hannah, claro. Ela acreditara cegamente nessa noção e só podia culpar a si mesma.

Era por esse motivo que pegaria um táxi e iria para um hotel desconhecido naquela noite, em vez de pernoitar com as amigas, já que se sentia tão incrivelmente constrangida.

Assim que o avião aterrissou, Claudia animou-se.

— É porque ela está feliz por ter voltado para casa — comentou Hannah para o idoso ao seu lado. — Minha filha nasceu em Londres — prosseguiu, aliviada por ela ter parado de chorar. — Nunca esteve na Irlanda antes.

— A pátria-mãe — salientou o homem.

Hannah assentiu, pensando que o silêncio repentino de Claudia se devia provavelmente a um misto de nervosismo e esgotamento.

Depois de mais vinte minutos exaustivos, em que pelo menos a neném dormira, Hannah pegou a bagagem, colocou-a no carrinho e saiu cambaleando como uma bêbada rumo à saída do desembarque. Empurrando o carrinho de bebê com uma das mãos e puxando o das malas com a outra, estava tão concentrada em não bater em alguém, que quase não se deu conta do homem alto que a observava com ansiedade.

— Hannah! E essa deve ser a Claudia.

Atônita, ela deu um passo atrás e esbarrou em outro carrinho.

— Sinto muito — sussurrou Hannah. David sorria para ela. Com a jaqueta de tom ocre e jeans, pareceu-lhe ao mesmo tempo reconfortantemente familiar e estranho. Acostumada com o corpo esbelto e vigoroso de Felix, o de David lhe pareceu grande e sólido. Os cabelos grisalhos dele estavam penteados para trás, e os olhos estreitos mostravam-se meio inseguros, como se ele não tivesse certeza se ela ficaria ou não feliz em vê-lo. Não poderia estar mais enganado.

— A sua mãe ligou para mim e disse que seria ótimo se alguém viesse pegar você no aeroporto — informou ele. Hannah sorriu, com a sensação de que o fazia pela primeira vez naquele dia. — É muito convincente, ela.

— Incrível — concordou a amiga.

— Agora me dê isso. — David pegou o carrinho e o direcionou para o estacionamento. Eles não conversaram. Hannah, por estar exausta demais. Ao chegarem ao carro, ele colocou depressa toda a bagagem. Ela se sentou atrás com a filha no colo, porque não havia cadeirinha para bebês. Claudia acordou e bocejou. Ao ver David, sorriu, mostrando a gengiva. — Você não é uma fofura? — perguntou ele, acariciando-a sob o queixo. A neném o recompensou com um de seus sorrisos radiantes. — Ela é linda. Bom, estamos prontos?

— Estamos — respondeu Hannah. — Fiz uma reserva no Jury's Hotel.

— Na verdade, a sua reserva foi feita na casa da sua amiga, Leonie — informou David, em tom apologético.

Ela ficou pasma de novo.

— Minha mãe? — quis saber.

— Se ela precisasse de um trabalho, bem que eu empregaria uma mulher com tamanha capacidade de organização.

Hannah teve de rir.

— Imagino que ela já tenha ligado para o Jury's para cancelar a minha reserva.

— Eu não ficaria surpreso.

Claudia estava feliz. Ela balbuciou ao ritmo do rádio enquanto eles rumavam em alta velocidade para Wicklow. David não fez perguntas a respeito de Felix nem quis saber por que Hannah voltara para a Irlanda sem ele. A mãe deve ter lhe contado algo sobre a separação, mas ele não se intrometeria. Era amável demais. Hannah olhou-o de esguelha. Não se via em seu perfil a beleza clássica do de Felix. Enquanto o marido tinha feições alongadas e perfeitas, como uma estátua de mármore da Itália, as de David eram sólidas e inflexíveis, como se esculpidas direto no granito. Havia algo incrivelmente masculino nele, em contraste com a beleza quase feminina de Felix. E sexy: sem dúvida alguma se tratava de um homem muito charmoso, daquele jeito bem másculo. Hannah acabou desejando ter escolhido melhor sua roupa de viagem. O jeans no terceiro dia de uso e o casaco de lã escarlate não podiam ser considerados roupas sensuais.

— Você falou com Leonie? — quis saber Hannah.

— Falei. Ela espera que você não tenha comido, pois está preparando um grande banquete para nós.

— Sinto muito terem metido você nisso. Já desperdiçou quase a metade do seu dia.

— Não é um desperdício — ressaltou David. Ele se virou para sorrir para ela e o canto de seus olhos enrugou-se, cheio de calor humano. Hannah começou a relaxar. Lembrou-se de todos os momentos maravilhosos que passara na sala dele, quando riram e brincaram, compartilhando café e biscoitos de chocolate proibidos. Ela se sentia segura com David; a verdade era essa. Na companhia de Felix, Hannah sempre tivera a sensação de estar à beira de uma geleira, pronta para descer com esquis suas profundezas vastas e perigosas. Com David, sentia-se protegida e resguardada. Como estar sentada perto da lareira, em uma cabana de madeira, escutando a neve cair lá fora.

David sintonizou o rádio em uma estação de música clássica, e a melodia suave logo fez com que Claudia e Hannah caíssem no sono.

Elas acordaram com o som dos latidos eufóricos de Penny. Pelo visto, todo o clã Delaney as aguardava na frente da casa de Leonie, Mel parecendo uma ninfa charmosa com o uniforme escolar, Abby mais magra com o macacão salpicado de tinta. Danny, Doug, Leonie e os dois outros cachorros, que deviam ser os famosos Alfie e Jasper, do namorado da amiga, estavam reunidos em torno do carro de David.

— Hannah, querida, que bom ver você — vociferou Leonie. Em seguida, abraçou com carinho a amiga, que captou sua fragrância de Opium e se sentiu em casa no mesmo instante. — Não deixe os cachorros latirem, Danny. Eles vão assustar Claudia.

Mas a bebê, que já estava no colo de Abby, não demonstrou nenhum sinal de estresse por causa dos latidos. Em vez disso, fitava com interesse os três cães, apontando os dedinhos gordinhos animadamente para eles e, em seguida, metendo-os na boca. Quando Penny tentou cheirar seus pezinhos inquietos, a neném deu uma gargalhada, satisfeita.

— Ela adorou os cachorros, não adorou, fofa? — perguntou Abby.

Hannah foi abraçada por todos e Claudia se tornou o centro das atenções, sendo admirada e chamada a neném mais linda do mundo; só depois disso a procissão entrou em casa. Um aroma delicioso de comida espalhava-se pelo ambiente.

— O Doug está preparando o jantar — contou Leonie, com orgulho. — Faz um carneiro com alecrim maravilhoso.

— Um artista na cozinha e no ateliê — brincou ele, abraçando a cintura da namorada, por trás. Ela riu e recostou-se nele. Doug fez carinho em sua maçã do rosto, fazendo Leonie cerrar os olhos, em paz com a vida.

Hannah se animou só de olhar para os dois. Eram tão felizes juntos. O rosto de Leonie se regozijava toda vez que tocava Doug, o mesmo ocorrendo com ele. Havia os eternos carinhos, pequenos gestos íntimos que deixavam claro para todos seu amor. A felicidade rejuvenescera a amiga: ela parecia dez anos mais jovem.

Leonie pedira emprestado um berço para Claudia, então, enquanto ela e Hannah se encarregavam de instalar a neném, o restante da família aguardava faminto na cozinha, clamando por comida.

— Está tudo acabado mesmo entre você e o Felix ou vocês estão apenas dando um tempo? — perguntou Leonie, sentando-se na cama, enquanto a amiga trocava a fralda da filha.

— Está tudo acabado. Na verdade, nem devia ter começado. Nós somos tão diferentes, que nem sei por que me apaixonei por ele. — Ela começou a chorar de novo. A sua presença ali era bastante definitiva. Deixara Felix. Estava em casa de novo. Tudo acabara. Ela encontrava-se em estado de choque naquele momento, como a sobrevivente de um desastre depois que os berros e as gritarias cessam.

Leonie abraçou-a e sussurrou palavras reconfortantes ao seu ouvido. Por fim, a amiga parou de chorar.

— O jantar está pronto — avisou Doug.

— Já não era sem tempo! — bradou Danny.

— Eu não devia ter organizado uma grande reunião com todo mundo aqui. Você não está pronta para isso.

Hannah balançou a cabeça.

— Na verdade, é exatamente do que eu preciso. Eu já não saía para me encontrar com as pessoas. Felix sempre ia para as festas e recepções. Costumava levar Bill com ele na maioria das vezes. Eu simplesmente não me encaixava. Os amigos dele não eram meus, e aquele estilo de vida não tinha nada a ver comigo. Sinto falta de conversar com as pessoas que amo.

— Tenho que pedir desculpas — disse Leonie. — Acho que a decepcionei. Deveria ter ido visitá-la, deveria ter adivinhado que você estava enfrentando uma barra danada...

Claudia protestou, aborrecida por ter sido ignorada por tanto tempo. Hannah pegou-a no colo.

— Você não poderia ter feito nada naquela época, Leonie. Eu não estava feliz, mas teria ficado com Felix de qualquer maneira. Foi preciso encontrá-lo na cama com a babá para eu acordar. E que jeito de cair na real!

Leonie ficou horrorizada.

Hannah sorriu ao ver a expressão da amiga.

— Se você lesse isso no jornal, não acreditaria. Agora vamos, senão o jantar apetitoso de Doug vai esfriar. De repente me deu uma fome danada. Conto os detalhes sórdidos para você depois.

O carneiro estava maravilhoso. Hannah sentou-se ao lado de David e comeu com gosto. Claudia foi passada em torno da mesa como uma boneca; era abraçada e beijada, antes de ser entregue à pessoa seguinte. Ela adorou toda aquela atenção, dando risadinhas modestas em um momento e agitando com elegância as mãozinhas gorduchas em outro. Doug manteve as taças de todos cheias de vinho ou água mineral, enquanto Danny colocava fartas porções de purê de batata nos pratos dos convidados.

— Não consigo comer mais nada. Estou supersatisfeita — protestou Hannah quando ele tentou colocar mais no seu, pela terceira vez.

— Eu mesmo fiz o purê. — Tentou persuadi-la Danny, com a colher ainda pairando sobre o prato dela. — É uma receita especial.

— Seria bom você ver a quantidade de manteiga que ele coloca — salientou Abby. — É cinquenta por cento batata e cinquenta por cento manteiga.

— Meu corpo pode passar sem manteiga — comentou Hannah rindo, dando tapinhas na barriga.

— Nada disso, você precisa engordar. Espere só até voltar para a imobiliária. Vou obrigá-la a comer biscoitos de chocolate durante nossas sessões de café.

Hannah apenas o fitou.

— O que está querendo dizer com isso? — perguntou ela.

— Você vai voltar a trabalhar para mim, não vai?

— Eu não sabia... Não pensei...

— Por acaso acha que vou deixar algum agente vil tomar você de mim? — indagou ele, em voz alta. Então, em um tom mais baixo, acrescentou: — Por favor, Hannah. Nós precisamos de você... Eu, com certeza, preciso.

Sob a mesa, ela estendeu o braço e pegou a mão de David. Ele apertou a dela com força.

— Obrigada — sussurrou Hannah.

— Não me agradeça. Estou fazendo isso puramente por motivos egoístas.

Ela não conseguiu dizer mais nada; apenas continuou a segurar a mão de David debaixo da mesa, soltando-a somente quando Claudia foi colocada no colo dele.

— Oi, sua danadinha — disse ele, sentando-a nos seus joelhos. A neném deixou escapar um arroto alto e, em seguida, sorriu para David. — Já sei o que vamos fazer. Você vem trabalhar para mim e a sua mãe acabará vindo também, para cuidar da filha. Será a chefe, claro, corretora sênior, e pode ajudar Hannah a estudar para as provas.

Claudia ficou fazendo bolhas para ele.

Hannah riu com os dois.

— Geralmente quando ela faz isso, está pensando em passar mal em cima de você.

David acariciou a neném.

— A gente não se importa, querida, não é mesmo?

Emma apareceu quando todos estavam tomando café.

— Sinto muito não ter chegado a tempo para o jantar — disse ela a Leonie, antes de abraçar Hannah. Em seguida, pegou Claudia do colo de

David. — Mas que linda! Oi, Claudia, sou a sua tia Emma, amiga da sua mãe!

A bebê pareceu surpresa e, então, golfou um líquido leitoso. Emma riu, e a menina, já se sentindo melhor, começou a dar risadas também.

— Você não é mesmo uma boneca? — prosseguiu Emma. — Ela tem os seus lindos cabelos, Hannah.

Era óbvio que estava ocorrendo algo que não sabia, pensou Hannah, surpresa. Estava ciente de que, embora Emma adorasse crianças, não lidava bem com os filhos dos outros, porque eles a faziam lembrar dolorosamente de sua incapacidade de ter os seus. Ainda assim, ali estava a amiga, rindo e brincando com Claudia, sem nenhum sinal de estresse nem de choro enquanto a segurava.

— Por que vocês mulheres não vão conversar na sala? — disse Doug. — Nós vamos organizar tudo aqui. — Ele não resistiu e deu um beijo de despedida em Leonie, antes de ela sair da cozinha.

— Mas que paixão, hein? — brincou Emma.

Leonie deu um largo sorriso.

— Você também está parecendo muito feliz — comentou Hannah com Emma.

Foi a vez dela de mostrar-se radiante.

— Bom, tenho ótimas notícias para você, Hannah. Pete e eu íamos fazer um tratamento de FIV, que teria início no mês que vem. Eu tinha começado a tomar ácido fólico e a fazer ioga, enfim, a mergulhar de cabeça... — Ela sorriu. — Era a candidata mais bem preparada e esperançosa do mundo. Daí, você não vai acreditar... — Hannah aguardou, aturdida. Leonie sorria; com certeza, sabia o que Emma estava prestes a contar. — Estou grávida! Com apenas seis semanas. Sei que ainda não dá para a maioria das pessoas notar. Você sabe como eu era: um dia de atraso, e eu já comprava um teste de gravidez. Mas não foi assim desta vez. No início, a ideia nem passou pela minha cabeça, daí meu peito ficou supersensível. Foi incrível, o meu teste de gravidez pessoal.

— Que maravilha! — exclamou Hannah, com os olhos marejados. — Fico superfeliz por você.

— Obrigada! — disse Emma, exultante. — Sei o que aconteceu. Parei de sentir pânico. A gente ia fazer a FIV, e a situação tinha fugido do nosso controle. Eu estava cheia de esperança. Li que muita gente concebia naturalmente ao completar sem sucesso o tratamento. Conosco foi assim, na verdade. Elinor, a minha analista, disse que eu tinha muitas questões não resolvidas, que vinham literalmente bloqueando tudo o mais. Uma vez que lidei com elas, engravidei num piscar de olhos. — Ela pegou Claudia e abraçou-a com satisfação. — Estou tão contente, é fantástico. O único lado triste é que minha mãe nunca conhecerá o primeiro neto.

Todas ficaram caladas, por um momento.

— Como é que ela está? — perguntou Hannah, sentindo-se culpada por não ter noção do que vinha acontecendo na vida de Emma. Sabia que Anne-Marie piorara e que auxiliares de enfermagem já estavam tomando conta dela havia algum tempo, mas só isso.

— Ela tem os dias bons e os ruins — respondeu Emma. — Está tomando um novo remédio para o Alzheimer, que, na verdade, até tem ajudado. Reconhece a gente e tem andado mais calma, só que continua a decair cada vez mais. A gente acaba aprendendo a lidar com isso. É de partir o coração. Mas acho que o que está acontecendo torna o bebê ainda mais especial. Por um lado, estou perdendo a minha mãe, por outro, ganhando outra pessoa. Morte, nascimento, o ciclo continua.

— Parece até o tipo de conversa que Abby anda apreciando — comentou Leonie.

— É preciso virar filósofa quando se lida com doenças — explicou Emma. — De outro modo, a gente enlouqueceria pensando: "Por que ela, por que nós?" Temos que aceitar e enfrentar tudo.

— Sinto muito ter me mantido tão afastada — salientou Hannah, tocando com suavidade a mão de Emma. — Você vem enfrentando uma barra pesada, e eu não ajudei nada.

Emma acariciou a mão de Hannah.

— Nós somos amigas, não temos que ser totalmente inseparáveis. Em parte, foi minha culpa. Não consegui lidar direito com a gestação desta fofa. — Deu um beijo no alto da cabeça de Claudia. — É terrível admitir isso, mas hoje em dia acredito que é bom dizer o que se pensa. A análise é ótima nesse aspecto. Na noite em que você teve Claudia, quando a Leonie ligou para me contar, tomei uma garrafa de vinho inteira, arrasada. Eu me senti muito desamparada. Então afastei você da minha vida, Hannah. Não tenho orgulho disso, mas vou compensar o que fiz.

— Não precisa compensar nada — ressaltou Hannah, com sinceridade. — Mas posso ser útil para você. Tenho um monte de roupa legal de gravidez, que você poderá pegar emprestado.

— Mal posso esperar para usá-las — disse Emma, suspirando. — Eu fico virando para o lado e me olhando no espelho para ver se já apareceu alguma curva. Estou louca para ter uma barriga, estria, enfim, tudo que esteja relacionado. Esperei tempo demais por este bebê. Quero curtir muito.

— O Pete anda nas nuvens? — quis saber Hannah.

— Chegou até a decorar o quarto do neném — contou Emma, sorrindo. — Brincadeira. Mas já comprou tinta, papel de parede e uma borda da Disney.

Elas riram.

— Se você quiser que alguém coloque algum ornamento egípcio no quarto, pode pedir para mim — disse Leonie.

— Claro. Ninguém mais sabe, além de Kirsten — acrescentou Emma. — Só vamos querer espalhar a notícia depois do terceiro mês de gestação.

— Claudia vai precisar de amigos, agora que estará morando aqui — comentou Hannah, pegando-a de Emma. — Ela e o seu bebezinho serão companheiros.

— Se for uma menina, com certeza serão — salientou Emma. — Ela vai precisar de amigas. Onde é que eu estaria sem as minhas?

— Presa numa cela do Egito por assassinar seu pai — brincou Leonie.

— Nem lembre. Mas até que ele tem me tratado bem ultimamente. Kirsten diz que é para que eu continue a lavar a roupa dele, só que já é um começo.

— Talvez todas nós devamos tirar férias logo — disse Leonie, pensativa. — Doug quer viajar.

— Vamos para a Itália — sugeriu Emma. — Podíamos alugar uma casa lá, no verão. Com todas nós, sairia bem barato. Eu e Pete vamos ter que economizar.

— Eu também — enfatizou Hannah. — Não acho que vou poder contar muito com a pensão de Felix para Claudia.

— Mas o David é um cara bem de vida, não é? — perguntou Emma, com malícia.

Hannah lhe lançou um olhar zangado.

— Eu acabei de deixar o meu marido, não venha querer me colocar numa relação amorosa. Está cedo demais.

Emma e Leonie se entreolharam.

— Acho que vou perguntar para o simpático David se ele está a fim de tirar férias este ano — prosseguiu Emma. — As vilas italianas ficam bem mais baratas com mais gente. Tenho certeza de que *alguém* vai deixar que ele durma no beliche do quarto.

Hannah jogou uma almofada nela.

— Juro que nunca mais vou sair de férias com vocês duas de novo!

No dia seguinte, a manhã estava ensolarada, apesar do gelo que cobria a rua. Os pneus do carro de David ressoaram no cascalho quando ele saiu da entrada da casa de Leonie.

— Eu não devia estar deixando você fazer isso. Connemara fica longe daqui, e você vai ficar ainda mais tempo fora do trabalho — disse Hannah.

— Quatro horas, no máximo — ressaltou David, de olho na estrada. — São só oito e meia, chegaremos lá a tempo de almoçar.

— Mas essa é só a viagem de ida. Eu me sinto mal por causa disso. Podia ter pegado o trem. Claudia é uma ótima viajante — mentiu.

— Eu queria levar você.

— Mas não precisava.

— Hannah, por que acha que estou fazendo isso? Por que acha que fui até o aeroporto? Porque sou louco por você!

— Pare o carro — ordenou ela.

Surpreso, David estacionou o veículo no gramado à margem da estrada. Claudia, que dormia na cadeirinha encontrada por Leonie em seu sótão, acordara e dera início à sua fala de bebê.

— Melhor você ir se acostumando — comentou Hannah, enquanto os gritinhos da filha aumentavam. Em seguida, inclinou-se e encostou os lábios nos dele, com firmeza. Em segundos, os braços dele a cingiram, e ele a beijou com ímpeto. David tinha um gosto ótimo, e a sensação de estar ali ao seu lado era maravilhosa. Ao contrário de Felix, David mostrava-se firme e reconfortante, como Hannah achou que seria. Sua boca era suave, mas não dócil, já que ele a beijava apaixonada e intensamente. Hannah sentiu-se derreter em seus braços.

Ela se afastou com relutância e o fitou.

— Vai levar algum tempo — avisou. — Eu deixei Felix, mas ele ainda não me deixou, se entende o que eu quero dizer. Não posso me esquecer dele num piscar de olhos.

— A gente pode ir devagar — disse ele, os olhos percorrendo seu rosto, com carinho.

— Bem devagar — salientou ela.

— Assim. — David puxou-a para perto de si de novo e beijou-a. Claudia balbuciou mais alto. — Você tem razão — disse ele, admirado, separando-se por um instante —, a gente *realmente* se acostuma com isso.

Impresso no Brasil pelo
Sistema Cameron da Divisão Gráfica da
DISTRIBUIDORA RECORD DE SERVIÇOS DE IMPRENSA S.A.
Rua Argentina 171 – Rio de Janeiro, RJ – 20921-380 – Tel.: 2585-2000